#홈스쿨링
#혼자공부하기

우등생
과학

**Chunjae
Makes
Chunjae**

▼

우등생 과학 6-1

기획총괄	박상남
편집개발	김성원, 박나현, 전진아
디자인총괄	김희정
표지디자인	윤순미, 강태원
내지디자인	박희춘
본문사진제공	게티이미지코리아, 뉴스뱅크, 야외생물연구회, 셔터스톡
제작	황성진, 조규영
발행일	2023년 12월 1일 2판 2023년 12월 1일 1쇄
발행인	(주)천재교육
주소	서울시 금천구 가산로9길 54
신고번호	제2001-000018호
고객센터	1577-0902

홈스쿨링 꼼꼼 스케줄표(24회)
우등생 과학 6-1

꼼꼼 스케줄표는 교과서 진도북과 온라인 학습북을
24회로 나누어 꼼꼼하게 공부하는 학습 진도표입니다.

● 교과서 진도북　　● 온라인 학습북

1. 과학 탐구		2. 지구와 달의 운동
1회 교과서 진도북 6~9쪽	**2**회 온라인 학습북 4~7쪽	**3**회 교과서 진도북 12~19쪽
월　　일	월　　일	월　　일

2. 지구와 달의 운동		
4회 교과서 진도북 20~27쪽	**5**회 온라인 학습북 8~15쪽	**6**회 교과서 진도북 28~31쪽
월　　일	월　　일	월　　일

2. 지구와 달의 운동	3. 여러 가지 기체	
7회 온라인 학습북 16~19쪽	**8**회 교과서 진도북 34~41쪽	**9**회 교과서 진도북 42~49쪽
월　　일	월　　일	월　　일

3. 여러 가지 기체		
10회 온라인 학습북 20~27쪽	**11**회 교과서 진도북 50~53쪽	**12**회 온라인 학습북 28~31쪽
월　　일	월　　일	월　　일

절취선

꼼꼼하게 공부하는 24회 **꼼꼼 스케줄표** # 전과목 시간표인 **통합 스케줄표**
빠르게 공부하는 10회 **스피드 스케줄표** # 자유롭게 내가 만드는 스케줄표

홈스쿨링 24회
꼼꼼 스케줄표

● 교과서 진도북   ● 온라인 학습북

4. 식물의 구조와 기능		
13회 교과서 진도북 56~63쪽	**14**회 교과서 진도북 64~71쪽	**15**회 온라인 학습북 32~39쪽
월 일	월 일	월 일

4. 식물의 구조와 기능		5. 빛과 렌즈
16회 교과서 진도북 72~75쪽	**17**회 온라인 학습북 40~43쪽	**18**회 교과서 진도북 78~85쪽
월 일	월 일	월 일

5. 빛과 렌즈		
19회 교과서 진도북 86~89쪽	**20**회 교과서 진도북 90~93쪽	**21**회 온라인 학습북 44~51쪽
월 일	월 일	월 일

5. 빛과 렌즈		전체 범위
22회 교과서 진도북 94~96쪽	**23**회 온라인 학습북 52~55쪽	**24**회 온라인 학습북 56~59쪽
월 일	월 일	월 일

온라인 학습이 강화된

우등생 과학 사용법

QR로 학습 스케줄을 편하게 관리!

공부하고 나서 날개에 있는 QR 코드를 스캔하면
온라인 스케줄표에 학습 완료 자동 체크!

※ 스케줄표에 따라 해당 페이지 날개에
[진도 완료 체크] QR 코드가 있어요!

1
단원

진도 완료
체크

동영상 강의
개념 / 서술형 · 논술형 평가 / 단원평가

온라인 채점과 성적 피드백
정답을 입력하면 채점과 성적 분석이 자동으로

온라인 학습 스케줄 관리
나에게 맞는 내 스케줄표로 꼼꼼히 체크하기

우등생 온라인 학습

구성과 특징

교과서 진도북

1 쉽고 재미있게 개념을 익히고 다지기

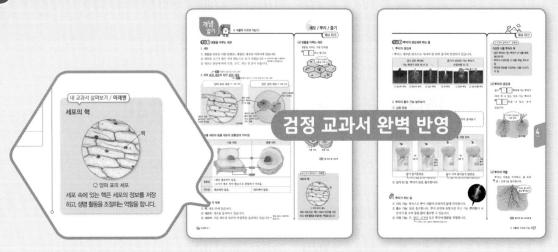

검정 교과서 완벽 반영

2 Step ❶, ❷, ❸단계로 단원 실력 쌓기

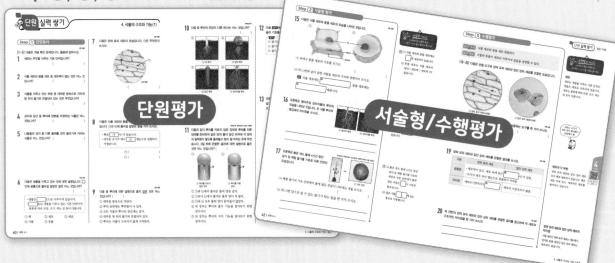

단원평가

서술형/수행평가

3 대단원 평가로 단원 마무리하기

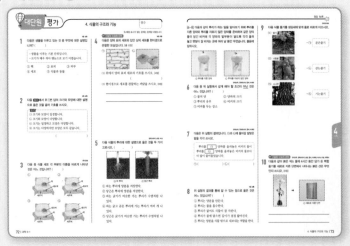

온라인 학습북

1 온라인 개념 강의

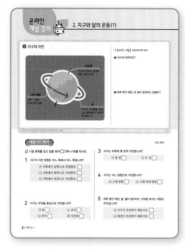

2 실력 평가

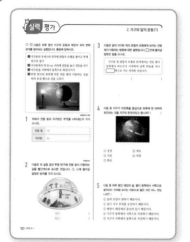

3 온라인 서술형·논술형 강의

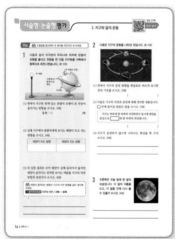

4 단원평가 온라인 피드백

✓ 채점과 성적 분석이 한번에!

85점 / 100점

틀린 문제

❶ 문제 풀고 QR 코드 스캔

❷ 온라인으로 정답 입력

❸ 제출하기 클릭

차례

등장인물 소개

태양

13세 남자아이. 태양신 후보생!
게으르고 우유부단한 성격이지만
잔꾀가 많아서 상황 대처를 잘한다.

보름

13세 여자아이. 달 여신 후보생!
전투적이며 승부욕이 강하다.
꼼꼼한 것 같지만 어딘지 빈틈이 많다.

어두칸

해골 머리를 한 악의 신!
태양과 보름을 방해하지만 늘
실패한다. 이미지와 달리 방해 작전은
늘 유치하다.

부엉

태양과 보름의 애완 부엉이로
언제나 함께 다닌다.

과학 탐구

1

😊 **단원 안내**

- 문제 인식
- 변인 통제
- 자료 해석
- 가설 설정
- 자료 변환
- 결론 도출

만화로 단원 미리보기

창조신님이 귀찮은 숙제를 내주셨어.

자신이 창조한 지구의 미니 복제품을 우리보고 만들라니.

지구에 가본다고 해서 똑같이 만들 수 있을까?

과학자처럼 탐구 단계를 밟아야지.

첫째 문제 인식! 둘째 가설 설정!

너 머리 되게 좋다. 2000만 년 전에 배운 걸 아직도 기억하고 있어?

문제 인식 → 가설 설정 → 변인 통제 → 자료 변환 → 자료 해석 → 결론 도출

어쨌든 이 과정으로 탐구하다 보면 미니 복제 지구를 만들 수 있을 거야.

드디어 진짜 지구다!

여러 가지 실험을 해서 창조신님께 결과를 가장 잘 표현할 수 있는 방법이 무엇인지 찾아보자.

크크크크! 내가 순순히 내버려 둘 것 같아?

이어서 개념 웹툰

정답 2쪽 **개념 다지기**

개념 ① 탐구 문제를 정하고 가설 세우기

1. **문제 인식의 방법:** 궁금한 점 중에서 한 가지를 탐구 문제로 정합니다.

2. **가설 설정:** 탐구 문제의 답을 예상하는 것

내 교과서 살펴보기 / **천재교과서, 김영사**

탐구 문제	가설
종이 기둥 바닥의 꼭짓점 수는 종이 기둥이 견디는 무게에 영향을 미칠까?	➡ 종이 기둥 바닥의 꼭짓점 수가 많을수록 종이 기둥이 견디는 무게가 커질 것이다.
물이 증발하는 데 온도가 영향을 줄까?	➡ 물은 온도가 높은 곳에서 더 빨리 증발할 것이다.

3. **가설을 세울 때 생각할 점**

① 이해하기 쉽도록 간결하게 표현합니다.
② 알아보려는 내용이 분명하게 드러나야 합니다.
③ 탐구를 하여 가설이 맞는지 확인할 수 있어야 합니다.

개념 ② 실험 계획하기

1. **변인 통제:** 탐구에 영향을 줄 수 있는 모든 조건을 확인하고, 다르게 해야 할 조건과 같게 해야 할 조건을 통제하는 것

2. **실험 계획 세우기**

❶ 가설이 맞는지 확인하려면 어떻게 실험해야 할지 이야기해 보기
❷ 실험에서 다르게 해야 할 조건과 같게 해야 할 조건을 찾기
❸ 실험할 때 관찰하거나 측정해야 할 것을 생각해 보기
❹ 실험 과정과 준비물, 안전 수칙, 모둠 구성원들의 역할을 정하기
❺ 실험 계획을 발표하고, 고쳐야 할 부분을 찾아 수정하기

내 교과서 살펴보기 / **미래엔**

가설 확인을 위한 실험 계획
• 가설: 양초 심지의 굵기가 굵을수록 양초가 잘 타서 촛불의 길이가 길 것이다.

실험 과정	양초 세 개에 굵기만 다른 양초 심지를 각각 꽂아 불을 붙이기
다르게 해야 할 조건	양초 심지의 굵기
같게 해야 할 조건	양초의 모양과 크기, 양초 심지의 재료와 길이, 양초가 탄 시간 등
관찰하거나 측정해야 할 것	양초가 탈 때 촛불의 길이

1 탐구 문제의 답을 예상하는 것을 무엇이라고 하는지 쓰시오.
( )

2 가설을 세울 때 생각할 점에 대한 설명으로 옳은 것에 ○표를 하시오.
(1) 이해하기 쉽도록 간결하게 표현합니다. ( )
(2) 알아보려는 내용이 분명하게 드러나지 않아도 됩니다. ( )

3 다음 보기 에서 실험 계획을 세울 때 생각할 점으로 옳은 것을 골라 기호를 쓰시오.

보기
㉠ 실험의 모든 조건을 다르게 해야 합니다.
㉡ 실험 과정과 준비물, 안전 수칙을 정합니다.

( )

개념③ 실험하기

① 변인을 통제하면서 계획한 대로 실험합니다.

② 관찰하거나 측정한 내용은 바로 기록하고, 실험 결과가 예상과 달라도 고치거나 빼지 않습니다.

개념④ 실험 결과 변환하고 해석하기

1. **자료 변환의 방법:** 실험 결과를 표, 그림, 그래프 등으로 변환합니다.

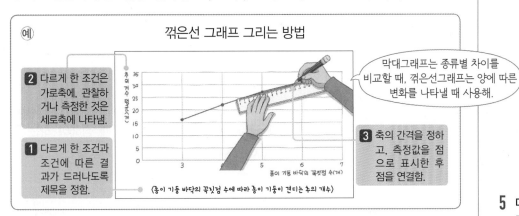

(예) 꺾은선 그래프 그리는 방법

② 다르게 한 조건은 가로축에, 관찰하거나 측정한 것은 세로축에 나타냄.

① 다르게 한 조건과 조건에 따른 결과가 드러나도록 제목을 정함.

③ 축의 간격을 정하고, 측정값을 점으로 표시한 후 점을 연결함.

막대그래프는 종류별 차이를 비교할 때, 꺾은선그래프는 양에 따른 변화를 나타낼 때 사용해.

(종이 기둥 바닥의 꼭짓점 수에 따라 종이 기둥이 견디는 추의 개수)

2. **자료 해석:** 실험 결과를 통해 알 수 있는 점을 생각하고, 자료 사이의 관계나 규칙을 찾아내는 것

자료 해석 방법 »
- 실험 조건을 잘 통제하였는지, 실험 과정과 측정 방법이 올바른지 생각함.
- 실험에서 다르게 한 조건과 실험 결과 사이의 규칙을 찾아내고, 규칙에서 벗어난 것이 있다면 그 까닭을 생각함.

개념⑤ 결론을 이끌어 내고 새로운 탐구 시작하기

① **결론 도출의 방법:** 실험 결과 해석을 통해 가설이 맞는지 판단하고, 결론을 이끌어 냅니다.

② 더 알고 싶은 것 중에서 한 가지를 탐구 문제로 정하고, 가설을 세웁니다.

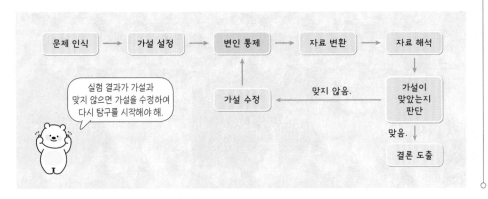

문제 인식 → 가설 설정 → 변인 통제 → 자료 변환 → 자료 해석

실험 결과가 가설과 맞지 않으면 가설을 수정하여 다시 탐구를 시작해야 해.

가설 수정 ← 맞지 않음. ← 가설이 맞았는지 판단

맞음. ↓

결론 도출

---

4 다음은 실험을 할 때 주의할 점에 대한 설명입니다. ☐ 안에 들어갈 알맞은 말을 쓰시오.

> 실험할 때는 ☐☐을/를 통제하면서 계획한 대로 진행합니다.

( )

5 다음 중 꺾은선 그래프를 그리는 방법에 대한 설명으로 옳지 <u>않은</u> 것은 어느 것입니까? ( )

① 측정값을 점으로 표시한다.

② 가로축과 세로축의 간격을 정한다.

③ 실험에서 같게 한 조건은 가로축에 나타낸다.

④ 실험에서 관찰하거나 측정한 것은 세로축에 나타낸다.

⑤ 실험에서 다르게 한 조건이 잘 드러나도록 제목을 정한다.

6 실험 결과를 통해 알 수 있는 점을 생각하고, 자료 사이의 관계나 규칙을 찾아내는 것을 무엇이라고 하는지 쓰시오.

( )

Q 배점 표시가 없는 문제는 문제당 6점입니다.

9종 공통

1 다음 설명에서 ( ) 안의 알맞은 말에 ○표를 하시오.

> 탐구 문제의 답을 예상하는 것은 (가설 설정 / 자료 변환)입니다.

천재교과서

2 다음은 종이 기둥 위에 책을 한 권씩 쌓아 올리면서 변화를 관찰하며 궁금한 점과 탐구 문제를 정한 것입니다. ☐ 안에 들어갈 말로 옳은 것은 어느 것입니까?
( )

궁금한 점	탐구 문제
종이 기둥 바닥의 꼭짓점 수에 따라 종이 기둥이 견딜 수 있는 ☐ 이/가 달라질까?	종이 기둥 바닥의 꼭짓점 수는 종이 기둥이 견디는 무게에 영향을 미칠까?

① 길이   ② 무게   ③ 부피
④ 온도   ⑤ 압력

서술형·논술형 문제

김영사

3 다음과 같이 탐구 문제를 정했을 때 세울 수 있는 가설을 쓰시오. [12점]

> 물이 증발하는 데 온도가 영향을 줄까?

_____

_____

9종 공통

4 다음 중 가설을 세울 때 생각해야 할 점으로 옳지 않은 것은 어느 것입니까? ( )

① 간결하게 표현해야 한다.
② 이해하기 쉽도록 표현해야 한다.
③ 알아보려는 내용이 분명하게 드러나야 한다.
④ 탐구를 하여 가설이 맞는지 확인할 수 있어야 한다.
⑤ 여러 개의 문장으로 어렵고 복잡하게 표현해야 한다.

지학사

5 다음의 가설이 맞는지 확인하기 위한 실험 조건을 정할 때 실험에서 다르게 해야 할 조건으로 옳은 것은 어느 것입니까? [8점] ( )

가설	발포 비타민을 가루로 물에 녹이면 빨리 녹을 것이다.

① 물의 양   ② 물의 온도
③ 실험 장소   ④ 발포 비타민의 양
⑤ 발포 비타민의 형태

9종 공통

6 다음 보기에서 실험 계획을 세울 때 정해야 하는 것으로 옳지 않은 것을 두 가지 골라 기호를 쓰시오.

실험 계획

1. 탐구 문제
어떤 음료수에 비타민 C가 많이 들어 있을까?
:

보기
㉠ 실험 과정   ㉡ 실험 결과
㉢ 실험 준비물   ㉣ 모둠 구성원들의 거주지

(,)

9종 공통

7 다음은 실험 계획을 세우는 단계에 대해 친구들이 이야기한 내용입니다. 바르게 말한 친구의 이름을 쓰시오.

> 세현: 복잡한 실험이 아니므로 역할 분담을 할 필요가 없어.
> 신우: 실험에서 다르게 해야 할 조건과 같게 해야 할 조건을 찾아야 돼.

( )

8 다음은 변인 통제에 대한 설명입니다. ☐ 안에 공통으로 들어갈 알맞은 말을 쓰시오.
9종 공통

> 탐구에서 다르게 해야 할 ☐☐와/과 같게 해야 할 ☐☐을/를 확인하고 통제하는 것입니다.

( )

9 다음 중 탐구 과정에서 실험하기와 실험 결과에 대한 설명으로 옳은 것은 어느 것입니까? ( )
9종 공통

① 실험 결과를 일부 수정하여 기록한다.
② 실험 계획을 일부 무시하고 실험을 한다.
③ 실험 조건을 모두 다르게 하여 실험을 한다.
④ 실험을 여러 번 하면 정확한 실험 결과를 얻을 수 있다.
⑤ 실험하면서 관찰하거나 측정한 내용은 기억해 두었다가 나중에 기록한다.

10 다음은 실험 결과를 무엇으로 변환한 것입니까?
9종 공통
( )

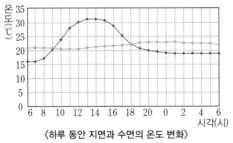

〈하루 동안 지면과 수면의 온도 변화〉

① 표　　　② 그림　　　③ 만화
④ 막대그래프　⑤ 꺾은선그래프

11 다음 보기 에서 실험 결과를 꺾은선그래프로 나타내는 방법에 대한 설명으로 옳은 것을 골라 기호를 쓰시오.
9종 공통

> 보기
> ㉠ 측정값을 점으로 표시하고 막대를 그립니다.
> ㉡ 실험에서 다르게 한 조건은 가로축에 나타냅니다.

( )

12 다음은 자료를 해석하는 과정에서 알 수 있는 점입니다. ( ) 안의 알맞은 말에 ○표를 하시오.
9종 공통

> 실험에서 다르게 한 조건과 (같게 한 조건 / 실험 결과) 사이의 관계를 알 수 있습니다.

13 다음 중 자료 해석 방법에 대해 **잘못** 말한 친구의 이름을 쓰시오.
9종 공통

> 주희: 실험 과정과 관찰 또는 측정 방법이 올바른지 생각해 보자.
> 형준: 자료 사이의 규칙을 찾아내고, 규칙에서 벗어난 것이 있다면 그 부분은 무시해도 돼.

( )

14 다음 중 실험 결과를 해석한 후 가설이 맞지 않았을 때 바로 해야 할 일로 옳은 것은 어느 것입니까?
9종 공통
( )

① 가설을 수정한다.
② 결론을 도출한다.
③ 문제를 인식한다.
④ 자료를 변환한다.
⑤ 새로운 탐구 문제를 정한다.

15 다음은 과학 탐구 과정에 필요한 탐구 요소를 순서대로 나열한 것입니다. ㉠과 ㉡에 들어갈 알맞은 말을 각각 쓰시오. [8점]
9종 공통

> 문제 인식 → ㉠ → 변인 통제 → 자료 변환 → ㉡ → 결론 도출

㉠ ( )
㉡ ( )

🌸 연관 학습 안내

초등 5학년	이 단원의 학습	초등 6학년 2학기
태양계와 별 태양계와 태양계 행성, 별과 행성의 차이점, 별자리에 대해 배웠어요.	**지구와 달의 운동** 지구의 자전과 공전, 달의 모양과 위치 변화 등에 대해 배워요.	**계절의 변화** 지구가 기울어진 채 공전하기 때문에 계절이 변한다는 것을 배울 거예요.

만화로 단원 미리보기

지구와 달의 운동

단원 안내

(1) 하루 동안 태양과 달의 위치 변화 / 지구의 자전 / 낮과 밤
(2) 계절별 별자리 / 지구의 공전 / 달의 모양과 위치 변화

헉! 계절에 관계없이 별자리가 항상 같은 것만 보여.

뭐? 그게 무슨 소리야?

그럼 우리랑 비슷한 힘을 가진 어떤 신이 손을 썼다는 뜻인데.

지구는 자전도 하지만 태양 주위를 도는 공전도 해

계절에 따라 지구의 위치가 달라지니까 밤에 보이는 별자리도 달라져야 한다는 뜻이구나!

누가 지구가 공전하지 않도록 손을 쓴 거냐!

하하하

어두칸!

큭큭. 지구의 공전이 멈춘 걸 알면 창조신에게 엄청나게 혼날걸!

이어서
개념 웹툰

개념 1 하루 동안 태양과 달의 위치 변화

1. 하루 동안 태양의 위치 변화 관찰하기

관찰할 장소를 정하고, 남쪽을 중심으로 나무나 주변 건물 등의 위치를 나타냄.

오전 9시 무렵
오후 12시 30분 무렵
오후 3시 무렵

같은 장소에서 일정한 시간 간격으로 관찰하고 위치를 기록함.

동   남   서

⬆ 하루 동안 태양의 위치 변화

관찰 결과 》

- 동쪽 하늘에 있던 태양은 시간이 지남에 따라 남쪽 하늘을 지나 서쪽 하늘로 움직임.
- 태양의 위치가 왼쪽에서 오른쪽으로 움직임.

2. 하루 동안 달의 위치 변화 관찰하기

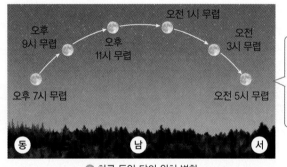

오후 9시 무렵
오후 11시 무렵
오전 1시 무렵
오전 3시 무렵
오후 7시 무렵
오전 5시 무렵

밤에 일정한 시간 간격으로 직접 달을 관찰하고 위치 변화를 기록함.

동   남   서

⬆ 하루 동안 달의 위치 변화

관찰 결과 》

- 달도 태양처럼 관찰되는 위치가 동쪽에서 서쪽으로 움직임.
- 초저녁에 동쪽에서 보이던 보름달은 시간이 지나면서 남쪽 하늘을 지나 서쪽 하늘로 움직임.

중요 3. 하루 동안 태양과 달의 위치 변화

용어 땅끝과 하늘이 만나는 선

하루 동안 태양의 위치 변화	동쪽 지평선에서 떠올라 시간이 지남에 따라 점점 높아지다가 낮아지며, 이후 서쪽 지평선으로 짐.
하루 동안 달의 위치 변화	동쪽에서 서쪽으로 점점 움직이는 것처럼 보이며, 달의 높이는 점점 높아지다가 남쪽 하늘에서 가장 높고, 이후 점점 낮아지다가 서쪽 지평선으로 짐.

└▶ 밤하늘의 별도 하루 동안 동쪽에서 서쪽으로 움직이는 것처럼 보입니다.

☑ 하루 동안 태양의 위치 변화

하루 동안 태양은 ❶ □ 쪽 하늘에서 남쪽 하늘을 지나 ❷ ㅅ 쪽 하늘로 움직이는 것처럼 보입니다.

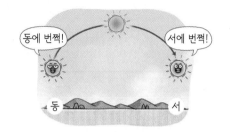

동에 번쩍!
서에 번쩍!

동   서

정답 ❶ 동 ❷ 서

내 교과서 살펴보기 / 김영사

위치 변화를 관찰하기에 적합한 달의 모양

오른쪽이 불룩한 모양의 반달이나 공처럼 둥근달이 뜨는 날에 달의 위치 변화를 쉽게 관찰할 수 있습니다.

동   서

개념 ② 하루 동안 지구의 운동

1. 하루 동안 지구의 운동과 태양의 위치 변화 관계 알아보기

① 실험 방법

내 교과서 살펴보기 / 천재교과서, 비상

1 지구본의 우리나라 위치에 관찰자 모형을 붙이고 투명 반구로 덮기

2 전등을 켜고, 지구본을 서쪽에서 동쪽으로 회전시키기

3 투명 반구의 표면에 비친 전등 빛이 이동하는 길을 유성 펜으로 그리기

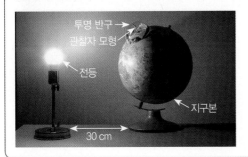

실험 모형	나타내는 것
전등 빛	태양
지구본	지구
투명 반구	관찰자 모형이 바라본 하늘

└▶ 관찰자 모형은 지구에 있는 관찰자를 나타냅니다.

② 실험 결과

전등 빛이 이동해 가는 방향

관찰자 모형

지구본 위의 관찰자 모형의 위치에서는 전등 빛이 동쪽에서 떠오르기 시작하여 남쪽 하늘을 지나 서쪽으로 지는 것처럼 보임.

③ 정리: 지구가 회전하기 때문에 태양의 위치가 동쪽에서 서쪽으로 움직이는 것처럼 보입니다.

2. 지구의 자전

용어 지구의 북극과 남극을 이은 가상의 직선

지구의 자전축

뜻	지구가 자전축을 중심으로 서쪽에서 동쪽(시계 반대 방향)으로 하루에 한 바퀴씩 회전하는 것
자전 방향	서쪽 → 동쪽
자전 주기	약 24시간(하루)

서

동

3. 하루 동안 태양과 달, 별이 동쪽에서 서쪽으로 움직이는 것처럼 보이는 까닭: 지구가 서쪽에서 동쪽으로 자전하기 때문입니다.

개념 체크

☑ 하루 동안 지구의 운동

지구가 회전하기 때문에 **③** ㅌ ㅇ 의 위치가 동쪽에서 서쪽 방향으로 움직이는 것처럼 보입니다.

어지러워. 그만 돌아.

네가 움직이고 있거든!

2 단원

☑ 지구의 자전

지구의 북극 위에서 보면 지구의 자전 방향은 시계 **④** ㅂ ㄷ 방향입니다.

지구는 나를 중심으로 돌아!

자전축

용어 태양이 지평선 위로 떠오를 때부터 지평선 아래로 질 때까지의 시간

실험 동영상

개념 ③ 낮과 밤이 생기는 까닭

1. 낮과 밤이 생기는 까닭 알아보기

내 교과서 살펴보기 / **천재교과서**

탐구 과정	① 지구본에서 약 30 cm 떨어진 곳에 전등을 놓고 켜기 ② 지구본에서 낮인 지역과 밤인 지역에 각각 관찰자 모형을 붙이고, 투명 반구로 덮기 ③ 지구본을 서쪽에서 동쪽(시계 반대 방향)으로 회전시키며 낮인 지역과 밤인 지역의 변화 관찰하기 전등 빛이 비치는 곳: 낮 전등 빛이 비치지 않는 곳: 밤 전등 → 관찰자 모형 → 지구본	
탐구 결과	지구본을 회전시킬 때	• 낮과 밤이 번갈아 나타남. • 낮이었던 지역은 밤이 되고, 밤이었던 지역은 낮이 됨.
	지구본을 회전시키지 않을 때	• 낮과 밤이 번갈아 나타나지 않음. • 낮인 지역은 계속 낮이 되고, 밤인 지역은 계속 밤이 됨.

2. 낮과 밤이 생기는 까닭

① 낮과 밤이 생기는 까닭: 지구가 자전하기 때문입니다.

② 지구가 자전할 때 태양 빛을 받는 지역은 낮이 되고, 태양 빛을 받지 못하는 지역은 밤이 됩니다.

낮인 지역과 밤인 지역을 구분하는 경계선 / 지구의 자전축 / 태양 빛 / 낮인 지역 / 밤인 지역

⚠ 지구의 낮인 지역과 밤인 지역

③ 우리나라에서 낮과 밤이 번갈아 나타나는 까닭: 지구가 하루에 한 바퀴씩 자전 하면서 태양 빛을 받는 지역이 달라지기 때문입니다.

☑ 실험에서 각 모형이 나타내는 것

왼쪽 실험에서 전등 빛은 태양, 지구본은 **⑤** ⬜ᄌ⬜ ⬜ᄀ⬜, 관찰자 모형은 지구에 있는 관찰자를 나타냅니다.

나는 지구를 나타내! / 나는 태양!

☑ 낮과 밤이 생기는 까닭

지구가 하루에 한 바퀴씩 자전하기 때문에 낮과 **⑥** ⬜ᄇ⬜이 하루에 한 번씩 번갈아 나타납니다.

태양 빛을 받는지, 받지 못하는지가 다르네. / 낮 / 밤

정답 ⑤ 지구 ⑥ 밤

개념 다지기

1 오전 9시 무렵에 보이는 태양의 위치가 다음과 같았을 때 오후 12시 30분 무렵에 보이는 태양의 위치로 옳은 것을 골라 기호를 쓰시오.
9종 공통

(   )

2 다음 중 하루 동안 일어나는 달의 위치 변화를 나타낸 것으로 옳은 것은 어느 것입니까? (   )
9종 공통

① 동쪽 → 서쪽 → 북쪽
② 서쪽 → 남쪽 → 동쪽
③ 동쪽 → 남쪽 → 서쪽
④ 서쪽 → 북쪽 → 동쪽
⑤ 남쪽 → 북쪽 → 동쪽

3 다음과 같이 장치하고 지구본을 서쪽에서 동쪽으로 회전시켰을 때 지구본 위에 있는 관찰자 모형에게 전등이 움직이는 것처럼 보이는 방향으로 옳은 것에 각각 ○표를 하시오.
천재교과서, 비상

전등은 (동 / 서)쪽에서 (동 / 서)쪽으로 움직이는 것처럼 보입니다.

4 다음 보기 에서 지구의 자전축에 대한 설명으로 옳은 것을 골라 기호를 쓰시오.
9종 공통

보기
㉠ 지구의 북극과 남극을 이은 가상의 직선
㉡ 우리나라의 서쪽과 동쪽을 이은 가상의 직선
㉢ 지구가 회전을 하면 실제로 생기는 지구 중심을 통과하는 긴 막대

(   )

5 다음은 지구본에서 전등이 비치는 곳과 비치지 않는 곳에 관찰자 모형을 붙이고 투명 반구로 덮은 모습입니다. 낮인 지역과 밤인 지역의 기호를 각각 쓰시오.
천재교과서

(1) 낮인 지역: (   )
(2) 밤인 지역: (   )

6 다음은 지구에 낮과 밤이 생기는 까닭에 대한 설명입니다. ☐ 안에 들어갈 말로 옳은 것은 어느 것입니까? (   )
9종 공통

지구가 하루에 한 바퀴씩 ☐☐ 하면서 태양 빛을 받는 쪽이 달라지기 때문입니다.

① 공전   ② 굴절   ③ 수축
④ 자전   ⑤ 직진

Step 1 단원평가

9종 공통

[1~5] 다음은 개념 확인 문제입니다. 물음에 답하시오.

1 하루 동안 태양과 달의 위치는 동쪽에서 (남 / 북)쪽을 지나 서쪽으로 움직이는 것처럼 보입니다.

2 지구가 자전축을 중심으로 서쪽에서 동쪽으로 하루에 한 바퀴씩 회전하는 것을 무엇이라고 합니까?

지구의 ( )

3 하루 동안 태양과 달, 별의 위치가 달라지는 까닭은 지구가 (공전 / 자전)하기 때문입니다.

4 태양이 지평선 위로 떠오를 때부터 지평선 아래로 질 때까지의 시간을 무엇이라고 합니까?

( )

5 지구가 자전할 때 태양 빛을 받지 못하는 지역은 낮과 밤 중 어느 것이 됩니까? ( )

9종 공통

6 다음 중 하루 동안 일어나는 태양의 위치 변화에 대한 설명으로 옳은 것은 어느 것입니까? ( )

① 하루 동안 동쪽 하늘에서만 보인다.
② 하루 동안 남쪽 하늘에서만 보인다.
③ 하루 동안 서쪽 하늘에서만 보인다.
④ 하루 동안 서쪽 하늘에서 남쪽 하늘을 지나 동쪽 하늘로 움직이는 것처럼 보인다.
⑤ 하루 동안 동쪽 하늘에서 남쪽 하늘을 지나 서쪽 하늘로 움직이는 것처럼 보인다.

9종 공통

7 다음은 하루 동안 일어나는 달의 위치 변화에 대한 설명입니다. ☐ 안에 들어갈 알맞은 말을 쓰시오.

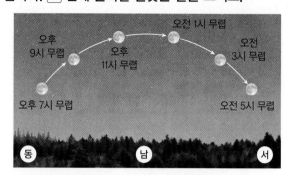

오후 9시 무렵   오전 1시 무렵   오전 3시 무렵
오후 11시 무렵
오후 7시 무렵   오전 5시 무렵
동   남   서

오후 7시 무렵에 ☐쪽에서 보이던 달은 시간이 지나면서 남쪽 하늘을 지나 서쪽 하늘로 움직입니다.

( )

[8~9] 다음은 하루 동안 지구의 운동과 태양의 위치 변화를 알아보기 위한 실험입니다. 물음에 답하시오.

투명 반구
관찰자 모형
전등
지구본

천재교과서

8 지구본을 서쪽에서 동쪽으로 회전시킬 때 투명 반구에 비친 전등 빛이 이동하는 길로 옳은 것을 골라 기호를 쓰시오.

ㄱ

관찰자 모형
⊙ 전등 빛이 동쪽에서 떠올라 서쪽으로 지는 것처럼 보임.

ㄴ

관찰자 모형
⊙ 전등 빛이 서쪽에서 떠올라 동쪽으로 지는 것처럼 보임.

( )

9종 공통

9 앞에서 지구본을 서쪽에서 동쪽 방향으로 회전시켰을 때 지구본이 회전하는 방향과 지구본 위에 있는 관찰자 모형이 본 전등이 움직이는 방향을 바르게 나타낸 것은 어느 것입니까? (　　　)

	지구본이 회전하는 방향	관찰자 모형이 본 전등이 움직이는 방향
①	서쪽 → 동쪽	서쪽 → 동쪽
②	서쪽 → 동쪽	동쪽 → 서쪽
③	서쪽 → 동쪽	남쪽 → 북쪽
④	동쪽 → 서쪽	동쪽 → 서쪽
⑤	동쪽 → 서쪽	서쪽 → 동쪽

9종 공통

10 지구의 북극과 남극을 이은 가상의 직선을 무엇이라고 하는지 쓰시오.

(　　　　　　　)

9종 공통

11 다음 보기 에서 지구의 자전에 대한 설명으로 옳은 것을 골라 기호를 쓰시오.

보기
㉠ 지구가 태양을 중심으로 하루에 한 바퀴씩 회전하는 것입니다.
㉡ 지구가 자전축을 중심으로 하루에 한 바퀴씩 회전하는 것입니다.
㉢ 지구가 자전축을 중심으로 일 년에 한 바퀴씩 회전하는 것입니다.

(　　　　　　　)

천재교과서

12 다음은 낮과 밤이 생기는 까닭을 알아보기 위한 실험입니다. 이 실험에서 각각이 나타내는 것에 맞게 줄로 바르게 이으시오.

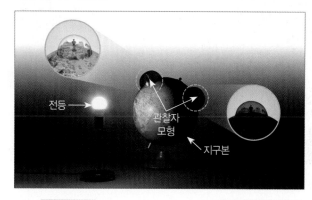

(1) 전등 빛 ・　　　・㉠ 지구

(2) 지구본 ・　　　・㉡ 태양

(3) 관찰자 모형 ・　　　・㉢ 지구에 있는 관찰자

9종 공통

13 다음은 지구의 낮인 지역과 밤인 지역에 대한 설명입니다. ㉠, ㉡ 중 낮인 지역에 해당하는 것의 기호를 쓰시오.

㉠	지구가 자전할 때 태양 빛을 받는 지역
㉡	지구가 자전할 때 태양 빛을 받지 못하는 지역

(　　　　　　　)

9종 공통

14 오른쪽은 지구가 태양 빛을 받고 있는 모습입니다. 이에 대한 설명으로 옳은 것은 어느 것입니까? (　　　)

① 지구에서 밤인 곳은 ㉠이다.
② 지구에서 낮인 곳은 ㉡이다.
③ 태양은 현재 지구의 오른쪽에 있다.
④ 지구가 태양 빛을 받는 곳은 밤이 된다.
⑤ 지구가 자전을 하면 태양 빛을 받는 쪽이 바뀐다.

9종 공통

15 오른쪽은 하루 동안 달의 위치 변화를 관측한 것입니다. 하루 동안 달의 위치는 어떻게 변하는지 쓰시오.

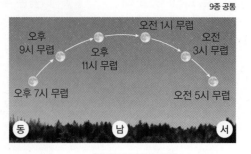

오후 1시 무렵

오후 9시 무렵   오후 11시 무렵   오전 3시 무렵

오후 7시 무렵   오전 5시 무렵

동   남   서

답 동쪽 지평선에서 떠오른 달은 시간이 지나면서 **❶** [   ]쪽 하늘을

지나 **❷** [   ]쪽 하늘로 움직이는 것처럼 보인다.

천재교과서, 비상

16 오른쪽은 하루 동안 지구의 운동과 태양의 위치 변화를 알아보기 위한 실험입니다.

투명 반구 →
관찰자 모형 →
전등
지구본

(1) 오른쪽에서 투명 반구가 나타내는 것은 다음 중 어느 것인지 쓰시오.

> 지구, 태양, 관찰자 모형이 바라본 하늘

(   )

(2) 지구본을 서쪽에서 동쪽으로 회전시켰을 때, 관찰자 모형의 위치에서 전등 빛이 어떻게 이동하는 것처럼 보이는지 쓰시오.

_____

_____

천재교과서

17 오른쪽은 낮과 밤이 생기는 까닭을 알아보기 위한 실험입니다. 지구본을 서쪽에서 동쪽으로 회전시킬 때 낮이 었던 지역과 밤이었던 지역이 어떻게 되는지 쓰시오.

◀ 낮인 지역

▲ 밤인 지역

_____

_____

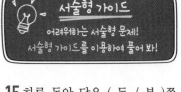

서술형 가이드
어려워하는 서술형 문제!
서술형 가이드를 이용하여 풀어 봐!

15 하루 동안 달은 (동 / 북)쪽 하늘에서 떠서 남쪽 하늘을 지나 서쪽 하늘로 움직이는 것처럼 보입니다.

16 (1) 왼쪽 실험에서 전등 빛은 태양, 지구본은 (달 / 지구), 투명 반구는 관찰자 모형이 바라본 하늘을 나타냅니다.

(2) 관찰자 모형에게 전등 빛이 [   ]쪽 → 남쪽 → [   ]쪽 으로 이동하는 것처럼 보입니다.

17 지구본을 회전시키면 [   ]과 밤이 번갈아 나타납니다.

단원 **실력 쌓기** 정답 3쪽

수행평가 가이드
다양한 유형의 수행평가!
수행평가 가이드를 이용해 풀어 봐!

학습 주제 하루 동안 태양의 위치 변화

학습 목표 하루 동안 태양의 위치가 달라지는 것을 지구의 자전으로 설명할 수 있다.

[18~20] 다음은 하루 동안 지구의 운동과 태양의 위치 변화 관계를 알아보기 위한 실험입니다.

❶ 지구본의 우리나라 위치에 관찰자 모형을 붙이고 투명 반구로 덮기
❷ 지구본에서 약 30 cm 거리에 전등을 놓고 전등을 켜기
❸ 지구본을 서쪽에서 동쪽으로 회전시키기

천재교과서, 비상

실험 모형이 나타내는 것

투명 반구	관찰자 모형이 바라본 하늘
관찰자 모형	지구에 있는 관찰자

2
단원

진도 완료 체크

18 위 실험에서 각 모형은 무엇을 나타내는지 각각 쓰시오.

실험 모형	나타내는 것
지구본	❶
전등 빛	❷

천재교과서

19 위 실험에서 지구본을 서쪽에서 동쪽으로 회전시킬 때 투명 반구의 표면에 전등 빛이 이동하는 길과 방향을 오른쪽 투명 반구 위에 화살표로 그리시오.

관찰자 모형에게 보이는 전등 빛의 이동 방향

전등 빛은 동쪽에서 떠오르기 시작하여 남쪽 하늘을 지나 서쪽 지평선으로 지는 것처럼 보입니다.

9종 공통

20 하루 동안 태양이 동쪽에서 떠서 서쪽으로 움직이는 것처럼 보이는 까닭은 무엇인지 쓰시오.

하루 동안 태양, 달, 별이 동쪽에서 서쪽으로 움직이는 것처럼 보이는 까닭은 지구의 자전 때문이야.

개념 알기

개념 1 계절별 대표적인 별자리 찾아보기

1. 계절에 따라 저녁 9시 무렵 하늘에서 볼 수 있는 별자리

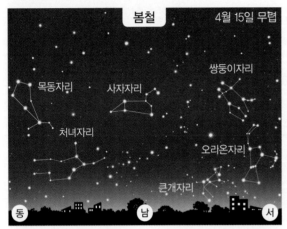

봄철 — 4월 15일 무렵
목동자리, 사자자리, 처녀자리, 쌍둥이자리, 오리온자리, 큰개자리

여름철 — 7월 15일 무렵
백조자리, 거문고자리, 목동자리, 독수리자리, 사자자리, 처녀자리

가을철 — 10월 15일 무렵
안드로메다자리, 백조자리, 페가수스자리, 거문고자리, 물고기자리, 독수리자리

겨울철 — 1월 15일 무렵
쌍둥이자리, 안드로메다자리, 페가수스자리, 오리온자리, 물고기자리, 큰개자리

2. 계절별 대표적인 별자리: 어느 계절의 밤하늘에서 오랜 시간 동안 볼 수 있는 별자리를 말합니다.

봄	목동자리, 사자자리, 처녀자리
여름	백조자리, 거문고자리, 독수리자리
가을	안드로메다자리, 페가수스자리, 물고기자리
겨울	쌍둥이자리, 오리온자리, 큰개자리

→ 여름철에 보기 힘든 별자리입니다.

3. 계절별 대표적인 별자리의 특징

- 계절마다 밤하늘에서 관찰되는 대표적인 별자리가 달라집니다.
- 어느 한 별자리를 1년 동안 저녁 9시 무렵에 관찰했을 때 그 별의 위치가 조금씩 달라집니다.
- 저녁 9시 무렵에 남동쪽 하늘이나 남쪽 하늘에 위치한 별들은 밤하늘에서 볼 수 있는 시간이 길기 때문에 그 계절의 대표적인 별자리가 됩니다.

☑ 계절별 대표적인 별자리의 특징

계절별 대표적인 별자리는 그 계절에만 보이는 것이 아니라 ❶ □ 계절이나 세 계절에 걸쳐 볼 수 있습니다.

나는 겨울, 봄, 여름 세 계절에 걸쳐 볼 수 있어.

사자자리

정답 ❶ 두(2)

개념② 일 년 동안 지구의 운동

1. 일 년 동안 지구의 운동과 계절별 대표적인 별자리 변화의 관계 알아보기

개념 체크

내 교과서 살펴보기 / 천재교과서

왼쪽 실험에서 각각이 실제로 나타 내는 것

실험 모형	실제로 나타내는 것
전등	태양
지구본	지구
별자리 그림	별자리

2 단원

탐구 과정과 결과	① 각 계절별 대표적인 별자리를 든 네 사람이 전등 주위에 앉기 ② 지구본을 놓고 우리나라에 관찰자 모형을 붙인 다음 전등 켜기 ③ 지구본을 서쪽에서 동쪽으로 회전시키면서, (가)~(라)의 각 위치에서 　우리나라가 한밤일 때 관찰자 모형에서 가장 잘 보이는 별자리 찾기

시계 반대 방향

- (나) 위치에서는 백조자리가 가장 잘 보여. ← 백조자리
- (가) 위치에서는 사자자리가 가장 잘 보여. → 사자자리
- 관찰자 모형
- (다) 위치에서는 페가수스자리가 가장 잘 보여. → 페가수스자리
- (라) 위치에서는 오리온자리가 가장 잘 보여. ← 오리온자리
- (나) (가) (다) (라)

알게 된 점	계절별 대표적인 별자리가 달라지는 까닭: 지구본을 놓은 위치에 따라 한밤에 관찰자 모형이 별자리를 바라보는 방향이 달라지기 때문이다.

☑ 지구의 공전

지구는 일 년에 한 번씩 시계 반대 방향으로 ❷ [ㄱ][ㅈ] 을 합니다.

- 자전하면서 공전까지 해야해.
- 힘들겠다.

정답 ❷ 공전

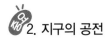 **2. 지구의 공전**

① **지구의 공전:** 지구가 태양을 중심으로 일 년에 한 바퀴씩 서쪽에서 동쪽으로 회전하는 것

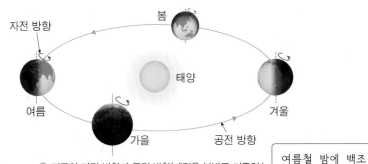

- 봄
- 자전 방향
- 태양
- 여름
- 겨울
- 가을
- 공전 방향

⊙ 지구의 자전 방향과 공전 방향(계절은 북반구 기준임.)

② **계절별 별자리가 달라지는 까닭:** 지구가 태양 주위를 공전하면서 한밤에 관찰자가 별자리를 바라보는 방향이 달라지기 때문입니다.

③ **계절별 밤하늘에서 관찰하기 힘든 별자리:** 태양과 같은 방향에 있는 별자리는 밤하늘에서 관찰하기 힘듭니다.

봄철 밤하늘에서는 페가수스 자리를 보기 힘듦.

여름철 밤에 백조 자리는 남쪽 하늘 에서 볼 수 있지만, 오리온자리는 태양 빛 때문에 볼 수 없음.

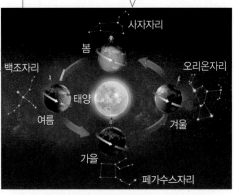

- 사자자리
- 봄
- 백조자리
- 태양
- 오리온자리
- 여름
- 겨울
- 가을
- 페가수스자리

⊙ 지구의 공전에 따른 계절별 별자리의 변화

개념 3 여러 날 동안 달의 모양과 위치 변화

1. **여러 날 동안 같은 시각에 보이는 달의 모양과 위치 관찰하기:** 태양이 진 직후(저녁 7시 무렵)에 관찰한 모습입니다.

달의 모양	가느다란 눈썹 모양처럼 보이던 달이 점차 차서 오른쪽 반달이 되고, 이후에 둥근달로 변했음.
달의 위치	같은 시각에 관찰했을 때 달의 위치가 전날에 비해 왼쪽(동쪽)으로 이동하였음.

2. **여러 날 동안 달의 모양 변화:** 달의 모양은 약 30일을 주기로 초승달, 상현달, 보름달, 하현달, 그믐달의 순서로 변합니다.

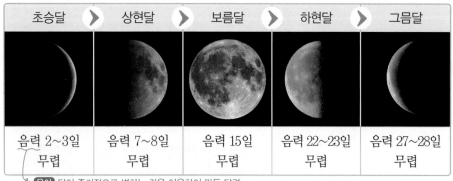

초승달 ❯	상현달 ❯	보름달 ❯	하현달 ❯	그믐달
음력 2~3일 무렵	음력 7~8일 무렵	음력 15일 무렵	음력 22~23일 무렵	음력 27~28일 무렵

↳ 용어 달이 주기적으로 변하는 것을 이용하여 만든 달력

내 교과서 살펴보기 / 천재교과서, 김영사, 미래엔, 아이스크림

오늘 보름달을 보았을 때 다시 보름달을 볼 수 있는 시기

다시 보름달을 볼 수 있는 시기	약 30일 후에 다시 보름달을 볼 수 있음.
까닭	달의 모양은 약 30일을 주기로 변하기 때문임.

☑ 여러 날 동안 달의 모양과 위치 변화

여러 날 동안 같은 시각에 관찰한 달의 위치는 서쪽에서 ❸ ☐ ☐ 으로 날마다 조금씩 옮겨 가면서 그 모양도 달라집니다.

위치도 달라지고, 모양도 달라졌어.

☑ 달의 모양 변화

달의 모양은 초승달 → 상현달 → ❹ ☐ ☐ 달 → 하현달 → 그믐달의 순서로 약 30일을 주기로 변합니다.

위치도 약 30일 주기로 되풀이돼.

정답 ❸ 동쪽 ❹ 보름

개념 다지기

1 다음은 어느 계절의 대표적인 별자리인지 쓰시오.

(   )

2 다음 계절과 그 계절의 대표적인 별자리에 맞게 줄로 바르게 이으시오.

(1) 봄 •   •㉠ 오리온자리

(2) 여름 •   •㉡ 처녀자리

(3) 가을 •   •㉢ 독수리자리

(4) 겨울 •   •㉣ 물고기자리

3 다음은 별자리에 대한 내용입니다. ( ) 안의 알맞은 말에 ○표를 하시오.

㉮~㉰의 각 위치에서 우리나라가 한밤일 때 관찰자 모형에게 가장 잘 보이는 별자리는 (같습 / 다릅)니다.

4 다음 중 계절에 따라 보이는 별자리가 달라지는 까닭으로 옳은 것은 어느 것입니까? (   )

① 지구가 자전하기 때문이다.

② 지구가 스스로 빛을 내기 때문이다.

③ 지구가 달 주위를 공전하기 때문이다.

④ 지구가 태양 주위를 공전하기 때문이다.

⑤ 계절에 따라 지구가 위치한 곳이 같기 때문이다.

5 다음은 음력 7~8일 저녁 7시 무렵에 달을 관찰한 모습입니다. 이 달의 이름은 무엇인지 쓰시오.

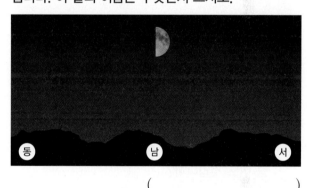

(   )

6 다음 중 오른쪽과 같은 모양의 달을 볼 수 있는 때로부터 5일이 지난 뒤에 볼 수 있는 달의 모양으로 옳은 것은 어느 것입니까?

(   )

△ 하현달

① ② ③ ④

2 단원

Step **1** 단원평가

9종 공통

[1~5] 다음은 개념 확인 문제입니다. 물음에 답하시오.

1 백조자리, 거문고자리, 독수리자리는 (겨울 / 여름) 철에 볼 수 있는 별자리입니다.

2 지구가 태양을 중심으로 일 년에 한 바퀴씩 회전하는 것을 무엇이라고 합니까?

지구의 (   )

3 계절별 별자리가 달라지는 까닭은 지구가 태양 주위를 (공전 / 자전)하기 때문입니다.

4 오른쪽과 같은 모양을 하고 있는 달의 이름은 무엇입니까?

(   )

5 음력 7~8일 무렵에 볼 수 있는 달은 상현달과 하현달 중 어느 것입니까? (   )

9종 공통

6 다음은 어떤 계절의 저녁 9시 무렵에 하늘에서 볼 수 있는 별자리의 모습인지 쓰시오.

(   )

9종 공통

7 다음 중 봄철의 대표적인 별자리는 어느 것입니까?

(   )

① 사자자리   ② 큰개자리

③ 독수리자리   ④ 오리온자리

⑤ 페가수스자리

9종 공통

8 다음 중 겨울철에 볼 수 <u>없는</u> 별자리끼리 바르게 짝지은 것은 어느 것입니까? (   )

① 큰개자리, 백조자리

② 목동자리, 물고기자리

③ 거문고자리, 독수리자리

④ 쌍둥이자리, 오리온자리

⑤ 안드로메다자리, 페가수스자리

[9~10] 다음은 일 년 동안 지구의 운동과 계절별 대표적인 별자리 변화의 관계를 알아보기 위한 실험입니다. 물음에 답하시오.

9종 공통

9 위에서 지구본을 회전시켜야 하는 방향은 시계 방향과 시계 반대 방향 중 어느 것인지 쓰시오.

(   ) 방향

9종 공통

10 다음은 앞의 실험을 통해 알게 된 점입니다. (   ) 안의 알맞은 말에 ○표를 하시오.

> 계절별 대표적인 별자리가 달라지는 까닭은 지구본을 놓은 위치에 따라 한밤에 관찰자 모형이 (태양 / 별자리)을/를 바라보는 방향이 달라지기 때문입니다.

9종 공통

11 다음 보기 에서 지구의 공전에 대한 설명으로 옳은 것을 바르게 짝지은 것은 어느 것입니까? (   )

> **보기**
> ㉠ 지구는 서쪽에서 동쪽으로 공전합니다.
> ㉡ 태양이 지구 주위를 회전하는 것을 말합니다.
> ㉢ 지구는 태양 주위를 일 년에 네 바퀴씩 공전합니다.
> ㉣ 지구가 태양 주위를 공전하기 때문에 계절마다 보이는 별자리가 달라집니다.

① ㉠, ㉡   ② ㉠, ㉢
③ ㉠, ㉣   ④ ㉡, ㉢
⑤ ㉢, ㉣

9종 공통

12 다음은 여러 날 동안 태양이 진 직후 같은 시각에 보이는 달의 모양과 위치 변화입니다. ㉠, ㉡에 들어갈 방위를 바르게 짝지은 것은 어느 것입니까? (   )

	㉠	㉡		㉠	㉡
①	북	서	②	북	동
③	동	서	④	동	북
⑤	서	동			

9종 공통

13 다음 중 오른쪽 상현달을 볼 수 있는 때는 언제입니까?
(   )

① 음력 2~3일 무렵
② 음력 7~8일 무렵
③ 음력 15일 무렵
④ 음력 22~23일 무렵
⑤ 음력 27~28일 무렵

9종 공통

14 위 13번 상현달이 보인 날부터 15일 뒤에 볼 수 있는 달로 가장 옳은 것은 어느 것입니까? (   )

①
△ 초승달

②
△ 보름달

③
△ 하현달

④
△ 그믐달

9종 공통

15 다음 중 음력 2~3일 무렵부터 여러 날 동안 볼 수 있는 달의 모양을 순서대로 바르게 나타낸 것은 어느 것입니까? (   )

① 그믐달 → 하현달 → 보름달 → 상현달 → 초승달
② 그믐달 → 상현달 → 보름달 → 하현달 → 초승달
③ 초승달 → 그믐달 → 하현달 → 상현달 → 보름달
④ 초승달 → 상현달 → 보름달 → 하현달 → 그믐달
⑤ 초승달 → 하현달 → 보름달 → 상현달 → 그믐달

16 오른쪽의 별자리를 볼 수 있는 계절을 쓰고, 계절별 대표적인 별자리의 특징을 쓰시오.

(1) 별자리를 볼 수 있는 계절
(   )

(2) 계절별 대표적인 별자리의 특징

답 어느 계절의 밤하늘에서 ❶ [　　　　　] 시간 동안 볼 수 있는 별자리로,

계절마다 대표적인 별자리가 ❷ [　　　　　].

17 오른쪽은 계절별 별자리의 변화를 나타낸 것입니다. 오리온자리를 볼 수 없는 지구 위치의 기호를 쓰고, 계절별 별자리가 달라지는 까닭을 쓰시오.

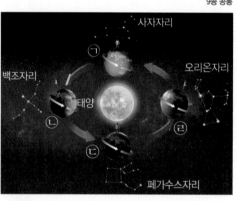

_____

_____

18 다음은 여러 날 동안 관찰한 달의 모양입니다.

(1) 위에서 ㉠과 ㉡에 해당하는 달의 이름을 각각 쓰시오.

㉠ (   ) ㉡ (   )

(2) 오늘 밤에 보름달을 보았다면 언제 다시 보름달을 볼 수 있는지 쓰시오.

_____

_____

---

16 (1) (백조 / 오리온)자리, 거문고자리, 독수리자리는 여름철의 대표적인 별자리입니다.

(2) 계절별 [　][　]적인 별자리는 어느 계절의 밤하늘에서 오랜 시간 동안 볼 수 있는 별자리입니다.

17 지구가 태양 주위를 공전하면서 계절에 따라 한밤에 바라보는 방향이 달라지기 때문에 [　][　][　]가 달라집니다.

18 (1) 음력 (2~3 / 27~28)일 무렵에는 초승달, 음력 (2~3 / 27~28)일 무렵에는 그믐달을 볼 수 있습니다.

(2) 달의 모양 변화가 약 (15 / 30)일마다 반복됩니다.

Step 3 수행평가

학습 주제 여러 날 동안 달의 모양과 위치 변화

학습 목표 달의 모양과 위치가 주기적으로 바뀌는 것을 관찰할 수 있다.

9종 공통

19 다음은 여러 가지 달의 모양을 나타낸 것입니다. 달의 이름을 각각 쓰시오.

㉠

㉡

㉢

㉣

㉤

기호	달의 이름	기호	달의 이름
㉠		㉡	
㉢		㉣	
㉤			

9종 공통

20 다음은 어느 날 태양이 진 직후 서쪽 하늘에서 관찰한 초승달의 모습입니다. 이로부터 약 30일 후에 태양이 진 직후에 초승달을 보았다면 어느 쪽 하늘에서 보이는지 쓰고, 그 까닭을 쓰시오.

동   남   서

달을 볼 수 있는 시기

달의 이름	볼 수 있는 시기
초승달	음력 2~3일 무렵
상현달	음력 7~8일 무렵
보름달	음력 15일 무렵
하현달	음력 22~23일 무렵
그믐달	음력 27~28일 무렵

2
단원

진도 완료 체크

달의 모양은
'초승달 → 상현달 →
보름달 → 하현달 →
그믐달'의 순서로 변해.

달의 모양과 위치 변화

• 달의 모양 변화: 약 30일을 주기로 되풀이됩니다.

• 달의 위치 변화: 약 30일을 주기로 되풀이됩니다.

2. 지구와 달의 운동

Q 배점 표시가 없는 문제는 문제당 4점입니다.

9종 공통

1 다음은 하루 동안 일어나는 태양의 위치 변화를 나타낸 것입니다. ㉠, ㉡에 들어갈 알맞은 방위를 각각 쓰시오.

[3점]

동　　　　　남　　　　　서

하루 동안 태양은 ㉠ 쪽에서 남쪽 하늘을 지나 ㉡ 쪽 하늘로 움직입니다.

㉠ (　　　　　　　　　)
㉡ (　　　　　　　　　)

🖊 서술형·논술형 문제

9종 공통

2 다음은 하루 동안 일어나는 달의 위치 변화를 나타낸 것입니다. [총 10점]

오후 9시 무렵　　오후 11시 무렵　　오전 1시 무렵　　오전 3시 무렵

오후 7시 무렵　　　　　　　　　　　　　　오전 5시 무렵

동　　　　　㉠　　　　　서

(1) 위에서 ㉠에 들어갈 알맞은 방위를 쓰시오. [2점]
(　　　　　　　　　)

(2) 위 그림으로 보아 하루 동안 달의 위치는 어떻게 변하는지 쓰시오. [8점]

_____

_____

9종 공통

3 다음 중 하루 동안 태양과 달의 위치 변화에 대한 설명으로 옳은 것은 어느 것입니까? (　　　　)

① 하루 동안 태양과 달은 동쪽에서 북쪽으로 움직이는 것처럼 보인다.

② 하루 동안 태양과 달은 동쪽에서 서쪽으로 움직이는 것처럼 보인다.

③ 하루 동안 태양과 달은 서쪽에서 남쪽으로 움직이는 것처럼 보인다.

④ 하루 동안 태양과 달은 남쪽에서 동쪽으로 움직이는 것처럼 보인다.

⑤ 하루 동안 태양과 달은 위치가 변하지 않는다.

[4~5] 오른쪽은 하루 동안의 지구의 움직임을 알아보기 위한 실험입니다. 물음에 답하시오.

투명 반구
관찰자 모형
전등
지구본

천재교과서, 비상

9종 공통

4 위에서 지구본이 멈춘 상태에서 지구본 위에 있는 관찰자 모형이 전등을 보았을 때에는 전등이 어떻게 보입니까? (　　　　)

① 정지한 것처럼 보인다.

② 서쪽에서 동쪽으로 움직이는 것처럼 보인다.

③ 동쪽에서 서쪽으로 움직이는 것처럼 보인다.

④ 남쪽에서 북쪽으로 움직이는 것처럼 보인다.

⑤ 북쪽에서 남쪽으로 움직이는 것처럼 보인다.

9종 공통

5 위에서 지구본을 서쪽에서 동쪽으로 회전시키면 관찰자 모형에게 전등이 어떻게 움직이는 것처럼 보이는지 ☐ 안에 알맞은 방향을 각각 쓰시오.

전등 빛이 [　　　　　] 에서 떠오르기 시작하여

[　　　　　] 으로 지는 것처럼 보입니다.

6 9종 공통

다음 중 지구의 자전에 대한 설명으로 옳은 것은 어느 것입니까? (　　　)

① 달이 지구 주위를 회전하는 운동이다.

② 지구가 태양을 중심으로 회전하는 운동이다.

③ 지구가 적도를 중심으로 회전하는 운동이다.

④ 지구가 자전축을 중심으로 하루에 한 바퀴씩 회전하는 운동이다.

⑤ 지구가 자전축을 중심으로 일 년에 한 바퀴씩 회전하는 운동이다.

7 9종 공통

다음 중 지구가 자전하는 방향을 바르게 나타낸 것의 기호를 쓰시오. [3점]

ㄱ 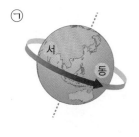　　ㄴ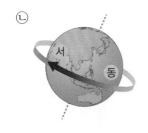

(　　　　　　　　)

8 9종 공통

다음 중 하루 동안 태양과 달의 위치가 달라지는 까닭으로 옳은 것은 어느 것입니까? (　　　)

① 지구가 자전하기 때문이다.

② 지구가 공전하기 때문이다.

③ 태양이 스스로 움직이기 때문이다.

④ 지구가 스스로 빛을 내기 때문이다.

⑤ 지구가 회전하지 않고 멈추어 있기 때문이다.

🗑 서술형·논술형 문제　　천재교과서

9 다음은 낮과 밤이 생기는 까닭을 알아보기 위한 실험의 모습입니다. [총 10점]

◀ 전등 빛이 비치는 곳

▼ 전등 빛이 비치지 않는 곳

전등　　관찰자 모형　　지구본

(1) 위에서 전등 빛이 비치는 곳과 비치지 않는 곳은 각각 낮과 밤 중 언제인지 쓰시오. [2점]

전등 빛이 비치는 곳	㉠
전등 빛이 비치지 않는 곳	㉡

(2) 위에서 지구본을 회전시킬 때 낮과 밤이었던 지역은 각각 어떻게 변하는지 쓰시오. [8점]

_____

_____

10 9종 공통

위 **9**번에서 지구본을 회전시키지 않았을 때 나타나는 현상으로 옳은 것을 다음 보기 에서 바르게 짝지은 것은 어느 것입니까? (　　　)

보기

㉠ 낮과 밤이 번갈아 나타나지 않습니다.

㉡ 낮과 밤이 하루에 두 번씩 번갈아 나타납니다.

㉢ 낮과 밤이 하루에 한 번씩 번갈아 나타납니다.

㉣ 낮인 지역은 계속 낮이 되고, 밤인 지역은 계속 밤이 됩니다.

① ㉠, ㉡　　　② ㉠, ㉢

③ ㉠, ㉣　　　④ ㉡, ㉢

⑤ ㉢, ㉣

천재교과서

11 다음 낮과 밤에 대한 설명에 맞게 줄로 바르게 이으시오.

(1) 낮 •

(2) 밤 •

• ㉠ 태양이 지평선 위로 떠오를 때부터 지평선 아래로 질 때까지의 시간

• ㉡ 태양이 지평선 아래로 져서 어두워진 때부터 이튿날 태양이 떠서 밝아지기 전까지의 시간

9종 공통

12 다음과 같이 지구가 태양 빛을 받고 있을 때 밤인 지역의 기호를 쓰시오.

(   )

9종 공통

13 다음은 어떤 계절의 저녁 9시 무렵에 하늘에서 볼 수 있는 별자리의 모습인지 쓰시오.

(   )

9종 공통

14 다음 중 봄철의 대표적인 별자리가 <u>아닌</u> 것은 어느 것입니까? (   )

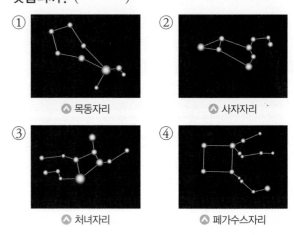

① 목동자리   ② 사자리

③ 처녀자리   ④ 페가수스자리

서술형·논술형 문제   9종 공통

15 다음은 일 년 동안 지구의 운동과 계절별 대표적인 별자리 변화의 관계를 알아보는 실험입니다. [총 10점]

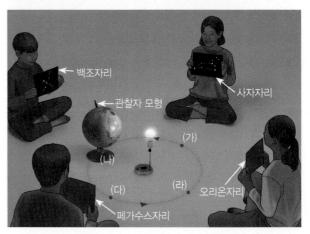

(1) 지구본이 ㈎ 위치에 있을 때 관찰자 모형이 볼 수 없는 별자리의 이름을 쓰시오. [2점]

(   )

(2) 전등을 태양이라고 한다면 지구본이 ㈎ 위치에 있을 때 우리나라에서 위 (1)번 답의 별자리를 볼 수 없는 까닭을 쓰시오. [8점]

_____

_____

16 다음 보기 에서 지구의 공전에 대한 설명으로 옳은 것을 두 가지 골라 기호를 쓰시오.

보기

㉠ 지구는 태양을 중심으로 회전합니다.
㉡ 지구는 하루에 한 바퀴씩 회전합니다.
㉢ 지구는 자전과 동시에 공전을 합니다.
㉣ 지구는 동쪽에서 서쪽으로 회전합니다.

(,   )

17 다음 중 지구의 자전과 지구의 공전의 공통점은 어느 것입니까? (   )

① 회전하는 중심
② 회전하는 방향
③ 움직이는 공간의 크기
④ 일 년 동안 회전하는 횟수
⑤ 한 바퀴 회전하는 데 걸리는 시간

18 다음 보기 에서 여러 날 동안 달의 위치 변화를 관측하는 방법으로 옳은 것을 골라 기호를 쓰시오.

보기

㉠ 같은 시각에 다른 장소에서 관측합니다.
㉡ 같은 시각에 같은 장소에서 관측합니다.
㉢ 다른 시각에 같은 장소에서 관측합니다.
㉣ 다른 시각에 다른 장소에서 관측합니다.

(   )

📦 서술형·논술형 문제

19 다음은 여러 날 동안 태양이 진 직후에 달을 관찰하고 달의 모양, 달의 위치를 정리한 것입니다. 빈칸에 알맞은 말을 쓰시오. [8점]

음력 7~8일 무렵
음력 10일 무렵   음력 5일 무렵
음력 12일 무렵   음력 3일 무렵
음력 15일 무렵   음력 2일 무렵
동   남   서

2 단원

진도 완료 체크

달의 모양	가느다란 눈썹 모양처럼 보이다가 점차 차서 오른쪽 반달이 되고, 이후에 둥근달로 변했음.
달의 위치	_____ _____

20 다음 중 음력 15일 이전에 볼 수 있는 달을 두 가지 고르시오. (,   )

①
🌙 초승달

②
🌙 상현달

③
🌙 하현달

④
🌙 그믐달

🌸 연관 학습 안내

초등 3학년	이 단원의 학습	초등 6학년 2학기
물질의 상태 여러 가지 물질은 고체, 액체, 기체 상태로 존재한다는 것에 대해 배웠어요.	**여러 가지 기체** 산소, 이산화 탄소와 여러 가지 기체의 성질 등에 대해 배워요.	**연소와 소화** 연소는 물질이 빛과 열을 내며 타는 현상임을 배울 거예요.

만화로 단원 미리보기

여러 가지 기체

3

 단원 안내

(1) 기체 발생 장치 / 산소와 이산화 탄소의 성질
(2) 압력과 온도에 따른 기체의 부피 변화 / 여러 가지 기체

이어서
개념 웹툰

개념 알기

3. 여러 가지 기체 (1)

개념 ① 기체 발생 장치 꾸미기

실험 동영상

물이나 오일을 묻히면 쉬워.

고무마개

콕 깔때기

1 콕 깔때기에 고무마개를 끼우고, 콕 깔때기를 스탠드의 링에 설치하기

콕이 닫힌 상태로 장치를 꾸미며, 콕 대신 핀치 집게를 사용해도 돼.

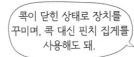

링 클램프

2 콕 깔때기에 끼운 고무마개로 가지 달린 삼각 플라스크의 입구를 막기

ㄱ자 유리관

3 가지 달린 삼각 플라스크의 가지 부분에 고무관을 끼우고, 반대쪽 끝은 ㄱ자 유리관과 연결하기

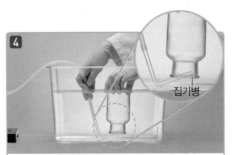

집기병

4 물이 $\frac{2}{3}$ 정도 담긴 수조에 물을 가득 채운 집기병을 거꾸로 세우고, ㄱ자 유리관을 집기병의 입구에 넣기 → 깊이 넣지 않습니다.

스탠드

링 클램프

콕 깔때기

고무관

고무마개

가지 달린 삼각 플라스크

집기병

ㄱ자 유리관

⬆ 기체 발생 장치

개념 체크

☑ 기체 발생 장치

콕 깔때기, ❶ [ㄱ][ㅈ] 달린 삼각 플라스크 등을 이용하여 기체 발생 장치를 꾸밉니다.

힘을 합쳐 기체를 발생시켜 보자!

☑ 콕의 사용법

기체 발생 장치를 꾸밀 때 콕이 ❷ [ㄷ][ㅎ] 상태로 꾸밉니다.

콕 →

나를 지면과 수평한 상태로 놓고 장치를 꾸며야 해.

정답 ❶ 가지 ❷ 닫힌

개념 ② 산소의 성질

1. 산소 발생시키기

실험 동영상

실험 방법

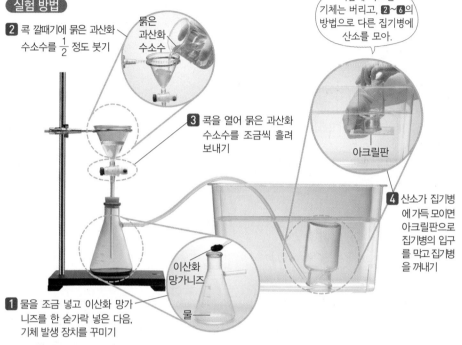

처음에 나오는 기체는 버리고, **2**~**6**의 방법으로 다른 집기병에 산소를 모아.

2 콕 깔때기에 묽은 과산화 수소수를 $\frac{1}{2}$ 정도 붓기

묽은 과산화 수소수

3 콕을 열어 묽은 과산화 수소수를 조금씩 흘려 보내기

아크릴판

4 산소가 집기병에 가득 모이면 아크릴판으로 집기병의 입구를 막고 집기병을 꺼내기

이산화 망가니즈

물

1 물을 조금 넣고 이산화 망가니즈를 한 숟가락 넣은 다음, 기체 발생 장치를 꾸미기

실험 결과

가지 달린 삼각 플라스크 안	부글부글 끓어오르면서 기포가 발생함.
ㄱ자 유리관 끝부분	기포가 하나둘씩 나옴.

2. 산소의 성질: 스스로 타지 않고 다른 물질이 타는 것을 도우며, 금속을 녹슬게 합니다.

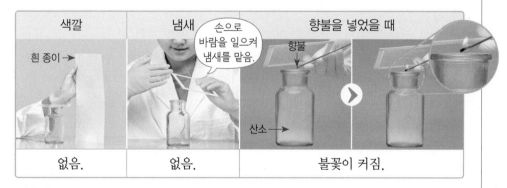

색깔	냄새	향불을 넣었을 때
흰 종이 →	손으로 바람을 일으켜 냄새를 맡음.	향불 산소→
없음.	없음.	불꽃이 커짐.

3. 산소의 이용

⬆ 산소 호흡 장치   ⬆ 산소통   ⬆ 금속을 자르거나 붙일 때   ⬆ 연료를 태울 때

개념 체크

내 교과서 살펴보기 / 천재교육, 금성, 지학사

가지 달린 삼각 플라스크에 이산화 망가니즈 대신 아이오딘화 칼륨을 넣을 수 있습니다.

3
단원

☑ **산소의 성질**

산소는 냄새가 **③** ⬚ 습니다.

손으로 바람을 일으켜 냄새를 맡아.

산소

정답 **③** 없

개념 3 이산화 탄소의 성질

1. 이산화 탄소 발생시키기

실험 방법

1. 가지 달린 삼각 플라스크에 물과 탄산수소 나트륨을 다섯 숟가락 정도 넣고 기체 발생 장치를 꾸미기
2. 콕 깔때기에 진한 식초를 $\frac{1}{2}$ 정도 붓기
3. 콕을 열어 진한 식초를 조금씩 흘려 보내기
4. ㄱ자 유리관을 집기병 입구 가까이에 넣고 이산화 탄소를 모으기
5. 콕 깔때기에 진한 식초를 더 넣어 이산화 탄소가 집기병에 가득 모이면 아크릴판으로 집기병의 입구를 막고 집기병을 꺼내기

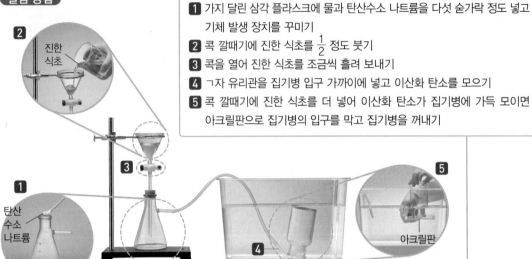

진한 식초

탄산 수소 나트륨

물

아크릴판

실험 결과

가지 달린 삼각 플라스크 안	부글부글 끓어오르면서 기포가 발생함.
ㄱ자 유리관 끝부분	기포가 하나둘씩 나옴.

2. 이산화 탄소의 성질: 다른 물질이 타는 것을 막습니다.

색깔	냄새	석회수를 넣고 흔들었을 때	
흰→종이		이산화 탄소 석회수	
없음.	없음.	석회수를 뿌옇게 만듦.	

3. 이산화 탄소의 이용

🔺 소화기의 재료

🔺 소화제의 재료

🔺 탄산음료의 재료

드라이아이스
🔺 드라이아이스의 재료

용어 고체 상태의 이산화 탄소

내 교과서 살펴보기 / 김영사

이산화 탄소를 발생시키는 방법

• 조개 껍데기에 식초를 넣기
• 달걀 껍데기에 묽은 염산을 넣기

☑ **이산화 탄소의 성질**

이산화 탄소가 든 집기병에 향불을 넣으면 불꽃이 ❹ㄲ 집니다.

향불

이산화 탄소는

이산화 탄소

다른 물질이 타는 것을 막아.

정답 ❹ 꺼

개념 다지기

천재교과서, 금성, 김영사, 동아, 미래엔, 비상, 아이스크림, 지학사

1 기체 발생 장치를 만들 때 이용하는 오른쪽 실험 기구의 이름은 무엇인지 쓰시오.

( )

9종 공통

2 다음 중 기체 발생 장치를 만들 때 필요한 준비물이 아닌 것은 어느 것입니까? ( )

① 얼음　　　　② 스탠드
③ 고무마개　　④ 콕 깔때기
⑤ 링 클램프

9종 공통

3 다음과 같이 장치를 꾸미고 산소를 발생시키는 실험에서 콕 깔때기에 부어야 하는 물질은 어느 것입니까?

( )

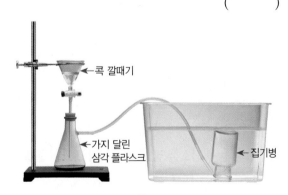

① 물　　　　　　　② 소금
③ 탄산음료　　　　④ 이산화 망가니즈
⑤ 묽은 과산화 수소수

9종 공통

4 다음은 산소의 성질 중 무엇을 알아보는 실험인지 줄로 바르게 이으시오.

(1) 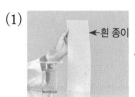　　　•　　•㉠ 냄새

(2) 　　　•　　•㉡ 색깔

9종 공통

5 다음 보기에서 이산화 탄소의 성질을 관찰한 결과로 옳은 것을 골라 기호를 쓰시오.

보기
㉠ 색깔은 회색입니다.
㉡ 시큼한 냄새가 납니다.
㉢ 이산화 탄소가 든 집기병에 향불을 넣어보면 향불의 불꽃이 꺼집니다.

( )

9종 공통

6 다음과 같은 드라이아이스의 재료로 이용하는 기체는 무엇인지 쓰시오.

( )

Step 1 단원평가

9종 공통

[1~5] 다음은 개념 확인 문제입니다. 물음에 답하시오.

1 기체 발생 장치를 통해 기체를 발생시킬 때 필요한 기구는 온도계와 집기병 중에 무엇입니까?

( )

2 산소를 발생시키는 실험에서 가지 달린 삼각 플라스크에 물과 함께 넣는 것은 이산화 망가니즈와 묽은 과산화 수소수 중에 무엇입니까?

( )

3 금속을 자르거나 붙일 때 이용하는 기체는 무엇입니까?

( )

4 석회수를 뿌옇게 만드는 성질이 있는 기체는 무엇입니까?

( )

5 이산화 탄소를 발생시키기 위해 기체 발생 장치의 콕 깔때기에 붓는 물질은 무엇입니까?

( )

[6~8] 다음은 기체 발생 장치의 모습입니다. 물음에 답하시오.

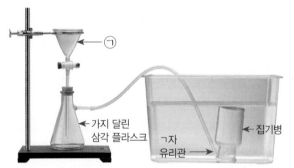

← 가지 달린 삼각 플라스크
ㄱ자 유리관 →
← 집기병

천재교과서, 아이스크림

6 위의 기체 발생 장치에서 ㉠을 무엇이라고 하는지 쓰시오.

( )

9종 공통

7 다음은 앞의 기체 발생 장치에서 집기병을 꾸미는 과정입니다. ( )안의 알맞은 말에 ○표를 하시오.

> 물이 담긴 수조에 물을 가득 채운 집기병을 (거꾸로 / 똑바로) 세웁니다.

9종 공통

8 다음 보기 에서 기체 발생 장치를 만들 때에 대한 설명으로 옳은 것을 골라 기호를 쓰시오.

> 보기
> ㉠ 콕 깔때기에 끼운 고무마개로 집기병의 입구를 막습니다.
> ㉡ ㄱ자 유리관을 집기병 안으로 최대한 깊이 넣어 빠져 나오지 않도록 합니다.
> ㉢ 고무마개와 유리 기구를 연결할 때는 고무마개에 물을 묻혀 살살 돌려가면서 끼웁니다.

( )

9종 공통

9 다음 중 산소를 발생시키는 데 필요한 물질로 옳은 것을 두 가지 고르시오. (,)

① 우유
② 진한 식초
③ 이산화 탄소
④ 이산화 망가니즈
⑤ 묽은 과산화 수소수

천재교과서, 금성, 김영사, 미래엔, 비상, 아이스크림, 지학사

10 다음 보기에서 산소를 발생시킬 때 기체 발생 장치에서 나타나는 현상으로 옳지 <u>않은</u> 것을 골라 기호를 쓰시오. 〈9종 공통〉

> **보기**
> ㉠ 가지 달린 삼각 플라스크가 뜨거워집니다.
> ㉡ 수조 안의 ㄱ자 유리관 끝부분에서 기포가 나옵니다.
> ㉢ 가지 달린 삼각 플라스크 안에서 기포가 발생합니다.

( )

11 다음은 산소의 성질을 알아보기 위한 실험입니다. ㉠과 ㉡에 들어갈 알맞은 말을 각각 쓰시오. 〈9종 공통〉

산소

> 산소가 모인 집기병에 ㉠ 을/를 넣으면 ㉠ 의 불꽃이 ㉡ 집니다.

㉠ ( )
㉡ ( )

12 다음 중 산소에 대한 설명으로 옳은 것은 어느 것입니까? ( ) 〈9종 공통〉

① 스스로 탄다.
② 색깔이 회색이다.
③ 레몬 냄새가 난다.
④ 다른 물질이 타는 것을 돕는다.
⑤ 공기를 이루고 있는 물질이 아니다.

13 다음은 기체 발생 장치를 이용하여 이산화 탄소를 발생시키는 과정입니다. ☐ 안에 공통으로 들어갈 알맞은 말을 쓰시오.

> ❶ 가지 달린 삼각 플라스크에 물과 탄산수소 나트륨을 다섯 숟가락 정도 넣기
> ❷ 콕 깔때기에 ☐ 을/를 부은 다음, 콕을 열어 ☐ 을/를 조금씩 흘려 보내기
> ❸ ㄱ자 유리관을 집기병 입구 가까이에 넣고 이산화 탄소를 모으기
> ❹ 콕 깔때기에 ☐ 을/를 더 넣어 이산화 탄소가 집기병에 모이면 물속에서 아크릴판으로 집기병의 입구를 막고 집기병을 꺼내기

( )

14 다음은 이산화 탄소를 발생시키는 방법에 대해 친구들이 이야기한 내용입니다. 바르게 말한 친구의 이름을 쓰시오. 〈김영사〉

> 철민: 조개 껍데기에 물을 넣어.
> 혜경: 달걀 껍데기에 묽은 염산을 넣어.
> 호규: 이산화 망가니즈가 든 비커에 묽은 과산화 수소수를 넣어.

( )

15 다음 중 이산화 탄소가 이용되는 예를 골라 기호를 쓰시오. 〈9종 공통〉

㉠
▲ 소화제의 재료

㉡
▲ 금속을 자르거나 붙일 때

( )

천재교과서, 아이스크림

16 다음은 기체 발생 장치를 꾸미는 과정 중 일부입니다. 이 실험 과정에서 주의할 점은 무엇인지 쓰시오.

콕 깔때기 →

고무마개 →

답 고무마개로 가지 달린 삼각 플라스크의 입구를 막을 때는 고무마개에

❶ [   ] 을/를 묻힌 뒤에 살살 ❷ [   ] 끼운다.

16 고무마개와 유리 기구를 연결할 때는 고무마개에 [   ]이나 [   ]을 묻히면 쉽게 끼울 수 있습니다.

9종 공통

17 다음은 산소의 성질에 대해 친구들이 이야기한 내용입니다.

> 지섭: 산소는 스스로 타지 않아.
> 태섭: 산소는 물에 모두 녹아 물속에서 모을 수 없어.
> 효영: 산소는 철이나 구리와 같은 금속을 녹슬게 할 수 없어.

(1) 위에서 산소의 성질에 대해 바르게 말한 친구의 이름을 쓰시오.

(   )

(2) 산소가 우리 생활에 이용된 예를 두 가지 쓰시오.

_____

_____

17 (1) 산소는 냄새와 색깔이 (있 / 없)습니다.

(2) 산소는 [   ]을 자르거나 붙일 때 이용됩니다.

천재교과서, 금성, 김영사, 미래엔, 비상, 아이스크림, 지학사

18 오른쪽은 기체 발생 장치의 모습입니다. 이산화 탄소를 발생시키기 위해 넣어야 할 물질인 ㉠과 ㉡은 무엇인지 각각 쓰시오.

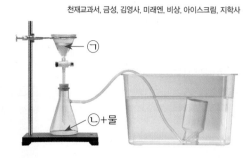

㉠

㉡+물

_____

18 이산화 탄소를 발생시키기 위해 콕 깔때기에 진한 [   ]를 붓습니다.

Step ③ 수행 평가

학습 주제 이산화 탄소의 성질을 알아보기

학습 목표 이산화 탄소를 발생시켜 그 성질을 확인할 수 있다.

[19~20] 다음은 이산화 탄소를 발생시키기 위한 기체 발생 장치의 모습입니다.

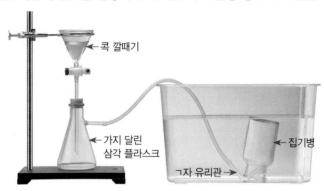

콕 깔때기

가지 달린
삼각 플라스크

집기병

ㄱ자 유리관

천재교과서, 금성, 김영사, 미래엔, 비상, 아이스크림, 지학사

19 다음은 콕을 열어 진한 식초를 조금씩 흘려보냈을 때 관찰한 내용을 정리한 것입니다. ☐ 안에 공통으로 들어갈 알맞은 말을 쓰시오.

> 가지 달린 삼각 플라스크 안에서는 부글부글 끓어오르면서 ☐이/가 발생하고, ㄱ자 유리관 끝부분에서는 ☐이/가 하나둘씩 나옵니다.

(   )

9종 공통

20 다음은 이산화 탄소가 들어있는 집기병에 향불과 석회수를 넣었을 때의 모습입니다. 아래의 모습을 통해 알 수 있는 이산화 탄소의 성질을 각각 쓰시오.

ㄱ
향불
이산화 탄소

⬆ 향불을 넣었을 때

ㄴ
이산화 탄소
석회수

⬆ 석회수를 넣었을 때

_____

_____

수행평가 가이드
다양한 유형의 수행평가!
수행평가 가이드를 이용해 풀어 봐!

기체 발생 장치
기체 발생 장치를 통해 기체를 발생시키고 그 성질을 확인할 수 있습니다.

이산화 탄소 발생시키기
콕을 열어 진한 식초를 흘려 보내면서 집기병에 이산화 탄소를 모읍니다.

3
단원

진도 완료
체크

불꽃의 변화
이산화 탄소를 모은 집기병에 향불을 넣으면 향불의 불꽃이 꺼집니다.

> 이산화 탄소를 모은 집기병에 석회수를 넣고 흔들면 석회수의 변화를 관찰할 수 있어.

실험 동영상

개념 ① 압력을 가한 정도에 따른 기체의 부피 변화

1. 피스톤을 누를 때 공기의 부피 변화

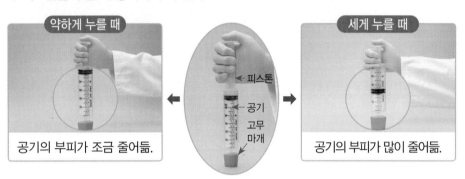

약하게 누를 때	세게 누를 때
공기의 부피가 조금 줄어듦.	공기의 부피가 많이 줄어듦.

피스톤 / 공기 / 고무마개

2. 피스톤을 누를 때 풍선의 부피 변화

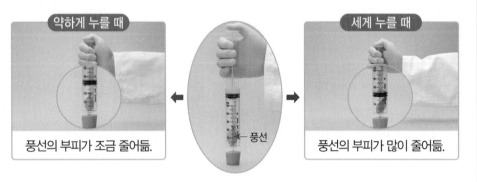

약하게 누를 때	세게 누를 때
풍선의 부피가 조금 줄어듦.	풍선의 부피가 많이 줄어듦.

풍선

정리 압력을 약하게 가하면 기체의 부피가 조금 줄어들고, 압력을 세게 가하면 기체의 부피가 많이 줄어듦.

개념 체크

☑ **압력에 따른 기체의 부피 변화**

기체에 압력을 가하면 ❶ ㅂ ㅍ 가 줄어듭니다.

왜 자꾸 누르는 거야!

기체

내 교과서 살펴보기 / 천재교육

물이 든 주사기의 입구를 막고 피스톤을 누를 때의 변화

물

피스톤을 세게 눌러도 피스톤이 잘 들어가지 않음.

➡ 액체는 압력을 받아도 부피가 거의 변하지 않음.

개념 ② 압력에 따라 기체의 부피가 달라지는 예

부피가 줄어드는 예	부피가 늘어나는 예 압력이 낮아졌기 때문입니다.
• 공기주머니가 있는 신발을 신고 걸으면 공기주머니의 부피가 줄어듦. • 공을 차면 순간적으로 공이 찌그러짐. • 자동차가 부딪쳤을 때 부풀어 오른 에어백은 충격을 받아 부피가 줄어듦.	• 잠수부가 내뿜는 공기 방울은 물 표면으로 올라갈수록 크기가 커짐. • 비행기가 하늘로 날아오르면 비행기 안의 과자 봉지가 부풀어 오름.

공기주머니
🔼 공기 주머니가 있는 신발

🔼 잠수부가 내뿜는 공기 방울

☑ **압력에 따른 기체의 부피 변화의 예**

공을 차면 압력이 가해져 순간적으로 공이 ❷ ㅉ ㄱ ㄹ 집니다.

빵!

아야, 내 머리!

정답 ❶ 부피 ❷ 찌그러

개념 ③ 온도에 따른 기체의 부피 변화

1. 삼각 플라스크의 입구에 고무풍선을 씌우고 물이 담긴 수조에 넣었을 때 고무풍선의 부피 변화

뜨거운 물에 넣기 전	뜨거운 물에 넣은 후
고무풍선 / 뜨거운 물	점점 부풀어 올라.
차가운 물에 넣기 전	차가운 물에 넣은 후
차가운 물	점점 오므라들어.

정리 온도가 높아지면 기체의 부피는 늘어나고, 온도가 낮아지면 기체의 부피는 줄어듦.

내 교과서 살펴보기 / **비상, 지학사**

주사기 안 공기의 부피 변화

- 과정: 주사기의 입구를 막고 주사기를 뜨거운 물과 얼음물에 각각 넣기
- 결과: 주사기를 뜨거운 물에 넣으면 공기의 부피가 커지고, 얼음물에 넣으면 공기의 부피가 작아짐.

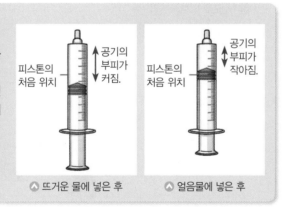

피스톤의 처음 위치 ↑ 공기의 부피가 커짐. 피스톤의 처음 위치 ↕ 공기의 부피가 작아짐.

🔺 뜨거운 물에 넣은 후   🔺 얼음물에 넣은 후

개념 ④ 온도에 따라 기체의 부피가 달라지는 예 → 뜨거운 음식이 담긴 그릇을 비닐 랩으로 씌우면 비닐랩이 부풀어 오릅니다.

탁구공 / 뜨거운 물

🔺 찌그러진 탁구공을 뜨거운 물에 넣으면 탁구공 속 기체의 부피가 늘어나 찌그러진 부분이 펴짐.

🔺 마개를 닫은 빈 페트병을 냉장고 안에 넣으면 페트병 속 기체의 부피가 줄어들어 페트병이 찌그러짐.

개념 체크

☑ **온도에 따른 기체의 부피 변화**

온도가 높아지면 기체의 부피는 ❸ ⬜⬜ 납니다.

우아! 내가 점점 부풀어 올라.

잠시 뒤 / 뜨거운 물

3 단원

☑ **온도에 따른 기체의 부피 변화의 예**

냉장고 안에 넣은 빈 페트병이 찌그러지는 것은 페트병 안의 온도가 ❹ ⬜⬜ 졌기 때문입니다.

몸에 힘이 빠지네.

정답 ❸ 늘어 ❹ 낮아

개념알기

개념 ⑤ 공기를 이루는 여러 가지 기체 → 공기는 혼합물이며, 질소와 산소가 공기의 대부분을 차지합니다.

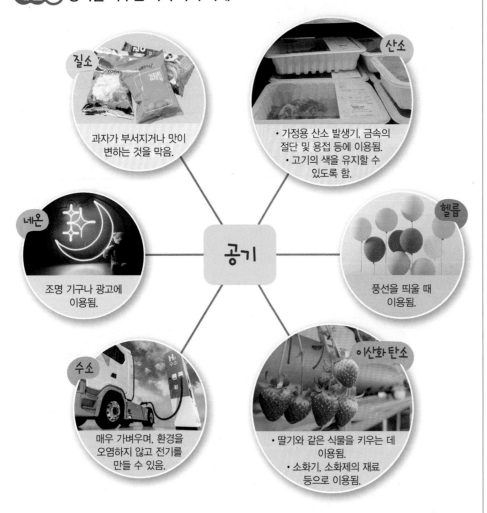

질소
과자가 부서지거나 맛이 변하는 것을 막음.

산소
• 가정용 산소 발생기, 금속의 절단 및 용접 등에 이용됨.
• 고기의 색을 유지할 수 있도록 함.

네온
조명 기구나 광고에 이용됨.

공기

헬륨
풍선을 띄울 때 이용됨.

수소
매우 가벼우며, 환경을 오염하지 않고 전기를 만들 수 있음.

이산화 탄소
• 딸기와 같은 식물을 키우는 데 이용됨.
• 소화기, 소화제의 재료 등으로 이용됨.

질소, 산소, 네온, 수소, 이산화 탄소, 헬륨 모두 색깔과 냄새가 없어.

내 교과서 살펴보기 / 금성

공기를 이루는 기체의 이용

• 헬륨: 비행선을 하늘 높이 띄우기 위해 비행선에 헬륨을 채웁니다.
• 아르곤: 단열 효과를 높이기 위해 유리 사이에 아르곤을 넣습니다.
• 메테인: 음식을 조리하거나 실내를 따뜻하게 하기 위해 메테인을 사용합니다.

△ 비행선　　　　△ 도시가스를 이용한 열

☑ 질소의 이용

질소는 ⑤ ㄱ ㄱ 를 이루는 기체로 과자가 부서지는 것을 막습니다.

질소 덕분에 우리 몸을 보호할 수 있어.

☑ 기체의 이용

풍선을 띄울 때 이용하는 것은 ⑥ ㅎ ㄹ 입니다.

풍선 안에 기체를 넣어 풍선을 띄울 수 있어.

정답 ⑤ 공기 ⑥ 헬륨

개념 다지기

1 다음 중 같은 위치에서 피스톤을 누르기 시작했을 때 피스톤을 더 세게 누른 경우를 골라 기호를 쓰시오.

⊙  ⓒ

( )

2 다음 중 압력으로 인해 기체의 부피가 줄어드는 예로 옳은 것에 ○표를 하시오.

(1) 비행기가 하늘로 날아오르면 비행기 속 과자 봉지의 부피가 변합니다.　　( )

(2) 마개를 닫은 빈 페트병을 냉장고 안에 넣으면 페트병의 부피가 변합니다.　　( )

(3) 자동차가 부딪쳤을 때 부풀어 올랐던 에어백은 충격을 받아 부피가 변합니다.　　( )

3 오른쪽과 같이 삼각 플라스크의 입구에 고무풍선을 씌운 다음, 뜨거운 물이 담긴 수조에 넣었을 때 고무풍선의 모습으로 옳은 것을 골라 기호를 쓰시오.

고무풍선
뜨거운 물

보기
⊙ 고무풍선에 변화가 없습니다.
ⓒ 고무풍선이 점점 오므라듭니다.
ⓒ 고무풍선이 점점 부풀어 오릅니다.

( )

4 다음과 같이 찌그러진 탁구공을 펴지게 하려면 탁구공을 뜨거운 물과 차가운 물 중 어느 곳에 넣어야 하는지 쓰시오.

 탁구공 잠시 뒤

( )

5 공기를 이루는 여러 가지 기체에 대한 설명에 맞게 줄로 바르게 이으시오.

(1) | 네온 | ・

・⊙ | 식물을 키우는 데 이용함. |

(2) | 이산화 탄소 | ・

・ⓒ | 조명이나 광고에 이용함. |

6 다음과 같이 비행선을 하늘 높이 띄우기 위해 비행선에 채우는 기체는 어느 것입니까? ( )

① 네온　　② 헬륨
③ 질소　　④ 메테인
⑤ 이산화 탄소

Step 1 단원평가

9종 공통

[1~5] 다음은 개념 확인 문제입니다. 물음에 답하시오.

1 주사기에 공기를 넣고 주사기 입구를 손으로 막은 다음 피스톤을 눌러 공기의 부피 변화를 알아보는 실험과 관련 있는 것은 압력과 온도 중 무엇입니까?

( )

2 압력에 따른 부피 변화가 많이 일어나는 것은 액체와 기체 중 무엇입니까? ( )

3 삼각 플라스크 입구에 고무풍선을 씌운 다음, 뜨거운 물이 담긴 수조에 넣으면 고무풍선의 부피가 어떻게 변합니까? ( )

4 마개를 닫은 빈 페트병을 냉장고 안에 넣으면 페트병의 부피가 어떻게 변합니까? ( )

5 소화기나 소화제의 재료로 이용되는 기체는 무엇입니까?

( )

천재교육, 천재교과서, 금성, 동아, 미래엔, 비상, 아이스크림, 지학사

6 다음 보기 에서 주사기 안에 물, 우유, 공기를 각각 넣고 주사기 입구를 손으로 막은 다음 피스톤을 눌렀을 때 피스톤이 잘 들어가는 경우를 골라 기호를 쓰시오.

보기
㉠ 주사기 안에 물을 넣었을 때
㉡ 주사기 안에 우유를 넣었을 때
㉢ 주사기 안에 공기를 넣었을 때

( )

천재교육, 천재교과서, 금성, 동아, 미래엔, 비상, 아이스크림, 지학사

7 주사기에 공기를 넣고 입구를 손가락으로 막은 다음 피스톤을 누를 때의 공기의 부피 변화에 맞게 줄로 바르게 이으시오.

(1) 피스톤을 약하게 눌렀을 때 • • ㉠ 주사기 안 공기의 부피가 조금 줄어듦.

(2) 피스톤을 세게 눌렀을 때 • • ㉡ 주사기 안 공기의 부피가 많이 줄어듦.

9종 공통

8 다음 중 압력 변화에 따른 기체의 부피 변화에 대한 설명으로 옳은 것은 어느 것입니까? ( )

① 기체의 부피는 압력에 영향을 받지 않는다.
② 압력을 세게 가하면 기체의 부피가 조금 줄어든다.
③ 압력을 조금 가하면 기체의 부피도 조금 늘어난다.
④ 압력을 세게 가하면 기체의 부피가 많이 줄어든다.
⑤ 공기주머니가 있는 신발을 신고 걸으면 공기주머니의 부피가 늘어난다.

천재교과서, 금성, 김영사, 아이스크림

9 다음은 기체의 부피 변화에 대한 설명입니다. ( ) 안의 알맞은 말에 각각 ○표를 하시오.

공기주머니가 있는 신발을 신고 걸으면 공기 주머니의 부피가 (늘어나는 / 줄어드는) 것은 (온도 / 압력)의 영향을 받았기 때문입니다.

천재교과서, 동아, 미래엔, 아이스크림

10 다음은 고무풍선을 씌운 삼각 플라스크를 뜨거운 물이 담긴 수조에 넣었다가 차가운 물이 담긴 수조에 넣어 보는 실험입니다. 아래 실험은 무엇을 알아보기 위한 것인지 ㉠과 ㉡에 들어갈 알맞은 말을 각각 쓰시오.

뜨거운 물 →   ← 차가운 물

온도에 따른 [㉠]의 [㉡] 변화

㉠ (   )

㉡ (   )

천재교과서, 동아, 미래엔, 아이스크림

11 고무풍선을 씌운 삼각 플라스크를 서로 다른 온도의 물이 담긴 수조에 각각 넣는다고 할 때 고무풍선의 부피가 늘어나는 경우는 어느 것입니까? (현재 물의 온도는 60 ℃이다.) (   )

① 30 ℃   ② 35 ℃   ③ 40 ℃
④ 60 ℃   ⑤ 90 ℃

9종 공통

12 다음은 기체의 부피 변화에 대해 친구들이 이야기한 내용입니다. 바르게 말한 친구의 이름을 쓰시오.

민준: 온도와 압력은 기체의 부피에 영향을 주지 않아.
윤덕: 찌그러진 탁구공을 차가운 물에 넣으면 찌그러진 부분이 펴지게 돼.
현수: 마개를 닫은 빈 페트병을 냉장고 안에 넣으면 페트병 안 기체의 부피가 줄어들어.

(   )

9종 공통

13 오른쪽과 같이 자동차의 연료로 이용되는 기체인 수소에 대한 설명으로 옳지 않은 것은 어느 것입니까? (   )

① 매우 가볍다.
② 색깔이 없다.
③ 냄새가 없다.
④ 공기를 이루는 기체이다.
⑤ 환경을 오염시키는 주된 원인이며, 소화제의 재료로 이용된다.

9종 공통

14 다음에서 설명하는 기체는 무엇인지 쓰시오.

• 색깔과 냄새가 없습니다.
• 풍선을 띄울 때 이용합니다.

(   )

9종 공통

15 우리 생활에서 오른쪽과 같은 형태로 이용하는 기체는 어느 것입니까? (   )

① 수소   ② 산소
③ 질소   ④ 메테인
⑤ 아르곤

△ 과자 봉지의 충전제

3
단원

천재교육, 천재교과서, 금성, 동아, 미래엔, 비상, 아이스크림, 지학사

16 오른쪽과 같이 주사기에 물과 공기를 각각 넣고 실험을 하였습니다.

◎ 물 40 mL를 넣은 주사기의 피스톤을 세게 눌렀을 때 ⊙ 물

◎ 공기 40 mL를 넣은 주사기의 피스톤을 세게 눌렀을 때 ⓒ 공기

(1) 주사기의 피스톤이 더 많이 들어가는 경우: (   )

(2) 위 (1)번 답을 고른 까닭을 쓰시오.

답 ❶ [   ] 은/는 압력을 가해도 부피가 거의 변하지 않지만,

❷ [   ] 은/는 압력을 가한 정도에 따라 부피가 달라지기 때문이다.

천재교과서, 동아, 미래엔, 아이스크림

17 다음과 같이 삼각 플라스크 입구에 고무풍선을 씌우고 뜨거운 물에 넣었다가 차가운 물에 넣어 고무풍선의 변화를 관찰하였습니다.

뜨거운 물   차가운 물

(1) 위의 실험은 무엇에 따른 기체의 부피 변화를 나타내는 실험인지 쓰시오.
(   )

(2) 위의 실험에서 고무풍선을 뜨거운 물과 차가운 물에 넣었을 때 어떻게 변하는지 각각 쓰시오.

_____

_____

9종 공통

18 공기가 여러 가지 기체로 이루어져 있다는 사실로부터 알 수 있는 것을 쓰시오.

_____

_____

서술형 가이드
어려워하는 서술형 문제!
서술형 가이드를 이용하여 풀어 봐!

16 (1) (공기 / 주스)가 들어 있는 주사기의 피스톤을 누르면 피스톤이 잘 들어갑니다.

(2) 기체에 [   ][   ]을 세게 가할수록 기체의 부피가 많이 줄어듭니다.

17 (1) (냄새 / 온도)는 기체의 부피에 영향을 줍니다.

(2) 고무풍선을 씌운 삼각 플라스크를 (뜨거운 / 차가운) 물에 넣으면 풍선의 부피가 커지고, (뜨거운 / 차가운) 물에 넣으면 풍선의 부피가 작아집니다.

18 공기는 질소, 산소, 수소 등 여러 가지 기체로 이루어진 [   ][   ][   ]입니다.

Step 3 수행 평가

학습 주제 압력에 따른 기체의 부피 변화 알아보기

학습 목표 주사기를 이용하여 압력에 따른 기체의 부피 변화를 관찰할 수 있다.

[19~20] 오른쪽은 주사기 안에 작은 풍선을 넣고 피스톤을 누르면서 주사기 안 풍선의 부피 변화를 관찰하는 실험입니다.

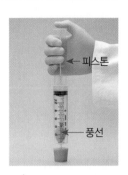

피스톤

풍선

천재교육, 천재교과서, 금성

19 다음은 위의 실험 결과를 나타낸 것입니다. 피스톤의 압력이 더 약한 경우를 골라 기호를 쓰시오.

ㄱ  ㄴ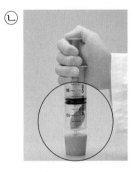

(   )

천재교육, 천재교과서, 금성

20 위의 실험에서 피스톤을 약하게 누를 때와 세게 누를 때의 공통점과 차이점을 쓰시오.

공통점	(1)
차이점	(2)

주사기 속 기체의 부피 변화

피스톤의 압력에 따라 주사기 속 기체의 부피가 달라집니다.

피스톤의 압력은 주사기 속 풍선의 크기로 알 수 있어.

3 단원

진도 완료 체크

압력에 따른 기체의 부피 변화

압력을 세게 가할수록 기체의 부피가 많이 줄어듭니다.

Q 배점 표시가 없는 문제는 문제당 4점입니다.

9종 공통

1 다음 중 기체 발생 장치를 꾸밀 때 필요한 준비물은 어느 것입니까? (   )

① 거울   ② 온도계
③ 우드록   ④ 콕 깔때기
⑤ 알코올램프

9종 공통

2 다음 보기 에서 기체 발생 장치에 대한 설명으로 옳은 것을 골라 기호를 쓰시오.

보기
㉠ 고무관을 집기병에 깊이 넣습니다.
㉡ 물을 가득 채운 집기병을 물이 든 수조에 거꾸로 세웁니다.
㉢ 가지 달린 삼각 플라스크의 가지 부분에 ㄱ자 유리관을 연결합니다.

(   )

천재교과서, 아이스크림

3 다음은 기체 발생 장치를 꾸밀 때 필요한 콕에 대한 설명입니다. (   ) 안에 알맞은 말에 각각 ○표를 하시오.

기체 발생 장치를 꾸밀 때에는 콕이 (열린 / 닫힌) 상태로 꾸미며, 지면과 (수평 / 수직)이어야 합니다.

9종 공통

4 다음 중 기체 발생 장치에서 산소가 발생할 때에 대한 설명으로 옳은 것을 두 가지 고르시오.

(,   )

① ㄱ자 유리관 끝부분에서 기포가 나온다.
② 가지 달린 삼각 플라스크 안의 온도가 낮아진다.
③ 가지 달린 삼각 플라스크 안에서 기포가 발생한다.
④ ㄱ자 유리관 끝부분에서 하얀색 덩어리가 나온다.
⑤ 발생한 산소는 검정색이므로 바로 확인할 수 있다.

9종 공통

5 다음은 산소의 성질을 확인하는 실험입니다. ㉠과 ㉡에 들어갈 알맞은 말을 각각 쓰시오.

흰 종이 →

• **1** 실험: 흰 종이를 통해 산소의 [㉠] 을/를 관찰합니다.
• **2** 실험: 손으로 [㉡] 을/를 일으켜 산소의 냄새를 맡습니다.

㉠ (   )
㉡ (   )

9종 공통

6 다음과 같이 금속을 자르거나 붙이는 데 이용되는 기체는 산소, 수소, 헬륨 중 어느 것입니까?

(   )

[7~8] 다음은 기체 발생 장치를 이용해 기체를 발생시키는 모습입니다. 물음에 답하시오.

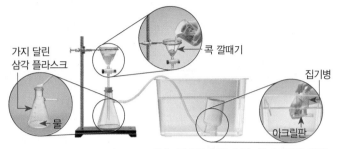

천재교과서, 금성, 김영사, 미래엔, 비상, 아이스크림, 지학사

7 위와 같이 기체 발생 장치에 진한 식초와 탄산수소 나트륨 넣어 발생시킬 수 있는 기체는 무엇인지 쓰시오.

( )

천재교과서, 금성, 김영사, 미래엔, 비상, 아이스크림, 지학사

8 위의 실험 과정에 대한 설명으로 옳은 것은 어느 것입니까? ( )

① 콕 깔때기에 탄산수소 나트륨을 붓는다.

② 가지 달린 삼각 플라스크에 진한 식초를 넣는다.

③ 콕을 열어 탄산수소 나트륨을 조금씩 흘려 보낸다.

④ 집기병 입구에 유리 막대를 넣고 기체를 모은다.

⑤ 기체가 집기병에 모이면 물속에서 집기병의 입구를 막고 집기병을 꺼낸다.

9 다음 보기 에서 이산화 탄소의 성질로 옳지 않은 것을 골라 기호를 쓰시오.

보기
㉠ 석회수를 뿌옇게 만듭니다.
㉡ 다른 물질이 타는 것을 돕습니다.
㉢ 색깔이 없고 냄새가 나지 않습니다.

( )

10 다음 중 이산화 탄소가 이용되는 예가 <u>아닌</u> 것은 어느 것입니까? ( )

①
⚠ 소화기의 재료

②
⚠ 소화제의 재료

③ 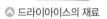 ─ 드라이아이스
⚠ 드라이아이스의 재료

④
⚠ 금속을 자르거나 붙일 때

📁 서술형·논술형 문제 천재교육, 천재교과서, 금성, 동아, 미래엔, 비상, 아이스크림, 지학사

11 다음은 주사기의 안에 물과 공기를 넣은 후 주사기의 입구를 막고 피스톤을 세게 누르는 실험입니다. [총 12점]

㉠ 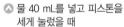 ─ 물
⚠ 물 40 mL를 넣고 피스톤을 세게 눌렀을 때

㉡ 공기
⚠ 공기 40 mL를 넣고 피스톤을 세게 눌렀을 때

(1) 위의 실험에서 피스톤이 더 많이 들어간 경우의 기호를 골라 쓰시오. [4점]

( )

(2) 위 (1)번 답을 고른 까닭을 쓰시오. [8점]

_____

_____

천재교육, 천재교과서, 금성

12 다음과 같이 주사기 안에 풍선을 넣고 피스톤을 누르는 실험에 대한 설명으로 옳은 것은 어느 것입니까?

( )

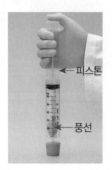

피스톤

풍선

① 피스톤을 세게 누르면 풍선의 부피가 조금 줄어든다.
② 피스톤을 세게 눌러도 피스톤이 잘 들어가지 않는다.
③ 피스톤을 약하게 누르면 풍선의 부피는 조금 줄어든다.
④ 피스톤을 약하게 누르면 풍선의 부피가 많이 줄어든다.
⑤ 피스톤을 약하게 누르면 풍선의 부피는 아무 변화가 없다.

9종 공통

13 다음 보기 에서 압력에 따라 기체의 부피가 변하는 경우를 두 가지 골라 기호를 쓰시오.

보기
㉠ 공을 발로 강하게 찼을 때
㉡ 뜨거운 물에 찌그러진 탁구공을 넣었을 때
㉢ 자동차가 부딪쳐서 부풀어 오른 에어백이 충격을 받았을 때
㉣ 삼각 플라스크의 입구에 고무풍선을 씌우고 차가운 물이 담긴 수조에 넣었을 때

(,)

서술형·논술형 문제

9종 공통

14 비행기가 하늘로 날아올랐을 때 비행기 안의 과자 봉지의 부피 변화를 기체의 압력과 연관지어 쓰시오. [8점]

_____

_____

9종 공통

15 다음은 온도에 따라 기체의 부피가 달라지는 예를 나타낸 것입니다. ☐ 안에 들어갈 말로 알맞은 것을 골라 기호를 쓰시오.

잠시 뒤

마개를 닫은 빈 페트병을 ☐ 안에 넣으면 페트병이 찌그러집니다.

보기
㉠ 냉장고
㉡ 보일러를 켠 방
㉢ 뜨거운 물이 담긴 주전자

( )

9종 공통

16 다음과 같은 변화에 대해 **잘못** 말한 친구의 이름을 쓰시오.

㉠

㉡

🔺 음식이 담긴 그릇을 비닐랩으로 씌우면 비닐랩이 부풀어 오름.

🔺 잠수부가 내뿜는 공기방울은 물 표면으로 올라갈수록 크기가 커짐.

강은: ㉠은 그릇 안의 온도가 높아졌기 때문이야.
정호: ㉠과 ㉡ 모두 기체의 부피 변화와 관련 있어.
재혁: ㉡은 잠수부가 물 표면으로 올라갈수록 물의 압력이 높아지기 때문이야.

( )

17 다음은 고무풍선을 씌운 삼각 플라스크를 뜨거운 물이 담긴 수조에 넣었다가 차가운 물이 담긴 수조에 넣어보는 실험입니다. [총 12점]

(1) 위의 실험은 온도에 따른 기체의 어떤 변화를 알아보기 위한 실험인지 쓰시오. [4점]

(　　　　　　　　　)

(2) 위의 실험에서 고무풍선을 씌운 삼각 플라스크를 뜨거운 물과 차가운 물이 담긴 수조에 넣었을 때 고무풍선의 변화를 각각 쓰시오. [8점]

_____

_____

18 다음은 공기에 대한 설명입니다. ㉠과 ㉡에 들어갈 알맞은 말을 바르게 짝지은 것은 어느 것입니까?

(　　　)

> • 공기는 여러 가지 기체로 이루어진 ㉠ 입니다.
> • 공기의 대부분을 차지하는 기체는 질소와 ㉡ 입니다.

	㉠	㉡
①	혼합물	산소
②	혼합물	탄소
③	혼합물	헬륨
④	순물질	산소
⑤	순물질	탄소

19 다음의 공기를 이루는 기체의 이용을 나타낸 모습과 관련 있는 기체의 종류를 각각 쓰시오.

(1)

⚠ 과자가 부서지거나 맛이 변하는 것을 막음.

(　　　　　　　)

(2)

⚠ 식물을 키우는 데 이용됨.

(　　　　　　　)

(3)

⚠ 풍선을 띄울 때 이용됨.

(　　　　　　　)

(4)
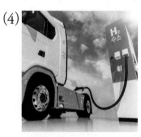
⚠ 환경을 오염하지 않고 전기를 만들 수 있음.

(　　　　　　　)

진도 완료 체크

20 다음 중 공기를 이루는 기체에 대한 설명으로 옳지 않은 것은 어느 것입니까? (　　　)

① 질소: 색깔과 냄새가 없다.

② 수소: 흰색이며 매우 무겁다.

③ 네온: 조명 기구나 광고에 이용된다.

④ 산소: 고기의 색을 유지할 수 있도록 한다.

⑤ 아르곤: 유리 사이에 넣어 단열 효과를 높일 수 있다.

😊 연관 학습 안내

만화로 단원 미리보기

식물의 구조와 기능

4

🌸 **단원 안내**

(1) 세포 / 뿌리 / 줄기

(2) 잎 / 꽃 / 열매

으아~ 진짜 맛없어! 어쨌든 성공!

뒈 뒈 뒈

이 근처에 벌이 참 많아.

웡

이크!

웡

벌은 꽃가루받이를 도와주거든!

수술에서 만든 꽃가루를 암술로 옮기는 꽃가루받이가 이루어져야 씨가 만들어져.

웅

어, 이 열매는 왜 이렇게 작지?

?!

음....

그럼 다른 식물의 꽃가루받이를 성공시켜서 열매가 자라면 먹으면 되지.

속

속

지구의 식물 너무 좋아!

어라? 예상과 다르잖아!

헉!

이어서 개념 웹툰

개념 체크

개념 ① 생물을 이루는 세포

1. 세포

① 생물을 이루는 기본 단위로, 생물은 세포로 이루어져 있습니다.

② 대부분 크기가 매우 작아 맨눈으로 보기 어렵습니다. → 광학 현미경을 사용하여 확대해서 관찰합니다.

③ 세포는 종류에 따라 모양, 크기, 하는 일 등이 다릅니다.

2. 양파 표피 세포와 입안 상피 세포

용어 식물의 겉을 덮고 있는 세포

용어 동물의 몸이나 기관의 겉을 덮고 있는 세포

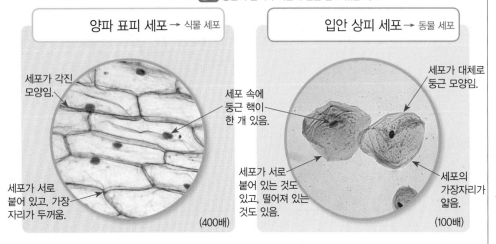

양파 표피 세포 → 식물 세포

세포가 각진 모양임.

세포가 서로 붙어 있고, 가장자리가 두꺼움.

(400배)

입안 상피 세포 → 동물 세포

세포 속에 둥근 핵이 한 개 있음.

세포가 서로 붙어 있는 것도 있고, 떨어져 있는 것도 있음.

세포가 대체로 둥근 모양임.

세포의 가장자리가 얇음.

(100배)

3. 식물 세포와 동물 세포의 공통점과 차이점

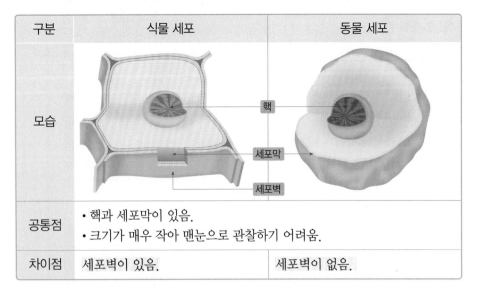

구분	식물 세포	동물 세포
모습	핵 / 세포막 / 세포벽	핵
공통점	• 핵과 세포막이 있음. • 크기가 매우 작아 맨눈으로 관찰하기 어려움.	
차이점	세포벽이 있음.	세포벽이 없음.

4. 세포의 각 부분

① 핵: 세포 안에 있습니다.

② 세포막: 세포를 둘러싸고 있습니다.

③ 세포벽: 식물 세포의 세포막 바깥쪽을 둘러싸고 있습니다. → 동물 세포는 세포벽이 없습니다.

☑ **생물을 이루는 세포**

생물을 이루는 기본 단위를 ❶ ㅅ ㅍ 라고 합니다.

우리가 모여서 생물을 이루지!

☑ **식물 세포와 동물 세포의 차이점**

식물 세포에는 동물 세포와 달리 ❷(세포막 / 세포벽)이 있습니다.

히히, 내 세포벽 멋있지?

난 세포벽 없는데……

식물 세포   동물 세포

정답 ❶ 세포 ❷ 세포벽

내 교과서 살펴보기 / 미래엔

세포의 핵

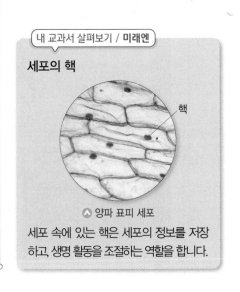

핵

△ 양파 표피 세포

세포 속에 있는 핵은 세포의 정보를 저장하고, 생명 활동을 조절하는 역할을 합니다.

개념 ② 뿌리의 생김새와 하는 일

1. 뿌리의 생김새

• 뿌리는 대부분 땅속으로 자라며 땅 위의 줄기와 연결되어 있습니다.

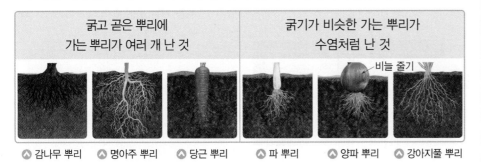

굵고 곧은 뿌리에 가는 뿌리가 여러 개 난 것			굵기가 비슷한 가는 뿌리가 수염처럼 난 것		
⚠ 감나무 뿌리	⚠ 명아주 뿌리	⚠ 당근 뿌리	⚠ 파 뿌리	⚠ 양파 뿌리	⚠ 강아지풀 뿌리

2. 뿌리의 흡수 기능 알아보기

① 실험 방법

1️⃣ 뿌리가 자란 양파 두 개 중 한 개만 뿌리 자르기
2️⃣ 같은 양의 물이 담긴 비커 두 개에 양파의 밑부분이 닿도록 각각 올려놓기
3️⃣ 물 높이를 표시한 뒤 빛이 잘 비치는 곳에 놓기

② 3일 동안 물 높이의 변화를 관찰한 결과

뿌리를 자르지 않은 양파	뿌리를 자른 양파
3일 뒤 → 처음 물의 높이	3일 뒤 → 처음 물의 높이
물이 줄어들었음.	물이 거의 줄어들지 않았음.
↳ 뿌리가 물을 흡수했기 때문입니다.	↳ 물을 거의 흡수하지 못했기 때문입니다.

③ 알게 된 점: 뿌리가 물을 흡수합니다.

3. 뿌리가 하는 일

① 지지 기능: 땅속으로 뻗어 식물이 쓰러지지 않게 지지합니다.
② 흡수 기능: 물을 흡수합니다. 뿌리 표면에 솜털처럼 작고 가는 뿌리털이 나 있어서 흙 속의 물을 많이 흡수할 수 있습니다.
③ 저장 기능: 무, 당근, 고구마 등은 뿌리에 양분을 저장합니다.
↳ 단맛이 나는 양분이 저장되어 있습니다.

내 교과서 살펴보기 / 김영사

다양한 식물 뿌리의 예

• 곧은 뿌리에 가는 뿌리가 난 식물: 배추, 봉선화 등
• 뿌리가 수염처럼 난 식물: 마늘, 옥수수 등
• 뿌리에 양분을 저장하는 식물: 도라지, 무 등

☑ **뿌리의 생김새**

굵고 ❸ ㄱ ㅇ 뿌리에 가는 뿌리가 여러 개 나 있는 것과 가는 뿌리가 ❹ ㅅ ㅇ 처럼 나 있는 것이 있습니다.

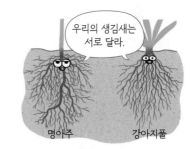

우리의 생김새는 서로 달라.

명아주　　　　강아지풀

☑ **뿌리의 역할**

뿌리는 식물을 지지하고, 흙 속의 ❺(물 / 곤충)을 흡수합니다.

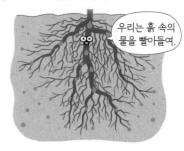

우리는 흙 속의 물을 빨아들여.

정답 ❸ 곧은 ❹ 수염 ❺ 물

개념 ③ 줄기의 생김새와 하는 일

1. 줄기의 생김새

• 줄기는 아래로 뿌리와 이어지고 위로 잎이 나 있어 뿌리와 잎을 연결합니다.

곧은줄기	감는줄기	기는줄기	양분 저장 줄기
소나무	나팔꽃	딸기	감자

굵고 곧게 자람. 예 감나무, 느티나무 등	다른 물체를 감아 올라가며 자람. 예 등나무, 담쟁이덩굴 등	땅 위를 기는 듯이 뻗어 나가며 자람. 예 고구마 등	양분을 저장하여 굵게 자람. 예 토란 등

2. 줄기에서의 물의 이동 알아보기

실험 동영상

① 실험 방법

1. 붉은 색소 물에 백합 줄기를 꽂아 빛이 잘 비치고 바람이 잘 통하는 곳에 놓기
2. 약 4시간 후 백합 줄기를 꺼내어 가로와 세로로 자르기

← 백합 줄기

← 붉은 색소 물

② 백합 줄기의 가로와 세로 단면을 관찰한 결과

가로로 자른 단면	세로로 자른 단면
4시간 후	4시간 후
붉은색 점이 여러 개 보임.	붉은색 선이 여러 개 보임.

→ 줄기에서 붉게 물든 부분은 물이 이동한 통로 ←

③ 알게 된 점: 뿌리에서 흡수한 물은 줄기에 있는 통로로 이동합니다.

3. 줄기가 하는 일

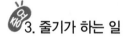

① 지지 기능: 잎이나 꽃 등을 받쳐 식물을 지지합니다.
② 운반 기능: 뿌리에서 흡수한 물이 이동하는 통로 역할을 하여 물을 식물 전체로 전달합니다.
③ 저장 기능: 감자, 토란 등은 줄기에 양분을 저장합니다.

개념 체크

☑ 줄기의 생김새

나팔꽃은 다른 물체를 ⑥(피해 / 감아) 올라가며 자라고, ⑦ [ㄸ][ㄱ]는 땅 위를 기는 듯이 뻗어 나가며 자랍니다.

난 물체를 감아 올라가며 자라.

나는 땅 위로 뻗어 나가지.

나팔꽃   딸기

☑ 줄기에서의 물의 이동

뿌리에서 흡수한 물은 ⑧ [ㅈ][ㄱ]에 있는 통로로 이동합니다.

물이 이동하는 통로야.

정답 ⑥ 감아 ⑦ 딸기 ⑧ 줄기

내 교과서 살펴보기 / 미래엔

줄기의 껍질이 하는 일

← 줄기의 껍질

줄기(소나무)

줄기의 껍질은 식물이 해충이나 세균 등으로부터 해를 입는 것을 막고, 추위와 더위를 견딜 수 있게 합니다.

개념 다지기

9종 공통

1 다음 중 세포에 대한 설명으로 옳은 것은 어느 것입니까?
( )

① 모든 세포는 하는 일이 같다.
② 생물을 이루는 기본 단위이다.
③ 모든 세포는 모양이 일정하다.
④ 모든 세포는 크기가 일정하다.
⑤ 크기가 작지만 대부분 맨눈으로 볼 수 있다.

9종 공통

2 다음 동물 세포와 식물 세포에 해당하는 모습을 줄로 바르게 이으시오.

(1) 동물 세포 •

• ㉠

(2) 식물 세포 •

• ㉡

천재교과서

3 오른쪽의 명아주 뿌리와 모양이 비슷한 뿌리를 가진 식물을 보기 에서 골라 기호를 쓰시오.

⬥ 명아주 뿌리

보기
㉠ 파   ㉡ 양파   ㉢ 감나무

( )

천재교육, 천재교과서, 동아, 미래엔

4 다음과 같이 장치하고 빛이 잘 비치는 곳에 두었을 때 3일 뒤 비커 안의 물이 더 많이 줄어드는 것의 기호를 쓰시오.

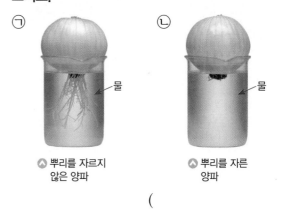

㉠ ⬥ 뿌리를 자르지 않은 양파

㉡ ⬥ 뿌리를 자른 양파

( )

천재교과서

5 다음 중 줄기의 생김새에 대한 설명으로 옳지 않은 것은 어느 것입니까? ( )

① 식물의 종류에 따라 다양하다.
② 감자는 기는줄기를 갖고 있다.
③ 딸기는 기는줄기를 갖고 있다.
④ 소나무는 곧은줄기를 갖고 있다.
⑤ 나팔꽃은 감는줄기를 갖고 있다.

9종 공통

6 다음 중 줄기가 하는 일에 대한 설명으로 옳지 않은 것은 어느 것입니까? ( )

① 흙을 운반한다.
② 식물을 지지한다.
③ 양분을 저장한다.
④ 잎이나 꽃 등을 받친다.
⑤ 물을 식물 전체로 전달한다.

4 단원

Step ① 단원평가

9종 공통

[1~5] 다음은 개념 확인 문제입니다. 물음에 답하시오.

1 세포는 무엇을 이루는 기본 단위입니까?

( )

2 식물 세포와 동물 세포 중 세포벽이 없는 것은 어느 것입니까? ( )

3 식물을 이루고 있는 부분 중 대부분 땅속으로 자라며 땅 위의 줄기와 연결되어 있는 것은 무엇입니까?

( )

4 감자와 당근 중 뿌리에 양분을 저장하는 식물은 어느 것입니까? ( )

5 나팔꽃과 감자 중 다른 물체를 감아 올라가며 자라는 식물은 어느 것입니까? ( )

9종 공통

6 다음은 생물을 이루고 있는 것에 대한 설명입니다. ☐ 안에 공통으로 들어갈 알맞은 말은 어느 것입니까?

( )

- 생물은 ☐(으)로 이루어져 있습니다.
- ☐은/는 생물을 이루고 있는 기본 단위이며 종류에 따라 모양, 크기, 하는 일 등이 다릅니다.

① 핵   ② 세포   ③ 세균

④ 식물   ⑤ 동물

9종 공통

7 다음은 양파 표피 세포의 모습입니다. ㉠은 무엇인지 쓰시오.

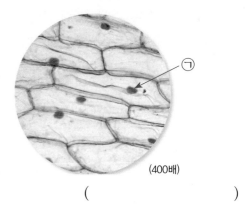

(400배)

( )

9종 공통

8 다음은 식물 세포와 동물 세포의 공통점에 대한 설명입니다. ㉠과 ㉡에 들어갈 알맞은 말을 각각 쓰시오.

- 핵과 ☐㉠☐이/가 있습니다.
- 대부분 크기가 매우 ☐㉡☐ 맨눈으로 관찰하기 어렵습니다.

㉠ ( )

㉡ ( )

9종 공통

9 다음 중 뿌리에 대한 설명으로 옳지 않은 것은 어느 것입니까? ( )

① 대부분 땅속으로 자란다.

② 뿌리 표면에는 뿌리털이 나 있다.

③ 모든 식물의 뿌리의 생김새는 같다.

④ 대부분 땅 위의 줄기와 연결되어 있다.

⑤ 뿌리는 식물이 쓰러지지 않게 지지한다.

천재교과서

10 다음 중 뿌리의 모양이 나머지 셋과 <u>다른</u> 하나는 어느 것입니까? (　　　)

①
⚠ 파 뿌리

②
⚠ 양파 뿌리

③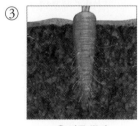
⚠ 당근 뿌리

④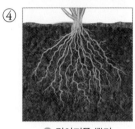
⚠ 강아지풀 뿌리

천재교육, 천재교과서, 동아, 미래엔

11 다음과 같이 뿌리를 자르지 않은 양파와 뿌리를 자른 양파를 준비하여 같은 양의 물이 담긴 비커에 각각 올려놓고 빛이 잘 비치는 곳에 두었습니다. 이 실험에 대한 설명으로 옳은 것은 어느 것입니까? (　　　)

ㄱ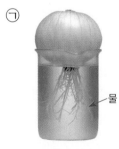
물
⚠ 뿌리를 자르지 않은 양파

ㄴ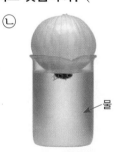
물
⚠ 뿌리를 자른 양파

① 3일 뒤 ㄱ과 ㄴ에서 줄어든 물의 양은 같다.
② 3일 뒤 ㄱ보다 ㄴ에서 줄어든 물의 양이 더 많다.
③ 3일 뒤 ㄱ과 ㄴ 모두 물의 양이 줄어들지 않았다.
④ 위 장치는 뿌리의 흡수 기능을 알아보기 위한 장치이다.
⑤ 위 장치는 뿌리의 지지 기능을 알아보기 위한 장치이다.

9종 공통

12 다음 보기에서 줄기에 대한 설명으로 옳지 <u>않은</u> 것을 골라 기호를 쓰시오.

보기
㉠ 줄기는 뿌리와 잎을 연결합니다.
㉡ 줄기는 아래로 잎과 이어져 있습니다.
㉢ 줄기의 생김새는 식물의 종류에 따라 다양합니다.

(　　　　　)

천재교육, 천재교과서, 금성, 동아, 미래엔, 아이스크림, 지학사

13 오른쪽의 붉은 색소 물에 4시간 동안 담가 둔 백합 줄기를 세로로 자른 단면의 모습으로 옳은 것을 골라 기호를 쓰시오.

ㄱ

ㄴ

(　　　　　)

천재교육, 천재교과서, 금성, 동아, 미래엔, 아이스크림

14 다음은 줄기가 하는 일에 대한 설명입니다. ☐ 안에 들어갈 알맞은 말을 쓰시오.

줄기는 잎이나 꽃 등을 받쳐서 식물을 지지하고, 감자, 토란 등의 식물은 줄기에 ☐☐을/를 저장하기도 합니다.

(　　　　　)

4
단원

9종 공통

15 다음은 식물 세포와 동물 세포의 모습을 나타낸 것입니다.

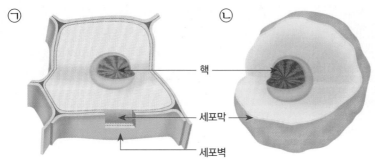

ㄱ   ㄴ

핵

세포막

세포벽

(1) 위에서 동물 세포의 기호를 쓰시오.

(   )

(2) 위 (1)번과 같이 답한 까닭을 세포의 구조와 관련지어 쓰시오.

답 식물 세포에는 ❶ _____ , 동물 세포에는

❷ _____ 때문이다.

천재교과서

16 오른쪽은 명아주와 강아지풀의 뿌리의 생김새입니다. 두 식물 뿌리의 생김새의 차이점을 쓰시오.

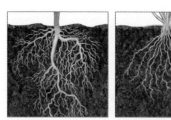

⬆ 명아주 뿌리   ⬆ 강아지풀 뿌리

_____

_____

천재교육, 천재교과서, 금성, 동아, 미래엔, 아이스크림, 지학사

17 오른쪽은 붉은 색소 물에 4시간 동안 담가 둔 백합 줄기를 가로로 자른 단면의 모습입니다.

⬆ 가로 단면

(1) 백합 줄기의 가로 단면에서 붉게 물든 부분이 나타내는 것을 쓰시오.

(   )

(2) 위 (1)번 답으로 알 수 있는 줄기가 하는 일을 한 가지 쓰시오.

_____

_____

서술형 가이드
어려워하는 서술형 문제!
서술형 가이드를 이용하여 풀어 봐!

15 (1) 식물 세포와 동물 세포에는 [   ]과 세포막이 있습니다.

(2) 동물 세포는 식물 세포와 달리 (세포벽 / 세포막)이 없습니다.

16 명아주는 굵고 곧은 뿌리에 가는 뿌리가 여러 개 나 있고, 강아지풀은 굵기가 비슷한 가는 뿌리가 [ ][ ]처럼 나 있습니다.

17 (1) 붉은 색소 물에 담가 둔 백합 줄기의 가로 단면과 세로 단면에서 붉게 물든 부분은 [ ]이 이동한 통로입니다.

(2) 물은 식물 [ ][ ]에 있는 통로로 이동합니다.

Step ③ 수행평가

탐구 주제 식물 세포와 동물 세포 관찰하기

탐구 목표 식물과 동물이 세포로 이루어져 있음을 설명할 수 있다.

[18~20] 다음은 관찰 도구로 양파 표피 세포와 입안 상피 세포를 관찰한 모습입니다.

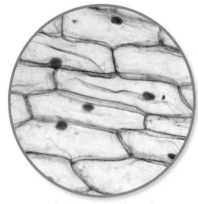
⬆ 양파 표피 세포(400배)

⬆ 입안 상피 세포(100배)

세포

세포는 생물을 이루는 기본 단위로, 생물은 세포로 이루어져 있습니다. 세포는 종류에 따라 모양, 크기, 하는 일 등이 다릅니다.

9종 공통

18 양파 표피 세포와 입안 상피 세포를 관찰할 때 사용하는 도구를 한 가지 쓰시오.

(   )

세포는 크기가 매우 작아 확대해서 관찰해야 해.

9종 공통

19 다음은 양파 표피 세포와 입안 상피 세포를 관찰한 결과입니다. ☐ 안에 알맞은 말을 각각 쓰시오.

구분	양파 표피 세포	입안 상피 세포
공통점	• 세포막이 있고, 세포 속에 둥근 ❶[＿＿＿＿]이/가 있음. • 크기가 매우 작아 맨눈으로 관찰하기 어려움.	
차이점	세포의 가장자리가 ❷[＿＿＿＿].	세포의 가장자리가 얇음.

세포의 각 부분

양파 표피 세포와 입안 상피 세포 모두 핵과 세포막이 있습니다. 핵은 세포 안에 있고, 세포막은 세포를 둘러싸고 있습니다.

진도 완료 체크

9종 공통

20 위 19번의 양파 표피 세포와 입안 상피 세포를 관찰한 결과를 참고하여 두 세포의 구조적인 차이점을 한 가지 쓰시오.

＿＿＿＿＿＿＿＿＿＿＿＿＿＿＿＿＿＿＿＿＿＿＿＿＿＿＿＿＿＿＿＿＿＿＿

＿＿＿＿＿＿＿＿＿＿＿＿＿＿＿＿＿＿＿＿＿＿＿＿＿＿＿＿＿＿＿＿＿＿＿

양파 표피 세포와 입안 상피 세포의 차이점

식물 세포인 양파 표피 세포는 세포벽이 있지만, 동물 세포인 입안 상피 세포는 세포벽이 없습니다.

개념 ① 잎의 생김새와 하는 일

1. 잎에서 만드는 양분 알아보기

실험 동영상

내 교과서 살펴보기 / **천재교육, 동아, 비상, 지학사**

① 실험 방법

1 봉선화 잎 중 한 개에만 알루미늄 포일을 씌워 햇빛이 드는 곳에 두기

2 다음 날 오후에 알루미늄 포일을 씌운 잎과 씌우지 않은 잎을 따기

3

뜨거운 물

에탄올

각 잎을 뜨거운 물이 든 큰 비커에 1분간 담갔다가 에탄올이 든 작은 비커에 옮겨 넣기

4

유리판

뜨거운 물

3의 작은 비커를 뜨거운 물이 든 큰 비커에 넣고 유리판으로 덮어 5분 동안 기다리기

5

아이오딘-아이오딘화 칼륨 용액

4의 잎을 따뜻한 물로 헹구고, 아이오딘-아이오딘화 칼륨 용액을 떨어뜨려 색깔 변화를 관찰하기

② 실험 결과

빛을 받은 잎	빛을 받지 못한 잎
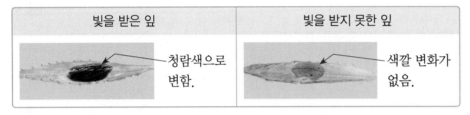 청람색으로 변함.	색깔 변화가 없음.

③ 알게 된 점: 빛을 받은 잎에서만 녹말(양분)이 만들어집니다.

요점 2. 광합성과 양분의 이동

광합성	식물이 빛을 이용하여 이산화 탄소와 물로 양분을 만드는 것
잎에서 만든 양분	줄기를 통해 뿌리, 열매 등 여러 부분으로 이동하여 사용되고, 남은 양분은 저장됨.

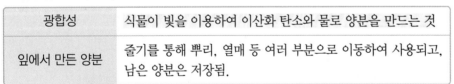
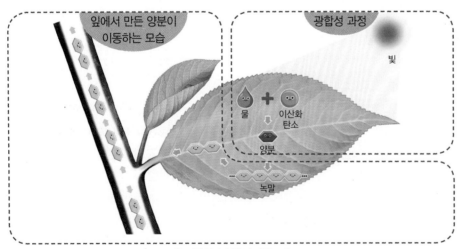

잎에서 만든 양분이 이동하는 모습

광합성 과정

빛

물 + 이산화 탄소

양분

녹말

▲ 광합성과 양분의 이동 모습

☑ 잎의 생김새

잎은 대부분 초록색을 띠며 납작한 잎몸이 **❶** (뿌리 / 잎자루)에 붙어 있습니다.

잎자루

잎몸

잎맥

나는 잎자루에 붙어 있는 잎몸이야.

아이오딘-아이오딘화 칼륨 용액이 녹말과 반응하면 청람색이 나타나!

☑ 광합성

식물이 빛을 이용하여 이산화 탄소와 물로 **❷** ⬚○⬚ㅂ 을 만드는 것을 광합성이라고 합니다.

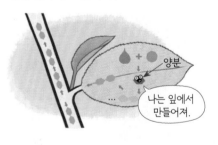

양분

나는 잎에서 만들어져.

정답 ❶ 잎자루 ❷ 양분

3. 잎에 도달한 물의 이동 알아보기

실험 동영상

① 실험 방법

1 두 개의 모종 중 하나만 잎을 제거하기

2 두 모종에 공기가 통하지 않도록 비닐봉지를 씌우기

3 **2**의 두 모종을 각각 물이 든 삼각 플라스크에 넣기

4 **3**의 두 모종을 햇빛이 잘 비치는 곳에 놓고 몇 시간 후에 두 모종을 싼 비닐봉지 안쪽에 나타나는 변화를 관찰하기

② 실험 결과

잎이 있는 모종	잎이 없는 모종
비닐봉지 안쪽에 물방울이 생김.	비닐봉지 안쪽에 물방울이 생기지 않음.

③ 알게 된 점: 식물의 잎에서 물이 밖으로 빠져나옵니다.

4. 증산 작용

용어 식물의 표피 조직 중 반달 모양의 두 세포가 만드는 구멍

증산 작용	잎에 도달한 물의 일부가 수증기가 되어 기공을 통해 식물 밖으로 빠져나가는 것
증산 작용의 역할	• 뿌리에서 흡수한 물을 식물의 꼭대기까지 끌어 올리는 것을 도움. • 더울 때 식물의 온도가 계속 올라가는 것을 막아 식물의 온도를 적당하게 유지함.

나무

기공

(400배)

⬆ 증산 작용이 일어나는 잎의 기공

☑ **증산 작용**

잎에 도달한 물의 일부가 수증기가 되어 ❸ ㄱ ㄱ 을 통해 식물 밖으로 빠져나가는 현상입니다.

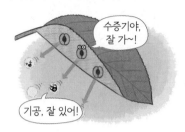

수증기야, 잘 가~!

기공, 잘 있어!

정답 ❸ 기공

4 단원

내 교과서 살펴보기 / 동아

기공의 열림과 닫힘

• 기공의 열림: 증산 작용이 활발하게 일어나는 낮에 주로 열립니다.

• 기공의 닫힘: 밤에는 증산 작용이 활발하지 않아 기공이 닫힙니다.

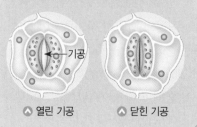

⬆ 열린 기공   ⬆ 닫힌 기공

개념 ② 꽃의 생김새와 하는 일

1. 꽃의 구조: 대부분 암술, 수술, 꽃잎, 꽃받침으로 이루어져 있습니다.

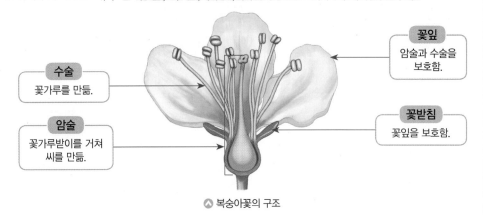

꽃잎
암술과 수술을 보호함.

수술
꽃가루를 만듦.

꽃받침
꽃잎을 보호함.

암술
꽃가루받이를 거쳐 씨를 만듦.

▲ 복숭아꽃의 구조

내 교과서 살펴보기 / 천재교육, 천재교과서, 김영사, 미래엔, 지학사

호박꽃의 구조

• 암술, 수술, 꽃잎, 꽃받침 중에 일부가 없는 꽃입니다.

• 호박꽃의 암꽃은 수술이 없고, 수꽃은 암술이 없습니다.

암술

수술

▲ 암꽃　　▲ 수꽃

2. 꽃이 하는 일: 꽃가루받이(수분)를 거쳐 씨를 만듭니다.
└→ 꽃가루받이가 제대로 이루어지지 않으면 씨가 만들어지지 않습니다.

3. 꽃가루받이(수분)

① 꽃가루받이(수분): 수술에서 만들어지는 꽃가루가 암술에 옮겨 붙는 것

곤충에 의한 꽃가루받이

사과나무

새에 의한 꽃가루받이

동백나무

수술 ← 꽃가루

암술

▲ 꽃가루받이

벼

바람에 의한 꽃가루받이

검정말

물에 의한 꽃가루받이

② 식물의 다양한 꽃가루받이 방법

• 곤충에 의한 꽃가루받이: 국화, 민들레, 무궁화 등

• 새에 의한 꽃가루받이: 바나나, 선인장 등

• 바람에 의한 꽃가루받이: 느티나무, 소나무, 부들, 옥수수 등

• 물에 의한 꽃가루받이: 나사말 등

☑ **꽃가루받이**

꽃가루받이는 수술에서 만들어지는 ❹(열매 / 꽃가루)가 암술에 옮겨 붙는 것입니다.

암술로 이동하자!

꽃가루

암술　　수술

정답 ❹ 꽃가루

개념 ③ 씨가 퍼지는 방법

1. 열매의 생김새와 하는 일

① 열매의 구조: 씨와 씨를 둘러싼 껍질로 되어 있습니다.

② 열매가 하는 일: 어린 씨를 보호하고, 씨가 익으면 씨가 퍼지는 것을 돕습니다.

2. 열매가 자라는 과정: 꽃가루받이가 됨. ➡ 암술 속에서 씨가 생겨 자람. ➡ 씨를 싸고 있는 암술이나 꽃받침 등이 함께 자라서 열매가 됨.

내 교과서 살펴보기 / **천재교과서, 금성**

열매가 자라는 과정

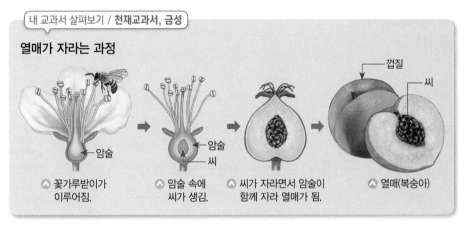

⬆ 꽃가루받이가 이루어짐.　⬆ 암술 속에 씨가 생김.　⬆ 씨가 자라면서 암술이 함께 자라 열매가 됨.　⬆ 열매(복숭아)

3. 씨가 퍼지는 다양한 방법: 열매는 동물, 바람, 물 등의 도움을 받아 이동하거나 스스로 터져서 씨를 멀리 퍼지게 합니다.

⬆ 동물에게 먹혀서 퍼지는 씨　⬆ 동물의 털이나 사람의 옷에 붙어서 퍼지는 씨　⬆ 작은 동물이 옮겨서 퍼지는 씨

⬆ 바람에 날려서 퍼지는 씨　⬆ 물에 실려서 퍼지는 씨　⬆ 스스로 터져서 퍼지는 씨

☑ 열매

씨와 씨를 둘러싼 **⑤** ㄲ ㅈ 로 되어 있습니다.

☑ 씨가 퍼지는 방법

열매는 동물, **⑥** ㅂ ㄹ , 물 등의 도움을 받아 이동하거나 스스로 터져서 씨를 멀리 퍼지게 합니다.

9종 공통

[1~5] 다음은 개념 확인 문제입니다. 물음에 답하시오.

1 잎에서 만든 양분과 아이오딘 – 아이오딘화 칼륨 용액이 반응하면 어떤 색깔이 나타납니까?

( )

2 잎에 도달한 물의 일부가 수증기가 되어 기공을 통해 밖으로 빠져나가는 것을 무엇이라고 합니까?

( )

3 꽃의 구조 중 꽃가루를 만드는 부분은 무엇입니까?

( )

4 동백나무의 꽃가루받이를 도와주는 동물은 무엇입니까?

( )

5 식물의 구조 중 씨와 씨를 둘러싼 껍질로 되어 있는 부분은 무엇입니까? ( )

9종 공통

6 다음 보기 에서 식물이 만드는 양분과 관련된 설명으로 옳은 것을 골라 기호를 쓰시오.

보기
ㄱ 식물이 만드는 양분은 지방입니다.
ㄴ 식물은 광합성을 통해 양분을 만듭니다.
ㄷ 식물이 양분을 만들 때 빛은 필요하지 않습니다.

( )

9종 공통

7 다음 중 아이오딘–아이오딘화 칼륨 용액과 반응하여 색깔 변화가 나타나는 것은 어느 것인지 기호를 쓰시오.

ㄱ 빛을 받은 잎   ㄴ 빛을 받지 못한 잎

( )

9종 공통

8 오른쪽은 식물의 잎을 확대한 모습입니다. ㉠에 대한 설명으로 옳은 것은 어느 것입니까?

( )

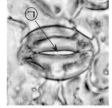

◎ 잎의 표면(400배)

① 뿌리털이라고 한다.
② 잎에서 물이 빠져나가는 구멍이다.
③ 잎에서 양분을 흡수하는 구멍이다.
④ 잎에서 만든 양분이 저장되어 있는 곳이다.
⑤ 잎에서 사용하고 남은 물을 저장하고 있는 곳이다.

9종 공통

9 다음 중 꽃의 각 부분이 하는 일에 대한 설명으로 옳지 않은 것은 어느 것입니까? ( )

① 수술은 꽃가루를 만든다.
② 암술은 수술을 보호한다.
③ 꽃받침은 꽃잎을 보호한다.
④ 꽃잎은 암술과 수술을 보호한다.
⑤ 암술은 꽃가루받이를 거쳐 씨를 만든다.

9종 공통

10 다음의 꽃가루받이가 이루어지는 모습에 대한 설명으로 옳은 것은 어느 것입니까? (　　　)

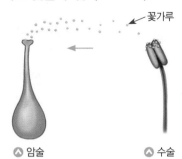

꽃가루

△ 암술　　　　△ 수술

① 암술에서 만들어지는 꽃가루가 수술에 옮겨 붙는 것이다.

② 수술에서 만들어지는 꽃가루가 암술에 옮겨 붙는 것이다.

③ 암술에서 만들어지는 꽃가루가 멀리 퍼져 나가는 것이다.

④ 수술에서 만들어지는 꽃가루가 멀리 퍼져 나가는 것이다.

⑤ 꽃잎에서 만들어지는 꽃가루가 암술과 수술에 옮겨 붙는 것이다.

천재교과서

11 다음 중 바람에 의해 꽃가루받이가 이루어지는 식물은 어느 것입니까? (　　　)

①
△ 벼

②
△ 검정말

③
△ 사과나무

④
△ 동백나무

9종 공통

12 다음은 열매에 대한 설명입니다. □ 안에 공통으로 들어갈 알맞은 말을 쓰시오.

열매는 □와/과 □을/를 둘러싸는 껍질로 되어 있는데, 어린 □을/를 보호하고 □이/가 익으면 퍼지는 것을 돕습니다.

(　　　　　　　　)

천재교과서, 금성

13 다음은 열매가 자라는 과정을 순서 없이 나타낸 것입니다. 순서대로 기호를 쓰시오.

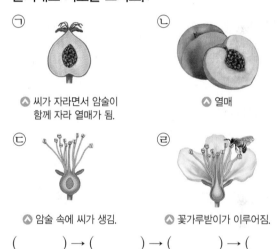

ㄱ △ 씨가 자라면서 암술이 함께 자라 열매가 됨.

ㄴ △ 열매

ㄷ △ 암술 속에 씨가 생김.

ㄹ △ 꽃가루받이가 이루어짐.

(　　) → (　　) → (　　) → (　　)

천재교과서, 미래엔

14 오른쪽은 산수유나무의 열매입니다. 산수유나무의 씨가 퍼지는 방법으로 옳은 것은 어느 것입니까? (　　　)

△ 산수유나무

① 물에 떠서 퍼진다.

② 바람에 날려서 퍼진다.

③ 동물에게 먹혀서 퍼진다.

④ 열매껍질이 터져서 퍼진다.

⑤ 날개가 있어 빙글빙글 돌며 날아서 퍼진다.

4 단원

9종 공통

15 오른쪽과 같이 물이 담긴 삼각 플라스크에 잎이 있는 모종을 넣고, 비닐봉지를 씌운 후 공기가 통하지 않도록 묶어 햇빛이 잘 드는 곳에 두었습니다.

(1) 시간이 지난 뒤에 관찰하면 비닐봉지 안에 무엇이 생기는지 쓰시오.

(   )

(2) 시간이 지난 뒤에 관찰했을 때 비닐봉지 안에 위의 (1)번 답이 생기는 까닭을 쓰시오.

답 뿌리에서 흡수한 **❶**[　　　　] 이/가 **❷**[　　　　] 을/를 통해 식물 밖으로 빠져나갔기 때문이다.

서술형 가이드
어려워하는 서술형 문제!
서술형 가이드를 이용하여 풀어 봐!

15 (1) 잎에 도달한 물이 [　][　] 밖으로 빠져나갑니다.

(2) [　][　] 에서 흡수한 물은 식물의 잎을 통해 빠져 나갑니다.

9종 공통

16 오른쪽은 복숭아꽃의 구조를 나타낸 것입니다.

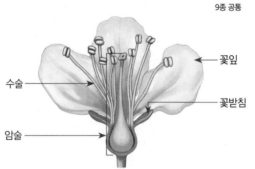

꽃잎
수술
꽃받침
암술

(1) 위 꽃의 수술에서 만들어진 꽃가루가 암술에 옮겨 붙는 것을 무엇이라고 하는지 쓰시오.

(   )

(2) 꽃이 하는 일을 위 (1)번의 답을 넣어 쓰시오.

_____

_____

16 (1) 꽃의 수술에서 만들어지는 꽃가루가 [　][　] 에 옮겨 붙는 것을 꽃가루받이라고 합니다.

(2) 꽃은 꽃가루받이를 거쳐 [　] 를 만듭니다.

9종 공통

17 오른쪽은 열매의 모습입니다. ㉠과 ㉡ 중 씨의 기호를 쓰고, 열매가 하는 일을 쓰시오.

㉠
㉡

_____

_____

17 열매는 [　] 가 익으면 멀리 퍼뜨립니다.

수행평가 가이드
다양한 유형의 수행평가!
수행평가 가이드를 이용해 풀어 봐!

탐구 주제 식물의 각 부분에서 하는 일을 알아보기

탐구 목표 식물의 전체적인 구조를 알고, 식물의 각 구조의 기능을 설명할 수 있다.

[18~20] 다음은 식물의 뿌리, 줄기, 잎, 꽃, 열매의 대화입니다.

> 뿌리: 나는 물을 흡수하고 몸을 지지해.
> 줄기: 나도 몸을 지지하고, 뿌리에서 흡수한 물이 이동하는 통로 역할을 해.
> 잎: 나는 빛과 이산화 탄소, 물을 이용하여 양분을 만들어. 그리고 사용하고 남은 물을 몸 밖으로 내보내는 일도 해.
> 꽃: 나는 꽃가루받이를 거쳐 씨를 만드는 일을 해.
> 열매: 나는 어린 씨를 보호하고, 씨가 익으면 씨를 퍼뜨리는 일을 해.

9종 공통

18 다음은 가뭄이 계속되는 날 식물의 각 부분에서 하는 일입니다. ㉠~㉢에 들어갈 알맞은 말을 각각 쓰시오.

식물의 각 부분	하는 일
뿌리	㉠ 의 수를 늘리고 땅속 깊이 내려가 물을 찾음.
㉡	뿌리가 물을 흡수하면 잎, 꽃, 열매에게 물을 전달함.
잎	물을 내보내는 양을 줄이고 잎을 늘어뜨려 빛을 받는 양을 줄임.
꽃	물이 충분해질 때까지 꽃을 피우는 것을 미룸.
열매	소중한 ㉢ 이/가 마르지 않도록 보호함.

㉠ (   ) ㉡ (   ) ㉢ (   )

식물의 각 부분

뿌리, 줄기, 잎, 꽃, 열매 등은 식물을 이루고 있는 부분으로 생김새와 하는 일이 다르지만, 서로 영향을 주고받습니다.

9종 공통

19 다음은 잎이 하는 일입니다. ㉠과 ㉡에 들어갈 알맞은 말을 각각 쓰시오.

> • 식물의 잎에서 빛과 이산화 탄소, 물을 이용하여 스스로 양분을 만드는 것을 ㉠ (이)라고 합니다.
> • 잎에 도달한 물이 기공을 통해 식물 밖으로 빠져나가는 것을 ㉡ (이)라고 합니다.

㉠ (   ) ㉡ (   )

잎은 광합성으로 양분을 만들고, 증산 작용으로 물을 식물 밖으로 내보내지.

9종 공통

20 꽃의 꽃가루받이를 돕는 새와 곤충이 모두 없어진다면 어떤 일이 생길지 쓰시오.

_____

_____

꽃가루받이(수분)

꽃가루받이는 수술에서 만들어지는 꽃가루가 암술에 옮겨 붙는 것으로, 꽃은 꽃가루받이를 거쳐 씨를 만듭니다.

배점 표시가 없는 문제는 문제당 4점입니다.

1 다음은 생물을 이루고 있는 것 중 무엇에 대한 설명입니까? (   )

9종 공통

- 생물을 이루는 기본 단위입니다.
- 크기가 매우 작아 맨눈으로 보기 어렵습니다.

① 핵   ② 표피   ③ 피부
④ 세포   ⑤ 식물과 동물

2 다음 보기 에서 위 **1**번 답의 크기와 모양에 대한 설명으로 옳은 것을 골라 기호를 쓰시오.

9종 공통

보기
㉠ 크기와 모양이 일정합니다.
㉡ 크기와 모양이 다양합니다.
㉢ 크기는 일정하고 모양은 다양합니다.
㉣ 크기는 다양하지만 모양은 모두 같습니다.

(   )

3 다음 중 식물 세포 각 부분의 이름을 바르게 나타낸 것은 어느 것입니까? (   )

9종 공통

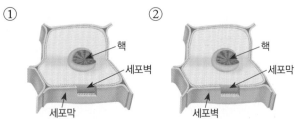

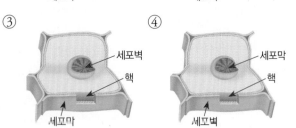

서술형·논술형 문제

9종 공통

4 다음은 양파 표피 세포와 입안 상피 세포를 현미경으로 관찰한 모습입니다. [총 12점]

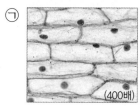

(1) 위에서 양파 표피 세포의 기호를 쓰시오. [4점]

(   )

(2) 현미경으로 세포를 관찰하는 까닭을 쓰시오. [8점]

_____

_____

천재교과서, 금성, 비상

5 다음 식물의 뿌리에 대한 설명으로 옳은 것을 두 가지 고르시오. (,   )

◎ 파 뿌리

◎ 당근 뿌리

① 파는 뿌리에 양분을 저장한다.
② 당근은 뿌리에 양분을 저장한다.
③ 파는 굵기가 비슷한 가는 뿌리가 수염처럼 나 있다.
④ 파는 굵고 곧은 뿌리에 가는 뿌리가 여러 개 나 있다.
⑤ 당근은 굵기가 비슷한 가는 뿌리가 수염처럼 나 있다.

[6~8] 다음과 같이 뿌리가 하는 일을 알아보기 위해 뿌리를 자른 양파와 뿌리를 자르지 않은 양파를 준비하여 같은 양의 물이 담긴 비커에 각 양파의 밑부분이 닿도록 각각 올려 놓고 빛이 잘 비치는 곳에 여러 날 동안 두었습니다. 물음에 답하시오.

⬆ 뿌리를 자른 양파

⬆ 뿌리를 자르지 않은 양파

천재교육, 천재교과서, 동아, 미래엔

6 다음 중 위 실험에서 같게 해야 할 조건이 <u>아닌</u> 것은 어느 것입니까? (   )

① 물의 양   ② 양파의 크기
③ 뿌리의 유무   ④ 비커의 크기
⑤ 비커를 두는 장소

천재교육, 천재교과서, 동아, 미래엔

7 다음은 위 실험의 결과입니다. ㉠과 ㉡에 들어갈 알맞은 말을 각각 쓰시오.

> 뿌리를 [㉠] 양파를 올려놓은 비커의 물이
> 뿌리를 [㉡] 양파를 올려놓은 비커의 물보다
> 더 많이 줄어들었습니다.

㉠ (   ) ㉡ (   )

9종 공통

8 위 실험의 결과를 통해 알 수 있는 점으로 옳은 것은 어느 것입니까? (   )

① 뿌리는 양분을 만든다.
② 뿌리는 물을 흡수한다.
③ 뿌리가 없어도 식물이 잘 자란다.
④ 뿌리가 물에 닿으면 길이가 점점 짧아진다.
⑤ 뿌리는 양분을 식물 밖으로 내보내는 역할을 한다.

9 다음 식물 줄기를 생김새에 맞게 줄로 바르게 이으시오.

(1) 딸기

• ㉠ 곧은줄기

(2) 나팔꽃

• ㉡ 감는줄기

(3) 소나무

• ㉢ 기는줄기

🗂 **서술형·논술형 문제** 천재교육, 천재교과서, 금성, 동아, 미래엔, 아이스크림, 지학사

10 다음과 같이 붉은 색소 물에 4시간 동안 담가 둔 백합 줄기를 세로로 자른 단면에서 나타나는 붉은 선은 무엇 인지 쓰시오. [8점]

 ➡
⬆ 세로로 자른 단면

_____

_____

11 오른쪽과 같은 식물 줄기에 대한 설명으로 옳지 <u>않은</u> 것은 어느 것입니까? ( )

⬆ 줄기(소나무)

① 줄기는 식물을 지지한다.

② 줄기는 물을 식물 전체로 전달한다.

③ 모든 식물 줄기는 땅 위를 기는 듯이 뻗어 나간다.

④ 줄기의 껍질은 해충이나 세균 등의 침입을 막는다.

⑤ 줄기의 껍질은 추위와 더위로부터 식물을 보호한다.

[12~13] 잎에서 만든 물질을 알아보기 위해서 봉선화 잎 중 한 개에만 알루미늄 포일을 씌워 햇빛이 드는 곳에 두고, 다음 날 알루미늄 포일을 씌운 잎과 씌우지 않은 잎을 따서 다음과 같이 실험하였습니다. 물음에 답하시오.

> **1** 각 잎을 뜨거운 물이 든 비커에 1분간 담갔다가 에탄올이 든 작은 비커에 옮겨 넣기
>
> **2** **1**의 작은 비커를 뜨거운 물이 든 비커에 넣어 유리판으로 덮고 5분 동안 기다리기
>
> **3** **2**의 잎을 따뜻한 물로 헹구고, 아이오딘-아이오딘화 칼륨 용액을 떨어뜨려 색깔 변화를 관찰하기

12 다음은 위의 실험 결과입니다. 이에 대한 설명으로 옳은 것을 두 가지 고르시오. (,)

⬆ 알루미늄 포일을 씌운 잎

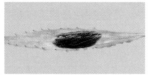
⬆ 알루미늄 포일을 씌우지 않은 잎

① 잎은 알루미늄 포일을 흡수한다.

② 빛을 받은 잎에서 양분이 만들어진다.

③ 빛을 받지 않아도 잎에서 녹말이 만들어진다.

④ 잎에서 만들어진 양분은 아이오딘-아이오딘화 칼륨 용액과 반응하지 않는다.

⑤ 아이오딘-아이오딘화 칼륨 용액이 빛을 받은 잎에서 만들어진 녹말과 반응하여 청람색으로 색깔이 변한다.

13 다음은 앞의 12번 실험의 결과와 관련 있는 잎에서 하는 일에 대한 설명입니다. ☐ 안에 들어갈 알맞은 말을 쓰시오.

> 잎에서는 빛, 이산화 탄소, 뿌리에서 흡수한 물을 이용하여 스스로 양분을 만드는 ☐☐을/를 합니다.

( )

14 다음 중 증산 작용에 대한 설명으로 옳지 <u>않은</u> 것은 어느 것입니까? ( )

① 잎에 있는 기공을 통해 일어난다.

② 식물의 온도를 적당하게 유지하는 역할을 한다.

③ 잎에서 식물 밖으로 물을 내보내는 것을 말한다.

④ 식물이 빛을 이용해 양분을 만드는 것을 말한다.

⑤ 뿌리에서 흡수한 물을 식물의 꼭대기까지 끌어 올릴 수 있게 돕는다.

15 다음 보기 에서 꽃에 대한 설명으로 옳은 것을 골라 기호를 쓰시오.

> **보기**
>
> ㉠ 꽃잎은 꽃받침과 암술을 보호합니다.
>
> ㉡ 수술은 꽃가루받이를 거쳐 씨를 만듭니다.
>
> ㉢ 식물의 종류에 따라 꽃의 크기, 모양이 다릅니다.

( )

16 다음은 복숭아꽃의 구조입니다. 각 부분의 이름을 쓰시오. 9종 공통

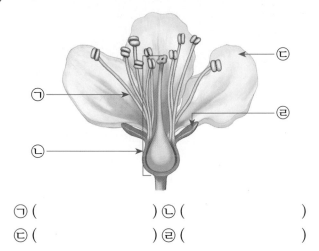

㉠ (   ) ㉡ (   )
㉢ (   ) ㉣ (   )

17 다음 중 위 **16**번의 ㉠~㉣에서 꽃가루받이에 관여하는 부분을 모두 고른 것은 어느 것입니까? (   ) 9종 공통
① ㉠, ㉡   ② ㉠, ㉢
③ ㉠, ㉣   ④ ㉠, ㉡, ㉣
⑤ ㉠, ㉡, ㉢, ㉣

18 다음 식물 중 곤충에 의해 꽃가루받이가 일어나는 식물은 어느 것입니까? (   ) 천재교육, 김영사
① 부들   ② 국화   ③ 소나무
④ 나사말   ⑤ 느티나무

서술형·논술형 문제

19 다음은 열매가 자라는 과정입니다. [총 12점] 9종 공통

> **1** 꽃가루받이가 이루어집니다.
> **2** 수술 속에서 씨가 생겨 자랍니다.
> **3** 씨를 싸고 있는 암술이나 꽃받침 등이 함께 자라 열매가 됩니다.

(1) 위에서 열매가 자라는 과정을 잘못 설명한 것의 번호를 쓰시오. [4점]

(   )

(2) 위 (1)번 답의 과정을 바르게 고쳐 쓰시오. [8점]

_____

_____

천재교과서

20 다음 식물의 씨가 퍼지는 방법을 **보기**에서 골라 기호를 쓰시오.

> **보기**
> ㉠ 물에 실려서 씨가 퍼집니다.
> ㉡ 스스로 터져서 씨가 퍼집니다.
> ㉢ 동물에게 먹혀서 씨가 퍼집니다.
> ㉣ 동물의 털이나 사람의 옷에 붙어서 씨가 퍼집니다.

(1) 콩   (2)  연꽃

(   )   (   )

(3)  산수유나무   (4)  도깨비바늘

(   )   (   )

진도 완료 체크

연관 학습 안내

초등 4학년	이 단원의 학습	중학교
그림자와 거울 그림자와 거울을 통해 빛의 직진과 빛의 반사에 대해 배웠어요.	빛과 렌즈 빛의 굴절과 볼록 렌즈의 쓰임새에 대해 배워요.	빛과 파동 빛 때문에 물체를 볼 수 있고, 렌즈에 의한 상의 특징을 배울 거예요.

빛과 렌즈

5

이어서
개념 웹툰

개념 ① 프리즘을 통과한 햇빛

> 용어 유리나 플라스틱 등으로 만든 투명한 삼각기둥 모양의 기구

1. 프리즘을 통과한 햇빛 관찰하기

△ 햇빛을 프리즘에 통과시키기

흰 도화지에 나타난 모습

△ 여러 가지 색의 빛으로 나타남.

> 프리즘을 놓는 위치에 따라 상하가 바뀐 모습이 나타나기도 합니다.

알게 된 점 ≫ 햇빛의 특징: 햇빛은 여러 가지 색의 빛으로 이루어져 있음.

2. 햇빛이 여러 가지 색의 빛으로 나타나는 경우

무지개

△ 비가 내린 뒤 볼 수 있는 무지개

△ 폭포 주변의 무지개

> 햇빛이 공기 중에 떠 있는 물방울을 통과하면서 여러 가지 색의 빛으로 나뉘어 생깁니다.

개념 ② 물이나 유리를 통과하는 빛

> 내 교과서 살펴보기 / 천재교육, 김영사, 미래엔, 비상, 아이스크림, 지학사

빛이 유리를 통과할 때 나아가는 모습

• 방법: 레이저 지시기의 빛을 반투명 유리판의 위쪽에서 아래쪽으로 비스듬히 비춥니다.

• 결과: 빛이 공기와 유리의 경계에서 꺾여 나아갑니다.

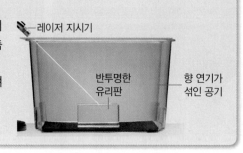

레이저 지시기

반투명한 유리판

향 연기가 섞인 공기

☑ **프리즘을 통과한 햇빛**

프리즘을 통과한 햇빛은 여러 가지

❶ [ㅅ] 의 빛으로 나타납니다.

> 여러 가지 색의 빛이 연속해서 나타났어.

프리즘

☑ **햇빛의 특징**

햇빛은 여러 가지 색의 ❷ [ㅂ] 으로

이루어져 있습니다.

> 햇빛을 나누어 무지개를 만들어야겠어.

> 물방울은 프리즘의 역할을 해.

정답 ❶ 색 ❷ 빛

┌→ 레이저 지시기의 빛을 공기 중에서 물, 물에서 공기 중으로 나아가도록 여러 각도에서 비춥니다.

1. 공기와 물의 경계에서 빛이 나아가는 모습 관찰하기 탐구활동

실험 동영상

빛을 수직으로 비추었을 때

빛이 꺾이지 않고
그대로 나아감.

빛을 비스듬히 비추었을 때

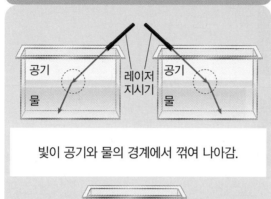

빛이 공기와 물의 경계에서 꺾여 나아감.

┌→ 레이저 지시기의 빛을 유리에서 공기 중, 공기 중에서 유리로 나아가도록 여러 각도에서 비춥니다.

2. 공기와 유리의 경계에서 빛이 나아가는 모습 관찰하기 탐구활동

실험 동영상

빛을 수직으로 비추었을 때

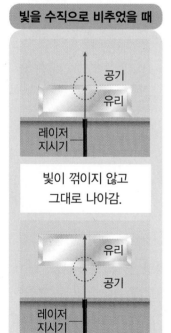

빛이 꺾이지 않고
그대로 나아감.

빛을 비스듬히 비추었을 때

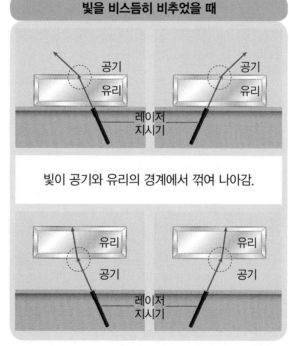

빛이 공기와 유리의 경계에서 꺾여 나아감.

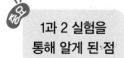

1과 2 실험을
통해 알게 된 점

» • 빛이 서로 다른 물질에 **수직**으로 들어갈 때: 두 물질의
경계에서 꺾이지 않고 그대로 나아감.
• 빛이 서로 다른 물질에 **비스듬히** 들어갈 때: 두 물질의
경계에서 꺾여 나아감.

개념 체크

물에 우유를 몇 방울
떨어뜨리고, 수조에
향 연기를 채우면 빛이
나아가는 모습을 자세히
볼 수 있어.

☑ 물을 통과하는 빛

빛은 공기 중에서 물로 비스듬히
들어갈 때 공기와 물의 경계에서
❸ ㄲㅇ 나아갑니다.

앗! 나 이제 물에
들어간다.

어랏! 공기와 물의
경계에서 꺾였어.

빛

☑ 유리를 통과하는 빛

빛은 공기 중에서 유리로 비스듬히

들어갈 때 공기와 ❹ ㅇㄹ 의

경계에서 꺾여 나아갑니다.

빛은 공기 중에서
유리로 나아갈 땐
꺾여.

빛은 공기 중에서
직진하지.

유리

빛

5
단원

정답 ❸ 꺾여 ❹ 유리

개념 ③ 빛의 굴절

→ 공기와 물, 공기와 유리 등의 투명한 물질

1. **빛의 굴절:** 서로 다른 물질의 경계에서 빛이 꺾여 나아가는 현상

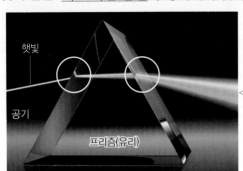

햇빛이 여러 가지 색의 빛으로 나뉘는 까닭: 공기와 프리즘의 경계에서 빛의 색에 따라 굴절하는 정도가 다르기 때문임.

△ 공기와 프리즘의 경계에서 빛이 굴절하는 모습

2. **빛의 굴절 현상**

① 물속에 있는 물체 관찰: 물체의 모습이 실제와 다른 위치에 있는 것처럼 보입니다.

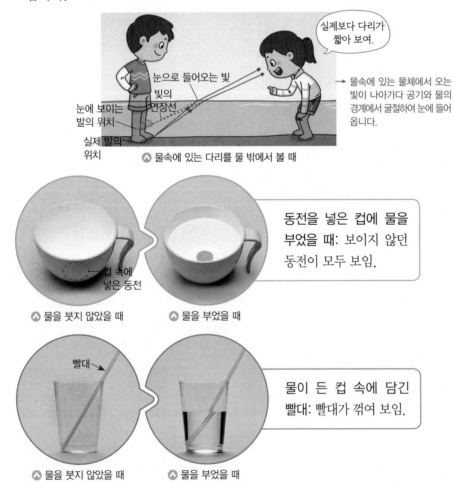

실제보다 다리가 짧아 보여.

물속에 있는 물체에서 오는 빛이 나아가다 공기와 물의 경계에서 굴절하여 눈에 들어옵니다.

△ 물속에 있는 다리를 물 밖에서 볼 때

동전을 넣은 컵에 물을 부었을 때: 보이지 않던 동전이 모두 보임.

△ 물을 붓지 않았을 때   △ 물을 부었을 때

물이 든 컵 속에 담긴 빨대: 빨대가 꺾여 보임.

△ 물을 붓지 않았을 때   △ 물을 부었을 때

② 물속에 있는 물체의 모습이 실제와 다르게 보이는 까닭: 빛이 공기와 물의 경계에서 굴절하기 때문입니다.

개념 체크

☑ **빛의 굴절**

빛이 서로 다른 물질의 경계에서 **❺** ㄲ ㅇ 나아가는 현상을 빛의 굴절이라고 합니다.

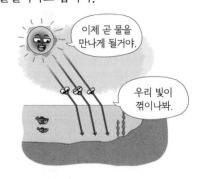

이제 곧 물을 만나게 될거야.

우리 빛이 꺾이나봐.

☑ **빛의 굴절 현상**

빛의 굴절로 인해 물속에 있는 물체의 모습이 실제와 **❻**(같게 / 다르게) 보입니다.

보이는 것보다 약간 아래에 있지.

정답 ❺ 꺾여 ❻ 다르게

내 교과서 살펴보기 / 천재교육, 동아

물속에 있는 물체의 모습 관찰

• 옆에서 볼 때: 원래 위치보다 옆쪽에 있는 것처럼 보입니다.

• 위에서 볼 때: 원래 위치보다 위쪽에 있는 것처럼 보입니다.

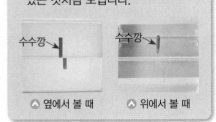

△ 옆에서 볼 때   △ 위에서 볼 때

개념 다지기

1 9종 공통

햇빛을 프리즘에 통과시켰을 때, 햇빛이 흰 도화지에 나타나는 모습으로 옳은 것을 골라 기호를 쓰시오.

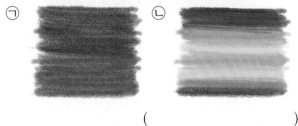

( )

2 9종 공통

다음은 위 **1**번의 실험 결과를 통해 알게 된 점입니다. ( ) 안의 알맞은 말에 ○표를 하시오.

> 햇빛은 (두 / 여러) 가지 색의 빛으로 이루어져 있습니다.

3 천재교과서, 김영사, 동아, 미래엔, 비상, 지학사

다음 실험 장치에서 공기와 물의 경계에서 빛이 나아가는 모습을 잘 관찰하기 위해 수조에 넣어주는 것을 두 가지 고르시오. (,)

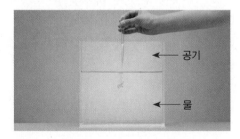

① 우유   ② 기름

③ 얼음물   ④ 향 연기

⑤ 뜨거운 물

4 9종 공통

앞의 **3**번 실험 장치에 레이저 지시기의 빛을 비출 때 공기와 물의 경계에서 빛이 나아가는 모습을 줄로 바르게 이으시오.

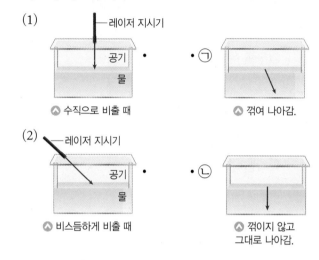

5 9종 공통

다음은 레이저 지시기의 빛을 유리에서 공기 중으로 나아가도록 비추는 모습을 통해 알게 된 점입니다. ☐ 안에 들어갈 알맞은 말을 쓰시오.

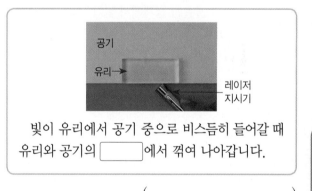

> 빛이 유리에서 공기 중으로 비스듬히 들어갈 때 유리와 공기의 ☐ 에서 꺾여 나아갑니다.

( )

6 9종 공통

다음 [보기]에서 빛이 굴절하는 곳이 아닌 것을 골라 기호를 쓰시오.

> **보기**
> ㉠ 공기와 물이 만나는 경계
> ㉡ 공기와 유리가 만나는 경계
> ㉢ 공기와 거울이 만나는 경계

( )

5 단원

Step 1 단원평가

9종 공통

[1~5] 다음은 개념 확인 문제입니다. 물음에 답하시오.

1 유리나 플라스틱 등으로 만든 투명한 삼각기둥 모양의 기구를 무엇이라고 합니까?

(　　　　　)

2 프리즘을 통과한 햇빛은 (한 / 여러) 가지 색의 빛으로 나타납니다.

3 빛을 물에 비스듬히 비추면 공기와 물의 경계에서 빛이 (꺾여 / 그대로) 나아갑니다.

4 물속에 있는 다리를 물 밖에서 보면 어떻게 보입니까?

(　　　　　)

5 서로 다른 물질의 경계에서 빛이 꺾여 나아가는 현상을 무엇이라고 합니까? (　　　　　)

9종 공통

6 오른쪽의 프리즘에 대한 설명으로 옳지 않은 것은 어느 것입니까? (　　)

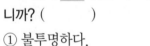

① 불투명하다.
② 삼각기둥 모양이다.
③ 유리로 만들 수 있다.
④ 햇빛이 통과할 수 있다.
⑤ 플라스틱으로 만들 수 있다.

[7~8] 다음과 같이 장치한 후 햇빛을 프리즘에 통과시켰습니다. 물음에 답하시오.

9종 공통

7 위 실험 결과에 대한 설명으로 옳은 것을 보기에서 골라 기호를 쓰시오.

> **보기**
> ㉠ 햇빛이 프리즘을 통과하지 못합니다.
> ㉡ 흰 도화지에 두 가지 색의 빛으로 나타납니다.
> ㉢ 흰 도화지에 여러 가지 색의 빛으로 나타납니다.

(　　　　　)

9종 공통

8 다음 중 위 실험 결과를 통해 알게 된 햇빛의 특징의 예로 옳은 것에 ○표를 하시오.

(1) 무지개 　　　　　 (2) 안개

(　　) 　　　　　 (　　)

9종 공통

9 다음과 같이 레이저 지시기의 빛을 수조 위쪽에서 수직으로 비추었을 때 빛이 나아가는 모습을 화살표로 나타내시오.

9종 공통

10 다음 중 레이저 지시기의 빛을 물에서 공기 중으로 비스듬히 비추었을 때 빛이 나아가는 모습으로 옳은 것을 골라 기호를 쓰시오.

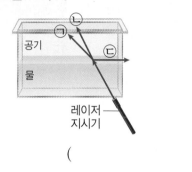

( )

9종 공통

11 오른쪽과 같이 레이저 지시기의 빛을 유리에서 공기 중으로 나아가도록 비추었을 때의 결과에 대한 설명으로 옳은 것은 어느 것입니까? ( )

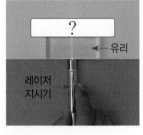

① 빛이 유리를 통과하지 못한다.

② 빛이 유리와 공기의 경계에서 사라진다.

③ 빛이 유리와 공기의 경계에서 흡수된다.

④ 빛이 유리와 공기의 경계에서 꺾여 나아간다.

⑤ 빛이 유리와 공기의 경계에서 꺾이지 않고 그대로 나아간다.

천재교육, 김영사, 미래엔, 비상, 아이스크림, 지학사

12 다음은 레이저 지시기의 빛을 유리판에 비추었을 때 공기와 유리의 경계에서 빛이 나아가는 모습에 대한 설명입니다. ( ) 안의 알맞은 말에 ○표를 하시오.

빛을 유리판에 비스듬하게 비추면 빛이 공기와 유리의 경계에서 (직진 / 굴절)합니다.

천재교육, 금성, 김영사, 미래엔

13 다음은 동전을 넣은 컵에 물을 붓지 않았을 때와 물을 부었을 때의 컵 속 모습입니다. 이에 대한 설명으로 옳지 <u>않은</u> 것은 어느 것입니까? ( )

△ 물을 붓지 않았을 때   △ 물을 부었을 때

① 물을 붓지 않았을 때에는 동전이 보이지 않는다.

② 물을 부은 다음에는 동전이 보인다.

③ 물을 부으면 실제 동전의 위치가 바뀐다.

④ 물을 부으면 동전이 실제와 다른 위치에 있는 것처럼 보인다.

⑤ 빛이 공기와 물의 경계에서 꺾여 나아가기 때문에 나타나는 현상이다.

천재교과서

14 다음 중 빛의 굴절과 관련 <u>없는</u> 상황은 어느 것입니까? ( )

① 물속에 있는 다리가 짧아 보일 때

② 물이 든 컵에 담긴 빨대가 꺾여 보일 때

③ 세면대 거울에 비친 물체의 모습이 좌우가 바뀌어 보일 때

④ 프리즘을 통과한 햇빛이 여러 가지 색의 빛으로 나뉘어 보일 때

⑤ 물 속에 있는 물체를 물 밖에서 보면 원래 위치보다 위쪽에 있는 것처럼 보일 때

5
단원

15 오른쪽은 햇빛의 특징을 알아보기 위한 실험입니다.

9종 공통

흰 도화지

(1) 위 실험에서 사용한 ㉠ 도구의 이름을 쓰시오.

(   )

(2) 위 햇빛이 흰 도화지에 나타난 모습을 쓰시오.

답 흰 도화지에 ❶ [　　　　　] 색의 빛이 ❷ [　　　　　　]

나타난다.

15 (1) 유리나 플라스틱 등으로 만든 (투명 / 불투명)한 삼각기둥 모양의 기구를 프리즘이라고 합니다.

(2) 프리즘을 통과한 햇빛은 흰 도화지에 여러 가지 [　] 의 빛으로 나타납니다.

16 오른쪽은 레이저 지시기의 빛이 공기 중에서 유리로 나아가도록 비스듬히 비추는 모습입니다.

9종 공통

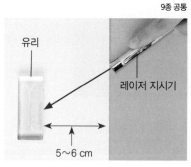
유리
레이저 지시기
5~6 cm

(1) 위 실험은 빛의 어떤 성질을 알아보기 위한 것인지 쓰시오.

빛의 (   )

(2) 위 실험 결과 알 수 있는 빛이 나아가는 모습을 쓰시오.

_____

_____

16 (1) 서로 다른 물질의 [　][　] 에서 빛이 꺾여 나아가는 현상을 빛의 굴절이라고 합니다.

(2) 빛을 유리에 비스듬하게 비추면 빛이 공기와 유리의 경계에서 (꺾여 / 곧게) 나아갑니다.

17 오른쪽과 같이 빨대가 든 컵에 물을 부었을 때 빨대가 꺾여 보이는 까닭을 쓰시오.

김영사, 미래엔, 지학사

빨대→

⬆ 물을 붓지 않았을 때

⬆ 물을 부었을 때

17 • 물이 든 컵 속에 담긴 빨대는 실제 모습과 (같게 / 다르게) 보입니다.

• 빛이 물에서 공기 중으로 나올 때 물과 공기의 경계에서 (직진 / 굴절)합니다.

_____

_____

Step 3 수행평가

학습 주제 공기와 물의 경계에서 빛이 나아가는 모습 관찰하기

학습 목표 빛이 공기와 물의 경계에서 굴절하는 현상을 관찰할 수 있다.

[18~20] 다음은 공기와 물의 경계에서 빛이 나아가는 모습을 관찰하기 위한 실험 과정입니다.

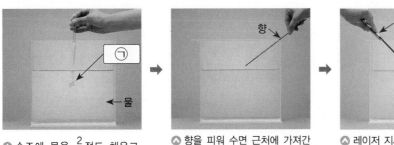

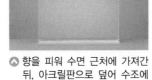

△ 수조에 물을 $\frac{2}{3}$ 정도 채우고, ⬚ㄱ 을/를 떨어뜨린 다음 유리 막대로 젓기

△ 향을 피워 수면 근처에 가져간 뒤, 아크릴판으로 덮어 수조에 ⬚ㄴ 을/를 채우기

△ 레이저 지시기의 빛을 공기에서 물로 나아가도록 여러 각도에서 비추기

천재교과서, 김영사, 동아, 미래엔, 비상, 지학사

18 위 실험 과정에서 ㉠, ㉡에 들어갈 알맞은 말을 각각 쓰시오.

㉠ (   ) ㉡ (   )

천재교과서, 김영사, 동아, 미래엔, 비상, 지학사

19 다음은 위 18번 답의 물질을 넣는 까닭입니다. ⬚ 안에 알맞은 말을 각각 쓰시오.

수조에 ❶⬚ 을/를 넣고 향을 피우면 ❷⬚ 이/가 나아가는 모습을 잘 관찰할 수 있기 때문입니다.

9종 공통

20 위 실험 결과 빛이 공기와 물의 경계에서 어떻게 나아가는지 각각 쓰시오.

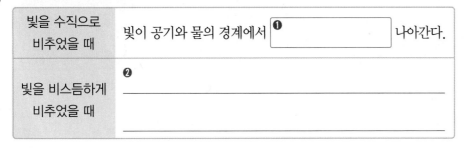

빛을 수직으로 비추었을 때	빛이 공기와 물의 경계에서 ❶⬚ 나아간다.
빛을 비스듬하게 비추었을 때	❷ _____

수행평가 가이드
다양한 유형의 수행평가!
수행평가 가이드를 이용해 풀어 봐!

주변이 어두울수록 빛이 나아가는 모습을 잘 관찰할 수 있어.

수조에 넣는 물질

공기 중에는 향을 피우고, 물에는 입자의 크기가 큰 물질을 떨어뜨리면 빛의 경로를 잘 관찰할 수 있습니다.

5 단원

진도 완료 체크

빛이 나아가는 모습

공기 중에서 직진하던 빛이 물이나 유리와 같이 투명한 물질을 만나면 두 물질의 경계에서 꺾여 나아갑니다.

개념 ① 볼록 렌즈의 특징 [탐구활동]

1. 볼록 렌즈: 가운데 부분이 가장자리보다 두꺼운 렌즈입니다.

여러 가지 볼록 렌즈

⬆ 양면 볼록 렌즈 　⬆ 평면 볼록 렌즈 　⬆ 오목 볼록 렌즈

2. 볼록 렌즈에서 빛의 굴절

> 내 교과서 살펴보기 / 천재교과서, 금성, 김영사, 동아, 미래엔, 비상, 지학사

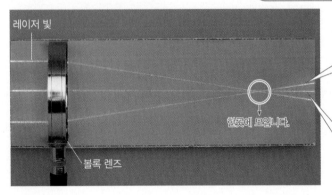

레이저 빛

한곳에 모입니다.

볼록 렌즈

> 빛이 볼록 렌즈의 가장 자리를 통과할 때: 렌즈의 두꺼운 가운데 부분으로 꺾여 나아감.

> 빛이 볼록 렌즈의 가운데 부분을 통과할 때: 빛이 꺾이지 않고 그대로 나아감.

 알게 된 점 ≫ 빛은 공기 중에서 나아가다가 볼록 렌즈를 통과하면 볼록 렌즈의 두꺼운 가운데 부분으로 꺾여 나아감.

개념 ② 볼록 렌즈를 통과하는 햇빛

1. 볼록 렌즈를 통과하는 햇빛 관찰하기

① 볼록 렌즈를 흰 도화지 위에서부터 점점 멀리 했을 때 햇빛이 만든 원의 모습

└ 태양, 볼록 렌즈, 흰 도화지를 일직선이 되게 합니다.

볼록 렌즈를 통과하는 햇빛

볼록 렌즈

볼록 렌즈를 통과한 햇빛이 만든 원

흰 도화지

⬆ 렌즈와 도화지 사이의 거리가 가까울 때 　⬆ 중간일 때 　⬆ 멀 때

• 햇빛이 만든 원의 크기가 작아졌다가 다시 커짐.
• 원의 크기가 가장 작을 때 원 안의 밝기가 가장 밝고, 온도가 높음.

---

6 볼록 렌즈의 특징과 쓰임새

〔개념 체크〕

☑ 볼록 렌즈의 특징

볼록 렌즈에 빛을 통과시키면 렌즈의 두꺼운 ❶[ㄱ][ㅇ][ㄷ] 부분으로 ❷[ㄱ][ㅈ]합니다.

> 빛을 가운데 부분으로 굴절 시켜주겠어.

빛

☑ 볼록 렌즈를 통과하는 햇빛

볼록 렌즈에 햇빛을 통과시켜 빛이 모인 곳은 주변보다 밝기가 ❸[ㅂ]고 온도가 ❹(낮습 / 높습)니다.

> 햇빛과 볼록 렌즈로 그림을 그릴 수 있네.

볼록 렌즈

> 햇빛을 모아 주겠어.

〔정답〕 ❶ 가운데 ❷ 굴절 ❸ 밝 ❹ 높습

② 평면 유리를 흰 도화지 위에서부터 점점 멀리했을 때 햇빛이 만든 원의 모습

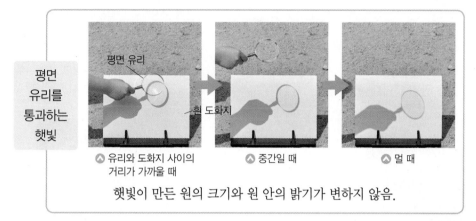

평면 유리를 통과하는 햇빛

평면 유리
흰 도화지

△ 유리와 도화지 사이의 거리가 가까울 때

△ 중간일 때

△ 멀 때

햇빛이 만든 원의 크기와 원 안의 밝기가 변하지 않음.

③ 볼록 렌즈를 통과한 햇빛이 만든 원의 크기를 가장 작게 했을 때 열 변색 종이의 변화: 열 변색 종이의 색깔이 변합니다. ➡ 볼록 렌즈로 햇빛을 모은 부분은 주변보다 온도가 높기 때문입니다.

열 변색 종이

알게 된 점 »

• 볼록 렌즈는 평면 유리와 달리 햇빛을 굴절시켜 한곳으로 모을 수 있음.
• 볼록 렌즈로 햇빛을 모은 곳은 주변보다 밝기가 밝고 온도가 높음.

개념③ 볼록 렌즈로 본 물체의 모습

1. 볼록 렌즈로 물체 관찰하기

가까이 있는 물체를 볼 때

△ 크게 보이기도 함.

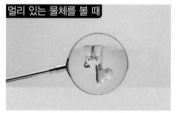

멀리 있는 물체를 볼 때

△ 작고, 상하좌우가 바뀌어 보이기도 함.

알게 된 점 »

볼록 렌즈는 빛을 굴절시키기 때문에 볼록 렌즈로 물체를 보면 물체의 모습이 실제와 다르게 보임.

용어 자기가 마땅히 해야 할 맡은 바 책임

2. 볼록 렌즈의 구실을 하는 물체: 물이 담긴 둥근 유리컵, 유리구슬, 유리 막대, 물방울, 물이 담긴 둥근 어항 등

☑ 볼록 렌즈로 본 물체의 모습

볼록 렌즈로 물체를 보면 물체의 모습이 실제와 ❺(같게 / 다르게) 보입니다.

무당벌레가 크게 보여.

볼록 렌즈

컥, 왕눈이다.

☑ 볼록 렌즈의 구실을 하는 물체

볼록 렌즈의 구실을 하는 물체는 가운데 부분이 가장자리보다 ❻ ☐ ☐ 고, 투명합니다.

상하좌우가 바뀌었어.

물방울을 통해 보니 글자가 크게 보여.

물이 담긴 둥근 어항

볼록 렌즈는 가운데 부분이 가장자리보다 두꺼운 모양의 렌즈를 말합니다. 볼록 렌즈로 물체를 보면 물체가 크고 똑바로 보이거나 거꾸로

물방울

정답 ❺ 다르게 ❻ 두껍

5
단원

내 교과서 살펴보기 / 천재교과서, 김영사, 동아, 비상

볼록 렌즈의 구실을 하는 물체
➡ 작고 좌우가 바뀌어 보입니다.

△ 물이 담긴 둥근 유리컵

△ 유리구슬

실험 동영상

3. 간이 사진기를 만들어 물체 관찰하기

내 교과서 살펴보기 / 천재교육,
금성, 김영사, 미래엔, 지학사

① 만드는 방법: 겉 상자 전개도의 구멍 뚫린 부분에 볼록 렌즈를 붙여 접기 ➡
속 상자 전개도의 구멍 뚫린 부분에 투사지를 붙여 접기 ➡ 겉 상자 속에 속
상자를 넣기

② 물체 관찰: 겉 상자를 앞뒤로 움직여 물체를 관찰합니다.

상하좌우가
바뀌어 보여.

겉 상자

속 상자

투사지

맨눈으로 본 모습

볼록
렌즈

간이 사진기로 본 모습

간이 사진기로 물체를 보면 상하좌우가 바뀌어 보이는 까닭

간이 사진기에 있는 볼록 렌즈에서 빛이 굴절하여 스크린에
상하좌우가 바뀐 물체의 모습을 만들기 때문임.
└➡ 투사지나 기름종이 등

☑ **간이 사진기로 물체 관찰**

간이 사진기로 물체를 보면 실제 물체의
모습과 **❼** ⬜ ⬜ ⬜ 보입니다.

상하좌우가
바뀌어 보이네.

볼록 렌즈에서
빛이 굴절하기
때문이야.

개념 ④ 볼록 렌즈의 쓰임새

현미경

△ 작은 물체를 확대해
자세히 관찰할 수 있음.

망원경

△ 멀리 있는 물체를 확대해
관찰할 수 있음.

쌍안경

△ 멀리 있는 물체를 확대해
관찰할 수 있음.

사진기

△ 빛을 모아 사진을 촬영함.

무대 조명

△ 빛을 한곳에 모으거나 나란
하게 하어 멀리 보냄.

돋보기안경

△ 물체나 글씨를 크게 보이게 함.

☑ **볼록 렌즈의 쓰임새**

볼록 렌즈를 이용하면 물체를 확대
해서 크게 볼 수 있고, **❽** ⬜을 모을
수 있습니다.

사진기는
빛을 한곳에
모을 수 있어.

확대경은
작은 물체를 크게
보이게 해.

사진기

확대경

개념 다지기

9종 공통

1 다음은 볼록 렌즈에 대한 설명입니다. ☐ 안에 들어갈 알맞은 말은 어느 것입니까? (　　　)

> 렌즈의 가운데 부분이 가장자리보다 ☐ 렌즈를 볼록 렌즈라고 합니다.

① 얇은　　　　② 짧은
③ 두꺼운　　　④ 뾰족한
⑤ 딱딱한

9종 공통

2 다음은 ㉠을 흰 도화지 위에서부터 점점 멀리 하였을 때 흰 도화지에 생긴 햇빛이 만든 원의 모습입니다. ㉠은 볼록 렌즈와 평면 유리 중 어느 것인지 쓰시오.

⚬ 햇빛이 만든 원의 크기가 작아졌다가 다시 커짐.

(　　　　　　　)

9종 공통

3 위 **2**번에서 햇빛을 모은 부분에 대한 설명으로 옳은 것을 줄로 바르게 이으시오.

(1) | 햇빛을 모은 부분의 밝기 | ・ | ・㉠ | 밝음. |

・㉡ 어두움.

(2) | 햇빛을 모은 부분의 온도 | ・ | ・㉢ | 낮음. |

・㉣ 높음.

9종 공통

4 다음 ㉠과 ㉡ 중 볼록 렌즈로 멀리 있는 물체를 관찰한 모습으로 옳은 것을 골라 기호를 쓰시오.

⚬ 크게 보임.　　⚬ 작고, 상하좌우가 바뀌어 보임.

(　　　　　　　)

천재교육, 금성, 김영사, 미래엔, 지학사

5 다음의 간이 사진기에 대한 설명으로 옳지 <u>않은</u> 것을 두 가지 고르시오. (　　 ,　　)

① 겉 상자에는 평면 유리가 붙어 있다.
② 속 상자에는 투사지가 붙어 있다.
③ 간이 사진기로 본 물체의 모습은 실제 모습과 같게 보인다.
④ 간이 사진기로 물체를 보면 물체의 상하좌우가 바뀌어 보인다.
⑤ 겉 상자에 속 상자를 넣고, 겉 상자를 앞뒤로 움직여 물체를 관찰한다.

9종 공통

6 다음의 기구는 공통으로 어떤 도구를 이용한 것인지 **보기** 에서 골라 기호를 쓰시오.

⚬ 돋보기안경　　⚬ 현미경

보기
㉠ 프리즘　　㉡ 평면 유리　　㉢ 볼록 렌즈

(　　　　　　　)

5 단원

진도 완료 체크

Step ① 단원평가

9종 공통

[1~5] 다음은 개념 확인 문제입니다. 물음에 답하시오.

1 가운데 부분이 가장자리보다 두꺼운 렌즈를 무엇이라고 합니까? ( )

2 빛은 공기 중에서 나아가다가 볼록 렌즈를 통과하면 볼록 렌즈의 (얇은 / 두꺼운) 쪽으로 굴절합니다.

3 볼록 렌즈로 햇빛을 모은 곳은 주변보다 밝기가 어떠합니까? ( )

4 볼록 렌즈로 물체를 보면 실제 모습과 (같게 / 다르게) 보입니다.

5 유리창과 확대경 중 볼록 렌즈를 이용한 도구는 어느 것입니까? ( )

천재교과서, 금성, 김영사, 동아, 미래엔, 비상, 지학사

6 다음과 같이 장치하고, 볼록 렌즈의 가장자리에 레이저 빛을 비추었습니다. 이에 대한 설명으로 옳은 것을 보기 에서 골라 기호를 쓰시오.

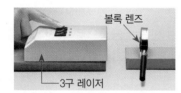

볼록 렌즈

3구 레이저

보기
ㄱ 빛이 볼록 렌즈를 통과하지 못합니다.
ㄴ 빛이 볼록 렌즈를 통과하면서 꺾이지 않고 그대로 나아갑니다.
ㄷ 빛이 볼록 렌즈를 통과하면서 두꺼운 가운데 부분으로 꺾여 나아갑니다.

( )

9종 공통

7 다음은 볼록 렌즈를 흰 도화지 위에서부터 점점 멀리 했을 때 흰 도화지에 생긴 햇빛이 만든 원의 모습입니다. 이에 대한 설명으로 옳지 <u>않은</u> 것은 어느 것입니까?

( )

볼록 렌즈   햇빛이 만든 원

① 햇빛이 만든 원의 크기가 변한다.
② 햇빛이 만든 원 안의 밝기가 변하지 않는다.
③ 햇빛이 만든 원의 크기가 작아졌다가 다시 커진다.
④ 햇빛이 만든 원의 크기에 따라 원 안의 온도가 달라진다.
⑤ 실험 결과를 통해 볼록 렌즈는 햇빛을 굴절시켜 한곳으로 모을 수 있음을 알 수 있다.

9종 공통

8 다음은 볼록 렌즈로 물체를 관찰하여 정리한 내용입니다. ㄱ과 ㄴ에 들어갈 알맞은 말을 각각 쓰시오.

▲ 가까이 있는 물체를 관찰할 때   ▲ 멀리 있는 물체를 관찰할 때

> 볼록 렌즈는 빛을 [ㄱ] 시키기 때문에 볼록 렌즈로 물체를 보면 실제 모습과 [ㄴ] 보입니다.

ㄱ ( ) ㄴ ( )

9 다음은 유리 막대와 물이 담긴 둥근 어항을 통해 물체를 본 모습입니다. 유리 막대와 물이 담긴 둥근 어항은 공통적으로 어떤 렌즈의 구실을 하는지 쓰시오.

9종 공통

▲ 유리 막대   ▲ 물이 담긴 둥근 어항

(   )

10 오른쪽의 간이 사진기로 본 모양이 실제 모양과 다르게 보이는 것은 어느 것입니까? (   )

천재교육, 금성, 김영사, 미래엔, 지학사

①

②

③

④

천재교육, 금성, 김영사, 미래엔, 지학사

11 다음은 간이 사진기로 본 물체의 모습이 실제 모습과 다르게 보이는 까닭입니다. ㉠과 ㉡에 들어갈 말을 바르게 짝지은 것은 어느 것입니까? (   )

간이 사진기의 겉 상자에 붙인 ㉠ 렌즈가 빛을 ㉡ 시켜 속 상자에 붙인 투사지에 물체의 모습을 만들기 때문입니다.

	㉠	㉡		㉠	㉡
①	볼록	직진	②	볼록	반사
③	볼록	굴절	④	오목	반사
⑤	오목	굴절			

12 다음 중 간이 사진기에서 렌즈가 하는 역할에 대한 설명으로 옳은 것은 어느 것입니까? (   )

천재교육, 금성, 김영사, 미래엔, 지학사

① 물체가 작게 보이게 한다.

② 물체가 크게 보이게 한다.

③ 물체에서 나온 빛을 굴절시킨다.

④ 물체에서 나온 빛을 퍼지게 한다.

⑤ 물체에서 나온 빛을 가려 그림자를 만든다.

9종 공통

13 오른쪽과 같이 돋보기안경으로 글씨를 보았을 때의 모습으로 옳은 것을 보기 에서 골라 기호를 쓰시오.

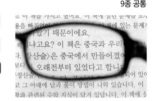

보기
㉠ 작은 글씨가 크게 보입니다.
㉡ 작은 글씨가 더 작게 보입니다.
㉢ 작은 글씨의 좌우가 바뀌어 보입니다.

(   )

9종 공통

14 다음 중 맨눈으로 관찰하기 어려운 작은 대상을 자세히 관찰하려고 할 때 적당한 기구는 어느 것입니까?

(   )

①

▲ 선글라스

②

▲ 망원경

③

▲ 사진기

④

▲ 현미경

5 단원

15 다음은 오른쪽과 같이 볼록 렌즈와 평면 유리를 각각 흰 도화지 위에서부터 점점 멀리 하였을 때 흰 도화지에 생긴 햇빛이 만든 원의 모습을 그린 것입니다.

천재교육, 지학사

흰 도화지

㉠와 흰 도화지 사이의 거리			㉡와 흰 도화지 사이의 거리		
가까울 때	중간일 때	멀 때	가까울 때	중간일 때	멀 때
◯	◯	◯	◯	⬤	◯

(1) 위 실험에서 ㉠과 ㉡은 볼록 렌즈와 평면 유리 중 어느 것인지 각각 쓰시오.

㉠ (   ) ㉡ (   )

(2) 위 실험 결과로 알게 된 볼록 렌즈와 평면 유리의 차이점을 쓰시오.

답 볼록 렌즈는 평면 유리와 달리 ❶ [   ] 을/를 ❷ [   ] 있다.

16 오른쪽은 물체를 맨눈으로 본 모습과 간이 사진기로 본 모습입니다. 맨눈으로 본 물체의 모습과 간이 사진기로 본 물체의 모습이 다른 까닭을 쓰시오.

천재교육, 금성, 김영사, 미래엔, 지학사

🔼 맨눈으로 본 모습   🔼 간이 사진기로 본 모습

_____

_____

17 오른쪽은 볼록 렌즈를 이용한 기구입니다.

천재교과서, 김영사, 미래엔, 비상

(1) 오른쪽 기구의 이름을 쓰시오.

(   )

(2) 오른쪽 기구의 쓰임새를 쓰시오.

_____

_____

서술형 가이드
어려워하는 서술형 문제!
서술형 가이드를 이용하여 풀어 봐!

15 (1) 볼록 렌즈를 통과한 햇빛이 만든 원은 렌즈와 흰 도화지 사이의 거리에 따라 원의 크기가 (변하지 않습니다. / 변합니다.)

(2) 볼록 렌즈는 평면 유리와 달리 햇빛을 굴절시켜 한 곳으로 모을 수 [   ] 습니다.

16 간이 사진기의 겉 상자에 있는 볼록 렌즈에서 빛이 굴절하면 속 상자의 투사지에 [   ] [   ] 가 바뀐 물체의 모습이 나타납니다.

17 (1) 망원경의 대물렌즈에는 [   ] 렌즈가 사용됩니다.

(2) 망원경은 먼 곳에 있는 물체의 모습을 (더 작게 / 크게) 보이게 하는 기구입니다.

Step 3 수행평가

수행평가 가이드
다양한 유형의 수행평가!
수행평가 가이드를 이용해 풀어 봐!

학습 주제 볼록 렌즈로 물체를 관찰하고 볼록 렌즈의 쓰임새 알기

학습 목표 볼록 렌즈를 이용하여 물체의 모습을 관찰하고 볼록 렌즈의 쓰임새를 알 수 있다.

[18~20] 다음은 볼록 렌즈로 가까이 있는 물체와 멀리 있는 물체를 관찰한 모습입니다.

⊙ 볼록 렌즈로 가까이 있는 물체를 관찰한 모습   ⊙ 볼록 렌즈로 멀리 있는 물체를 관찰한 모습

9종 공통

18 다음은 볼록 렌즈로 물체를 관찰한 결과를 표로 정리한 것입니다. ☐ 안에 알맞은 말을 각각 쓰시오.

가까이 있는 물체를 볼 때	물체가 ❶ [ ] 보임.
멀리 있는 물체를 볼 때	물체가 작고, ❷ [ ] 보임.

볼록 렌즈로 본 물체의 모습

볼록 렌즈로 물체를 보면 물체의 모습이 실제와 다르게 보입니다.

9종 공통

19 위와 같이 볼록 렌즈로 물체를 관찰했을 때 실제와 다르게 보이는 까닭을 쓰시오.

_____

_____

5
단원

진도 완료
체크

천재교과서, 동아, 미래엔, 비상, 아이스크림, 지학사

20 오른쪽 확대경에 이용된 볼록 렌즈의 쓰임새를 쓰시오.

_____

_____

볼록 렌즈의 특징

• 볼록 렌즈는 가운데 부분이 가장 자리보다 두껍습니다.

• 볼록 렌즈는 빛을 모으거나 물체의 모습을 확대하여 볼 때 이용합니다.

◎ 배점 표시가 없는 문제는 문제당 4점입니다.

9종 공통

1 다음은 햇빛이 어떤 기구를 통과한 후 흰 도화지에 나타난 모습입니다. 이용한 기구로 알맞은 것은 어느 것입니까? (　　　)

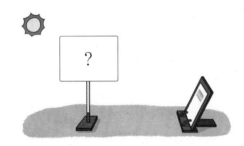

① 거울   ② 프리즘
③ 볼록 렌즈   ④ 평면 유리
⑤ 검은색 종이

9종 공통

2 다음은 비가 내린 뒤 볼 수 있는 무지개에 대한 설명입니다. ㉠과 ㉡에 들어갈 알맞은 말을 각각 쓰시오.

무지개는 　㉠　이/가 프리즘의 역할을 하는 　㉡　을/를 통과할 때 나타나는 모습입니다.

㉠ (　　　　　　　) ㉡ (　　　　　　　)

9종 공통

3 다음은 레이저 지시기의 빛이 공기 중에서 물로 나아가도록 비춘 모습입니다. 빛의 굴절이 일어나는 곳의 기호를 쓰시오.

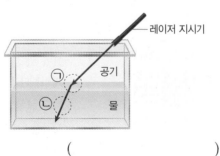

(　　　　　　　)

9종 공통

4 오른쪽과 같이 레이저 지시기의 빛을 물에서 공기 중으로 나아가도록 비추었을 때에 대한 설명으로 옳은 것은 어느 것입니까?

(　　　)

① 빛이 공기를 통과하지 못한다.
② 빛이 물과 공기의 경계에서 흡수된다.
③ 빛이 물과 공기의 경계에서 색깔이 변한다.
④ 빛이 물과 공기의 경계에서 꺾여 나아간다.
⑤ 빛이 물과 공기의 경계에서 꺾이지 않고 그대로 나아간다.

서술형·논술형 문제   천재교과서, 김영사, 미래엔, 비상, 아이스크림, 지학사

5 다음은 빛이 공기와 유리의 경계에서 나아가는 모습을 관찰하는 실험입니다. [총 12점]

(1) 실험 결과를 통해 알게 된 빛의 성질을 쓰시오. [4점]

빛의 (　　　　　　　　　　　)

(2) 위 (1)번 답과 같이 쓴 까닭을 쓰시오. [8점]

_____

_____

9종 공통

6 다음 보기 에서 빛의 굴절에 대한 설명으로 옳지 않은 것을 골라 기호를 쓰시오.

보기
㉠ 빛이 공기와 유리의 경계에서 꺾여 나아갑니다.
㉡ 빛이 서로 다른 물질의 경계에서 꺾여 나아가는 현상입니다.
㉢ 빛이 물체의 표면에 부딪혀 나아가는 방향이 바뀌는 현상입니다.

(　　　　　　　)

7 오른쪽과 같이 프리즘을 통과한 햇빛이 여러 가지 색의 빛으로 나뉘는 까닭은 어느 것입니까? ( )

천재교과서, 천재교육, 김영사, 동아, 미래엔, 비상, 아이스크림

① 빛이 사라지기 때문에

② 빛이 굴절하지 않기 때문에

③ 빛이 한점으로 모이기 때문에

④ 빛의 색에 따라 굴절하는 정도가 다르기 때문에

⑤ 빛의 색에 상관없이 굴절하는 정도가 같기 때문에

8 다음은 물속에 있는 다리를 물 밖에서 보는 모습입니다. 실제 발이 있는 위치와 사람의 눈에 발이 있는 것처럼 보이는 위치의 기호를 각각 쓰시오.

천재교과서, 동아

(1) 실제 발의 위치: ( )

(2) 사람에게 보이는 발의 위치: ( )

9 다음 ㉠과 ㉡ 중 젓가락이 든 컵에 물을 부었을 때 젓가락의 모습으로 옳은 것을 골라 기호를 쓰시오.

김영사, 미래엔, 지학사

( )

9종 공통

10 다음은 볼록 렌즈를 통과한 빛에 대한 설명입니다. ☐ 안에 들어갈 알맞은 말을 쓰시오.

> 곧게 나아가던 레이저 빛이 볼록 렌즈의 가장자리를 통과하면 빛은 볼록 렌즈의 ☐ 부분으로 꺾여 나아갑니다.

( )

11 다음 보기 에서 볼록 렌즈에 대한 설명으로 옳은 것을 모두 고른 것은 어느 것입니까? ( )

보기

㉠ 가운데가 볼록하게 생긴 렌즈입니다.

㉡ 볼록 렌즈는 햇빛을 모을 수 없습니다.

㉢ 가운데 부분이 가장자리보다 얇습니다.

㉣ 가운데 부분이 가장자리보다 두껍습니다.

① ㉠, ㉡   ② ㉠, ㉢

③ ㉠, ㉣   ④ ㉡, ㉢

⑤ ㉠, ㉡, ㉣

📋 **서술형·논술형 문제**

9종 공통

12 오른쪽은 볼록 렌즈에 햇빛을 통과시켰을 때 흰 도화지에 나타난 모습입니다.

[총 12점]

(1) 위 ㉠~㉢ 중 온도가 가장 높은 곳의 기호를 쓰시오. [4점]

( )

(2) 위 실험을 통해 알게 된 점을 한 가지 쓰시오. [8점]

_____

_____

9종 공통

13 다음 중 볼록 렌즈로 가까이 있는 물체를 관찰한 결과로 옳은 것은 어느 것입니까? ( )

① 물체가 두 개로 보인다.

② 물체의 모습이 작게 보인다.

③ 물체의 모습이 크게 보인다.

④ 물체의 모습이 거꾸로 보인다.

⑤ 물체의 모습이 실제와 같게 보인다.

5
단원

14 다음 중 볼록 렌즈의 구실을 할 수 있는 물체가 아닌 것은 어느 것입니까? (   )

① 물방울
② 사각 수조
③ 유리 막대
④ 물이 담긴 둥근 어항
⑤ 물이 담긴 둥근 유리컵

서술형·논술형 문제

9종 공통

15 오른쪽은 볼록 렌즈의 구실을 하는 물체입니다. 볼록 렌즈의 구실을 할 수 있는 물체의 특징을 한 가지 쓰시오. [8점]

△ 유리구슬로 물체를 보았을 때

_____

_____

[16~17] 다음은 간이 사진기를 만드는 과정입니다. 물음에 답하시오.

  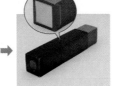

△ 겉 상자 만들기   △ 속 상자 만들기   △ 겉 상자 속에 속 상자를 넣기

천재교육, 금성, 김영사, 미래엔, 지학사

16 위에서 물체의 모습이 맺히는 곳의 기호를 쓰시오.

(   )

천재교육, 금성, 김영사, 미래엔, 지학사

17 다음의 ㄱ자를 간이 사진기로 관찰한 모습을 그리시오.

맨눈으로 본 모습	간이 사진기로 관찰한 모습
ㄱ	

9종 공통

18 다음 중 볼록 렌즈를 이용해 만든 기구가 아닌 것은 어느 것입니까? (   )

① 사진기
② 망원경
③ 현미경
④ 확대경
⑤ 용수철저울

천재교과서, 김영사, 동아, 아이스크림, 지학사

19 다음은 쌍안경에 대한 설명입니다. (   ) 안의 알맞은 말에 ○표를 하시오.

△ 쌍안경으로 물체를 보는 모습

쌍안경은 (볼록 거울 / 볼록 렌즈)을/를 이용하여 멀리 있는 물체를 (더 작게 / 크게) 보이게 합니다.

천재교육, 동아

20 다음의 장치에 이용된 볼록 렌즈의 쓰임새를 보기 에서 골라 기호를 쓰시오.

△ 무대 조명

보기
㉠ 작은 물체를 크게 보이게 합니다.
㉡ 멀리 있는 물체를 크게 보이게 합니다.
㉢ 빛을 한곳에 모으거나 나란하게 하여 멀리 보냅니다.

(   )

5 단원
진도 완료 체크

똑똑한
하루 시/리/즈

배우는 즐거움! 쌓이는 기초 실력!

과목	교재 구성	과목	교재 구성
하루 독해	예비초~6학년 각 A·B (14권)	하루 VOCA	3~6학년 각 A·B (8권)
하루 어휘	예비초~6학년 각 A·B (14권)	하루 Grammar	3~6학년 각 A·B (8권)
하루 글쓰기	예비초~6학년 각 A·B (14권)	하루 Reading	3~6학년 각 A·B (8권)
하루 한자	예비초: 예비초 A·B (2권) 1~6학년: 1A~4C (12권)	하루 Phonics	Starter A·B / 1A~3B (8권)
하루 수학	1~6학년 1·2학기 (12권)	하루 사회	3~6학년 1·2학기 (8권)
하루 계산	예비초~6학년 각 A·B (14권)	하루 과학	3~6학년 1·2학기 (8권)
하루 도형	예비초 A·B, 1~6학년 6단계 (8권)		
하루 사고력	1~6학년 각 A·B (12권)		

뭘 좋아할지 몰라 다 준비했어♥
전과목 교재

전과목 시리즈 교재

●무등생 해법시리즈
– 국어/수학	1~6학년, 학기용
– 사회/과학	3~6학년, 학기용
– SET(전과목/국수, 국사과)	1~6학년, 학기용

●똑똑한 하루 시리즈
– 똑똑한 하루 독해	예비초~6학년, 총 14권
– 똑똑한 하루 글쓰기	예비초~6학년, 총 14권
– 똑똑한 하루 어휘	예비초~6학년, 총 14권
– 똑똑한 하루 한자	예비초~6학년, 총 14권
– 똑똑한 하루 수학	1~6학년, 학기용
– 똑똑한 하루 계산	예비초~6학년, 총 14권
– 똑똑한 하루 도형	예비초~6학년, 총 8권
– 똑똑한 하루 사고력	1~6학년, 학기용
– 똑똑한 하루 사회/과학	3~6학년, 학기용
– 똑똑한 하루 Voca	3~6학년, 학기용
– 똑똑한 하루 Reading	초3~초6, 학기용
– 똑똑한 하루 Grammar	초3~초6, 학기용
– 똑똑한 하루 Phonics	예비초~초등, 총 8권

●독해가 힘이다 시리즈
– 초등 문해력 독해가 힘이다 비문학편	3~6학년
– 초등 수학도 독해가 힘이다	1~6학년, 학기용
– 초등 문해력 독해가 힘이다 문장제수학편	1~6학년, 총 12권

영어 교재

●초등영어 교과서 시리즈
파닉스(1~4단계)	3~6학년, 학년용
영단어(1~4단계)	3~6학년, 학년용

●LOOK BOOK 영단어	3~6학년, 단행본
●원서 읽는 LOOK BOOK 영단어	3~6학년, 단행본

국가수준 시험 대비 교재
●해법 기초학력 진단평가 문제집	2~6학년·중1 신입생, 총 6권

홈스쿨링

우등생

온라인
학습북

서술형·논술형 동영상 강의

개념 동영상 강의

온라인 성적 피드백

초등 과학 6·1

온라인 학습북
포인트 ❸가지

▶ 「개념 동영상 강의」로 교과서 핵심만 정리!

▶ 「서술형 문제 동영상 강의」로 사고력도 향상!

▶ 「온라인 성적 피드백」으로 단원별로 내가 부족한 부분 꼼꼼하게 체크!

우등생 온라인 학습북 활용법

home.chunjae.co.kr

온라인 강의
개념 / 서술형 · 논술형 평가
/ 단원평가

**온라인 학습
스케줄 관리**
맞춤형 홈스쿨링 스케줄표 제공

**온라인 채점과
성적 피드백**
정답을 입력하면 채점과 성적 분석까지

정답 입력

온라인 피드백

9 | 문제풀이

어떤 물체를 특정 물질로 만드는 까닭을 알고 있으면 문제를 푸는 데 도움이 됩니다. 집게를 이루고 있는 물질과 물체를 그 물질로 만들었을 때의 좋은 점을 알고 있어야 합니다.

11 | 문제풀이

물체의 기능에 알맞은 물질을 선택하여 물체를 만드는 경우를 이해하는 데 어려움을 느낄 수 있습니다. 물체의 각 부분을 서로 다른 물질로 만들었을 때의 좋은 점을 알

단원평가의 답을 입력하여 제출하면
틀린 문제에 대한 피드백과 동영상 강의 제공!

우등생 과학 6-1
홈스쿨링 스피드 스케줄표(10회)

스피드 스케줄표는 온라인 학습북을 10회로 나누어
빠르게 공부하는 학습 진도표입니다.

1. 과학 탐구	2. 지구와 달의 운동	
1회 온라인 학습북 4~7쪽	**2**회 온라인 학습북 8~15쪽	**3**회 온라인 학습북 16~19쪽
월 일	월 일	월 일

3. 여러 가지 기체		4. 식물의 구조와 기능
4회 온라인 학습북 20~27쪽	**5**회 온라인 학습북 28~31쪽	**6**회 온라인 학습북 32~39쪽
월 일	월 일	월 일

4. 식물의 구조와 기능	5. 빛과 렌즈	
7회 온라인 학습북 40~43쪽	**8**회 온라인 학습북 44~51쪽	**9**회 온라인 학습북 52~55쪽
월 일	월 일	월 일

전체 범위
10회 온라인 학습북 56~59쪽
월 일

스피드
스케줄표
바로가기

차례

❶ 과학 탐구 과정

문제 인식

↓

가설 설정 → 변인 통제 → 자료 변환 → 자료 해석

가설 설정
탐구 문제의 답을
예상하는 것

자료 사이의 관계나 규칙을 찾아내는 것을 자료 해석이라고 해.

자료 해석 ↓ 가설 판단

가설 수정 ← 맞지 않음. ← 가설 판단

가설 판단 → 맞음. → 결론 도출

가설 수정 → 변인 통제 (↑)

✳ 중요한 내용을 정리해 보세요!

● 가설 설정이란?

● 변인 통제하는 방법은?

● 가설 수정이란?

개념 확인하기

정답 19쪽

🍃 다음 문제를 읽고 답을 찾아 ☐ 안에 ✔표를 하시오.

1 과학 탐구 과정에서 가장 먼저 해야 하는 과정은 무엇입니까?

　㉠ 가설 수정 ☐　　㉡ 결론 도출 ☐
　㉢ 문제 인식 ☐　　㉣ 자료 해석 ☐

2 가설 설정이 의미하는 것은 무엇입니까?

　㉠ 탐구 문제의 답을 결정하는 것 ☐
　㉡ 탐구 문제의 답을 예상하는 것 ☐

3 실험에서 다르게 해야 할 조건과 같게 해야 할 조건을 잘 지키는 것을 무엇이라고 합니까?

　㉠ 자료 변환 ☐　　㉡ 변인 통제 ☐

4 자료를 해석하는 과정에서 해야 할 일은 무엇입니까?

　㉠ 자료 사이의 관계나 규칙을 찾아낸다. ☐
　㉡ 실험 결과를 표나 그래프로 변환한다. ☐

5 실험 결과가 가설과 맞지 않았을 때 해야 하는 과정은 무엇입니까?

　㉠ 문제 인식 ☐　　㉡ 가설 수정 ☐

9종 공통

1 다음 중 탐구할 문제를 찾아 명확하게 나타내는 것을 일컫는 말은 어느 것입니까? ( )

① 문제 인식   ② 가설 설정   ③ 가설 수정
④ 변인 통제   ⑤ 결론 도출

9종 공통

2 다음은 무엇에 대한 설명입니까? ( )

> 탐구 문제의 답을 예상하는 것입니다.

① 가설 설정   ② 실험 계획   ③ 자료 변환
④ 자료 해석   ⑤ 결론 도출

천재교과서

3 다음은 종이 기둥 위에 책을 쌓아 올리며 종이 기둥 바닥의 꼭짓점 수가 종이 기둥이 견디는 무게에 영향을 미치는지 알아보기 위해 가설을 세운 것입니다. ㉠~㉤에 들어갈 말로 옳지 <u>않은</u> 어느 것입니까? ( )

> 가설: ㉠ 바닥의 ㉡ 수가 많을수록
> ㉢ 이/가 견디는 ㉣ 이/가
> ㉤ 질 것이다.

① ㉠: 종이 기둥   ② ㉡: 꼭짓점
③ ㉢: 책   ④ ㉣: 무게
⑤ ㉤: 커

9종 공통

4 다음 중 가설을 세울 때 생각할 점으로 옳은 것은 어느 것입니까? ( )

① 최대한 길게 표현한다.
② 궁금한 점을 고려할 필요가 없다.
③ 여러 문장으로 애매하게 표현한다.
④ 알아보려는 내용이 드러나지 않도록 표현한다.
⑤ 탐구를 하여 가설이 맞는지 확인할 수 있어야 한다.

9종 공통

5 다음 중 실험 계획을 세울 때 정해야 하는 것으로 옳지 <u>않은</u> 것은 어느 것입니까? ( )

① 실험 과정
② 실험 준비물
③ 같게 해야 할 조건
④ 다르게 해야 할 조건
⑤ 모둠 구성원들의 성적

[6~7] 다음은 탐구 문제를 해결하기 위해 실험을 계획한 내용의 일부입니다. 물음에 답하시오.

탐구 문제	어떤 음료수에 비타민 C가 많이 들어 있을까?
㉠	녹말가루 녹인 물을 넣은 비커 세 개에 여러 가지 음료수를 넣고 아이오딘－아이오딘화 칼륨 용액을 한 방울씩 떨어뜨리면서 용액의 색깔 변화를 관찰한다.

천재교육

6 다음 중 ㉠에 들어갈 말로 옳은 것은 어느 것입니까? ( )

① 역할   ② 안전 수칙
③ 실험 조건   ④ 실험 과정
⑤ 실험 준비물

천재교육

7 위의 실험 계획에 따라 실험을 할 때 같게 해야 할 조건으로 옳지 <u>않은</u> 것은 어느 것입니까? ( )

① 음료수의 양
② 음료수의 종류
③ 실험실의 온도
④ 실험을 하는 순서
⑤ 녹말가루 녹인 물의 양

9종 공통

8 다음과 같이 실험 계획을 세웠을 때 다르게 해야 할 조건으로 옳은 것은 어느 것입니까? (   )

> 효모와 설탕을 물에 녹여 효모액을 만들고 시험관에 넣은 뒤, 시험관을 차가운 물과 따뜻한 물에 각각 담그고 발효한 정도를 알아봅니다.

① 물의 양
② 실험 장소
③ 실험 도구
④ 효모의 종류와 양
⑤ 시험관을 담글 물의 온도

9종 공통

9 다음 중 실험을 할 때 주의할 점 대한 설명으로 옳은 것은 어느 것입니까? (   )

① 실험을 할 때에는 어두운 옷을 입는다.
② 변인을 통제하면서 계획한 대로 진행한다.
③ 관찰한 내용은 기억해 두었다가 나중에 기록한다.
④ 실험 결과가 예상과 다르다면 예상에 맞게 수정한다.
⑤ 실험 횟수가 적을수록 정확한 실험 결과를 얻을 수 있다.

[10~11] 다음은 바닥의 꼭짓점 수가 다른 종이 기둥 위에 추를 쌓아올리는 실험의 결과를 표로 나타낸 것입니다. 물음에 답하시오.

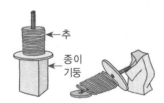
추
종이 기둥

제목	㉠		
종이 기둥 바닥의 꼭짓점 수(개)	3	4	5
추의 개수(개) 1회	16	23	27
추의 개수(개) 2회	16	21	28
평균	16	22	27.5

천재교과서

10 다음 중 앞의 ㉠에 들어갈 표의 제목으로 가장 적절한 것은 어느 것입니까? (   )

① 추의 무게
② 추의 모양
③ 종이 기둥을 만드는 방법
④ 종이 기둥의 색깔에 따른 추의 개수
⑤ 종이 기둥 바닥의 꼭짓점 수에 따른 추의 개수

천재교과서

11 앞의 표를 보고 종이 기둥 바닥의 꼭짓점 수가 6개일 때 예상할 수 있는 추의 개수 평균으로 옳지 <u>않은</u> 것은 어느 것입니까? (   )

① 22개   ② 30개   ③ 38개
④ 40개   ⑤ 42개

9종 공통

12 다음 중 실험 결과가 예상과 달랐을 때 해야 할 일로 옳은 것은 어느 것입니까? (   )

① 실험 준비물을 바꾼다.
② 실험 구성원을 바꾼다.
③ 실험 구성원의 역할을 바꾼다.
④ 실험 결과를 고쳐서 기록한다.
⑤ 실험 결과를 있는 그대로 기록하고, 가설을 수정한다.

9종 공통

13 다음은 탐구를 실행할 때 정확한 실험 결과를 얻을 수 있는 방법입니다. ☐ 안에 들어갈 가장 알맞은 말은 어느 것입니까? (   )

> 탐구를 실행할 때 ☐☐해서 측정하면 더 정확한 결과를 얻을 수 있습니다.

① 반복   ② 조작   ③ 조절
④ 생각   ⑤ 활용

14 다음 중 자료를 변환하는 방법에 대한 설명으로 옳지 <u>않은</u> 것은 어느 것입니까? (   )

① 표로 변환한다.

② 그림으로 변환한다.

③ 실험 결과를 조작하기 쉽도록 변환한다.

④ 실험 결과를 한눈에 비교하기 쉽도록 변환한다.

⑤ 실험 결과를 효과적으로 전달할 수 있는 방법이 무엇인지 생각해 본다.

천재교육

15 다음은 지역에 따른 진달래꽃이 피는 시기를 조사한 자료입니다. 어떤 형태로 변환하여 나타낸 것입니까? (   )

① 표   ② 그림   ③ 원그래프

④ 막대그래프   ⑤ 꺾은선그래프

9종 공통

16 다음 중 막대그래프와 꺾은선그래프를 주로 사용하는 때로 옳은 것은 어느 것입니까? (   )

① 막대그래프: 종류별 차이를 비교할 때

② 막대그래프: 양에 따른 변화를 나타낼 때

③ 막대그래프: 시간에 따른 변화를 나타낼 때

④ 꺾은선그래프: 실험 과정을 한눈에 보고 싶을 때

⑤ 꺾은선그래프: 자룻값이 전체에서 차지하는 비율을 알고 싶을 때

9종 공통

17 다음 중 실험 결과를 꺾은선그래프로 변환할 때 제목에 들어갈 내용으로 옳은 것은 어느 것입니까? (   )

① 실험 과정   ② 실험 준비물   ③ 모둠의 이름

④ 실험에서 같게 한 조건과 조건에 따른 결과

⑤ 실험에서 다르게 한 조건과 조건에 따른 결과

9종 공통

18 다음에서 설명하는 탐구 기능은 어느 것입니까? (   )

실험 결과를 통해 알 수 있는 점을 생각하고, 자료 사이의 관계나 규칙을 찾아내는 것입니다.

① 가설 설정   ② 가설 수정

③ 결론 도출   ④ 자료 해석

⑤ 자료 수정

9종 공통

19 다음 중 자료 해석을 하는 방법으로 옳지 <u>않은</u> 것은 어느 것입니까? (   )

① 실험 조건을 잘 통제하였는지 생각한다.

② 실험 과정에 이상이 없었는지 생각한다.

③ 실험 결과를 통해 알 수 있는 점을 생각한다.

④ 실험을 할 때 측정 방법에 이상이 없었는지 생각한다.

⑤ 실험에서 같게 한 조건과 실험 결과 사이의 규칙을 찾아낸다.

9종 공통

20 다음 중 실험 결과 해석을 통해 가설이 맞는지 판단한 후에는 어떻게 해야 하는지 옳게 설명한 것은 어느 것입니까? (   )

① 가설이 맞으면 실험 장소를 변경한다.

② 가설이 맞으면 실험 계획을 다시 세운다.

③ 가설이 틀리면 가설을 수정하여 다시 탐구한다.

④ 가설이 틀리면 탐구 문제를 정리하고 결론을 내린다.

⑤ 가설이 틀리면 새로운 문제를 인식하고 탐구 문제를 다시 정한다.

· 답안 입력하기   · 온라인 피드백 받기

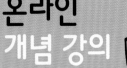
❶ 지구의 자전

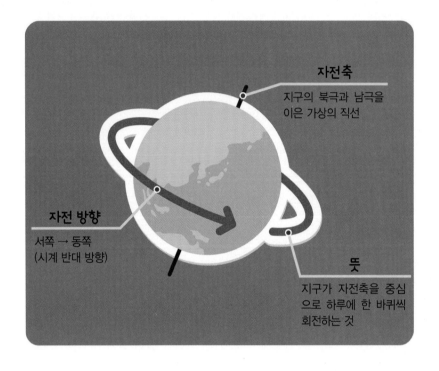

자전축
지구의 북극과 남극을 이은 가상의 직선

자전 방향
서쪽 → 동쪽
(시계 반대 방향)

뜻
지구가 자전축을 중심으로 하루에 한 바퀴씩 회전하는 것

✷ 중요한 내용을 정리해 보세요!

● 지구의 자전이란?

● 하루 동안 태양, 달, 별이 움직이는 방향은?

개념 확인하기

정답 20쪽

🖊 다음 문제를 읽고 답을 찾아 ☐ 안에 ✔표를 하시오.

1 지구의 자전 방향은 어느 쪽에서 어느 쪽입니까?

㉠ 서쪽에서 남쪽으로 자전한다. ☐
㉡ 서쪽에서 동쪽으로 자전한다. ☐
㉢ 서쪽에서 북쪽으로 자전한다. ☐

2 지구는 무엇을 중심으로 자전합니까?

㉠ 달 ☐ ㉡ 남극 ☐
㉢ 북극 ☐ ㉣ 자전축 ☐

3 지구는 하루에 몇 번씩 자전합니까?

㉠ 한 번 ☐ ㉡ 두 번 ☐

4 지구는 어느 방향으로 자전합니까?

㉠ 시계 방향 ☐ ㉡ 시계 반대 방향 ☐

5 하루 동안 태양, 달, 별이 움직이는 것처럼 보이는 까닭은 무엇입니까?

㉠ 지구가 자전하기 때문이다. ☐
㉡ 태양이 자전하기 때문이다. ☐

❷ 낮과 밤

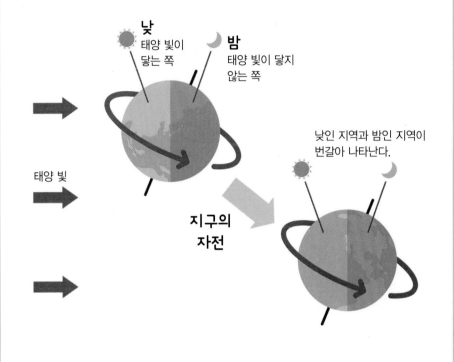

낮
태양 빛이 닿는 쪽

밤
태양 빛이 닿지 않는 쪽

태양 빛

지구의 자전

낮인 지역과 밤인 지역이 번갈아 나타난다.

2 단원

✳ 중요한 내용을 정리해 보세요!

● 낮과 밤이란?

● 낮과 밤이 생기는 까닭은?

개념 확인하기

정답 20쪽

🖋 다음 문제를 읽고 답을 찾아 ☐ 안에 ✔표를 하시오.

1 태양이 지평선 위로 떠오를 때부터 지평선 아래로 질 때까지의 시간은 무엇입니까?

　　㉠ 낮 ☐　　　　㉡ 밤 ☐

2 지구에서 낮과 밤은 어떻게 나타납니까?

　　㉠ 낮만 계속된다. ☐

　　㉡ 밤만 계속된다. ☐

　　㉢ 낮과 밤이 반복된다. ☐

3 지구에서 태양 빛이 닿는 지역은 낮과 밤 중 어느 것이 됩니까?

　　㉠ 낮 ☐　　　　㉡ 밤 ☐

4 지구에서 낮과 밤은 하루에 몇 번씩 나타납니까?

　　㉠ 한 번 ☐　　　　㉡ 두 번 ☐

5 우리나라에서 낮과 밤이 번갈아 나타나는 까닭은 무엇입니까?

　　㉠ 지구가 공전하기 때문이다. ☐

　　㉡ 지구가 자전하기 때문이다. ☐

[1~3] 다음은 하루 동안 지구의 운동과 태양의 위치 변화 관계를 알아보는 실험입니다. 물음에 답하시오.

1️⃣ 지구본의 우리나라 위치에 관찰자 모형을 붙이고 투명 반구로 덮기

2️⃣ 지구본에서 약 30 cm 거리에 전등을 놓고 전등을 켜기

3️⃣ 지구본을 서쪽에서 동쪽으로 회전시키기

4️⃣ 투명 반구의 표면에 비친 전등 빛이 이동하는 길을 따라 유성 펜으로 선을 그리기

천재교과서, 비상

1 위에서 전등 빛과 지구본은 무엇을 나타내는지 각각 쓰시오.

전등 빛	㉠
지구본	㉡

천재교과서

2 다음은 위 실험 결과 투명 반구에 전등 빛이 이동하는 길을 빨간색으로 표시한 것입니다. ㉠, ㉡에 들어갈 알맞은 방위를 각각 쓰시오.

㉠ (   )

㉡ (   )

3 다음은 앞의 지구본 위의 관찰자 모형에게 보이는 전등 빛이 이동하는 방향에 대한 설명입니다. ☐ 안에 들어갈 알맞은 말을 쓰시오.

지구본 위 관찰자 모형의 위치에서는 전등 빛이 동쪽에서 떠오르기 시작하여 남쪽 하늘을 지나 ☐쪽으로 지는 것처럼 보입니다.

(   )

4 다음 중 지구가 자전축을 중심으로 하루에 한 바퀴씩 회전하는 것을 지구의 무엇이라고 합니까? (   )

① 공전   ② 적도
③ 지진   ④ 자전
⑤ 화산

5 다음 중 하루 동안 태양과 달, 별이 동쪽에서 서쪽으로 움직이는 것처럼 보이는 까닭으로 옳은 것은 어느 것입니까? (   )

① 달의 모양이 변하기 때문이다.
② 달이 지구 주위를 공전하기 때문이다.
③ 태양이 태양계의 중심에 있기 때문이다.
④ 지구가 동쪽에서 서쪽으로 자전하기 때문이다.
⑤ 지구가 서쪽에서 동쪽으로 자전하기 때문이다.

미래엔

6 다음은 하루 동안 지구의 움직임을 알아보기 위한 실험의 과정과 결과입니다. ☐ 안에 들어갈 알맞은 말을 쓰시오.

실험 과정	 ❶ 책상 위에 전등을 놓기 ❷ 회전의자에 앉아 투명 방향 판을 들기 ❸ 회전의자를 ☐ 방향으로 돌리면서 전등의 변화 관찰하기
실험 결과	전등의 위치가 동쪽에서 서쪽으로 달라짐.

(   )

김영사, 비상, 지학사

7 다음은 지구본의 우리나라 위치에 관측자 모형을 붙이고 서쪽에서 동쪽으로 천천히 돌린 모습입니다. 각각은 우리나라가 언제일 때를 나타내는지 줄로 바르게 이으시오.

(1) 　　•　　•㉠ 낮

(2) 　　•　　•㉡ 밤

천재교과서

8 다음은 지구본에서 전등이 비치는 곳과 비치지 않는 곳에 관찰자 모형을 붙이고 투명 반구로 덮은 모습입니다. 밤인 지역의 기호를 쓰시오.

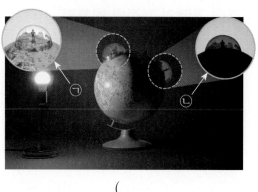

(   )

9 다음 중 위 **8**번에서 지구본을 회전시킬 때 나타나는 현상으로 옳은 것은 어느 것입니까? (   )

① 낮만 계속된다.
② 밤만 계속된다.
③ 낮과 밤이 번갈아 나타난다.
④ 낮인 지역은 계속 낮이 되고, 밤인 지역은 낮이 된다.
⑤ 밤인 지역은 계속 밤이 되고, 낮인 지역은 밤이 된다.

10 다음 보기 에서 지구에 낮과 밤이 생기는 까닭으로 옳은 것을 골라 기호를 쓰시오.

> **보기**
> ㉠ 지구가 자전하기 때문입니다.
> ㉡ 지구가 움직이지 않기 때문입니다.
> ㉢ 지구가 둥근 모양이기 때문입니다.

(   )

❶ 지구의 공전과 계절별 별자리

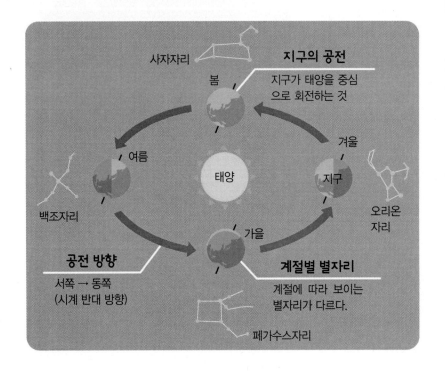

사자리
봄
지구의 공전
지구가 태양을 중심으로 회전하는 것
겨울
여름
태양
지구
백조자리
오리온자리
가을
공전 방향
서쪽 → 동쪽
(시계 반대 방향)
계절별 별자리
계절에 따라 보이는 별자리가 다르다.
페가수스자리

※ 중요한 내용을 정리해 보세요!

● 지구의 공전이란?

● 계절별 별자리가 달라지는 까닭은?

개념 확인하기

정답 20쪽

✐ 다음 문제를 읽고 답을 찾아 ☐ 안에 ✔표를 하시오.

1 지구가 태양을 중심으로 회전하는 것을 무엇이라고 합니까?

㉠ 지구의 공전 ☐　　㉡ 지구의 자전 ☐

2 지구의 공전 방향은 어느 쪽에서 어느 쪽입니까?

㉠ 서쪽에서 남쪽으로 공전한다. ☐
㉡ 서쪽에서 동쪽으로 공전한다. ☐
㉢ 서쪽에서 북쪽으로 공전한다. ☐

3 지구는 일 년에 몇 번씩 공전합니까?

㉠ 한 번 ☐　　㉡ 두 번 ☐

4 계절별 별자리가 달라지는 것은 무엇 때문입니까?

㉠ 지구의 공전 ☐　　㉡ 지구의 자전 ☐

5 밤하늘에서 관찰하기 힘든 계절별 별자리는 어느 것입니까?

㉠ 태양과 같은 방향에 있는 별자리 ☐
㉡ 태양과 반대 방향에 있는 별자리 ☐

② 달의 모양과 위치 변화

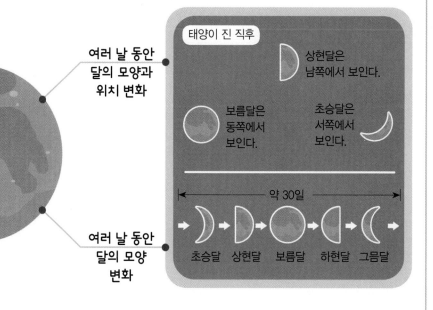

태양이 진 직후

상현달은 남쪽에서 보인다.

보름달은 동쪽에서 보인다.

초승달은 서쪽에서 보인다.

← 약 30일 →

초승달 상현달 보름달 하현달 그믐달

✱ 중요한 내용을 정리해 보세요!

● 여러 날 동안 태양이 진 직후 달의 모양과 위치는?

● 달의 모양 변화 순서는?

2 단원

개념 확인하기

정답 20쪽

🍃 다음 문제를 읽고 답을 찾아 ☐ 안에 ✔표를 하시오.

1 태양이 진 직후 동쪽 하늘에서 볼 수 있는 달은 어느 것입니까?

ㄱ 그믐달 ☐   ㄴ 보름달 ☐

ㄷ 초승달 ☐   ㄹ 하현달 ☐

2 여러 날 동안 같은 시각에 달을 관찰했을 때 달의 위치는 어떻게 됩니까?

ㄱ 남쪽에서 북쪽으로 이동한다. ☐

ㄴ 서쪽에서 동쪽으로 이동한다. ☐

3 음력 2~3일 무렵에 볼 수 있는 달은 어느 것입니까?

ㄱ 초승달 ☐   ㄴ 하현달 ☐

4 음력 15일 무렵에 볼 수 있는 달은 어느 것입니까?

ㄱ 보름달 ☐   ㄴ 그믐달 ☐

5 달의 모양 변화 주기는 얼마입니까?

ㄱ 약 5일 ☐   ㄴ 약 10일 ☐

ㄷ 약 15일 ☐   ㄹ 약 30일 ☐

1 다음 중 봄철의 대표적인 별자리를 골라 기호를 쓰시오.

(   )

[2~3] 다음은 일 년 동안 지구의 운동과 계절별 대표적인 별자리 변화의 관계를 알아보기 위한 실험입니다. 물음에 답하시오.

2 지구가 (다) 위치에 있을 때 가장 잘 보이는 별자리와 볼 수 없는 별자리를 각각 쓰시오.

(1) (다) 위치에서 가장 잘 보이는 별자리:

(   )

(2) (다) 위치에서 볼 수 없는 별자리:

(   )

3 다음 중 앞의 실험에 대한 설명으로 옳지 않은 것은 어느 것입니까? (   )

① 지구본은 서쪽에서 동쪽으로 회전시킨다.

② 전등은 태양을, 지구본은 지구를 나타낸다.

③ 별자리 네 개는 각 계절별 대표적인 별자리이다.

④ 지구본은 한 자리에 그대로 두고, 별자리를 든 네 사람이 자리를 바꾼다.

⑤ 지구본의 각 위치에서 우리나라가 한밤일 때 관찰자 모형에게 가장 잘 보이는 별자리를 찾는다.

4 다음은 지구의 운동에 대한 설명입니다. ☐ 안에 들어갈 알맞은 말을 쓰시오.

> 지구는 태양을 중심으로 일 년에 한 바퀴씩 서쪽에서 동쪽으로 ☐☐을/를 합니다.

(   )

5 다음 중 지구의 공전으로 나타나는 현상에 대해 바르게 말한 친구의 이름을 쓰시오.

> 창민: 낮과 밤이 생겨.
> 소연: 계절에 따라 보이는 별자리가 달라져.
> 승우: 하루 동안 별이 동쪽에서 서쪽으로 움직이는 것처럼 보여.

(   )

6 다음 보기 에서 지구에서 계절에 따라 보이는 별자리가 달라지는 까닭으로 옳지 <u>않은</u> 것을 골라 기호를 쓰시오.

보기
㉠ 지구가 태양 주위를 공전하기 때문입니다.
㉡ 계절에 따라 지구가 위치한 곳이 달라지기 때문입니다.
㉢ 지구가 자전하는 방향과 공전하는 방향이 반대이기 때문입니다.

(   )

7 다음 중 겨울철에 여름철의 대표적인 별자리를 볼 수 <u>없는</u> 까닭으로 가장 옳은 것은 어느 것입니까?

(   )

① 겨울에는 온도가 낮기 때문이다.
② 별자리가 달에 가려지기 때문이다.
③ 겨울에는 태양이 일찍 지기 때문이다.
④ 별자리가 태양과 같은 방향에 있기 때문이다.
⑤ 대부분 어두운 별들로 이루어져 있기 때문이다.

8 다음과 같이 여러 날 동안 같은 시각에 보이는 달의 위치는 어느 쪽에서 어느 쪽으로 이동하는지 ㉠, ㉡에 들어갈 알맞은 말을 각각 쓰시오.

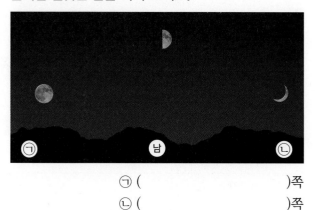

㉠ (   )쪽
㉡ (   )쪽

9 다음 달의 모양과 이름에 알맞게 줄로 바르게 이으시오.

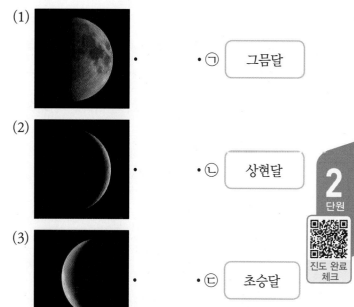

(1)   •   • ㉠ 그믐달

(2)   •   • ㉡ 상현달

(3)   •   • ㉢ 초승달

천재교과서, 금성

10 다음은 달의 모습과 달의 모양, 볼 수 있는 시기를 정리한 것입니다. 달의 이름에 맞는 달의 모양을 각각 그리시오.

달의 이름	모습	모양	볼 수 있는 시기
초승달	오른쪽이 가느다란 눈썹 모양	㉠	음력 2~3일 무렵
보름달	둥근달	⬤	음력 15일 무렵
하현달	왼쪽이 볼록한 모양	㉡	음력 22~23일 무렵

연습 🦉 도움말을 참고하여 내 생각을 차근차근 써 보세요.

1 다음과 같이 지구본의 우리나라 위치에 관찰자 모형을 붙이고 전등을 켠 다음 지구본을 서쪽에서 동쪽으로 회전시켰습니다. [총 12점]

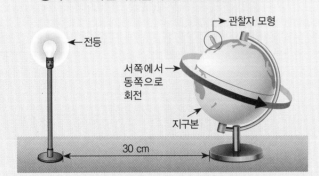

(1) 위에서 지구본 위에 있는 관찰자 모형이 본 전등이 움직이는 방향을 쓰시오. [2점]

동쪽 → (   )쪽

(2) 실제 지구에서 관찰자에게 보이는 태양이 뜨고 지는 방향을 쓰시오. [4점]

태양이 뜨는 방향	태양이 지는 방향

(3) 위 실험 결과로 보아 태양이 실제 움직이지 않지만 태양이 움직이는 것처럼 보이는 까닭을 지구의 자전 방향과 관련지어 쓰시오. [6점]

> 🦉 태양이 움직이는 방향과 지구의 자전 방향을 같이 생각해 보세요.
> **꼭 들어가야 할 말** 지구의 자전 / 서쪽 → 동쪽

2 다음은 지구의 운동을 나타낸 것입니다. [총 12점]

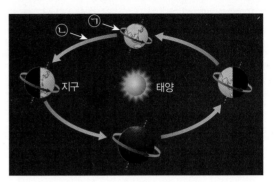

지구   태양

(1) 위에서 지구의 공전 방향을 화살표로 바르게 표시한 것의 기호를 쓰시오. [2점]

(   )

(2) 다음은 지구의 자전과 공전에 대해 정리한 내용입니다. ☐ 안에 들어갈 알맞은 말을 쓰시오. [2점]

> 지구는 하루에 한 바퀴씩 자전하면서 동시에 태양을 중심으로 ☐에 한 바퀴씩 회전합니다.

(   )

(3) 지구가 공전하지 않으면 나타나는 현상을 한 가지 쓰시오. [8점]

_____

_____

3 오른쪽은 오늘 밤에 본 달의 모습입니다. 이 달의 이름을 쓰고, 이 달을 언제 다시 볼 수 있을지 쓰시오. [8점]

_____

_____

1 9종 공통

다음 중 하루 동안 태양과 달의 위치 변화에 대한 설명으로 옳은 것은 어느 것입니까? (   )

① 태양은 아침에 가장 높이 떠 있다.

② 태양은 아침에 서쪽 하늘에서 볼 수 있다.

③ 태양은 저녁에 동쪽 하늘에서 볼 수 있다.

④ 태양은 동쪽 하늘에서 남쪽 하늘을 지나 서쪽 하늘로 움직이는 것처럼 보인다.

⑤ 태양은 서쪽 하늘에서 남쪽 하늘을 지나 동쪽 하늘로 움직이는 것처럼 보인다.

2 9종 공통

하루 동안 보름달이 움직인 방향을 바르게 나타낸 것은 어느 것입니까? (   )

① 서쪽 → 동쪽 → 남쪽

② 서쪽 → 남쪽 → 동쪽

③ 동쪽 → 남쪽 → 서쪽

④ 동쪽 → 북쪽 → 서쪽

⑤ 남쪽 → 동쪽 → 서쪽

[3~5] 다음과 같이 장치하고 지구본을 회전시켜 보았습니다. 물음에 답하시오.

투명 반구
관찰자 모형
전등
지구본

천재교과서, 비상

3 다음 중 위 실험은 무엇을 알아보기 위한 것입니까?

(   )

① 계절이 바뀌는 까닭

② 일 년 동안 달의 움직임

③ 일 년 동안 지구의 움직임

④ 일 년 동안 태양의 움직임

⑤ 하루 동안 지구의 운동과 태양의 위치 변화 관계

4 천재교과서

다음 중 앞의 실험에서 전등 빛은 어느 것을 나타냅니까?

(   )

① 달   ② 태양   ③ 지구

④ 금성   ⑤ 수성

5 9종 공통

다음 중 앞의 실험에서 지구본 위의 관찰자 모형에게 전등 빛은 어느 방향으로 움직이는 것처럼 보입니까?

(   )

① 남쪽에서 떠올라 북쪽으로 지는 것처럼 보인다.

② 남쪽에서 떠올라 동쪽으로 지는 것처럼 보인다.

③ 동쪽에서 떠올라 서쪽으로 지는 것처럼 보인다.

④ 동쪽에서 떠올라 북쪽으로 지는 것처럼 보인다.

⑤ 서쪽에서 떠올라 동쪽으로 지는 것처럼 보인다.

6 9종 공통

다음 중 지구의 자전에 대한 설명으로 옳은 것은 어느 것입니까? (   )

① 지구가 달을 중심으로 하여 회전하는 것

② 달이 지구를 중심으로 하여 회전하는 것

③ 지구가 태양을 중심으로 하여 회전하는 것

④ 태양이 지구를 중심으로 하여 회전하는 것

⑤ 지구가 자전축을 중심으로 하여 회전하는 것

7 9종 공통

다음 중 지구의 자전 방향으로 옳은 것은 어느 것입니까? (   )

① 서쪽 → 동쪽   ② 서쪽 → 남쪽

③ 동쪽 → 서쪽   ④ 동쪽 → 북쪽

⑤ 남쪽 → 동쪽

9종 공통

8 지구가 한 바퀴 자전하는 데 걸리는 시간으로 옳은 것은 어느 것입니까? (   )

① 1시간　　　　　② 6시간
③ 12시간　　　　④ 하루
⑤ 한 달

9종 공통

9 태양이 움직이는 것처럼 보이는 까닭은 무엇입니까?
(   )

① 달이 움직이기 때문이다.
② 별이 움직이기 때문이다.
③ 태양이 움직이기 때문이다.
④ 지구가 자전하기 때문이다.
⑤ 지구와 태양이 같이 움직이기 때문이다.

김영사, 비상, 지학사

10 다음은 지구에 낮과 밤이 생기는 까닭을 알아보기 위한 실험입니다. 이 실험에 대한 설명으로 옳지 <u>않은</u> 것은 어느 것입니까? (   )

관측자 모형

① 전등은 태양을 나타낸다.
② 지구본은 지구를 나타낸다.
③ 전등 빛을 받는 쪽은 낮이 된다.
④ 관측자 모형이 붙어 있는 위치는 현재 밤이다.
⑤ 관측자 모형은 지구에서 태양을 보고 있는 사람을 나타낸다.

9종 공통

11 다음 중 낮과 밤에 대한 설명으로 옳은 것은 어느 것입니까? (   )

① 낮과 밤은 동시에 나타난다.
② 지구에서 태양 빛이 닿는 쪽은 밤이다.
③ 지구에서 태양 빛이 닿지 않는 쪽은 낮이다.
④ 낮과 밤은 하루에 한 번씩 번갈아 나타난다.
⑤ 낮과 밤이 나타나는 까닭은 지구의 공전 때문이다.

9종 공통

12 다음 별자리를 볼 수 있는 계절은 언제입니까?
(   )

안드로메다자리
쌍둥이자리
페가수스자리
오리온자리
물고기자리
큰개자리
동　　남　　서

① 봄　　　　　　② 여름
③ 가을　　　　　④ 겨울
⑤ 사계절 내내

9종 공통

13 다음 중 계절의 대표적인 별자리에 대한 설명으로 옳지 <u>않은</u> 것은 어느 것입니까? (   )

① 계절마다 볼 수 있는 별자리가 달라진다.
② 별자리는 두 계절이나 세 계절에 걸쳐 보인다.
③ 여름철의 대표적인 별자리는 여름에만 볼 수 있다.
④ 그 계절에 남동쪽이나 남쪽 하늘에서 볼 수 있는 별자리이다.
⑤ 어느 계절의 밤하늘에서 오랜 시간 동안 볼 수 있는 별자리를 말한다.

14 다음은 지구의 공전에 대한 설명입니다. ☐ 안에 들어갈 알맞은 말은 어느 것입니까? (   )

9종 공통

> 지구가 ☐을/를 중심으로 일 년에 한 바퀴씩 서쪽에서 동쪽으로 회전하는 것을 지구의 공전 이라고 합니다.

① 달   ② 금성   ③ 태양
④ 자전축   ⑤ 천왕성

15 지구가 태양 주위를 한 바퀴 공전하는 데 걸리는 시간으로 옳은 것은 어느 것입니까? (   )

9종 공통

① 1시간   ② 12시간   ③ 하루
④ 한 달   ⑤ 일 년

16 다음 중 계절에 따라 보이는 별자리가 달라지는 까닭으로 옳은 것은 어느 것입니까? (   )

9종 공통

① 지구가 자전하기 때문이다.
② 지구가 스스로 빛을 내기 때문이다.
③ 지구가 달 주위를 공전하기 때문이다.
④ 지구가 태양 주위를 공전하기 때문이다.
⑤ 계절에 따라 지구가 위치한 곳이 같기 때문이다.

17 다음 중 여러 날 동안 저녁 7시 무렵에 관찰한 달의 모양에 대한 설명으로 옳은 것은 어느 것입니까?

(   )

9종 공통

① 음력 2~3일 무렵에는 하현달이 보인다.
② 음력 7~8일 무렵에는 상현달이 보인다.
③ 음력 22~23일 무렵에는 그믐달이 보인다.
④ 달의 모양은 한 달 동안 변하지 않는다.
⑤ 음력 3일부터 음력 27일까지 달은 왼쪽으로 점점 커진다.

18 여러 날 동안 저녁 7시 무렵에 관찰한 달의 모양이 다음과 같이 변해 갈 때, 달이 보이는 위치 변화를 바르게 나타낸 것은 어느 것입니까? (   )

9종 공통

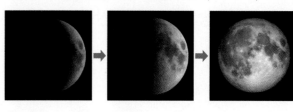

① 서쪽 → 남쪽 → 동쪽
② 서쪽 → 동쪽 → 남쪽
③ 동쪽 → 남쪽 → 서쪽
④ 동쪽 → 서쪽 → 북쪽
⑤ 남쪽 → 서쪽 → 동쪽

2단원

진도 완료 체크

19 다음 중 그믐달을 볼 수 있는 때는 언제입니까?

(   )

9종 공통

① 음력 2~3일 무렵
② 음력 7~8일 무렵
③ 음력 15일 무렵
④ 음력 22~23일 무렵
⑤ 음력 27~28일 무렵

20 다음 중 하현달에 대한 설명으로 옳은 것은 어느 것입니까? (   )

천재교과서, 금성

① 눈썹 모양의 달이다.
② 음력 15일 이전에 볼 수 있다.
③ 보름달을 본 이후에 볼 수 있다.
④ 보름달보다 보이는 크기가 크다.
⑤ 오른쪽이 볼록한 모양의 달이다.

· 답안 입력하기   · 온라인 피드백 받기

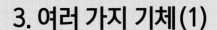

❶ 기체 발생 장치, 산소와 이산화 탄소 발생시키기

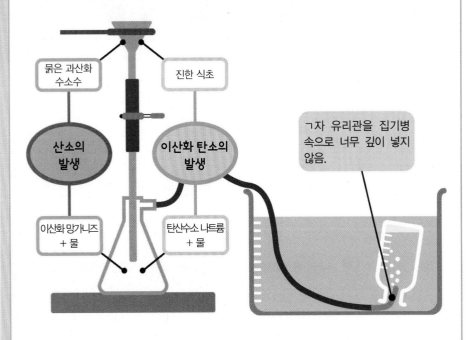

묽은 과산화 수소수

진한 식초

산소의 발생

이산화 탄소의 발생

이산화 망가니즈 + 물

탄산수소 나트륨 + 물

ㄱ자 유리관을 집기병 속으로 너무 깊이 넣지 않음.

✽ 중요한 내용을 정리해 보세요!

● 기체 발생 장치를 꾸밀 때 주의할 점은?

● 산소와 이산화 탄소를 발생시키기 위해 필요한 물질은?

개념 확인하기

정답 23쪽

✎ 다음 문제를 읽고 답을 찾아 ☐ 안에 ✔표를 하시오.

1 기체 발생 장치를 만들 때 필요한 준비물은 무엇입니까?

ⓐ 알코올램프 ☐   ⓑ ㄱ자 유리관 ☐

2 기체 발생 장치를 꾸밀 때 콕의 상태를 어떻게 유지합니까?

ⓐ 열린 상태 ☐   ⓑ 닫힌 상태 ☐

3 산소를 발생시키기 위해 가지 달린 삼각 플라스크에 물과 함께 넣는 물질은 무엇입니까?

ⓐ 탄산수소 나트륨 ☐
ⓑ 이산화 망가니즈 ☐

4 이산화 탄소를 발생시키기 위해 콕 깔때기에 넣는 물질은 무엇입니까?

ⓐ 물 ☐   ⓑ 석회수 ☐
ⓒ 진한 식초 ☐   ⓓ 과산화 수소수 ☐

5 ㄱ자 유리관을 집기병 입구에 넣을 때 주의할 점은 무엇입니까?

ⓐ 집기병 속으로 최대한 깊이 넣는다. ☐
ⓑ 집기병 속으로 너무 깊이 넣지 않는다. ☐

❷ 산소와 이산화 탄소의 성질

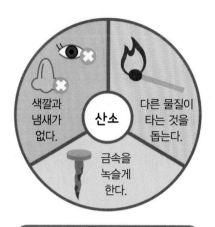

색깔과 냄새가 없다.
산소
다른 물질이 타는 것을 돕는다.
금속을 녹슬게 한다.

이용: 산소 호흡 장치, 산소통, 금속을 자르거나 붙일 때

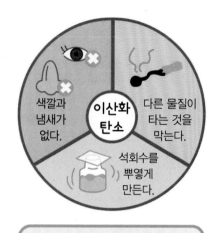

색깔과 냄새가 없다.
이산화 탄소
다른 물질이 타는 것을 막는다.
석회수를 뿌옇게 만든다.

이용: 소화기, 소화제, 탄산음료, 드라이아이스의 재료

✳ 중요한 내용을 정리해 보세요!

● 산소와 이산화 탄소의 성질은?

● 산소와 이산화 탄소의 이용은?

3
단원

개념 확인하기

정답 23쪽

🍃 다음 문제를 읽고 답을 찾아 ☐ 안에 ✔표를 하시오.

1 산소의 색깔은 무엇입니까?

㉠ 붉은색 ☐	㉡ 노란색 ☐
㉢ 보라색 ☐	㉣ 색깔 없음. ☐

2 산소의 성질은 무엇입니까?

㉠ 다른 물질이 타는 것을 돕는다. ☐

㉡ 다른 물질이 타는 것을 막는다. ☐

3 이산화 탄소에 석회수를 넣으면 석회수는 어떻게 변합니까?

㉠ 증발한다. ☐

㉡ 뿌옇게 흐려진다. ☐

4 이산화 탄소는 어느 곳에 이용됩니까?

㉠ 소화기 ☐　　㉡ 산소통 ☐

5 산소와 이산화 탄소의 공통적인 성질은 무엇입니까?

㉠ 색깔과 냄새가 없다. ☐

㉡ 석회수를 뿌옇게 만든다. ☐

천재교과서, 아이스크림

1 다음 기체 발생 장치를 꾸밀 때 사용된 기구의 이름으로 옳지 <u>않은</u> 것은 어느 것입니까? (   )

① ㉠ – 콕 깔때기
② ㉡ – 고무마개
③ ㉢ – 링 클램프
④ ㉣ – ㄱ자 유리관
⑤ ㉤ – 집기병

9종 공통

2 다음은 기체 발생 장치를 꾸밀 때 주의할 점에 대해 이야기한 내용입니다. 바르게 말한 친구의 이름을 쓰시오.

> 명수: 콕이 열린 상태로 장치를 꾸며야 돼.
> 경은: 콕이 지면과 수평인 상태로 장치를 꾸며야 돼.
> 홍철: ㄱ자 유리관을 집기병 안으로 깊이 넣어야 돼.

(   )

9종 공통

3 오른쪽은 기체 발생 장치를 꾸미는 과정에 대한 설명입니다. (   ) 안의 알맞은 말에 각각 ○표를 하시오.

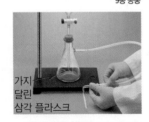

가지 달린 삼각 플라스크

> 가지 달린 삼각 플라스크의 가지 부분에 (고무관 / ㄱ자 유리관)을 끼우고, 반대쪽 끝은 (고무관 / ㄱ자 유리관)과 연결합니다.

[4~6] 다음과 같이 기체 발생 장치를 꾸며 기체를 발생시키는 실험을 하였습니다. 물음에 답하시오.

천재교과서, 김영사, 동아, 미래엔, 비상, 아이스크림

4 위 실험을 통해 발생하는 기체는 산소와 이산화 탄소 중 어느 것인지 쓰시오.

(   )

천재교과서, 김영사, 동아, 미래엔, 비상, 아이스크림

5 다음 보기 에서 묽은 과산화 수소수와 이산화 망가니즈가 만났을 때 나타나는 현상으로 옳은 것을 골라 기호를 쓰시오.

> **보기**
> ㉠ 집기병 안에서 불꽃이 발생합니다.
> ㉡ 콕 깔때기 안에서 펑 소리가 납니다.
> ㉢ 가지 달린 삼각 플라스크 안에서 기포가 발생합니다.

(   )

9종 공통

6 다음 중 위 실험을 통해 발생하는 기체를 이용한 경우로 옳은 것을 골라 기호를 쓰시오.

㉠
㉡

⚠ 소화기의 재료   ⚠ 연료를 태울 때

(   )

천재교과서, 아이스크림

7 다음 보기 는 기체 발생 장치를 이용하여 이산화 탄소를 발생시키는 과정을 순서에 관계없이 나열한 것입니다. 순서에 맞게 기호를 쓰시오.

△ 기체 발생 장치

보기
㉠ ㄱ자 유리관을 집기병 입구 가까이에 넣고 이산화 탄소를 모읍니다.
㉡ 콕 깔때기에 진한 식초를 $\frac{1}{2}$ 정도 붓고 콕을 열어 진한 식초를 조금씩 흘려보냅니다.
㉢ 가지 달린 삼각 플라스크에 물을 조금 넣고 탄산수소 나트륨을 다섯 숟가락 정도 넣습니다.
㉣ 콕 깔때기에 진한 식초를 더 넣어 이산화 탄소가 집기병에 가득 모이면 아크릴판으로 집기병의 입구를 막고 집기병을 꺼냅니다.

(   ) → (   ) → (   ) → (   )

9종 공통

8 다음과 같은 이산화 탄소의 성질을 알아보기 위한 실험 방법으로 옳은 것은 어느 것입니까? (   )

다른 물질이 타는 것을 막습니다.

① 이산화 탄소가 든 집기병에 향불을 넣는다.
② 이산화 탄소가 든 집기병에 석회수를 넣는다.
③ 이산화 탄소가 든 집기병 뒤쪽에 흰 종이를 가져다 댄다.
④ 이산화 탄소가 든 집기병을 두 손으로 잡고 흔든다.
⑤ 이산화 탄소가 든 집기병의 아크릴판을 열고 손으로 바람을 일으킨다.

9종 공통

9 다음은 산소와 이산화 탄소의 성질을 나타낸 것입니다. ㉠, ㉡에 들어갈 알맞은 말을 각각 쓰시오.

• 산소는 철이나 구리와 같은 [㉠]을/를 녹슬게 합니다.
• 이산화 탄소는 [㉡]을/를 뿌옇게 만듭니다.

㉠ (   )
㉡ (   )

9종 공통

10 다음 중 이산화 탄소가 이용되는 예로 옳지 <u>않은</u> 것을 두 가지 고르시오. (,   )

①
△ 소화제의 재료

②
△ 탄산음료의 재료

③
드라이아이스
△ 드라이아이스의 재료

④
△ 금속을 자르거나 붙일 때

⑤
△ 병원에서 사용하는 산소통

3 단원

❶ 압력과 온도에 따른 기체의 부피 변화

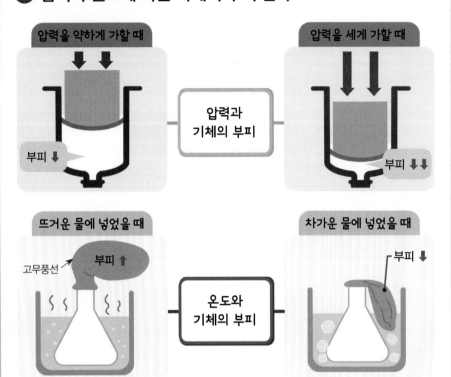

압력을 약하게 가할 때

부피↓

압력과 기체의 부피

압력을 세게 가할 때

부피↓↓

뜨거운 물에 넣었을 때

고무풍선 → 부피↑

온도와 기체의 부피

차가운 물에 넣었을 때

부피↓

✳ 중요한 내용을 정리해 보세요!

● 압력에 따른 기체의 부피 변화는?

● 온도에 따른 기체의 부피 변화는?

개념 확인하기

정답 23쪽

✎ 다음 문제를 읽고 답을 찾아 ☐ 안에 ✔표를 하시오.

1 기체에 압력을 가한 정도에 따라 달라지는 것은 무엇입니까?

㉠ 기체의 색깔 ☐   ㉡ 기체의 부피 ☐

2 기체의 부피가 더 많이 줄어드는 경우는 무엇입니까?

㉠ 압력을 세게 가한 경우 ☐

㉡ 압력을 약하게 가한 경우 ☐

3 온도가 변하면 달라지는 것은 기체의 무엇입니까?

㉠ 부피 ☐   ㉡ 냄새 ☐

4 온도가 낮아지면 기체의 부피는 어떻게 변화합니까?

㉠ 늘어난다. ☐

㉡ 줄어든다. ☐

㉢ 변화가 없다. ☐

5 기체의 부피가 늘어나는 경우는 어느 것입니까?

㉠ 온도가 높아질 때 ☐

㉡ 온도가 낮아질 때 ☐

❷ 공기를 이루는 여러 가지 기체

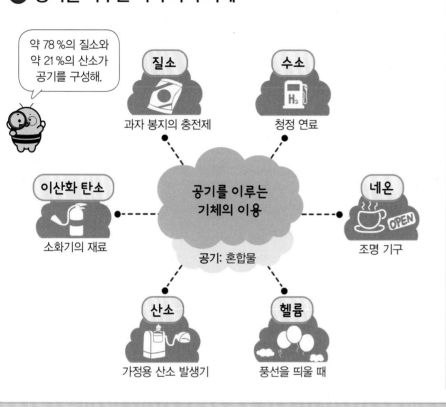

약 78 %의 질소와 약 21 %의 산소가 공기를 구성해.

질소 과자 봉지의 충전제

수소 청정 연료

이산화 탄소 소화기의 재료

공기를 이루는 기체의 이용
공기: 혼합물

네온 조명 기구

산소 가정용 산소 발생기

헬륨 풍선을 띄울 때

✳ 중요한 내용을 정리해 보세요!

● 공기를 이루는 여러 가지 기체는?

● 여러 가지 기체의 이용은?

3 단원

개념 확인하기

정답 23쪽

🍃 다음 문제를 읽고 답을 찾아 ☐ 안에 ✔표를 하시오.

1 과자의 맛이 변하는 것을 막기 위해 쓰이는 기체는 무엇입니까?

ㄱ 네온 ☐   ㄴ 질소 ☐

ㄷ 헬륨 ☐   ㄹ 이산화 탄소 ☐

2 공기의 대부분을 차지하는 기체 두 가지는 무엇입니까?

ㄱ 질소와 산소 ☐

ㄴ 산소와 이산화 탄소 ☐

3 환경을 오염하지 않고 전기를 만들 수 있는 기체는 무엇입니까?

ㄱ 수소 ☐   ㄴ 헬륨 ☐

4 헬륨은 무엇에 이용됩니까?

ㄱ 소화제의 재료 ☐

ㄴ 풍선을 띄울 때 ☐

5 공기는 여러 가지 기체로 이루어진 무엇입니까?

ㄱ 혼합물 ☐   ㄴ 순물질 ☐

천재교육, 천재교과서, 금성, 동아, 미래엔, 비상, 아이스크림, 지학사

1 다음과 같이 물과 공기를 주사기에 각각 넣고 입구를 막은 후 피스톤을 같은 힘으로 눌렀을 때 피스톤이 더 많이 들어가는 것의 기호를 쓰시오.

△ 물을 넣은 주사기

△ 공기를 넣은 주사기

(   )

9종 공통

2 다음 보기 에서 기체에 압력을 가했을 때 변화에 대한 설명으로 옳지 <u>않은</u> 것을 골라 기호를 쓰시오.

보기
㉠ 기체의 부피는 압력을 가하면 작아집니다.
㉡ 기체에 압력을 세게 가하면 부피가 많이 작아 집니다.
㉢ 기체에 압력을 약하게 가하면 부피는 변하지 않습니다.

(   )

9종 공통

3 다음은 주변에서 압력에 따라 기체의 부피가 달라지는 예를 나타낸 것입니다. ☐ 안에 공통으로 들어갈 적절한 말을 쓰시오.

• 공을 강하게 차면 순간적으로 공의 부피가 ☐.
• 공기 주머니가 있는 신발을 신고 걸으면 공기 주머니의 부피가 ☐.

(   )

천재교육, 천재교과서, 금성, 동아, 미래엔, 비상, 아이스크림, 지학사

4 다음과 같이 공기를 넣은 주사기의 입구를 고무마개로 막고 피스톤을 눌렀을 때의 변화에 대한 설명으로 옳은 것은 어느 것입니까? (   )

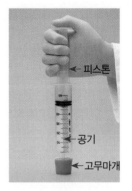

① 주사기에 든 공기의 온도가 변한다.
② 주사기에 든 공기의 부피가 커진다.
③ 주사기에 든 공기의 부피가 작아진다.
④ 주사기에 든 공기의 부피가 그대로 유지된다.
⑤ 주사기에 든 공기가 주사기 밖으로 모두 빠져나 간다.

천재교과서, 동아, 미래엔, 아이스크림

5 삼각 플라스크의 입구에 고무풍선을 씌우고 뜨거운 물과 차가운 물이 담긴 수조에 각각 넣었을 때 고무풍선의 부피 변화에 맞게 줄로 바르게 이으시오.

(1) 삼각 플라스크를 뜨거운 물이 담긴 수조에 넣은 후   •

•㉠ 고무풍선이 오므라듦.

(2) 삼각 플라스크를 차가운 물이 담긴 수조에 넣은 후   •

•㉡ 고무풍선이 부풀어 오름.

6 다음은 찌그러진 탁구공을 물에 넣어 찌그러진 부분을 펴지게 하기 위한 방법입니다. ( ) 안의 알맞은 말에 각각 ○표를 하시오.

> 찌그러진 탁구공을 (뜨거운 / 차가운) 물에 넣으면 탁구공 속 기체의 부피가 (늘어나 / 줄어들어) 찌그러진 부분이 펴집니다.

7 다음은 마개를 닫은 빈 페트병을 냉장고 안에 넣었을 때 페트병의 변화를 이야기한 내용입니다. 바르게 이야기한 친구의 이름을 쓰시오.

> 수진: 페트병이 부풀어 오를 거야.
> 요한: 아니야. 페트병이 더 찌그러져.
> 슬기: 그렇지 않아. 아무런 변화도 일어나지 않아.

( )

8 다음은 공기를 이루는 여러 가지 기체에 대한 설명입니다. 옳은 것에 ○표, 옳지 않은 것에 ×표를 하시오.

(1) 질소는 색깔과 냄새가 없습니다. ( )

(2) 산소는 조명 기구나 광고에 이용됩니다. ( )

(3) 메테인은 매우 가벼우며, 환경을 오염하지 않고 전기를 만들 수 있습니다. ( )

9 다음과 같이 식물을 키우는 데 이용되는 기체로 옳은 것을 보기에서 골라 기호를 쓰시오.

▲ 딸기를 키우는 데 이용함.

> **보기**
> ㉠ 헬륨　　　㉡ 네온　　　㉢ 메테인
> ㉣ 아르곤　　㉤ 이산화 탄소

( )

10 다음은 기체 ㉠과 ㉡을 우리 생활에 이용한 모습입니다. 기체 ㉠과 ㉡에 대한 설명으로 옳지 않은 것을 두 가지 고르시오. (,)

▲ ㉠ 을 이용한 과자 포장

▲ ㉡ 을 이용한 풍선

① ㉠과 ㉡ 모두 냄새가 없다.
② ㉠은 색깔이 없고, ㉡은 회색이다.
③ ㉠은 과자가 부서지는 것을 막는다.
④ ㉠과 ㉡은 공기를 이루는 기체이다.
⑤ ㉡은 소화기나 소화제의 재료로 이용된다.

연습 🦉 도움말을 참고하여 내 생각을 차근차근 써 보세요.

김영사, 미래엔, 비상, 지학사

1 다음은 기체 발생 장치의 모습입니다. [총 10점]

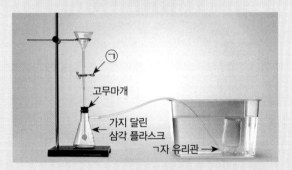

고무마개
가지 달린 삼각 플라스크
ㄱ자 유리관

(1) 위 기체 발생 장치에서 ㉠은 무엇인지 쓰시오. [2점]

( )

(2) 다음은 위 기체 발생 장치에서 고무마개에 유리관을 끼울 때에 대한 설명입니다. ☐ 안에 들어갈 알맞은 말을 쓰시오. [2점]

> 고무마개에 유리관을 끼울 때에는 실험용 장갑을 끼고 고무마개에 [   ]을 묻힌 뒤에 살살 돌려 가며 끼웁니다.

(3) 위 기체 발생 장치에서 ㄱ자 유리관을 집기병 입구에 둘 때 주의할 점을 쓰시오. [6점]

🦉 ㄱ자 유리관과 집기병의 위치에 대하여 생각해 보세요.
꼭 들어가야 할 말 집기병 속 / 깊이

_____

_____

9종 공통

2 다음은 주사기에 공기와 물을 각각 넣고 주사기 입구를 손가락으로 막은 뒤 주사기 피스톤을 눌렀을 때의 부피 변화입니다. [총 12점]

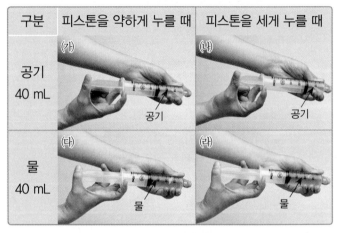

구분	피스톤을 약하게 누를 때	피스톤을 세게 누를 때
공기 40 mL	㈎ 공기	㈏ 공기
물 40 mL	㈐ 물	㈑ 물

(1) 위에서 주사기의 피스톤이 가장 많이 들어가는 것을 골라 기호를 쓰시오. [2점]

( )

(2) 다음은 기체와 액체에 각각 압력을 가할 때 부피 변화에 대한 설명입니다. ㉠, ㉡에 알맞은 말을 각각 쓰시오. [4점]

구분	기체의 부피	액체의 부피
압력을 약하게 가할 때	㉠	변하지 않음.
압력을 세게 가할 때	많이 작아짐.	㉡

㉠ ( )
㉡ ( )

(3) 생활 속에서 기체에 압력을 가할 때 기체의 부피가 변하는 예를 두 가지 쓰시오. [6점]

_____

_____

[1~3] 다음은 기체 발생 장치를 나타낸 것입니다. 물음에 답하시오.

천재교과서, 아이스크림

1 다음 중 위의 ⓒ이 하는 역할로 옳은 것은 어느 것입니까? ( )

① 고무관을 더 튼튼하게 한다.

② ⓐ에 넣은 액체의 색깔을 변화시킨다.

③ ⓐ에 넣은 액체를 아래로 조금씩 흘려 보낸다.

④ 가지 달린 삼각 플라스크의 온도를 낮아지게 한다.

⑤ 가지 달린 삼각 플라스크의 온도를 높아지게 한다.

천재교과서, 아이스크림

2 다음 중 위의 기체 발생 장치를 꾸밀 때 필요한 실험 기구가 아닌 것은 어느 것입니까? ( )

① 고무관

② 온도계

③ 고무마개

④ 콕 깔때기

⑤ 가지 달린 삼각 플라스크

9종 공통

3 다음 중 기체 발생 장치에서 산소가 발생할 때에 대한 설명으로 옳은 것은 어느 것입니까? ( )

① 발생한 산소는 콕 깔때기 안에서 모은다.

② 집기병 안 온도를 높여 산소를 발생시킨다.

③ 가지 달린 삼각 플라스크 안에서 기포가 발생한다.

④ 발생한 산소는 붉은색이므로 바로 확인할 수 있다.

⑤ 발생한 산소는 시큼한 냄새가 나므로 바로 확인할 수 있다.

9종 공통

4 다음 중 산소에 대한 설명으로 옳은 것은 어느 것입니까? ( )

① 불을 꺼지게 한다.

② 특이한 냄새가 난다.

③ 탄산음료를 만들 수 있다.

④ 생명을 유지하는 데 꼭 필요하다.

⑤ 액체 소화제를 만들 때에 이용된다.

9종 공통

5 오른쪽은 산소의 어떤 성질을 알아보기 위한 것입니까?

( )

① 색깔 ② 질량 ③ 부피

④ 온도 ⑤ 냄새

9종 공통

6 산소의 색깔로 옳은 것은 어느 것입니까? ( )

① 노란색 ② 빨간색 ③ 파란색

④ 초록색 ⑤ 색깔이 없다.

[7~8] 다음은 기체 발생 장치를 이용하여 이산화 탄소를 발생시키는 모습입니다. 물음에 답하시오.

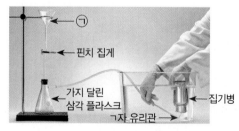

천재교과서, 금성, 김영사, 미래엔, 비상, 아이스크림, 지학사

7 위의 ⓐ과 반응하여 이산화 탄소를 발생시킬 수 있는 물질은 어느 것입니까? ( )

① 소금 ② 감자

③ 백반 ④ 탄산수소 나트륨

⑤ 이산화 망가니즈

9종 공통

8 앞의 실험에 대한 설명으로 옳지 않은 것은 어느 것입니까? (   )

① ㉠은 진한 식초에 해당한다.

② 핀치 집게 대신 콕을 사용할 수 있다.

③ ㄱ자 유리관 끝부분에서 기포가 나온다.

④ 집기병에 기체를 모을 때 처음에 나온 기체는 버린다.

⑤ ㄱ자 유리관을 집기병과 분리하면 집기병에 기체를 모을 수 있다.

9종 공통

9 다음 중 이산화 탄소를 모은 집기병에 향불을 넣었을 때의 변화로 옳은 것은 어느 것입니까? (   )

① 아무 변화가 없다.

② 향불의 불꽃이 꺼진다.

③ 향불의 불꽃이 커진다.

④ 집기병 안에 물방울이 맺힌다.

⑤ 향불의 불꽃의 색깔이 파란색으로 변한다.

9종 공통

10 다음 중 이산화 탄소의 성질은 어느 것입니까?

(   )

① 색깔이 없다.

② 금속을 녹슬게 한다.

③ 공기의 대부분을 차지한다.

④ 물질이 타는 데 꼭 필요하다.

⑤ 생명을 유지하는 데 꼭 필요하다.

천재교육, 천재교과서, 금성, 동아, 미래엔, 비상, 아이스크림, 지학사

11 다음과 같이 공기 40 mL를 넣고 주사기의 입구를 손가락으로 막은 다음, 피스톤에 작은 압력을 가할 때의 현상으로 옳은 것은 어느 것입니까? (   )

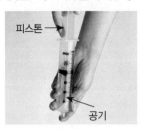

피스톤

공기

① 피스톤이 들어가지 않는다.

② 주사기에 들어 있는 공기의 부피가 커진다.

③ 주사기에 들어 있는 공기의 부피가 작아진다.

④ 주사기에 들어 있는 공기의 부피는 변하지 않는다.

⑤ 피스톤이 잘 들어가다가 다시 밖으로 나온다.

9종 공통

12 다음은 어떤 물질을 주사기 안에 넣고 피스톤을 눌렀을 때에 대한 설명입니다. ☐ 안에 들어갈 물질로 옳지 않은 것은 어느 것입니까? (   )

> 주사기 안에 [   ]을/를 넣고 주사기 입구를 막은 후 피스톤을 누르면 피스톤이 잘 들어가지 않습니다.

① 물   ② 우유   ③ 주스

④ 커피   ⑤ 풍선

천재교육, 미래엔

13 다음과 같이 잠수부가 내뿜는 공기 방울이 물 표면으로 올라갈수록 크기가 커지는 이유로 옳은 것은 어느 것입니까? (   )

① 온도가 낮아지기 때문이다.

② 압력이 높아지기 때문이다.

③ 압력이 낮아지기 때문이다.

④ 온도와 압력이 모두 높아지기 때문이다.

⑤ 압력에 아무 영향을 받지 않기 때문이다.

[14~16] 다음과 같이 삼각 플라스크 입구에 고무풍선을 씌운 뒤 뜨거운 물이 든 비커와 얼음물이 든 비커에 넣고 변화를 관찰하였습니다. 물음에 답하시오.

고무풍선 ← 삼각 플라스크

천재교과서, 동아, 미래엔, 아이스크림

14 다음 중 위의 실험 결과 고무풍선의 변화를 바르게 나타낸 것은 어느 것입니까? ( )

	뜨거운 물에 넣기	얼음물에 넣기
①	변화 없음.	변화 없음.
②	오그라듦.	오그라듦.
③	오그라듦.	부풀어 오름.
④	부풀어 오름.	오그라듦.
⑤	부풀어 오름.	부풀어 오름.

9종 공통

15 다음은 위의 실험을 통해 알 수 있는 점입니다. ㉠과 ㉡에 들어갈 알맞은 말을 바르게 짝지은 것은 어느 것입니까?

( )

온도가 ┌㉠┐ 기체의 부피가 늘어나고, 온도가 └㉡┘ 기체의 부피가 줄어듭니다.

	㉠	㉡
①	높아지면	높아지면
②	높아지면	낮아지면
③	낮아지면	낮아지면
④	낮아지면	높아지면
⑤	일정하면	일정하면

천재교육, 금성, 김영사, 동아, 지학사

16 다음 중 뜨거운 음식이 담긴 그릇을 비닐랩으로 씌우자마자 관찰할 수 있는 비닐랩의 변화로 옳은 것은 어느 것입니까? ( )

① 비닐랩이 오목해진다.
② 비닐랩이 부풀어 오른다.
③ 비닐랩의 온도가 낮아진다.
④ 비닐랩에 아무 변화가 없다.
⑤ 비닐랩이 노란색으로 바뀐다.

17 다음 중 산소가 이용되는 경우로 옳은 것은 어느 것입니까? ( )

① 소화기
② 탄산음료
③ 식품 포장
④ 드라이아이스
⑤ 금속을 자르거나 붙일 때

18 다음 중 생활 속에서 이산화 탄소가 이용되는 예가 아닌 것은 어느 것입니까? ( )

① 소화기의 재료
② 소화제의 재료
③ 풍선을 띄울 때
④ 식물을 키울 때
⑤ 탄산음료의 재료

19 다음 중 질소의 색깔과 냄새를 순서대로 바르게 나열한 것은 어느 것입니까? ( )

① 없음, 없음
② 빨간색, 없음
③ 노란색, 없음
④ 없음, 레몬 냄새
⑤ 없음, 박하 냄새

3 단원

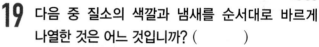

진도 완료 체크

20 다음과 같이 광고에 이용하는 기체의 이름으로 옳은 것은 어느 것입니까? ( )

HAPPY NEW YEAR!

① 산소
② 수소
③ 헬륨
④ 네온
⑤ 메테인

· 답안 입력하기　· 온라인 피드백 받기

❶ 생물을 이루는 세포

세포는 생물을 이루는 기본 단위야.

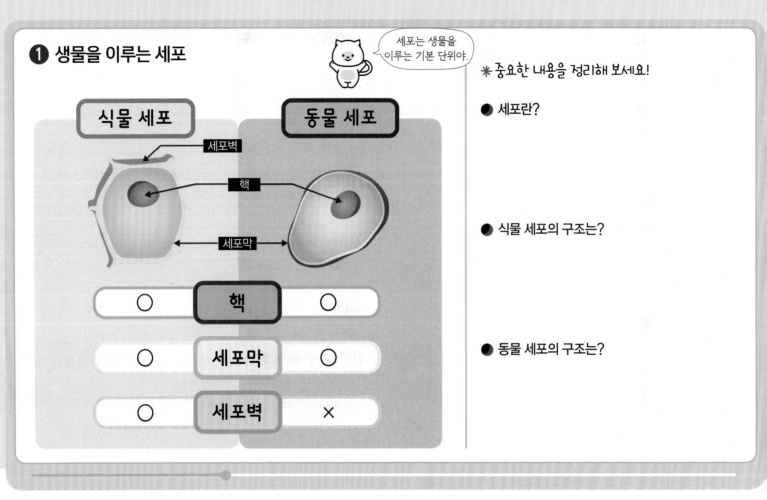

식물 세포 / 동물 세포

세포벽 / 핵 / 세포막

	핵	
○		○
○	세포막	○
○	세포벽	×

✳ 중요한 내용을 정리해 보세요!

● 세포란?

● 식물 세포의 구조는?

● 동물 세포의 구조는?

개념 확인하기

정답 26쪽

🍃 다음 문제를 읽고 답을 찾아 ☐ 안에 ✔표를 하시오.

1 생물을 이루는 기본 단위는 무엇입니까?

　㉠ 핵 ☐　　　㉡ 세포 ☐
　㉢ 세포막 ☐　　㉣ 세포벽 ☐

2 세포의 크기는 어떠합니까?

　㉠ 커서 모두 맨눈으로 볼 수 있다. ☐
　㉡ 매우 작아서 대부분 맨눈으로 보기 어렵다. ☐

3 세포를 관찰하기에 가장 적당한 도구는 무엇입니까?

　㉠ 망원경 ☐　　　㉡ 현미경 ☐

4 동물 세포와 식물 세포가 공통으로 가지고 있는 것은 무엇입니까?

　㉠ 세포막 ☐　　　㉡ 세포벽 ☐

5 세포벽을 가지고 있는 세포는 무엇입니까?

　㉠ 식물 세포 ☐　　　㉡ 동물 세포 ☐

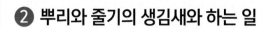
❷ 뿌리와 줄기의 생김새와 하는 일

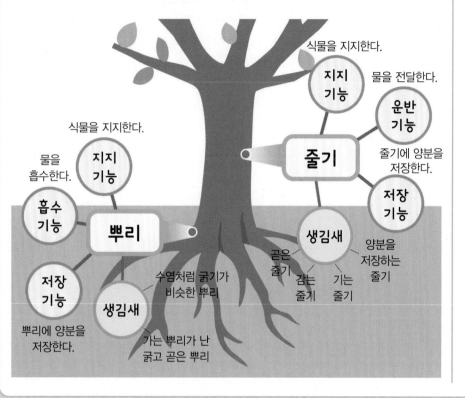

식물을 지지한다.

지지 기능

물을 전달한다.

운반 기능

줄기

줄기에 양분을 저장한다.

저장 기능

생김새

양분을 저장하는 줄기

곧은 줄기

감는 줄기

기는 줄기

식물을 지지한다.

물을 흡수한다.

지지 기능

흡수 기능

뿌리

수염처럼 굵기가 비슷한 뿌리

저장 기능

생김새

뿌리에 양분을 저장한다.

가는 뿌리가 난 굵고 곧은 뿌리

＊중요한 내용을 정리해 보세요!

● 뿌리가 하는 일은?

● 줄기가 하는 일은?

개념 확인하기

정답 26쪽

🍃 다음 문제를 읽고 답을 찾아 ☐ 안에 ✔표를 하시오.

1 뿌리는 어떻게 식물을 지지합니까?

　㉠ 땅속으로 뻗어서 식물을 지지한다. ☐

　㉡ 다른 물체를 감아서 식물을 지지한다. ☐

2 뿌리가 하는 일은 무엇입니까?

　㉠ 물을 내보낸다. ☐

　㉡ 물을 흡수한다. ☐

3 뿌리의 생김새는 어떠합니까?

　㉠ 식물에 따라 다양하다. ☐

　㉡ 모든 식물의 뿌리의 생김새는 같다. ☐

4 줄기는 무엇이 이동하는 통로입니까?

　㉠ 물 ☐　　㉡ 빛 ☐　　㉢ 열매 ☐

5 줄기가 하는 일은 무엇입니까?

　㉠ 양분을 분해한다. ☐

　㉡ 식물을 지지한다. ☐

1 다음은 세포에 대한 설명입니다. ☐ 안에 들어갈 알맞은 말을 쓰시오.

> 세포는 [   ]을/를 구성하는 기본 단위로, 크기가 매우 작아 맨눈으로 관찰하기 어렵습니다.

(   )

2 다음 중 세포에 대한 설명으로 옳지 <u>않은</u> 것은 어느 것입니까? (   )
① 식물만 세포로 되어 있다.
② 생물은 세포로 되어 있다.
③ 동물 세포와 식물 세포의 구조는 다르다.
④ 대부분 크기가 매우 작아 맨눈으로 보기 어렵다.
⑤ 크기와 모양이 다양하고 그에 따라 하는 일도 다르다.

3 다음 보기 에서 양파의 표피 세포를 관찰할 때 사용하는 도구로 가장 알맞은 것을 골라 기호를 쓰시오.

> 보기
> ㉠ 깔때기　　　　　㉡ 전자저울
> ㉢ 눈금실린더　　　㉣ 광학 현미경

(   )

미래엔

4 다음은 양파 표피 세포의 모습입니다. ㉠에 대한 설명으로 옳은 것을 두 가지 고르시오. (,   )

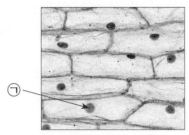

△ 양파 표피 세포(400배)

① 세포벽이다.
② 동물 세포에는 없다.
③ 생명 활동을 조절한다.
④ 세포의 정보를 저장한다.
⑤ 식물 세포는 ㉠으로 둘러싸여 있다.

5 다음은 식물 세포와 동물 세포의 모습을 나타낸 것입니다. 식물 세포와 동물 세포의 모습에 대한 설명으로 옳지 <u>않은</u> 것은 어느 것입니까? (   )

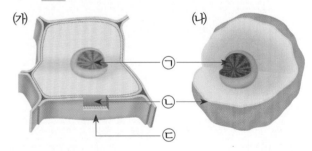

① ㉠은 핵이다.
② ㉡은 세포막이다.
③ (가)는 식물 세포이다.
④ (나)는 동물 세포이다.
⑤ ㉢은 동물 세포인 (가)의 세포층이다.

천재교육, 천재교과서, 동아, 미래엔

6 다음은 뿌리의 기능을 알아보기 위한 실험 과정입니다. 보기 에서 실험에 대한 설명으로 옳지 <u>않은</u> 것을 골라 기호를 쓰시오.

> **1** 같은 양의 물이 담긴 비커 두 개에 뿌리를 자르지 않은 양파와 뿌리를 자른 양파의 밑부분이 닿도록 각각 올려놓고, 물 높이를 표시한 뒤 빛이 잘 비치는 곳에 놓아두기
>
>
>
> ⬢ 뿌리를 자르지 않은   ⬢ 뿌리를 자른 양파
>   양파
>
> **2** 3일 동안 비커의 물 높이 변화를 관찰하기

> 보기
>
> ㉠ 3일 후에 ㈎의 물이 더 많이 줄어듭니다.
> ㉡ 뿌리의 지지 기능을 알아보기 위한 실험입니다.
> ㉢ 위 실험으로 뿌리가 물을 흡수한다는 것을 알 수 있습니다.

(   )

천재교육, 천재교과서, 금성, 미래엔, 비상, 아이스크림

7 다음 중 양분을 저장하는 식물의 뿌리는 어느 것입니까?

(   )

① 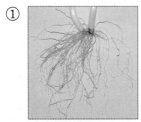   ②
     ⬢ 파 뿌리   ⬢ 당근 뿌리

③ 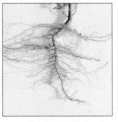   ④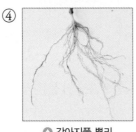
     ⬢ 명아주 뿌리   ⬢ 강아지풀 뿌리

천재교과서

8 다음 중 식물 줄기의 생김새에 대해 바르게 말한 친구의 이름을 쓰시오.

> 현서: 나팔꽃의 줄기는 굵고 곧게 자라.
> 민규: 소나무의 줄기는 다른 물체를 감으면서 자라.
> 아영: 딸기의 줄기는 땅 위를 기는 듯이 뻗어 나가.

(   )

천재교육, 천재교과서, 금성, 동아, 미래엔, 아이스크림, 지학사

9 오른쪽의 붉은 색소 물에 4시간 동안 넣어 둔 백합 줄기를 가로로 자른 모습으로 옳은 것의 기호를 쓰시오.

㉠    ㉡

(   )

천재교육, 천재교과서, 금성, 동아, 미래엔, 아이스크림, 지학사

10 다음 중 위 9번의 답과 같은 결과가 나타나는 까닭과 관련 있는 줄기의 기능은 어느 것입니까? (   )

① 씨를 만든다.
② 식물을 지지한다.
③ 양분을 저장한다.
④ 식물의 온도를 유지한다.
⑤ 물이 이동하는 통로 역할을 한다.

4
단원

① 잎이 하는 일

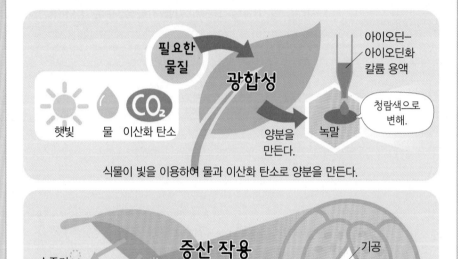

필요한 물질

햇빛 　물 　이산화 탄소 CO_2

광합성

양분을 만든다. 　녹말

아이오딘-아이오딘화 칼륨 용액

청람색으로 변해.

식물이 빛을 이용하여 물과 이산화 탄소로 양분을 만든다.

증산 작용

수증기 　기공

물의 일부가 수증기가 되어 기공을 통해 식물 밖으로 빠져나간다.

＊ 중요한 내용을 정리해 보세요!

● 광합성이란?

● 증산 작용이란?

개념 확인하기

정답 26쪽

🌿 다음 문제를 읽고 답을 찾아 ☐ 안에 ✔표를 하시오.

1 식물이 빛을 이용하여 양분을 만드는 작용은 무엇입니까?

ㄱ 광합성 ☐　　ㄴ 증산 작용 ☐
ㄷ 저장 기능 ☐　　ㄹ 증발 현상 ☐

2 식물이 광합성을 할 때 필요한 것이 아닌 것은 무엇입니까?

ㄱ 이산화 탄소 ☐
ㄴ 아이오딘-아이오딘화 칼륨 용액 ☐

3 잎에서 만들어지는 양분은 무엇입니까?

ㄱ 소금 ☐　　ㄴ 녹말 ☐

4 잎에 도달한 물은 어떤 상태로 식물 밖으로 빠져나갑니까?

ㄱ 얼음 ☐　　ㄴ 수증기 ☐

5 잎에 도달한 물은 무엇을 통해 식물 밖으로 빠져나갑니까?

ㄱ 기공 ☐　　ㄴ 뿌리털 ☐

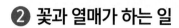

❷ 꽃과 열매가 하는 일

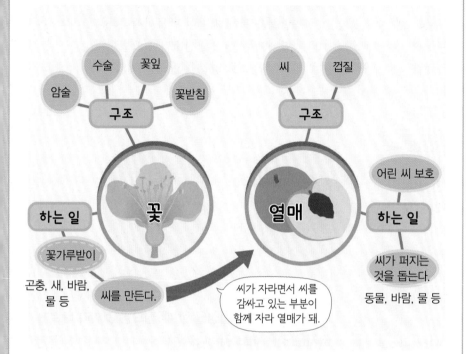

* 중요한 내용을 정리해 보세요!

● 꽃의 구조와 하는 일은?

● 열매의 구조와 하는 일은?

---

4 단원

개념 확인하기

정답 26쪽

🌱 다음 문제를 읽고 답을 찾아 ☐ 안에 ✔표를 하시오.

1 꽃을 이루고 있는 부분이 아닌 것은 무엇입니까?

㉠ 암술 ☐	㉡ 수술 ☐
㉢ 꽃받침 ☐	㉣ 뿌리털 ☐

2 꽃이 하는 일은 무엇입니까?

㉠ 빛을 이용해 물을 만든다. ☐

㉡ 꽃가루받이를 거쳐 씨를 만든다. ☐

3 꽃가루받이를 도와주는 것이 아닌 것은 무엇입니까?

㉠ 새 ☐	㉡ 흙 ☐	㉢ 곤충 ☐

4 열매를 이루고 있는 부분은 무엇입니까?

㉠ 씨와 껍질 ☐	㉡ 씨와 뿌리 ☐

5 열매가 하는 일은 무엇입니까?

㉠ 줄기를 보호한다. ☐

㉡ 씨가 퍼지는 것을 돕는다. ☐

[1~2] 잎에서 만든 양분을 확인하기 위해 봉선화 모종의 잎 한 개에만 알루미늄 포일을 씌워 햇빛이 드는 곳에 두었다가 다음과 같이 실험하였습니다. 물음에 답하시오.

> **1** 다음 날 오후에 알루미늄 포일을 씌운 잎과 씌우지 않은 잎을 따서 뜨거운 물이 담긴 비커에 1분 동안 담갔다가 에탄올이 담긴 작은 비커에 옮겨 넣기
>
> **2** **1**의 작은 비커를 뜨거운 물이 담긴 비커에 넣고 유리판으로 덮어 5분 동안 기다리기

천재교육, 동아, 비상, 지학사

1 다음 보기 에서 위 실험의 봉선화 잎 한 개에만 알루미늄 포일을 씌우는 까닭으로 옳은 것을 골라 기호를 쓰시오.

> **보기**
> ㉠ 잎을 자라지 못하게 하기 위해서입니다.
> ㉡ 물을 준 잎과 물을 주지 않은 잎을 비교하기 위해서입니다.
> ㉢ 빛을 받지 못한 잎과 빛을 받은 잎을 비교하기 위해서입니다.

( )

천재교육, 동아, 비상, 지학사

2 다음은 위 **2**의 작은 비커에서 꺼낸 잎을 따뜻한 물로 헹구고, 아이오딘-아이오딘화 칼륨 용액을 떨어뜨린 모습입니다. 이를 통해 알 수 있는 점으로 옳은 것은 어느 것입니까? ( )

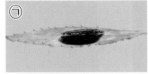
▲ 청람색으로 변함.

▲ 색깔 변화가 없음.

① ㉠에서만 녹말이 만들어졌다.
② ㉠은 알루미늄 포일을 씌운 잎이다.
③ ㉠과 ㉡에서 모두 녹말이 만들어졌다.
④ ㉡은 알루미늄 포일을 씌우지 않은 잎이다.
⑤ 잎에서 양분을 만들기 위해서는 빛이 필요하지 않다.

3 다음 보기 에서 광합성에 대한 설명으로 옳은 것을 골라 기호를 쓰시오.

> **보기**
> ㉠ 광합성을 통해 지방이 만들어집니다.
> ㉡ 광합성에는 빛, 물, 산소가 필요합니다.
> ㉢ 식물이 스스로 양분을 만드는 것입니다.

( )

4 다음 중 식물이 광합성을 할 때 필요한 것끼리 바르게 짝지은 것은 어느 것입니까? ( )
① 빛, 물, 수소
② 빛, 물, 이산화 탄소
③ 물, 산소, 이산화 탄소
④ 빛, 산소, 이산화 탄소
⑤ 산소, 질소, 이산화 탄소

5 다음 보기 에서 잎에 도달하여 사용되고 남은 물은 어떻게 되는지 바르게 설명한 것을 골라 기호를 쓰시오.

> **보기**
> ㉠ 잎에 그대로 저장됩니다.
> ㉡ 줄기를 통해 다시 뿌리로 내려갑니다.
> ㉢ 잎을 통해 식물 밖으로 빠져나갑니다.

( )

6 다음 중 꽃의 구조에서 암술이 하는 일로 옳은 것은 어느 것입니까? ( )

① 씨를 보호한다.

② 수술을 보호한다.

③ 꽃잎을 보호한다.

④ 꽃가루를 만든다.

⑤ 꽃가루받이를 거쳐 씨를 만든다.

7 다음은 꽃가루받이에 대한 설명입니다. ☐ 안에 들어갈 알맞은 말을 쓰시오.

> • 수술에서 만들어진 ☐이/가 암술로 옮겨 붙는 것을 꽃가루받이라고 합니다.
>
> • 꽃가루받이가 이루어질 때는 곤충, 새, 바람, 물 등의 도움을 받기도 합니다.

( )

8 다음은 식물의 구조 중 무엇이 하는 일에 대한 설명인지 보기 에서 골라 기호를 쓰시오.

> • 어린 씨를 보호합니다.
>
> • 씨가 익으면 멀리 퍼뜨립니다.

┌ 보기 ┐
㉠ 잎   ㉡ 줄기   ㉢ 열매   ㉣ 뿌리

( )

9 다음 중 열매가 자라는 과정을 순서대로 바르게 설명한 것은 어느 것입니까? ( )

① 꽃가루받이가 이루어짐. → 씨가 자라면서 암술이 함께 자라 열매가 됨. → 암술 속에 씨가 생김.

② 꽃가루받이가 이루어짐. → 암술 속에 씨가 생김. → 씨가 자라면서 암술이 함께 자라 열매가 됨.

③ 암술 속에 씨가 생김. → 꽃가루받이가 이루어짐. → 씨가 자라면서 암술이 함께 자라 열매가 됨.

④ 암술 속에 씨가 생김. → 씨가 자라면서 암술이 함께 자라 열매가 됨. → 꽃가루받이가 이루어짐.

⑤ 씨가 자라면서 암술이 함께 자라 열매가 됨. → 꽃가루받이가 이루어짐. → 암술 속에 씨가 생김.

4 단원

진도 완료 체크

천재교과서

10 다음 중 작은 동물이 옮겨서 씨가 퍼지는 식물은 어느 것입니까? ( )

①
△ 콩

②
△ 연꽃

③
△ 단풍나무

④
△ 졸참나무

연습 🐱 도움말을 참고하여 내 생각을 차근차근 써 보세요.

천재교육

1 다음은 고추의 뿌리와 강아지풀의 뿌리의 모습입니다. [총 12점]

🔺 고추의 뿌리　　🔺 강아지풀의 뿌리

(1) 다음은 고추의 뿌리와 강아지풀의 뿌리를 비교한 내용입니다. ( ) 안의 알맞은 말에 ○표를 하시오. [4점]

　　(고추 / 강아지풀)의 뿌리는 굵고 곧은 뿌리에 가는 뿌리들이 나 있고 (고추 / 강아지풀)의 뿌리는 굵기가 비슷한 뿌리가 여러 가닥으로 수염처럼 나 있습니다.

(2) 다음은 뿌리를 이루고 있는 어느 부분에 대한 설명입니다. 이 부분의 이름을 쓰시오. [2점]

　　• 솜털처럼 가늡니다.
　　• 물을 더 잘 흡수하도록 해 줍니다.

（　　　　　　　）

(3) 식물이 강한 바람에도 잘 쓰러지지 않는 까닭을 뿌리의 기능과 관련지어 쓰시오. [6점]

　　🐱 식물이 잘 쓰러지지 않으려면 뿌리가 어떤 상태인지 추측하고, 뿌리의 기능과 같이 생각해 보세요.
　　꼭 들어가야 할 말 뿌리 / 지지

_____

_____

천재교육, 천재교과서, 금성, 동아, 미래엔, 아이스크림, 지학사

2 다음은 붉은 색소 물에 4시간 동안 넣어 둔 백합 줄기의 실험 전과 실험 후 모습입니다. [총 12점]

🔺 실험 전　　🔺 실험 후　　🔺 가로 단면
　　　　　　4시간 후　　　　　🔺 세로 단면

(1) 다음은 백합 줄기뿐만 아니라 꽃과 잎도 붉게 물든 까닭입니다. □ 안에 들어갈 알맞은 말을 쓰시오. [2점]

　　뿌리에서 흡수한 □□이/가 줄기를 거쳐 꽃과 잎으로 이동했기 때문입니다.

（　　　　　　　）

(2) 다음은 백합 줄기를 가로와 세로로 잘라 관찰한 내용입니다. ( ) 안의 알맞은 말에 ○표를 하시오. [4점]

　　(가로 / 세로) 단면은 붉은 점들이 줄기에 퍼져 있고, (가로 / 세로) 단면은 여러 개의 붉은 선이 줄기를 따라 이어져 있습니다.

(3) 위의 실험으로 알게 된 식물 줄기의 기능을 쓰시오.
[6점]

_____

_____

천재교과서, 동아, 지학사

3 연꽃과 도깨비바늘의 씨가 퍼지는 방법을 비교하여 쓰시오. [8점]

_____

_____

1 다음 중 세포에 대한 설명으로 옳은 것은 어느 것입니까?
( )

9종 공통

① 세포의 모양은 다양하다.
② 대부분의 세포는 핵이 없다.
③ 세포가 하는 일은 모두 같다.
④ 대부분 눈에 보일 정도로 크기가 크다.
⑤ 생물과 무생물을 이루는 기본 단위이다.

2 다음 중 식물 세포에 대한 설명으로 옳은 것은 어느 것입니까? ( )

9종 공통

① 맨눈으로 관찰할 수 있다.
② 핵과 세포막으로만 구성되어 있다.
③ 세포막과 세포벽이 있지만 핵은 없다.
④ 핵, 세포막, 세포벽으로 구성되어 있다.
⑤ 핵과 세포벽으로 둘러싸여 있고 그 안에 세포막이 있다.

3 다음은 식물 세포와 동물 세포의 모습입니다. 두 세포를 비교한 내용으로 옳은 것은 어느 것입니까? ( )

9종 공통

ㄱ   ㄴ

① ㄱ과 ㄴ에는 모두 세포벽이 있다.
② ㄱ과 ㄴ에는 모두 핵과 세포막이 있다.
③ ㄱ에는 핵이 있지만, ㄴ에는 핵이 없다.
④ ㄱ은 동물 세포이고, ㄴ은 식물 세포이다.
⑤ ㄱ은 맨눈으로 관찰하기 어렵고, ㄴ은 맨눈으로 관찰할 수 있다.

[4~5] 다음과 같이 뿌리를 자른 양파와 뿌리를 자르지 않은 양파를 물이 든 비커에 올려놓고 빛이 잘 드는 곳에 2~3일 동안 놓아두었습니다. 물음에 답하시오.

🔺 뿌리를 자른 양파   🔺 뿌리를 자르지 않은 양파

천재교육, 천재교과서, 동아, 미래엔

4 위 실험에 대한 설명으로 옳은 것은 어느 것입니까?
( )

① 뿌리의 유무를 제외한 조건은 모두 다르게 한다.
② 뿌리를 자른 양파 쪽 비커의 물은 늘어났다.
③ 뿌리를 자른 양파 쪽 비커의 물은 많이 줄어들었다.
④ 뿌리를 자르지 않은 양파 쪽 비커의 물은 그대로 있다.
⑤ 뿌리를 자르지 않은 양파 쪽 비커의 물은 많이 줄어들었다.

천재교육, 천재교과서, 동아, 미래엔

5 위 실험은 무엇을 알아보기 위한 실험입니까?
( )

① 뿌리의 지지 기능
② 뿌리의 흡수 기능
③ 줄기의 흡수 기능
④ 뿌리의 이동 기능
⑤ 뿌리의 저장 기능

9종 공통

6 다음 중 뿌리가 흙 속의 물을 더 많이 흡수할 수 있도록 하는 것은 어느 것입니까? ( )

① 핵   ② 잎맥   ③ 세포벽
④ 뿌리털   ⑤ 잎자루

4
단원

천재교육, 천재교과서, 금성, 미래엔, 비상, 아이스크림

7 다음 중 고구마와 당근이 굵고 단맛이 나는 까닭으로 옳은 것은 어느 것입니까? ( )

△ 고구마 　　　　　　　△ 당근

① 썩어서 상했기 때문이다.

② 물이 저장되어 있기 때문이다.

③ 단맛이 나는 양분을 만들기 때문이다.

④ 단맛이 나는 양분이 저장되어 있기 때문이다.

⑤ 양분을 만드는 데 필요한 산소를 저장하기 때문이다.

천재교육, 천재교과서, 금성, 동아, 미래엔, 아이스크림, 지학사

8 다음과 같이 붉은 색소 물에 4시간 동안 넣어 둔 백합 줄기를 세로로 잘랐을 때 줄기 단면의 모습으로 옳은 것은 어느 것입니까? ( )

① 아무런 변화가 없다.

② 전체가 검은색으로 변한다.

③ 가운데에 크게 빈 공간이 생긴다.

④ 크고 작은 구멍이 여러 개 뚫려 있다.

⑤ 여러 개의 붉은 선이 줄기를 따라 이어져 있다.

9종 공통

9 다음 중 줄기가 하는 일로 옳은 것은 어느 것입니까?

( )

① 식물을 지지한다.

② 땅속의 물을 흡수한다.

③ 씨를 멀리까지 퍼뜨린다.

④ 빛을 이용해 물을 만든다.

⑤ 뿌리에서 흡수한 물을 식물 밖으로 내보낸다.

9종 공통

10 다음 중 잎에서 일어나는 광합성을 통해 만들어지는 것은 어느 것입니까? ( )

① 빛　　　　　　　② 양분

③ 기공　　　　　　④ 잎맥

⑤ 이산화 탄소

[11~12] 다음과 같이 잎을 남겨 둔 모종과 잎을 모두 없앤 모종을 각각 물이 담긴 삼각 플라스크에 넣고, 각 모종에 비닐봉지를 씌운 뒤 공기가 통하지 않도록 묶고 햇빛이 잘 드는 곳에 1~2일 동안 놓아두었습니다. 물음에 답하시오. (단, 모종에 있는 잎의 유무를 제외한 나머지 조건은 같습니다.)

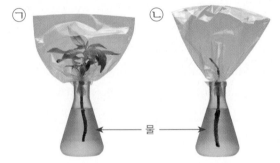

⊙ 　　　　　　　　ⓒ

←물→

9종 공통

11 다음 중 위 실험을 통해 알 수 있는 점에 대한 설명으로 옳은 것은 어느 것입니까? ( )

① 잎을 통해 물을 흡수한다.

② 잎에서 광합성이 일어난다.

③ 잎을 통해 양분을 흡수한다.

④ 식물이 사용하고 남은 물은 잎에 저장된다.

⑤ 물이 잎을 통해 식물 밖으로 빠져나간다.

9종 공통

12 위 실험과 관계있는 식물 잎의 작용은 무엇입니까?

( )

① 광합성　　② 지지 작용　　③ 증산 작용

④ 흡수 작용　　⑤ 저장 작용

13 다음은 꽃의 구조를 나타낸 것입니다. 꽃의 각 부분의 이름을 옳게 짝지은 것은 어느 것입니까? (   )

9종 공통

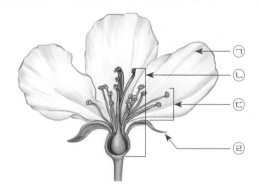

① ㉠, 수술   ② ㉡, 꽃받침   ③ ㉢, 암술
④ ㉢, 수술   ⑤ ㉣, 꽃잎

14 다음 중 꽃가루를 만드는 것은 어느 것입니까?

9종 공통

(   )

① 암술   ② 수술   ③ 꽃잎
④ 꽃받침   ⑤ 잎자루

15 다음 중 꽃가루받이를 거쳐 씨를 만드는 것은 어느 것입니까? (   )

9종 공통

① 기공   ② 열매   ③ 암술
④ 곤충   ⑤ 바람

16 다음 중 새에 의해 꽃가루받이가 이루어지는 식물은 어느 것입니까? (   )

천재교육, 천재교과서, 김영사, 동아, 비상

△ 벼

△ 동백나무

△ 연꽃

△ 코스모스

17 다음 중 사과나무의 꽃가루받이 방법으로 옳은 것은 어느 것입니까? (   )

천재교과서, 아이스크림

① 새에 의해 꽃가루받이가 이루어진다.
② 물에 의해 꽃가루받이가 이루어진다.
③ 바람에 의해 꽃가루받이가 이루어진다.
④ 곤충에 의해 꽃가루받이가 이루어진다.
⑤ 동물에게 먹혀서 꽃가루받이가 이루어진다.

18 다음 중 열매에 대한 설명으로 옳지 <u>않은</u> 것은 어느 것입니까? (   )

9종 공통

① 어린 씨를 보호한다.
② 씨와 껍질로 되어 있다.
③ 씨가 익으면 퍼지는 것을 돕는다.
④ 열매는 스스로 씨를 멀리 퍼지게 할 수 없다.
⑤ 씨를 싸고 있는 암술이나 꽃받침 등이 함께 자라 열매가 된다.

19 다음 중 동물의 털이나 사람의 옷에 씨가 붙어서 퍼지는 식물은 어느 것입니까? (   )

천재교과서, 금성, 김영사, 동아, 비상, 아이스크림, 지학사

① 콩   ② 연꽃   ③ 졸참나무
④ 단풍나무   ⑤ 도꼬마리

20 다음 중 바람에 날려서 씨가 퍼지는 식물은 어느 것입니까? (   )

천재교과서, 금성, 동아, 미래엔

① 콩   ② 연꽃   ③ 단풍나무
④ 도깨비바늘 ⑤ 산수유나무

4 단원

진도 완료 체크

· 답안 입력하기   · 온라인 피드백 받기

① 프리즘을 통과한 햇빛

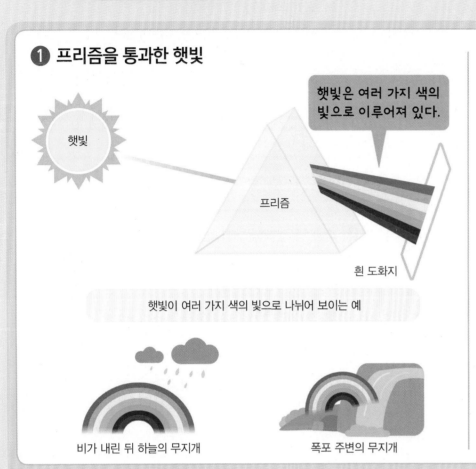

햇빛

햇빛은 여러 가지 색의 빛으로 이루어져 있다.

프리즘

흰 도화지

햇빛이 여러 가지 색의 빛으로 나뉘어 보이는 예

비가 내린 뒤 하늘의 무지개

폭포 주변의 무지개

✱ 중요한 내용을 정리해 보세요!

● 프리즘을 통과한 햇빛의 특징은?

● 햇빛이 여러 가지 색의 빛으로 이루어져 있기 때문에 나타나는 현상은?

개념 확인하기

정답 29쪽

🍃 다음 문제를 읽고 답을 찾아 ☐ 안에 ✔표를 하시오.

1 유리나 플라스틱 등으로 만든 투명한 삼각기둥 모양의 기구를 무엇이라고 합니까?

㉠ 돋보기 ☐ ㉡ 프리즘 ☐

2 햇빛이 프리즘을 통과할 때 나타나는 현상으로 옳은 것은 어느 것입니까?

㉠ 햇빛은 프리즘을 통과하지 못한다. ☐

㉡ 햇빛이 한 가지 색의 빛으로 나타난다. ☐

㉢ 햇빛이 여러 가지 색의 빛으로 나타난다. ☐

3 햇빛의 특징으로 옳은 것은 어느 것입니까?

㉠ 햇빛은 한 가지 색의 빛으로 이루어져 있다. ☐

㉡ 햇빛은 여러 가지 색의 빛으로 이루어져 있다. ☐

4 햇빛이 위 **3**번 답과 같이 되어 있어서 나타나는 현상은 어느 것입니까?

㉠ 비가 내린 뒤 볼 수 있는 무지개 ☐

㉡ 공기 중 수증기가 응결해 만들어진 이슬 ☐

5 프리즘의 구실을 하는 것은 무엇입니까?

㉠ 물방울 ☐ ㉡ 평면 유리 ☐

❷ 빛의 굴절

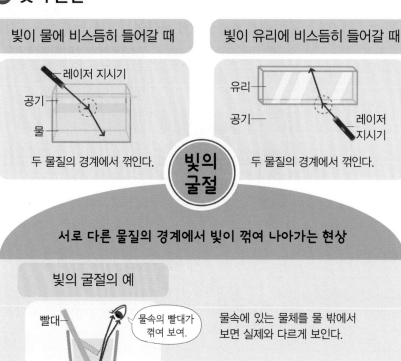

빛이 물에 비스듬히 들어갈 때	빛이 유리에 비스듬히 들어갈 때
레이저 지시기 / 공기 / 물 / 두 물질의 경계에서 꺾인다.	유리 / 공기 / 레이저 지시기 / 두 물질의 경계에서 꺾인다.

빛의 굴절

서로 다른 물질의 경계에서 빛이 꺾여 나아가는 현상

빛의 굴절의 예

빨대 / 물속의 빨대가 꺾여 보여.

물속에 있는 물체를 물 밖에서 보면 실제와 다르게 보인다.

✳ 중요한 내용을 정리해 보세요!

● 빛이 공기 중에서 물로 비스듬히 나아갈 때 나타나는 현상은?

● 빛의 굴절이란?

개념 확인하기

정답 29쪽

🍃 다음 문제를 읽고 답을 찾아 ☐ 안에 ✔표를 하시오.

1 빛은 공기 중에서 어떻게 나아갑니까?

㉠ 꺾여 나아간다. ☐
㉡ 똑바로 나아간다. ☐

2 빛이 공기 중에서 물로 비스듬히 들어가면 공기와 물의 경계에서 어떻게 됩니까?

㉠ 빛이 사라진다. ☐
㉡ 빛이 꺾여 나아간다. ☐
㉢ 빛이 똑바로 나아간다. ☐

3 빛이 공기 중에서 유리로 비스듬히 들어가면 공기와 유리의 경계에서 어떻게 됩니까?

㉠ 빛이 꺾여 나아간다. ☐
㉡ 빛이 똑바로 나아간다. ☐

4 서로 다른 물질의 경계에서 빛이 꺾여 나아가는 현상을 무엇이라고 합니까?

㉠ 빛의 직진 ☐   ㉡ 빛의 반사 ☐
㉢ 빛의 굴절 ☐   ㉣ 빛의 합성 ☐

5 물이 담긴 컵 속의 빨대는 어떻게 보입니까?

㉠ 꺾여 보인다. ☐
㉡ 반듯하게 보인다. ☐

5
단원

[1~3] 다음은 햇빛의 특징을 알아보는 실험입니다. 물음에 답하시오.

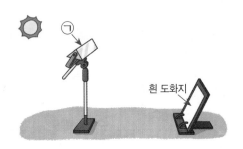

흰 도화지

1 위 실험에서 사용한 ㉠ 기구의 특징입니다. (　) 안의 알맞은 말에 각각 ○표를 하시오.

(투명 / 불투명)하고 삼각기둥 모양이며, 빛을 통과시킬 수 (있습니다. / 없습니다.)

2 위 실험 결과에 대한 설명으로 옳은 것은 어느 것입니까? (　)

① 흰 도화지에 노란색 빛만 나타난다.
② 흰 도화지에 빨간색 빛만 나타난다.
③ 흰 도화지에 어두운 그림자만 나타난다.
④ 흰 도화지에 두 가지 색의 빛만 나타난다.
⑤ 흰 도화지에 여러 가지 색의 빛이 나타난다.

3 위 실험 결과를 통해 알게 된 햇빛의 특징입니다. ☐ 안에 들어갈 알맞은 말을 쓰시오.

햇빛은 ☐☐☐(으)로 이루어져 있습니다.

(　)

4 다음은 비가 내린 뒤나 폭포 주변에서 볼 수 있는 모습입니다. 이에 대한 설명으로 옳지 않은 것을 보기 에서 골라 기호를 쓰시오.

⊙ 비가 내린 뒤 볼 수 있는 무지개　⊙ 폭포 주변의 무지개

보기
㉠ 공기 중에 떠 있는 물방울은 프리즘의 구실을 합니다.
㉡ 햇빛이 두 가지 색의 빛으로 이루어졌기 때문에 나타나는 현상입니다.
㉢ 햇빛이 여러 가지 색의 빛으로 이루어져 있기 때문에 나타나는 현상입니다.

(　)

[5~6] 오른쪽과 같이 장치하고 레이저 지시기의 빛을 공기 중에서 물로 나아가도록 여러 각도에서 비추었습니다. 물음에 답하시오.

레이저 지시기
공기
물

5 다음 (가)와 (나) 중 레이저 지시기의 빛이 공기 중에서 물로 나아가는 모습으로 옳은 것을 골라 기호를 쓰시오.

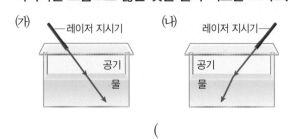

(가) 레이저 지시기 / 공기 / 물　　(나) 레이저 지시기 / 공기 / 물

(　)

6 앞의 실험에서 레이저 지시기의 빛을 수면에 수직으로 비추었을 때 빛이 공기와 물의 경계에서 나아가는 모습으로 옳은 것을 보기 에서 골라 기호를 쓰시오.

보기
㉠ 빛이 공기와 물의 경계를 통과하지 못합니다.
㉡ 빛이 공기와 물의 경계에서 꺾여 나아갑니다.
㉢ 빛이 공기와 물의 경계에서 꺾이지 않고 그대로 나아갑니다.

( )

7 다음 중 레이저 지시기의 빛이 두 물질의 경계에서 나아가는 모습으로 옳지 <u>않은</u> 것은 어느 것입니까?

( )

①

②

③

④

8 다음은 레이저 지시기의 빛이 공기 중에서 유리로 나아가는 모습입니다. 빛의 굴절이 일어나는 곳의 기호를 쓰시오.

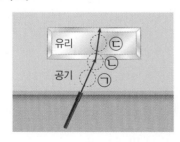

( )

9 다음은 동전을 넣은 컵에 물을 붓지 않았을 때와 물을 부었을 때의 컵 속 모습입니다. 실험에 대한 설명으로 옳은 것을 보기 에서 두 가지 골라 기호를 쓰시오.

⬥ 물을 붓지 않았을 때

⬥ 물을 부었을 때

보기
㉠ 물을 부으면 동전의 모습이 실제와 다른 위치에 있는 것처럼 보입니다.
㉡ 물을 붓지 않았을 때는 동전이 보이지만 물을 부은 다음에는 동전이 보이지 않습니다.
㉢ 빛은 서로 다른 물질의 경계에서 굴절하는 성질이 있음을 알 수 있습니다.
㉣ 빛은 서로 다른 물질의 경계에서 전부 직진하는 성질이 있음을 알 수 있습니다.

(,)

천재교육, 동아

10 다음은 물에 잠긴 물체를 옆과 위에서 본 모습입니다. 이를 통해 알게 된 점으로 옳은 것은 어느 것입니까?

( )

⬥ 수조 옆에서 본 모습

⬥ 수조 위에서 본 모습

① 물체를 물속에 담그면 녹는다.
② 물체를 물속에 담그면 색깔이 변한다.
③ 물체를 물속에 담가도 꺾여 보이지 않는다.
④ 물체를 물속에 담그면 다른 물체로 바뀐다.
⑤ 물속에 있는 물체의 모습은 원래의 모습과 다르게 보인다.

❶ 볼록 렌즈의 특징

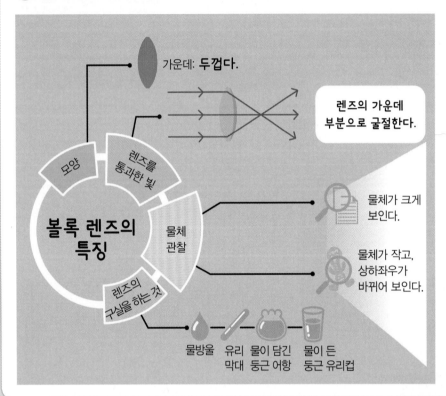

가운데: **두껍다.**

렌즈의 가운데 부분으로 굴절한다.

모양

렌즈를 통과한 빛

볼록 렌즈의 특징

물체 관찰

렌즈의 구실을 하는 것

물체가 크게 보인다.

물체가 작고, 상하좌우가 바뀌어 보인다.

물방울 유리 막대 물이 담긴 둥근 어항 물이 든 둥근 유리컵

✳ 중요한 내용을 정리해 보세요!

● 빛이 볼록 렌즈를 통과하면?

● 볼록 렌즈로 물체를 관찰하면?

개념 확인하기

정답 29쪽

🔍 다음 문제를 읽고 답을 찾아 ☐ 안에 ✔표를 하시오.

1 가운데 부분이 가장자리보다 두꺼운 모양으로 만든 기구는 어느 것입니까?

　　ㄱ 볼록 렌즈 ☐　　　ㄴ 평면 유리 ☐

2 볼록 렌즈의 가장자리를 통과한 빛은 어떻게 됩니까?

　　ㄱ 곧게 나아간다. ☐
　　ㄴ 렌즈의 가운데 부분으로 굴절한다. ☐

3 볼록 렌즈로 가까이 있는 물체를 보면 어떻게 보입니까?

　　ㄱ 작게 보인다. ☐
　　ㄴ 크게 보인다. ☐

4 볼록 렌즈로 멀리 있는 물체를 보면 어떻게 보입니까?

　　ㄱ 실제 모습과 같게 보인다. ☐
　　ㄴ 작고, 상하좌우가 바뀌어 보인다. ☐

5 볼록 렌즈의 구실을 하는 것은 어느 것입니까?

　　ㄱ 유리 막대 ☐　　　ㄴ 사각 수조 ☐

❷ 볼록 렌즈의 쓰임새

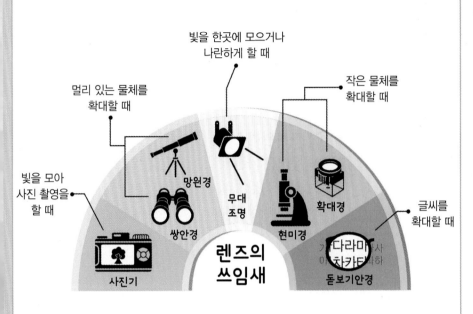

빛을 한곳에 모으거나 나란하게 할 때

멀리 있는 물체를 확대할 때

작은 물체를 확대할 때

빛을 모아 사진 촬영을 할 때

망원경

무대 조명

확대경

현미경

쌍안경

글씨를 확대할 때

사진기

렌즈의 쓰임새

돋보기안경

✳ 중요한 내용을 정리해 보세요!

● 볼록 렌즈를 이용한 기구는?

● 우리 생활에서 볼록 렌즈를 이용했을 때 좋은 점은?

개념 확인하기

정답 29쪽

🍃 다음 문제를 읽고 답을 찾아 ☐ 안에 ✔표를 하시오.

1 볼록 렌즈를 이용한 기구가 <u>아닌</u> 것은 어느 것입니까?

ㄱ 쌍안경 ☐
ㄴ 확대경 ☐
ㄷ 자동차 뒷거울 ☐

2 사진기에 이용된 볼록 렌즈의 쓰임새로 옳은 것은 어느 것입니까?

ㄱ 빛을 모아 사진을 촬영한다. ☐
ㄴ 빛을 퍼지게 하여 사진을 촬영한다. ☐

3 볼록 렌즈를 이용해 작은 물체를 확대하는 기구는 어느 것입니까?

ㄱ 현미경 ☐ ㄴ 무대 조명 ☐
ㄷ 승강기 거울 ☐ ㄹ 화장대 거울 ☐

4 볼록 렌즈를 이용하는 상황은 어느 것입니까?

ㄱ 돋보기안경을 이용해 책을 읽을 때 ☐
ㄴ 전등에서 나오는 빛을 가려 그림자를 만들 때 ☐

5 볼록 렌즈의 쓰임새로 옳은 것은 어느 것입니까?

ㄱ 작은 물체를 더 작게 볼 때 쓰인다. ☐
ㄴ 멀리 있는 물체를 크게 볼 때 쓰인다. ☐

5 단원

[1~2] 다음은 여러 가지 모양의 도구입니다. 물음에 답하시오.

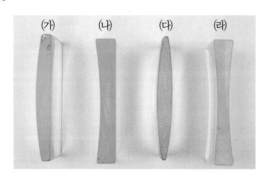

(가) (나) (다) (라)

1 위 (가)~(라) 중 가운데 부분이 가장자리보다 두꺼운 것을 두 가지 골라 기호를 쓰시오.

(,   )

천재교과서, 금성, 김영사, 동아, 미래엔, 비상

2 위 **1**번 답과 같은 특징이 있는 도구를 무엇이라고 합니까? (   )

① 프리즘   ② 평면 유리
③ 오목 렌즈   ④ 볼록 렌즈
⑤ 투명한 아크릴판

천재교과서, 금성, 김영사, 동아, 미래엔, 비상

3 다음 (가)와 (나) 중 볼록 렌즈를 통과한 레이저 빛이 나아가는 모습으로 옳은 것을 골라 기호를 쓰시오.

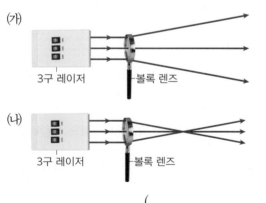

(가)

3구 레이저   볼록 렌즈

(나)

3구 레이저   볼록 렌즈

(   )

천재교과서, 금성, 김영사, 동아, 미래엔, 비상

4 다음은 앞의 **3**번 답을 통해 알게 된 볼록 렌즈를 통과하는 빛에 대한 설명입니다. ㉠과 ㉡에 들어갈 알맞은 말을 바르게 짝지은 것은 어느 것입니까? (   )

> 빛은 공기 중에서 나아가다가 볼록 렌즈를 통과하면 볼록 렌즈의 ㉠ 부분으로 ㉡ 합니다.

	㉠	㉡
①	두꺼운 가운데	반사
②	두꺼운 가운데	굴절
③	얇은 가장자리	직진
④	얇은 가장자리	반사
⑤	얇은 가장자리	굴절

천재교육, 지학사

5 다음은 평면 유리를 통과한 햇빛이 흰 종이에 만든 원의 모습을 나타낸 것입니다. 실험 결과로 옳지 <u>않은</u> 것의 기호를 쓰시오.

평면 유리

▲ 평면 유리를 통과한 햇빛

구분	평면 유리와 흰 종이 사이의 거리		
	가까울 때	중간일 때	멀 때
원의 모습	㉠ ◯	㉡ ⬤	㉢ ◯

(   )

천재교육, 금성, 김영사, 미래엔, 지학사

6 다음은 볼록 렌즈를 통과한 햇빛으로 종이에 그림을 그리는 모습입니다. 종이를 태워 그림을 그릴 수 있는 까닭을 보기 에서 골라 기호를 쓰시오.

보기
- ㉠ 볼록 렌즈로 햇빛을 모은 곳은 빛의 색깔이 변하기 때문입니다.
- ㉡ 볼록 렌즈로 햇빛을 모은 곳은 주변보다 온도가 낮기 때문입니다.
- ㉢ 볼록 렌즈로 햇빛을 모은 곳은 주변보다 온도가 높기 때문입니다.

(   )

천재교과서

7 다음의 간이 확대경으로 글자를 관찰하면 어떻게 보이는지 ㉠~㉢에서 골라 기호를 쓰시오.

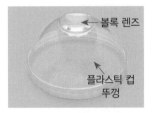

△ 간이 확대경   △ 관찰한 글자

△ 작게 보임.   △ 동일하게 보임.   △ 크게 보임.

(   )

천재교과서, 금성

8 다음 ㉠~㉢ 중 볼록 렌즈의 구실을 하는 물체를 골라 기호를 쓰시오.

△ 투명한 유리판   △ 물이 든 둥근 유리컵   △ 물이 든 사각 수조

(   )

9 다음의 간이 사진기에 대한 설명으로 옳은 것을 보기 에서 골라 기호를 쓰시오.

△ 간이 사진기

보기
- ㉠ 간이 사진기의 속 상자를 위아래로 움직이면서 물체를 관찰합니다.
- ㉡ 간이 사진기로 물체를 보면 물체가 실제 모습과 다르게 보입니다.
- ㉢ 간이 사진기에서 빛의 굴절이 일어나는 곳은 속 상자에 붙인 투사지입니다.
- ㉣ 간이 사진기에서 물체의 모습이 맺히는 곳은 겉 상자에 붙인 볼록 렌즈입니다.

(   )

천재교과서, 김영사, 동아, 미래엔

10 다음 기구와 기구를 통해 관찰할 수 있는 것을 줄로 바르게 이으시오.

(1) 망원경 •   • ㉠

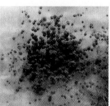

△ 곰팡이

(2) 현미경 •   • ㉡

△ 행성

5 단원

연습 🐱 도움말을 참고하여 내 생각을 차근차근 써 보세요.

1 다음은 '프리즘을 통과한 햇빛 관찰하기'의 실험 모습입니다. [총 10점]

검은색 도화지
긴 구멍
㉠
하얀색 도화지

(1) 위 실험에서 ㉠은 무엇인지 쓰시오. [2점]
( )

(2) 다음은 햇빛이 하얀색 도화지에 나타난 모습에 대한 설명입니다. ☐ 안에 알맞은 말을 쓰시오. [2점]

> 하얀색 도화지에 [   ] 빛깔로 나타납니다.

(3) 위 (2)번 실험 결과로 알게 된 햇빛의 특징을 쓰시오.
[6점]

> 🐱 햇빛이 하얀색 도화지에 나타난 모습에 대하여 생각해 보세요.
> **꼭 들어가야 할 말** 햇빛 / 빛깔

_____

_____

2 다음은 학생이 물속에 있는 물고기를 보고 있는 모습입니다. [총 12점]

사람이 생각하는 물고기의 위치
공기
물
실제 물고기의 위치

(1) 위에서 물속에 있는 물고기의 실제 위치는 물 밖에서 학생이 생각하는 물고기의 위치와 같은지, 다른지 쓰시오. [2점]   (   )

(2) 다음은 위 (1)번 답과 관련된 내용입니다. ㉠, ㉡에 들어갈 알맞은 말을 각각 쓰시오. [4점]

> 공기와 물의 경계에서 [㉠] 된 빛을 보는 사람은 실제와 [㉡] 위치에 있는 물체의 모습을 보게 됩니다.

㉠ (   ) ㉡ (   )

(3) 위 (1)번 답을 쓴 까닭을 쓰시오. [6점]

_____

_____

3 볼록 렌즈의 구실을 하는 물방울로 글씨를 보았더니 오른쪽과 같이 크게 보였습니다. 물방울이 볼록 렌즈의 구실을 할 수 있는 까닭을 쓰시오. [8점]

개울의 물이 실제보다 ~은 빛의굴절 때문에 ~때 물속에 잠긴 다리

_____

_____

1 오른쪽 프리즘에 대한 설명으로 옳은 것은 어느 것입니까?
( )

① 불투명하다.
② 원기둥 모양이다.
③ 나무로도 만들 수 있다.
④ 햇빛이 통과할 수 있다.
⑤ 거울로도 만들 수 있다.

2 오른쪽은 햇빛이 하얀색 도화지에 나타난 모습입니다. □ 안에 들어갈 알맞은 도구는 어느 것입니까? ( )

> □ 을/를 통과한 햇빛이 닿는 곳에 하얀색 도화지를 놓았더니 여러 가지 빛깔이 나타났습니다.

① 프리즘
② 투명한 셀로판지
③ 비스듬하게 잘린 종이 빨대
④ 얇은 종이
⑤ 구멍 뚫린 철판

3 다음과 같이 레이저 지시기의 빛을 유리에서 공기로 나아가도록 비출 때, 빛이 나아가는 모습으로 옳은 것은 어느 것입니까? ( )

4 다음은 레이저 지시기의 빛을 공기 중에서 물로 나아가도록 여러 각도에서 비추는 모습입니다. 실험 결과에 대한 설명으로 옳은 것은 어느 것입니까? ( )

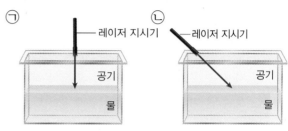

① 빛은 불투명한 물체를 통과한다.
② ㉠: 빛은 공기와 물의 경계에서 굴절한다.
③ ㉠: 빛은 공기와 물의 경계에서 꺾여 나아간다.
④ ㉡: 빛은 공기와 물의 경계에서 굴절한다.
⑤ ㉡: 빛은 공기와 물의 경계에서 꺾이지 않고 그대로 나아간다.

5 다음 중 빛이 굴절할 수 있는 상황으로 옳지 <u>않은</u> 것은 어느 것입니까? ( )
① 물과 기름이 만나는 경계
② 공기와 유리가 만나는 경계
③ 공기와 고무가 만나는 경계
④ 공기와 반투명한 유리판이 만나는 경계
⑤ 공기와 반투명한 플라스틱판이 만나는 경계

6 오른쪽과 같이 물에 반쯤 넣은 젓가락이 꺾여 보이는 까닭으로 옳은 것은 어느 것입니까? ( )

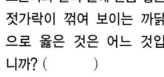

① 빛이 직진하기 때문이다.
② 빛이 반사하기 때문이다.
③ 빛이 굴절하기 때문이다.
④ 빛이 물을 통과하지 못하기 때문이다.
⑤ 컵 속의 젓가락이 물에 뜨기 때문이다.

9종 공통

7 다음 빛과 관련된 여러 가지 상황 중 옳은 것은 어느 것입니까? (   )

① 물속에 있는 물체는 실제보다 작아 보인다.
② 빛이 기름을 만나면 기름에 흡수되어 사라진다.
③ 공기 중에서 나아가던 레이저 지시기의 빛이 물을 만나면 아래로 꺾인다.
④ 공기 중에서 나아가던 레이저 지시기의 빛이 물을 만나면 위로 꺾인다.
⑤ 햇빛을 프리즘에 통과시킨 후 검은색 도화지에 비추면 여러 가지 빛깔이 쉽게 보인다.

9종 공통

8 다음 중 볼록 렌즈는 어느 것입니까? (   )

①  ②   ③   ④

9종 공통

9 다음 보기 에서 볼록 렌즈에 대한 설명으로 옳은 것을 모두 고른 것은 어느 것입니까? (   )

보기
㉠ 불투명한 물질로 만들어졌습니다.
㉡ 돋보기안경을 만드는 데 사용합니다.
㉢ 가운데 부분이 가장자리보다 얇습니다.

① ㉠   ② ㉡   ③ ㉢
④ ㉠, ㉡   ⑤ ㉡, ㉢

천재교과서, 금성, 김영사, 동아, 미래엔, 비상

10 다음은 ㉠ 도구를 통과한 레이저 빛이 나아가는 모습입니다. 이용한 도구는 어느 것입니까? (   )

3구 레이저

① 거울   ② 프리즘   ③ 투사지
④ 볼록 렌즈   ⑤ 평면 유리

9종 공통

11 다음의 볼록 렌즈와 평면 유리의 차이점에 맞게 ㉠과 ㉡에 들어갈 말을 바르게 짝지은 것은 어느 것입니까? (   )

볼록 렌즈는 평면 유리와 달리 햇빛을 모을 수 있어서 햇빛을 모은 곳의 밝기는 주변보다 ㉠ , 온도가 ㉡ .

	㉠	㉡
①	밝고	낮습니다
②	밝고	높습니다
③	어둡고	낮습니다
④	어둡고	높습니다
⑤	어둡고	같습니다

9종 공통

12 다음은 볼록 렌즈로 물체를 관찰한 모습입니다. 이에 대한 설명으로 옳은 것은 어느 것입니까? (   )

△ 크게 보임.   △ 작고, 상하좌우가 바뀌어 보임.

① ㉠: 멀리 있는 물체를 본 경우이다.
② ㉡: 가까이 있는 물체를 본 경우이다.
③ 볼록 렌즈로 물체를 보면 실제 모습과 같게 보인다.
④ 볼록 렌즈로 물체를 보면 실제 모습보다 항상 크게 보인다.
⑤ 볼록 렌즈는 빛을 굴절시키기 때문에 물체의 모습이 실제와 다르게 보인다.

아이스크림

13 다음 보기 에서 볼록 렌즈의 구실을 하는 물체의 공통점끼리 바르게 짝지은 것은 어느 것입니까? (   )

보기
㉠ 불투명합니다.
㉡ 빛을 통과시킬 수 있습니다.
㉢ 가장자리가 가운데 부분보다 두껍습니다.
㉣ 가운데 부분이 가장자리보다 두껍습니다.

① ㉠, ㉡   ② ㉠, ㉢   ③ ㉡, ㉢
④ ㉡, ㉣   ⑤ ㉠, ㉡, ㉣

[14~16] 오른쪽은 간이 사진기의 모습입니다. 물음에 답하시오.

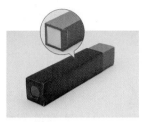

천재교육

14 다음 중 위의 간이 사진기를 만들 때 필요한 준비물이 **아닌** 것은 어느 것입니까? ( )

① 거울
② 투사지
③ 볼록 렌즈
④ 셀로판테이프
⑤ 간이 사진기 전개도

천재교육, 금성, 김영사, 미래엔, 지학사

15 위의 간이 사진기로 물체를 관찰한 모습으로 옳은 것은 어느 것입니까? ( )

① 물체가 두 개로 보인다.
② 물체의 상하만 바뀌어 보인다.
③ 물체의 좌우만 바뀌어 보인다.
④ 물체가 원래 모습 그대로 보인다.
⑤ 물체의 상하좌우가 바뀌어 보인다.

천재교육, 금성, 김영사, 미래엔, 지학사

16 다음은 간이 사진기로 물체를 관찰했을 때 위 15번 답과 같은 결과가 나타나는 까닭입니다. ☐ 안에 들어갈 알맞은 말은 어느 것입니까? ( )

> 간이 사진기에 있는 렌즈에서 빛이 ☐ 스크린에 물체의 모습을 만들기 때문입니다.

① 퍼져
② 사라져
③ 반사하여
④ 굴절하여
⑤ 통과하지 못하여

천재교과서, 김영사, 동아, 아이스크림, 지학사

17 다음 중 볼록 렌즈를 이용한 기구는 어느 것입니까?

( )

① 양산
② 유리창
③ 쌍안경
④ 세면대 거울
⑤ 자동차 뒷거울

18 다음 중 지구에서 멀리 떨어진 달을 자세히 관찰하려고 할 때 가장 적당한 기구는 어느 것입니까? ( )

①
⚠ 돋보기

②
⚠ 사진기

③
⚠ 망원경

④
⚠ 현미경

천재교과서, 김영사, 동아, 미래엔, 비상, 아이스크림, 지학사

19 오른쪽의 확대경에 이용한 볼록 렌즈의 성질은 어느 것입니까?
( )

① 범위를 넓혀 많은 것을 보이게 한다.
② 가까이 있는 물체를 크게 보이게 한다.
③ 맨눈으로 볼 때와 물체의 크기가 같다.
④ 물체의 상하좌우가 바뀌어 보이게 한다.
⑤ 빛을 퍼지게 하여 더 밝게 볼 수 있게 한다.

20 다음 우리 생활에서 볼록 렌즈를 사용했을 때 좋은 점으로 옳지 **않은** 것은 어느 것입니까? ( )

① 사진이나 영상을 촬영할 수 있다.
② 섬세한 작업을 할 때 도움이 된다.
③ 물체의 모습의 좌우를 바꾸어 볼 수 있다.
④ 물체의 모습을 크게 확대해서 볼 수 있다.
⑤ 가까운 것이 잘 보이지 않는 사람의 시력을 교정하는 데 도움을 준다.

5
단원

진도 완료 체크

· 답안 입력하기 · 온라인 피드백 받기

9종 공통

1 다음 중 하루 동안 태양의 위치 변화에 대한 설명으로 옳은 것은 어느 것입니까? (　　　)

① 하루 동안 태양의 위치는 변하지 않는다.

② 태양은 동쪽에 있을 때 높이가 가장 높다.

③ 태양은 서쪽에서 동쪽으로 움직이는 것처럼 보인다.

④ 태양은 동쪽에서 떠서 남쪽을 지나 서쪽으로 움직이는 것처럼 보인다.

⑤ 태양이 움직이는 것처럼 보이는 방향은 달이 움직이는 것처럼 보이는 방향과 다르다.

9종 공통

2 하루 동안 달을 관찰할 때 달이 움직이는 것처럼 보이는 까닭은 무엇입니까? (　　　)

① 달이 자전하기 때문이다.

② 별이 자전하기 때문이다.

③ 지구가 자전하기 때문이다.

④ 태양이 움직이기 때문이다.

⑤ 지구가 제자리에 있기 때문이다.

9종 공통

3 다음 중 지구의 공전 방향으로 옳은 것은 어느 것입니까? (　　　)

① 서쪽 → 동쪽　　② 서쪽 → 남쪽

③ 동쪽 → 서쪽　　④ 동쪽 → 북쪽

⑤ 남쪽 → 동쪽

9종 공통

4 다음 보기 는 여러 날 동안 태양이 진 직후 같은 장소에서 본 달의 위치와 모양을 관측한 결과입니다. 옳은 것끼리 짝지은 것은 어느 것입니까? (　　　)

보기
㉠ 태양이 진 직후, 초승달은 서쪽 하늘에서 보입니다.
㉡ 태양이 진 직후, 보름달은 남쪽 하늘에서 보입니다.
㉢ 달의 위치는 서쪽에서 동쪽으로 날마다 조금씩 옮겨 갑니다.
㉣ 달의 모양은 초승달 → 보름달 → 상현달로 변합니다.

① ㉠, ㉡　　　② ㉠, ㉢　　　③ ㉡, ㉢

④ ㉡, ㉣　　　⑤ ㉠, ㉢, ㉣

9종 공통

5 다음 중 음력 27~28일 무렵에 볼 수 있는 달은 어느 것입니까? (　　　)

①
⌃ 상현달

② ⌃ 초승달

③
⌃ 보름달

④
⌃ 하현달

⑤
⌃ 그믐달

천재교과서, 미래엔

6 다음과 같이 기체 발생 장치를 꾸미는 방법에 대한 설명으로 옳지 <u>않은</u> 것은 어느 것입니까? (   )

① 집기병에 물을 가득 채운다.
② 콕 대신 핀치 집게를 사용할 수 있다.
③ 콕 깔때기를 스탠드의 링에 설치한다.
④ 집기병을 물이 담긴 수조에 거꾸로 세운다.
⑤ 콕이 지면과 수직인 상태로 장치를 꾸민다.

9종 공통

7 다음 중 집기병에 모은 산소의 색깔을 관찰하는 방법으로 옳은 것은 어느 것입니까? (   )

① 집기병에 색소를 넣은 후 관찰한다.
② 집기병 뒤에 흰 종이를 대고 관찰한다.
③ 집기병을 검은색 종이로 감싸고 관찰한다.
④ 기체가 잘 섞이도록 위아래로 흔든 후 관찰한다.
⑤ 눈을 보호하기 위해 검은색 안경을 쓰고 관찰한다.

미래엔, 비상, 지학사

8 다음 중 비행기 안 과자 봉지의 부피 변화에 대한 설명으로 옳은 것은 어느 것입니까? (   )

▲ 비행기 안 과자 봉지

① 하늘보다 땅에서 과자 봉지가 더 팽팽하다.
② 과자 봉지는 비행기가 날아오르자마자 뜨거워진다.
③ 과자 봉지는 비행기가 날아오르자마자 차가워진다.
④ 과자 봉지의 부피는 비행기 안의 압력에 영향을 받지 않는다.
⑤ 비행기가 하늘로 날아오를수록 과자 봉지가 부풀어 오른다.

천재교과서, 동아, 미래엔, 아이스크림

9 다음 중 삼각 플라스크의 입구에 고무풍선을 씌우고 뜨거운 물과 얼음물이 담긴 수조에 각각 넣었을 때 고무풍선의 변화를 바르게 짝지은 것은 어느 것입니까? (   )

고무 풍선

뜨거운 물   차가운 물

	뜨거운 물에 넣었을 때	얼음물에 넣었을 때
①	변화가 없다.	변화가 없다.
②	오므라든다.	오므라든다.
③	오므라든다.	부풀어 오른다.
④	부풀어 오른다.	오므라든다.
⑤	부풀어 오른다.	부풀어 오른다.

9종 공통

10 다음의 과자 봉지의 충전재로 이용된 기체는 무엇입니까? (   )

① 수소   ② 산소
③ 질소   ④ 네온
⑤ 헬륨

11 다음은 식물 세포와 동물 세포의 모습입니다. 두 세포의 공통점으로 옳은 것은 어느 것입니까? ( )

⚠ 식물 세포　　　　⚠ 동물 세포

① 핵이 없다.

② 세포막이 없다.

③ 세포벽이 없다.

④ 크기가 매우 작아 맨눈으로 관찰하기 어렵다.

⑤ 두 세포의 핵은 세포의 정보를 저장할 수 없다.

12 다음의 뿌리의 기능을 알아보는 실험에 대한 설명으로 옳은 것은 어느 것입니까? ( )

- **실험 방법**
1️⃣ 양파 두 개를 준비하여 한 개만 뿌리를 자르기
2️⃣ 같은 양의 물이 담긴 비커 두 개에 양파의 밑부분이 물에 닿도록 올려놓기
3️⃣ 물의 높이를 표시하고, 빛이 잘 비치는 곳에 놓아두기

- **3일 후 비커를 관찰한 결과**

ㄱ　　　　ㄴ

⚠ 뿌리를 자르지 않은 양파　　⚠ 뿌리를 자른 양파

① 뿌리의 흡수 기능을 알아보는 실험이다.

② 뿌리의 지지 기능을 알아보는 실험이다.

③ ㄱ 비커의 물 높이가 처음보다 높아졌다.

④ ㄴ 비커의 물 높이가 처음보다 높아졌다.

⑤ ㄱ과 ㄴ 비커의 물 높이가 변하지 않았다.

13 다음 중 줄기의 생김새에 대한 설명으로 옳은 것은 어느 것입니까? ( )

① 감자는 곧은줄기를 가지고 있다.

② 소나무는 기는줄기를 가지고 있다.

③ 나팔꽃은 감는줄기를 가지고 있다.

④ 딸기는 양분을 저장하는 줄기를 가지고 있다.

⑤ 줄기의 생김새는 식물의 종류에 관계없이 모두 같다.

14 다음 중 광합성에 대한 설명으로 옳지 <u>않은</u> 것은 어느 것입니까? ( )

① 광합성은 주로 잎에서 일어난다.

② 광합성에는 빛, 이산화 탄소, 물이 필요하다.

③ 광합성은 식물의 온도를 조절하는 역할을 한다.

④ 잎 모양이 납작하면 광합성에 필요한 빛을 더 많이 받을 수 있다.

⑤ 광합성을 통해 잎에서 만든 양분은 줄기를 거쳐 열매, 줄기, 뿌리 등 필요한 부분으로 운반되어 사용되거나 저장된다.

15 다음 중 물에 의해 꽃가루받이가 이루어지는 식물은 어느 것입니까? ( )

①

⚠ 코스모스

②

⚠ 벼

③

⚠ 동백나무

④

⚠ 검정말

16 다음의 프리즘을 통과한 햇빛을 관찰하는 실험을 하기에 가장 적당한 때는 어느 것입니까? ( )

① 흐린 날
② 눈 오는 날
③ 비 오는 날
④ 해가 진 뒤
⑤ 햇빛이 비치는 낮

9종 공통

17 다음 중 레이저 지시기의 빛이 공기와 물의 경계에서 굴절하는 모습으로 옳은 것은 어느 것입니까?

( )

①
②
③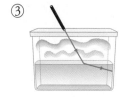
④

9종 공통

18 오른쪽의 확대경으로 곤충을 보았을 때의 모습으로 옳은 것은 어느 것입니까?

( )

① 크게 보인다.
② 작게 보인다.
③ 희미하게 보인다.
④ 투명하게 보인다.
⑤ 좌우가 바뀌어 보인다.

9종 공통

천재교육, 금성, 김영사, 미래엔

19 다음은 동전이 들어 있는 컵에 물을 붓지 않았을 때와 물을 부었을 때의 모습입니다. 이러한 결과가 나타나는 까닭으로 옳은 것은 어느 것입니까? ( )

 →

△ 물을 붓지 않았을 때 　　　 △ 물을 부었을 때

① 동전이 가벼워서 물에 뜨기 때문이다.
② 물을 부으면 빛이 동전을 비추기 때문이다.
③ 물을 부으면 동전이 크게 확대되기 때문이다.
④ 공기와 물의 경계에서 빛이 굴절하기 때문이다.
⑤ 공기 중에서 빛이 나아갈 때 여러 번 굴절하기 때문이다.

9종 공통

20 다음 중 주로 작은 물체나 글씨를 크게 보기 위해 사용하는 기구는 어느 것입니까? ( )

①
△ 사진기

②
△ 돋보기안경

③
△ 망원경

④
△ 무대 조명

· 답안 입력하기　　 · 온라인 피드백 받기

⌃ 유리 막대

⌃ 스포이트

⌃ 집기병

⌃ 가지 달린 삼각 플라스크

⌃ 핀치 집게

⌃ 구멍 한 개 뚫린 고무마개

⌃ 프리즘

⌄ 스탠드

⌃ 손잡이가 있는 볼록 렌즈

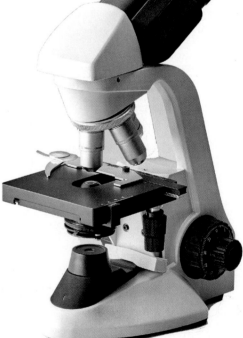

⌃ 광학 현미경

온라인
학습북

수학 전문 교재

● 연산 학습

빅터연산 예비초~6학년, 총 20권
창의융합 빅터연산 예비초~4학년, 총 16권

● 개념 학습

개념클릭 해법수학 1~6학년, 학기용

● 수준별 수학 전문서

해결의법칙(개념/유형/응용) 1~6학년, 학기용

● 단원평가 대비

수학 단원평가 1~6학년, 학기용
밀등전략 초등 수학 1~6학년, 학기용

● 단기완성 학습

초등 수학전략 1~6학년, 학기용

● 상위권 학습

최고수준 S 수학 1~6학년, 학기용
최고수준 수학 1~6학년, 학기용
최강 TOT 수학 1~6학년, 학년용

● 경시대회 대비

해법 수학경시대회 기출문제 1~6학년, 학기용

예비 중등 교재

● **해법 반편성 배치고사 예상문제** 6학년
● **해법 신입생 시리즈(수학/명머)** 6학년

맞춤형 학교 시험대비 교재

● **열공 전과목 단원평가** 1~6학년, 학기용(1학기 2~6년)

한자 교재

● **한자능력검정시험 자격증 한번에 따기** 8~3급, 총 9권
● **씽씽 한자 자격시험** 8~5급, 총 4권
● **한자 전략** 8~5급Ⅱ, 총 12권

배움으로 행복한 내일을 꿈꾸는
천재교육 커뮤니티 안내 · · · ·

 교재 안내부터 구매까지 한 번에!
천재교육 홈페이지

자사가 발행하는 참고서, 교과서에 대한 소개는 물론
도서 구매도 할 수 있습니다. 회원에게 지급되는 별을 모아
다양한 상품 응모에도 도전해 보세요!

 다양한 교육 꿀팁에 깜짝 이벤트는 덤!
천재교육 인스타그램

천재교육의 새롭고 중요한 소식을 가장 먼저 접하고 싶다면?
천재교육 인스타그램 팔로우가 필수!
깜짝 이벤트도 수시로 진행되니 놓치지 마세요!

 수업이 편리해지는
천재교육 ACA 사이트

오직 선생님만을 위한, 천재교육 모든 교재에 대한 정보가 담긴
아카 사이트에서는 다양한 수업자료 및 부가 자료는 물론
시험 출제에 필요한 문제도 다운로드하실 수 있습니다.

https://aca.chunjae.co.kr

 천재교육을 사랑하는 샘들의 모임
천사샘

학원 강사, 공부방 선생님이시라면 누구나 가입할 수 있는 천사샘!
교재 개발 및 평가를 통해 교재 검토진으로 참여할 수 있는 기회는 물론
다양한 교사용 교재 증정 이벤트가 선생님을 기다립니다.

 아이와 함께 성장하는 학부모들의 모임공간
튠맘 학습연구소

튠맘 학습연구소는 초·중등 학부모를 대상으로 다양한 이벤트와 함께
교재 리뷰 및 학습 정보를 제공하는 네이버 카페입니다.
초등학생, 중학생 자녀를 둔 학부모님이라면 튠맘 학습연구소로 오세요!

수학의 해법이 풀리다!

해결의 법칙
시리즈

단계별 맞춤 학습

개념, 유형, 응용의 단계별 교재로
교과서 차시에 맞춘 쉬운 개념부터
응용·심화까지 수학 완전 정복

혼자서도 OK!

이미지로 구성된 핵심 개념과 셀프 체크,
모바일 코칭 시스템과 동영상 강의로
자기주도 학습 및 홈 스쿨링에 최적화

300여 명의 검증

수학의 메카 천재교육 집필진과
300여 명의 교사·학부모의
검증을 거쳐 탄생한 친절한 교재

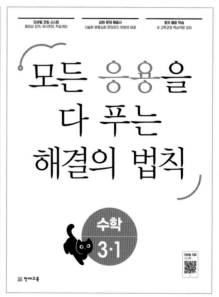

흔들리지 않는 탄탄한 수학의 완성! (초등 1~6학년 / 학기별)

우등생

정답은 정확하게
풀이는 자세하게

꼼꼼
풀이집

초등 과학 6·1

꼼꼼 풀이집
포인트 ③가지

▶ **더 알아보기, 왜 틀렸을까** 등과 함께 친절한 해설 제공

▶ **단계별 배점**과 **채점 기준**을 제시하여 서술형 문항 완벽 대비

▶ 온라인 학습북 〈단원평가〉에 정답과 함께 **문항 분석표** 제시

꼼꼼 풀이집

정답과
풀이

6-1

1. 과학 탐구

개념 다지기 ···6~7쪽

1 가설 설정 **2** (1) ○ **3** ㉡
4 변인 **5** ③ **6** 자료 해석

1 가설 설정은 탐구 문제의 답을 예상하는 것입니다.

2 탐구를 하여 알아보려는 내용이 분명하게 드러나야 합니다.

3 실험에서 다르게 해야 할 조건과 같게 해야 할 조건을 찾습니다.

4 실험할 때에는 변인을 통제하면서 계획한 대로 진행합니다.

5 실험에서 다르게 한 조건은 가로축에, 관찰하거나 측정한 것은 세로축에 나타냅니다.

6 자료 해석을 통해 실험에서 다르게 한 조건과 실험 결과 사이의 관계를 알 수 있습니다.

대단원 평가 ···8~9쪽

1 가설 설정 **2** ② **3** ㉠ 물은 온도가 높은 곳일수록 더 빨리 증발할 것이다. 등 **4** ⑤ **5** ⑤
6 ㉡, ㉣ **7** 신우 **8** 조건 **9** ④ **10** ⑤
11 ㉡ **12** 실험 결과 **13** 형준 **14** ①
15 ㉠ 예 가설 설정 ㉡ 예 자료 해석

1 가설 설정이란 탐구 문제의 답을 예상하는 것입니다.

2 궁금한 점 중에서 한 가지를 탐구 문제로 정합니다.

3 '…하면(할수록) …할 것이다.'처럼 하나의 문장으로 가설을 나타내도록 합니다.

채점 기준

정답 키워드 온도 │ 높다 │ 증발 │ 빠르다 등	
'물은 온도가 높은 곳일수록 더 빨리 증발할 것이다.' 등의 내용을 정확히 씀.	12점
가설을 설정하였지만, 표현이 부족함.	6점

4 하나의 문장으로 이해하기 쉽도록 간결하게 표현합니다.

5 발포 비타민이 물에 녹는 시간에 영향을 주는 것은 발포 비타민의 형태입니다. 따라서 발포 비타민의 형태를 덩어리와 가루로 다르게 합니다.

왜 틀렸을까?
①, ②, ③, ④는 실험에서 같게 해야 할 조건입니다.

6 실험 계획을 세울 때 실험 조건, 실험 과정, 실험 준비물 등을 결정합니다.

7 실험 구성원들의 역할을 정해야 합니다. 실험에서 다르게 해야 할 조건과 같게 해야 할 조건을 찾고, 그 방법을 생각해 봅니다.

8 변인 통제란 탐구에 영향을 줄 수 있는 모든 조건을 확인하고, 다르게 해야 할 조건과 같게 해야 할 조건을 통제하는 것입니다. 변인 통제에 주의하며 계획한 대로 실험을 합니다.

9 실험을 여러 번 하면 정확한 실험 결과를 얻을 수 있습니다.

왜 틀렸을까?
① 실험 결과가 예상과 달라도 고치거나 빼지 않습니다.
② 실험 계획에 따라 실험을 합니다.
③ 실험에서 다르게 해야 할 조건과 같게 해야 할 조건을 잘 지킵니다.
⑤ 관찰하거나 측정한 내용은 바로 기록합니다.

10 실험 결과를 표, 그림, 막대그래프, 꺾은선그래프 등으로 변환할 수 있습니다. 꺾은선그래프는 시간이나 양에 따른 변화를 나타낼 때 주로 사용합니다.

11 꺾은선그래프는 측정값을 점으로 표시한 후 점을 연결하여 나타냅니다. 실험에서 다르게 한 조건은 가로축에, 관찰하거나 측정한 것은 세로축에 나타냅니다.

12 자료 해석을 통해 자료 사이의 관계나 규칙을 찾아냅니다.

13 실험 조건을 잘 통제하였는지, 실험 과정과 측정 방법이 올바른지 생각합니다. 자료 사이의 규칙을 찾아내고, 규칙에서 벗어난 것이 있다면 그 까닭을 생각합니다.

14 자료 해석의 과정을 통해 가설이 맞았는지 판단하고, 가설이 맞지 않으면 가설을 수정하여 다시 탐구를 시작해야 합니다.

15 문제 인식, 가설 설정, 변인 통제, 자료 변환, 자료 해석의 과정을 통해 결론을 도출합니다.

2. 지구와 달의 운동

개념 다지기 　　　　　　　　　　**15**쪽

1 ㉠　　**2** ③　　**3** 동, 서　　**4** ㉠　　**5** (1) ㉠
(2) ㉡　　**6** ④

1 태양은 오후 12시 30분 무렵에 남쪽 하늘에서 보입니다.

2 하루 동안 달은 동쪽 하늘에서 보이기 시작하여 남쪽 하늘을 지나 서쪽 하늘로 움직이는 것처럼 보입니다.

3 지구본을 서쪽에서 동쪽으로 회전시키면 관찰자 모형에게 전등이 동쪽에서 서쪽으로 움직이는 것처럼 보입니다.

4 자전축은 지구의 북극과 남극을 이은 가상의 직선입니다.

5 ㉠은 낮인 지역이고, ㉡은 밤인 지역입니다.

6 지구가 자전하면서 태양 빛을 받는 쪽은 낮이 되고, 태양 빛을 받지 못하는 쪽은 밤이 됩니다.

단원 실력 쌓기 　　　　　　　　**16~19**쪽

Step 1

1 남　　**2** 자전　　**3** 자전　　**4** 낮　　**5** 밤
6 ⑤　　**7** 동　　**8** ㉠　　**9** ②　　**10** 자전축
11 ㉡　　**12** (1) ㉡ (2) ㉠ (3) ㉢　　**13** ㉠　　**14** ⑤

Step 2

15 ❶ 남 ❷ 서

16 (1) 관찰자 모형이 바라본 하늘
(2) 예 전등 빛이 동쪽에서 떠오르기 시작하여 남쪽 하늘을 지나 서쪽으로 지는 것처럼 보인다.

> **15** 동
> **16** (1) 지구
> 　　(2) 동, 서
> **17** 낮

17 예 낮이었던 지역은 밤이 되고, 밤이었던 지역은 낮이 된다. 낮과 밤이 번갈아 나타난다. 등

Step 3

18 ❶ 지구 ❷ 태양　　**19**

관찰자 모형

20 예 지구가 서쪽에서 동쪽으로 자전하기 때문이다.

1 하루 동안 태양과 달은 동쪽에서 남쪽을 지나 서쪽으로 움직이는 것처럼 보입니다.

2 지구는 자전축을 중심으로 하루에 한 바퀴씩 서쪽에서 동쪽으로 자전합니다.

3 지구가 자전하기 때문에 하루 동안 태양, 달, 별의 위치가 달라지는 것처럼 보입니다.

4 태양이 지평선 위로 떠오를 때부터 지평선 아래로 질 때까지의 시간을 낮이라고 합니다.

5 지구가 자전할 때 태양 빛을 받지 못하는 지역은 밤이 됩니다.

6 하루 동안 태양의 위치는 동쪽 → 남쪽 → 서쪽으로 움직이는 것처럼 보입니다.

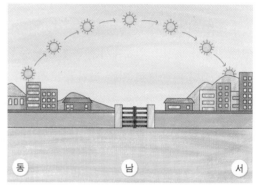

▲ 하루 동안 태양의 위치 변화

7 달(보름달)은 오후 7시 무렵에 동쪽 하늘에서 보입니다. 달은 동쪽에서 서쪽으로 점점 움직이는 것처럼 보이며, 달의 높이는 점점 높아지다가 남쪽 하늘에서 가장 높고, 이후 점점 낮아지다가 지평선 아래로 집니다.

8 지구본을 서쪽에서 동쪽으로 돌리면 투명 반구에 비친 전등 빛은 동쪽에서 떠올라 서쪽으로 지는 것처럼 보입니다.

9 관찰자 모형에게는 지구본이 움직이는 방향과 반대 방향으로 전등이 움직이는 것처럼 보입니다.

10 지구의 자전축은 지구의 북극과 남극을 이은 가상의 직선을 말합니다.

▲ 지구의 자전축

11 지구가 자전축을 중심으로 서쪽에서 동쪽으로 하루에 한 바퀴씩 회전하는 것을 지구의 자전이라고 합니다.

12 전등 빛은 태양, 지구본은 지구, 관찰자 모형은 지구에 있는 관찰자를 나타냅니다.

13 ㉠은 태양 빛을 받으므로 낮인 지역, ㉡은 태양 빛을 받지 못하므로 밤인 지역에 해당합니다.

14 지구에서 태양 빛을 받는 쪽은 낮이 되고 태양 빛을 받지 못하는 쪽은 밤이 됩니다.

15 초저녁에 동쪽 하늘에서 보이던 달은 시간이 지나면서 남쪽 하늘을 지나 서쪽 하늘로 움직입니다.

채점 기준	
정답 키워드 남쪽, 서쪽 ❶에 '남', ❷에 '서'를 모두 정확히 씀.	상
❶과 ❷ 중 한 가지만 정확히 씀.	중

16 지구본을 서쪽에서 동쪽으로 회전시키면 지구본 위에 있는 관찰자 모형의 위치에서는 전등 빛이 동쪽에서 남쪽 하늘을 지나 서쪽으로 지는 것처럼 보입니다.

채점 기준		
(1)	'관찰자 모형이 바라본 하늘'을 정확히 씀.	
(2)	**정답 키워드** 동쪽 | 남쪽 | 서쪽 '전등 빛이 동쪽에서 떠오르기 시작하여 남쪽 하늘을 지나 서쪽으로 지는 것처럼 보인다.' 등의 내용을 정확히 씀.	상
	'동쪽에서 떠오르기 시작한다.', '남쪽 하늘을 지난다.', '서쪽으로 지는 것처럼 보인다.' 등과 같이 일부만 정확히 씀.	중

17 지구본을 회전시키면 낮과 밤이 바뀝니다.

채점 기준	
정답 키워드 낮 | 밤 | 번갈아 나타난다 등 '낮이었던 지역은 밤이 되고, 밤이었던 지역은 낮이 된다.', '낮과 밤이 번갈아 나타난다.' 등의 내용을 정확히 씀.	상
지구본을 서쪽에서 동쪽으로 회전시킬 때 나타나는 현상을 썼지만, 표현이 부족함.	중

18 지구의 운동과 태양의 위치 변화 관계를 알아보기 위한 실험에서 전등 빛은 태양, 지구본은 지구, 투명 반구는 관찰자 모형이 바라본 하늘을 나타냅니다.

19 지구본 위의 관찰자 모형의 위치에서 보이는 전등 빛은 동쪽에서 떠서 남쪽 하늘을 지나 서쪽으로 지는 것처럼 보입니다.

20 하루 동안 태양이 동쪽에서 서쪽 방향으로 움직이는 것처럼 보이는 까닭은 지구가 서쪽에서 동쪽으로 자전하기 때문입니다.

개념 다지기   23쪽

1 봄철   **2** (1) ㉡ (2) ㉢ (3) ㉣ (4) ㉠   **3** 다릅
4 ④   **5** 상현달   **6** ③

1 목동자리, 사자자리, 처녀자리는 봄철 밤하늘에서 오랫동안 볼 수 있는 별자리입니다.

2 오리온자리는 겨울, 처녀자리는 봄, 독수리자리는 여름, 물고기자리는 가을의 대표적인 별자리입니다.

3 지구본의 ㈎ 위치에서 관찰자 모형에게는 사자자리가 가장 잘 보이고, ㈏ 위치에서는 백조자리, ㈐ 위치에서는 페가수스자리, ㈑ 위치에서는 오리온자리가 가장 잘 보입니다.

4 지구가 태양 주위를 공전하면서 계절에 따라 지구의 위치가 달라지기 때문에 그 위치에 따라 밤에 보이는 별자리가 달라집니다.

5 태양이 진 직후(저녁 7시 무렵)에 남쪽 하늘에서 볼 수 있는 상현달의 모습입니다.

6 하현달을 본 날에서 5일이 지난 음력 27~28일 무렵에는 그믐달을 볼 수 있습니다.

단원 실력 쌓기   24~27쪽

Step 1

1 여름   **2** 공전   **3** 공전   **4** 보름달   **5** 상현달
6 가을철   **7** ①   **8** ③   **9** 예 시계 반대
10 별자리   **11** ③   **12** ③   **13** ②   **14** ③
15 ④

Step 2

16 (1) 여름철
     (2) ❶ 예 오랜 ❷ 예 달라진다
17 ㉡, 예 지구가 태양 주위를 공전하면서 한밤에 관찰자가 별자리를 바라보는 방향이 달라지기 때문이다.
18 (1) ㉠ 초승달 ㉡ 그믐달
     (2) 예 약 30일 후에 다시 보름달을 볼 수 있다.

> **16** (1) 백조
>   (2) 대표
> **17** 별자리
> **18** (1) 2~3,
>   27~28
>   (2) 30

Step 3

19 ㉠ 초승달 ㉡ 상현달 ㉢ 보름달 ㉣ 하현달 ㉤ 그믐달
20 서쪽 하늘, 예 달의 모양과 위치는 30일을 주기로 되풀이되기 때문이다.

1 여름철의 대표적인 별자리에는 백조자리, 거문고자리, 독수리자리 등이 있습니다.

2 지구가 태양을 중심으로 일 년에 한 바퀴씩 서쪽에서 동쪽으로 회전하는 것을 지구의 공전이라고 합니다.

3 계절별 별자리가 달라지는 까닭은 지구가 태양 주위를 공전하면서 한밤에 관찰자가 별자리를 바라보는 방향이 달라지기 때문입니다.

4 둥근 모양의 달은 보름달입니다. 보름달은 음력 15일 무렵에 볼 수 있습니다.

5 상현달은 음력 7~8일 무렵에 볼 수 있고, 하현달은 음력 22~23일 무렵에 볼 수 있습니다.

6 안드로메다자리, 페가수스자리, 물고기자리는 가을철의 대표적인 별자리입니다.

> **더 알아보기**
>
> **계절별 대표적인 별자리**
>
> | 봄 | 목동자리, 사자자리, 처녀자리 |
> | --- | --- |
> | 여름 | 백조자리, 거문고자리, 독수리자리 |
> | 가을 | 안드로메다자리, 페가수스자리, 물고기자리 |
> | 겨울 | 쌍둥이자리, 오리온자리, 큰개자리 |

7 봄철의 대표적인 별자리에는 목동자리, 처녀자리, 사자자리 등이 있습니다.

8 겨울철에는 여름철 대표적인 별자리인 백조자리, 거문고자리, 독수리자리 등은 태양과 같은 방향에 있기 때문에 볼 수 없습니다.

9 지구본은 지구의 공전 방향인 시계 반대 방향으로 회전시켜야 합니다.

10 지구본의 위치에 따라 한밤에 관찰자 모형에서 보이는 별자리가 달라집니다.

11 지구가 태양을 중심으로 일 년에 한 바퀴씩 서쪽에서 동쪽으로 회전하는 것을 지구의 공전이라고 합니다.

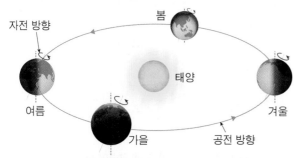

⚠ 지구의 자전 방향과 공전 방향(계절은 북반구 기준임.)

12 태양이 진 직후(저녁 7시 무렵) 보름달은 동쪽 하늘에서 보이고, 초승달은 서쪽 하늘에서 보입니다.

13 ①은 초승달, ②는 상현달, ③은 보름달, ④는 하현달, ⑤는 그믐달을 볼 수 있는 때입니다.

14 상현달이 보이는 음력 7~8일 무렵에서 15일이 지나면 음력 22~23일 무렵이 되는데, 이때에는 하현달을 볼 수 있습니다.

> **왜 틀렸을까?**
>
> ① 초승달은 음력 2~3일 무렵에 볼 수 있습니다.
> ② 보름달은 음력 15일 무렵에 볼 수 있습니다.
> ④ 그믐달은 음력 27~28일 무렵에 볼 수 있습니다.

15 초승달에서 점점 커지다가 상현달이 되고, 상현달에서 점점 커져 보름달이 된 뒤에는 점점 작아지면서 하현달, 그믐달이 됩니다.

16 계절마다 밤하늘에서 관찰되는 별자리가 달라집니다.

> **채점 기준**
>
> | (1) | '여름철'을 정확히 씀. | |
> | --- | --- | --- |
> | (2) | **정답 키워드** 오랜 \| 달라지다
❶에 '오랜', ❷에 '달라진다'를 모두 정확히 씀. | 상 |
> | | ❶과 ❷ 중 한 가지만 정확히 씀. | 중 |

17 지구가 공전하여 지구의 위치가 변하면 밤하늘에 보이는 별자리도 달라집니다.

> **채점 기준**
>
> | **정답 키워드** 공전 \| 방향 \| 달라지다 등 | |
> | --- | --- |
> | ㉡을 쓰고, '지구가 태양 주위를 공전하면서 한밤에 관찰자가 별자리를 바라보는 방향이 달라지기 때문이다.' 등의 내용을 정확히 씀. | 상 |
> | ㉡을 쓰고, 계절별 별자리가 달라지는 까닭을 썼지만, 표현이 부족함. | 중 |

18 여러 날 동안 달을 관찰하면 달의 모양이 초승달에서 점점 커지다가 상현달이 되고, 상현달에서 점점 커져 보름달이 된 뒤에는 점점 작아지면서 하현달, 그믐달이 됩니다. 이러한 과정은 약 30일마다 반복됩니다.

> **채점 기준**
>
> | (1) | ㉠에 '초승달', ㉡에 '그믐달'을 모두 정확히 씀. | |
> | --- | --- | --- |
> | (2) | **정답 키워드** 30일 등
'약 30일 후에 다시 보름달을 볼 수 있다.' 등의 내용을 정확히 씀. | 상 |
> | | 보름달을 다시 볼 수 있는 시기를 썼지만, 표현이 부족함. | 중 |

19 ㉠은 초승달, ㉡은 상현달, ㉢은 보름달, ㉣은 하현달, ㉤은 그믐달입니다.

20 달의 모양 변화는 약 30일을 주기로 되풀이되고, 달의 위치 변화도 30일을 주기로 되풀이됩니다.

1 ㉠ 동 ㉡ 서   **2** (1) 남 (2) 예 초저녁에 동쪽에서 보이던 달은 시간이 지나면서 남쪽 하늘을 지나 서쪽 하늘로 움직인다. **3** ②   **4** ①   **5** 동쪽, 서쪽   **6** ④ **7** ㉠   **8** ①   **9** (1) ㉠ 낮 ㉡ 밤 (2) 예 낮이었던 지역은 밤이 되고, 밤이었던 지역은 낮이 된다. 낮과 밤이 번갈아 나타난다. 등   **10** ③   **11** (1) ㉠ (2) ㉡ **12** ㉡   **13** 겨울철   **14** ④   **15** (1) 페가수스자리 (2) 예 태양과 같은 방향에 있기 때문이다. 태양 빛 때문에 볼 수 없다. 등   **16** ㉠, ㉢   **17** ②   **18** ㉡ **19** 예 같은 시각에 관찰했을 때 달의 위치가 전날에 비해 왼쪽(동쪽)으로 이동하였다.   **20** ①, ②

1 동쪽 하늘에 있던 태양은 시간이 지남에 따라 남쪽 하늘을 지나 서쪽 하늘로 움직입니다.

2 달은 오후 7시 무렵에는 동쪽 하늘, 밤 12시 무렵에는 남쪽 하늘, 새벽에는 서쪽 하늘에서 보입니다.

채점 기준

(1)	'남'을 씀.	2점
(2)	**정답 키워드** 동쪽 | 남쪽 | 서쪽 '초저녁에 동쪽에서 보이던 달은 시간이 지나면서 남쪽 하늘을 지나 서쪽 하늘로 움직인다.' 등의 내용을 정확히 씀.	8점
	동쪽, 남쪽, 서쪽 중 일부만 정확히 씀.	4점

3 하루 동안 태양과 달은 동쪽에서 서쪽으로 움직이는 것처럼 보입니다.

4 지구본이 멈추어 있으면 전등도 정지한 것처럼 보입니다.

5 지구본을 서쪽에서 동쪽으로 회전시키면 지구본 위에 있는 관찰자 모형에게 전등은 동쪽에서 서쪽으로 움직이는 것처럼 보입니다.

6 지구는 하루에 한 바퀴씩 자전합니다.

7 지구는 서쪽에서 동쪽으로 자전합니다.

8 지구가 서쪽에서 동쪽으로 자전하기 때문에 하루 동안 태양과 달의 위치가 달라지는 것처럼 보입니다.

9 지구본을 회전시키면 낮과 밤이 바뀝니다.

채점 기준

(1)	㉠에 '낮', ㉡에 '밤'을 정확히 씀.	2점
(2)	**정답 키워드** 낮 | 밤 '낮이었던 지역은 밤이 되고, 밤이었던 지역은 낮이 된다.', '낮과 밤이 번갈아 나타난다.' 등의 내용을 정확히 씀.	8점
	지구본을 회전시켰을 때 나타나는 결과를 썼지만, 표현이 부족함.	4점

10 지구본을 회전시키지 않으면 낮과 밤이 번갈아 나타나지 않으며, 낮인 지역은 계속 낮이 되고, 밤인 지역은 계속 밤이 됩니다.

11 태양이 지평선 위로 떠오를 때부터 지평선 아래로 질 때까지의 시간은 낮이고, 태양이 지평선 아래로 져서 다시 떠오를 때까지의 시간이 밤입니다.

12 태양 빛을 받는 지역은 낮, 태양 빛을 받지 못하는 지역은 밤이 됩니다.

13 쌍둥이자리, 오리온자리, 큰개자리는 겨울철의 대표적인 별자리입니다.

14 목동자리, 사자자리, 처녀자리는 봄철의 대표적인 별자리입니다.

15 가을철의 대표적인 별자리인 페가수스자리는 ㉮ 위치에서 관찰할 수 없습니다. 태양과 같은 방향에 있는 별자리는 밤하늘에서 관찰하기 힘듭니다.

채점 기준

(1)	'페가수스자리'를 정확히 씀.	2점
(2)	**정답 키워드** 태양 | 같은 방향 등 '태양과 같은 방향에 있기 때문이다.', '태양 빛 때문에 볼 수 없다.' 등의 내용을 정확히 씀.	8점
	㉮ 위치에서 페가수스자리를 볼 수 없는 까닭을 썼지만, 표현이 부족함.	4점

16 지구는 태양을 중심으로 일 년에 한 바퀴씩 서쪽에서 동쪽(시계 반대 방향)으로 공전합니다.

왜 틀렸을까?
㉡ 하루에 한 바퀴씩 회전하는 것은 지구의 자전입니다.
㉢ 지구가 공전하는 방향은 서쪽 → 동쪽입니다.

17 지구의 자전 방향과 공전 방향은 모두 서쪽에서 동쪽(시계 반대 방향)으로 같습니다.

18 여러 날 동안 같은 시각에 같은 장소에서 남쪽 하늘을 보면서 달의 위치 변화를 관측합니다.

19 여러 날 동안 같은 시각에 관찰한 달의 위치는 서쪽에서 동쪽으로 날마다 조금씩 옮겨 가면서 그 모양도 달라집니다.

채점 기준

	정답 키워드 왼쪽 또는 동쪽 | 이동한다. 등 '같은 시각에 관찰했을 때 달의 위치가 전날에 비해 왼쪽(동쪽)으로 이동하였다.' 등의 내용을 정확히 씀.	8점
	달의 위치 변화에 대해 썼지만, 표현이 부족함.	4점

20 초승달은 음력 2~3일 무렵에 볼 수 있고, 상현달은 음력 7~8일 무렵에 볼 수 있습니다.

3. 여러 가지 기체

개념 다지기 37쪽

1 가지 달린 삼각 플라스크 **2** ① **3** ⑤
4 (1) ⓛ (2) ㉠ **5** ㉢ **6** 이산화 탄소

1 가지 달린 삼각 플라스크를 이용하여 기체 발생 장치를 꾸밀 수 있습니다.

2 기체 발생 장치를 만들 때는 스탠드, 고무마개, 콕 깔때기, 링 클램프 등이 필요합니다.

3 산소를 발생시킬 때 묽은 과산화 수소수를 콕 깔때기에 붓습니다.

4 흰 종이를 이용하여 색깔을 관찰하고, 손으로 바람을 일으켜 냄새를 맡을 수 있습니다.

5 이산화 탄소는 색깔과 냄새가 없습니다. 이산화 탄소가 든 집기병에 향불을 넣으면 향불의 불꽃이 꺼집니다.

6 음식물을 차갑게 보관하는 데 필요한 드라이아이스는 이산화 탄소를 이용합니다.

단원 실력 쌓기 38~41쪽

Step 1

1 집기병 **2** 이산화 망가니즈 **3** 산소
4 이산화 탄소 **5** 진한 식초 **6** 콕 깔때기
7 거꾸로 **8** ㉢ **9** ④, ⑤ **10** ㉠
11 ㉠ 예 향불 ⓛ 예 커 **12** ④ **13** 예 진한 식초
14 혜경 **15** ㉠

Step 2

16 (1) 예 물, 오일 (2) 예 돌려가며
17 (1) 지섭 (2) 예 금속을 자르거나 붙일 때 이용된다. 산소 호흡 장치에 이용된다. 등
18 예 ㉠은 진한 식초이고, ⓛ은 탄산수소 나트륨이다. 등

> **16** 물, 오일
> **17** (1) 없
> (2) 금속
> **18** 식초

Step 3

19 예 기포
20 예 ㉠ 이산화 탄소는 다른 물질이 타는 것을 막으며, ⓛ 석회 수를 뿌옇게 만든다.

---

1 집기병, ㄱ자 유리관 등을 이용하여 기체 발생 장치를 꾸밉니다.

2 가지 달린 삼각 플라스크에 물과 이산화 망가니즈를 넣어 산소를 발생시킵니다.

3 금속을 자르거나 붙일 때 산소를 이용합니다.

4 이산화 탄소는 석회수를 뿌옇게 흐리게 하는 성질이 있습니다.

5 콕 깔때기에 진한 식초를 붓습니다.

6 기체 발생 장치를 꾸밀 때에는 콕 깔때기, 구멍이 뚫린 고무마개, ㄱ자 유리관 등이 필요합니다.

7 물이 담긴 수조에 물을 가득 채운 집기병을 거꾸로 세웁니다.

8 고무마개와 유리 기구를 연결할 때는 고무마개에 오일 이나 물을 묻히면 쉽게 끼울 수 있습니다.

> **왜 틀렸을까?**
> ㉠ 콕 깔때기에 끼운 고무마개로 가지 달린 삼각 플라스크의 입구를 막습니다.
> ⓛ ㄱ자 유리관을 집기병 안으로 너무 깊이 넣지 않습니다.

9 산소를 발생시키기 위해 물, 이산화 망가니즈, 묽은 과산화 수소수 등이 필요합니다.

10 가지 달린 삼각 플라스크 안에서 기포가 발생하고, ㄱ자 유리관 끝부분에서는 기포가 하나둘씩 나옵니다.

11 산소가 모인 집기병에 향불을 넣으면 불꽃이 커집니다.

12 산소는 스스로 타지 않지만 다른 물질이 타는 것을 돕습니다.

> **왜 틀렸을까?**
> ① 산소는 스스로 타지 않습니다.
> ② 산소는 색깔이 없습니다.
> ③ 산소는 냄새가 없습니다.
> ⑤ 산소는 공기를 이루고 있는 물질입니다.

13 콕 깔때기에 진한 식초를 넣어 이산화 탄소를 발생시킵니다.

14 달걀 껍데기에 묽은 염산을 넣어 이산화 탄소를 발생시 킵니다.

15 이산화 탄소는 소화제의 재료로 이용됩니다.

16 고무마개 또는 고무관과 유리 기구를 연결할 때는 연결 부위에 물이나 오일을 묻힌 다음 살살 돌려가며 끼웁니다.

> **채점 기준**
>
> | | |
> |---|---|
> | ❶에 '물', '오일', ❷에 '돌려가며'를 모두 정확히 씀. | 상 |
> | ❶과 ❷ 중 한 가지만 정확히 씀. | 중 |

17 산소는 색깔과 냄새가 없으며 금속을 녹슬게 합니다. 산소는 금속을 자르거나 붙일 때, 산호 호흡 장치 등에 이용됩니다.

채점 기준		
(1)	'지섭'을 씀.	
(2)	**정답 키워드** 금속 | 호흡 장치 등 '금속을 자르거나 붙일 때 이용된다.', '산소 호흡 장치에 이용된다.' 등의 내용을 정확히 씀.	상
	산소를 우리 생활에 이용한 예를 한 가지만 정확히 씀.	중

18 이산화 탄소를 발생시키기 위해서는 콕 깔때기에 진한 식초를 붓고, 가지 달린 삼각 플라스크에는 탄산수소 나트륨을 붓습니다.

채점 기준	
'⊙은 진한 식초이고, ⓒ은 탄산수소 나트륨이다.' 등의 내용을 정확히 씀.	상
⊙과 ⓒ 중 한 가지만 정확히 씀.	중

19 기체 발생 장치를 이용하여 이산화 탄소를 발생시킬 수 있습니다. 가지 달린 삼각 플라스크 안에서 기포가 발생하고, ㄱ자 유리관 끝부분에서 기포가 하나둘씩 나옵니다.

20 이산화 탄소를 모은 집기병에 향불을 넣으면 향불의 불꽃이 꺼지는 것으로 보아 이산화 탄소는 다른 물질이 타는 것을 막는 성질이 있습니다. 이산화 탄소는 석회수를 뿌옇게 만듭니다.

개념 다지기
45쪽

1 ⓒ **2** (3) ○ **3** ⓒ **4** 뜨거운 물
5 (1) ⓒ (2) ⊙ **6** ②

1 압력을 세게 가할수록 기체의 부피가 많이 줄어듭니다.

2 자동차가 부딪쳤을 때 부풀어 오른 에어백은 충격을 받아 부피가 줄어듭니다.

> **왜 틀렸을까?**
> (1) 비행기가 하늘로 날아오르면 비행기 안의 과자 봉지가 부풀어 오릅니다.
> (2) 빈 페트병을 냉장고 안에 넣어 페트병이 찌그러지는 것은 온도가 낮아짐에 따라 기체의 부피가 줄어드는 예입니다.

3 뜨거운 물이 담긴 수조에 고무풍선을 넣으면 고무풍선이 점점 부풀어 오릅니다.

△ 뜨거운 물에 넣기 전   △ 뜨거운 물에 넣은 후

4 찌그러진 탁구공을 뜨거운 물에 넣으면 찌그러진 부분이 펴집니다.

5 네온은 조명 기구나 광고에 이용되며, 이산화 탄소는 딸기와 같은 식물을 키우는 데 이용됩니다.

6 비행선을 하늘 높이 띄우기 위해 비행선에 헬륨을 채웁니다.

단원 실력 쌓기
46~49쪽

Step 1
1 압력 **2** 기체 **3** 예 늘어난다. **4** 예 줄어든다. **5** 이산화 탄소 **6** ⓒ **7** (1) ⊙ (2) ⓒ **8** ④ **9** 줄어드는, 압력 **10** ⊙ 기체 ⓒ 부피 **11** ⑤ **12** 현수 **13** ⑤ **14** 헬륨 **15** ③

Step 2
16 (1) ⓒ (2) ❶ 액체 ❷ 기체
17 (1) 온도 (2) 예 고무풍선을 씌운 삼각 플라스크를 뜨거운 물에 넣으면 고무풍선이 부풀어 오르다가 차가운 물에 넣으면 고무풍선이 오므라든다. 등
18 예 공기는 혼합물이다. 등

> **16** (1) 공기
> (2) 압력
> **17** (1) 온도
> (2) 뜨거운, 차가운
> **18** 혼합물

Step 3
19 ⊙
20 (1) 예 풍선의 부피가 줄어든다. 등 (2) 예 피스톤을 세게 누르면 풍선의 부피가 많이 줄어들고, 피스톤을 약하게 누르면 풍선의 부피가 조금 줄어든다. 등

1 피스톤을 누르면 주사기 안 공기의 부피가 줄어듭니다.

2 압력을 세게 가할수록 기체의 부피가 많이 줄어듭니다.

3 온도가 높아지면 기체의 부피는 늘어납니다.

4 온도가 낮아지면 기체의 부피는 줄어듭니다.

5 이산화 탄소는 소화기나 소화제의 재료로 이용됩니다.

6 물과 우유를 넣은 주사기의 피스톤을 누르면 피스톤이 잘 들어가지 않습니다.

7 피스톤을 약하게 누르면 주사기 안 공기의 부피가 조금 줄어들고, 세게 누르면 주사기 안 공기의 부피가 많이 줄어듭니다.

8 압력을 세게 가할수록 기체의 부피가 많이 줄어듭니다.

9 공기주머니가 있는 신발을 신고 걸으면 공기 주머니의 부피가 줄어듭니다.

10 물의 온도에 따라 고무풍선 안 기체의 부피가 어떻게 변화하는지 알아보는 실험입니다.

11 온도가 높아지면 기체의 부피는 늘어납니다.

12 온도와 압력에 따라 기체의 부피가 변하며, 찌그러진 탁구공을 뜨거운 물에 넣으면 찌그러진 부분이 펴지게 됩니다.

△ 찌그러진 탁구공을 뜨거운 물에 넣으면 공기의 부피가 늘어나 찌그러진 부분이 펴짐.

13 수소는 환경을 오염하지 않고 전기를 만들 수 있으며, 소화제의 재료로 이용되는 것은 이산화 탄소입니다.

14 헬륨은 색깔과 냄새가 없으며, 풍선을 띄울 때 이용합니다.

15 질소는 과자가 부서지거나 맛이 변하는 것을 막습니다.

16 물을 넣은 주사기의 피스톤을 누르면 피스톤이 잘 들어가지 않고, 공기를 넣은 주사기의 피스톤을 누르면 물을 넣었을 때보다 피스톤이 잘 들어갑니다.

채점 기준		
(1)	'ⓒ'을 씀.	
(2)	❶에 '액체', ❷에 '기체'를 모두 정확히 씀.	상
	❶과 ❷ 중 한 가지만 정확히 씀.	중

17 고무풍선을 씌운 삼각 플라스크를 뜨거운 물에 넣으면 풍선이 부풀어 올랐다가 다시 삼각 플라스크를 차가운 물에 넣으면 풍선이 오므라듭니다.

채점 기준		
(1)	'온도'를 정확히 씀.	
(2)	**정답 키워드** 부풀어 오르다 | 오므라들다 등 '고무풍선을 씌운 삼각 플라스크를 뜨거운 물에 넣으면 고무풍선이 부풀어 오르다가 차가운 물에 넣으면 고무풍선이 오므라든다.' 등의 내용을 정확히 씀.	상
	고무풍선을 뜨거운 물과 차가운 물에 넣었을 때의 고무풍선의 부피 변화를 정확히 쓰지 못함.	중

18 공기는 여러 가지 기체로 이루어진 혼합물입니다.

채점 기준		
'공기는 혼합물이다.' 등의 내용을 정확히 씀.		상
공기가 여러 가지 기체로 이루어져 있다는 점을 표현했지만, 혼합물을 언급하지 못함.		중

19 피스톤의 압력은 주사기 속 풍선의 부피로 알 수 있으며, 피스톤의 압력이 약하면 풍선의 부피는 조금 줄어듭니다.

20 주사기 안에 풍선을 넣고 피스톤을 세게 누르면 풍선의 부피가 많이 줄어들고, 피스톤을 약하게 누르면 풍선의 부피가 많이 줄어듭니다.

대단원 평가   50~53쪽

1 ④　　**2** ⓒ　　**3** 닫힌, 수평　　**4** ①, ③
5 ㉠ 색깔 ㉡ 바람　　**6** 산소　　**7** 이산화 탄소
8 ⑤　　**9** ⓒ　　**10** ④　　**11** (1) ⓒ (2) ⑩ 기체에 압력을 세게 가하면 부피가 많이 줄고, 액체는 압력을 가해도 부피가 변하지 않기 때문이다. 등   **12** ③　　**13** ㉠, ㉢
14 ⑩ 비행기가 하늘로 날아오르면 기체의 압력이 낮아져서 비행기 안의 과자 봉지가 부풀어 오른다. 등   **15** ㉠
16 재혁　　**17** (1) 부피 (2) ⑩ 고무풍선을 씌운 삼각 플라스크를 뜨거운 물에 넣으면 풍선이 부풀어 오르고, 차가운 물에 넣으면 풍선이 오므라든다. 등   **18** ①
19 (1) 질소 (2) 이산화 탄소 (3) 헬륨 (4) 수소　　**20** ②

1 콕 깔때기는 기체 발생 장치를 꾸미기 위한 준비물입니다.

2 ㄱ자 유리관을 집기병 안으로 너무 깊이 넣지 않습니다. 가지 달린 삼각 플라스크의 가지 부분에 고무관을 끼우고, 반대쪽 끝은 ㄱ자 유리관과 연결합니다.

3 콕이 닫힌 상태로 기체 발생 장치를 꾸밉니다.

4 가지 달린 삼각 플라스크 안에서 기포가 발생하고, ㄱ자 유리관 끝부분에서 기포가 하나둘씩 나옵니다.

> **왜 틀렸을까?**
> ② 가지 달린 삼각 플라스크 안에서 부글부글 끓어오르면서 기포가 발생하며, 온도는 변하지 않습니다.
> ④, ⑤ ㄱ자 유리관 끝에서 기포가 하나둘씩 나오며 발생한 기체는 색깔과 냄새가 없습니다.

5 산소는 색깔과 냄새가 없습니다.

6 금속을 자르거나 붙일 때 산소를 이용합니다.

7 탄산수소 나트륨에 진한 식초를 떨어뜨리면 이산화 탄소가 발생합니다.

8 콕 깔때기에 진한 식초를 붓고, 가지 달린 삼각 플라스크에는 물과 탄산수소 나트륨을 넣습니다. 이산화 탄소가 집기병에 모이면 물속에서 아크릴판으로 집기병의 입구를 막고 집기병을 꺼냅니다.

> **왜 틀렸을까?**
> ① 콕 깔때기에 진한 식초를 붓습니다.
> ② 가지 달린 삼각 플라스크에 물을 조금 넣고 탄산수소 나트륨을 다섯 숟가락 정도 넣습니다.
> ③ 콕을 열어 진한 식초를 조금씩 흘려 보냅니다.
> ④ 집기병 입구에 ㄱ자 유리관을 가까이 넣고 기체를 모읍니다.

9 이산화 탄소는 다른 물질이 타는 것을 막습니다.

10 금속을 자르거나 붙일 때는 산소를 이용합니다.

11 기체에 압력을 세게 가할수록 기체의 부피가 많이 줄어들고, 액체는 압력을 가해도 부피가 변하지 않습니다.

> **채점 기준**
>
> | (1) | 'ⓒ'을 씀. | | 4점 |
> |---|---|---|---|
> | (2) | **정답 키워드** 기체 \| 액체 \| 압력 \| 부피 등
'기체에 압력을 세게 가할수록 기체의 부피가 많이 줄어들고, 액체는 압력을 가해도 부피가 변하지 않기 때문이다.' 등의 내용을 정확히 씀. | | 8점 |
> | | 압력에 따른 기체와 액체의 부피 변화를 썼지만, 표현이 부족함. | | 4점 |

12 피스톤을 약하게 누르면 풍선의 부피는 조금 줄어듭니다.

> **더 알아보기**
>
> **피스톤을 누를 때 풍선의 부피 변화**
> • 피스톤을 약하게 누르면 풍선의 부피가 조금 줄어듭니다.
> • 피스톤을 세게 누르면 풍선의 부피가 많이 줄어듭니다.
>
>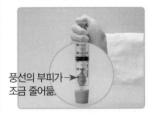
> 풍선의 부피가 조금 줄어듦.
> △ 피스톤을 약하게 누를 때
>
>
> 풍선의 부피가 많이 줄어듦.
> △ 피스톤을 세게 누를 때

13 공을 찼을 때 공이 찌그러지거나 부풀어 오른 에어백이 충격을 받아 부피가 줄어드는 것은 압력에 따른 기체의 부피 변화의 예입니다.

> **왜 틀렸을까?**
> ⓒ, ⓔ 온도 변화에 따른 기체의 부피 변화의 예입니다.

14 압력이 낮아짐에 따라 부피가 늘어나는 예입니다. 비행기가 하늘로 날아오르면 기체의 압력이 낮아져서 비행기 안의 과자 봉지가 부풀어 오릅니다.

> **채점 기준**
>
> | **정답 키워드** 압력 \| 낮아지다 \| 과자 봉지 \| 부풀어 오르다 등
'비행기가 하늘로 날아오르면 기체의 압력이 낮아져서 비행기 안의 과자 봉지가 부풀어 오른다.' 등의 내용을 정확히 씀. | 8점 |
> |---|---|
> | 비행기 안의 과자 봉지의 부피 변화에 대해 썼지만, 기체의 압력과 연관지어 정확히 쓰지 못함. | 4점 |

15 온도가 낮아짐에 따라 부피가 줄어드는 예입니다. 마개를 닫은 빈 페트병을 냉장고 안에 넣으면 페트병이 찌그러집니다.

16 ㉠은 온도에 따른 기체의 부피 변화의 예이고, ㉡은 압력에 따른 기체의 부피 변화의 예입니다. 잠수부가 내뿜는 공기 방울은 물 표면으로 올라갈수록 물의 압력이 낮아져서 크기가 커집니다.

17 온도에 따른 풍선의 부피, 즉 기체의 부피 변화를 알아보기 위한 실험입니다.

> **채점 기준**
>
> | (1) | '부피'를 정확히 씀. | | 4점 |
> |---|---|---|---|
> | (2) | **정답 키워드** 부풀어 오르다 \| 오므라든다 등
'고무풍선을 씌운 삼각 플라스크를 뜨거운 물에 넣으면 풍선이 부풀어 오르고, 차가운 물에 넣으면 풍선이 오므라든다.' 등의 내용을 정확히 씀. | | 8점 |
> | | 물의 온도에 따른 고무풍선의 변화를 썼지만, 표현이 부족함. | | 4점 |

18 공기는 대부분 질소와 산소로 이루어져 있으며, 그 외에도 여러 가지 기체로 이루어진 혼합물입니다.

> **더 알아보기**
>
> **공기의 조성**
> 공기는 여러 가지 기체로 이루어진 혼합물이며, 공기의 대부분을 차지하고 있는 것은 질소입니다. 공기는 약 78 %의 질소와 약 21 %의 산소로 이루어져 있습니다.

19 질소는 과자 봉지의 충전제로 이용되며, 이산화 탄소는 딸기와 같은 식물을 키우는 데 이용됩니다. 또한 헬륨은 풍선을 띄울 때 이용되며, 수소는 환경을 오염하지 않고 전기를 만들 수 있습니다.

20 수소는 색깔과 냄새가 없고 매우 가볍습니다.

△ 수소를 이용하여 전기를 생산함.

4. 식물의 구조와 기능

개념 다지기   59쪽

1 ②   2 (1) ⓒ (2) ㉠   3 ⓒ   4 ㉠
5 ②   6 ①

1 세포는 크기와 모양이 다양하고 그에 따라 하는 일도 다릅니다.

2 세포벽이 없는 것은 동물 세포이고, 세포벽이 있는 것은 식물 세포입니다.

3 파와 양파는 굵기가 비슷한 가는 뿌리가 수염처럼 나는 식물이고, 명아주와 감나무는 굵고 곧은 뿌리에 가는 뿌리가 여러 개 나는 식물입니다.

4 뿌리가 물을 흡수하므로 뿌리를 자르지 않은 양파를 올려 놓은 비커의 물이 더 많이 줄어듭니다.

5 감자는 줄기에 양분을 저장합니다.

6 줄기 안의 물이 이동하는 통로를 통해 뿌리에서 흡수한 물을 식물 전체로 전달합니다.

단원 실력 쌓기   60~63쪽

Step 1

1 생물   2 동물 세포   3 뿌리   4 당근
5 나팔꽃   6 ②   7 핵   8 ㉠ 예 세포막
ⓒ 예 작아   9 ③   10 ③   11 ④   12 ⓒ
13 ㉠   14 예 양분

Step 2

15 (1) ⓒ
   (2) ❶ 예 세포벽이 있고
      ❷ 예 세포벽이 없기
16 예 명아주의 뿌리는 굵고 곧은 뿌리에 가는 뿌리가 여러 개 난 모습이고, 강아지풀의 뿌리는 굵기가 비슷한 가는 뿌리가 수염처럼 난 모습이다.
17 (1) 예 물이 이동한 통로
   (2) 예 줄기는 물이 이동하는 통로 역할을 한다. 등

> 15 (1) 핵
>   (2) 세포벽
> 16 수염
> 17 (1) 물
>   (2) 줄기

Step 3

18 예 광학 현미경 등   19 ❶ 핵 ❷ 예 두꺼움
20 예 양파 표피 세포는 세포벽이 있지만, 입안 상피 세포는 세포벽이 없다. 등

1 세포는 생물을 이루는 기본 단위입니다.

2 동물 세포는 세포벽이 없습니다.

3 뿌리는 대부분 땅속으로 자라며 땅 위의 줄기와 연결되어 있습니다.

4 무, 당근, 고구마 등은 뿌리에 양분을 저장합니다.

5 나팔꽃은 감는줄기로 다른 물체를 감아 올라가며 자랍니다.

6 세포는 생물을 이루는 기본 단위로, 생물은 세포로 이루어져 있습니다.

7 핵은 세포의 정보를 저장하고, 생명 활동을 조절하는 역할을 합니다.

8 식물 세포와 동물 세포는 공통적으로 핵과 세포막이 있고, 크기가 매우 작습니다.

> **더 알아보기**
>
> **식물 세포와 동물 세포의 공통점과 차이점**
> • 공통점
>   ① 핵과 세포막이 있습니다.
>   ② 크기가 매우 작아 맨눈으로 관찰하기 어렵습니다.
> • 차이점: 식물 세포는 세포벽이 있고, 동물 세포는 세포벽이 없습니다.

9 뿌리의 생김새는 식물의 종류에 따라 다양합니다.

10 파, 양파, 강아지풀은 굵기가 비슷한 가는 뿌리가 수염처럼 나 있는 식물이고, 당근은 굵고 곧은 뿌리에 가는 뿌리가 여러 개 나 있는 식물입니다.

> **더 알아보기**
>
> **여러 가지 뿌리의 생김새**
> • 굵고 곧은 뿌리에 가는 뿌리가 여러 개 난 식물: 감나무, 명아주, 당근, 배추, 민들레, 봉선화 등
> • 굵기가 비슷한 가는 뿌리가 수염처럼 난 식물: 파, 양파, 마늘, 강아지풀, 벼, 보리, 옥수수 등

11 뿌리의 흡수 기능을 알아보기 위한 장치로, 뿌리를 자르지 않은 양파를 올려놓은 비커(㉠)의 물이 더 많이 줄어듭니다.

12 줄기는 아래로 뿌리와 이어져 있고 위로 잎이 나 있어 뿌리와 잎을 연결합니다.

13 백합 줄기를 붉은 색소 물에 4시간 동안 담가 두면 백합 줄기의 세로 단면에 붉은 색소 물이 든 선이 여러 개 보입니다.

14 감자, 토란 등은 줄기에 양분을 저장합니다.

15 식물 세포와 동물 세포 모두 핵과 세포막이 있지만, 식물 세포에는 세포벽이 있고, 동물 세포에는 세포벽이 없습니다.

채점 기준		
(1)	'ⓒ'을 정확히 씀.	
(2)	정답 키워드 세포벽 I 있다 I 없다 등 ❶ '세포벽이 있고', ❷ '세포벽이 없기'와 같이 내용을 모두 정확히 씀.	상
	❶ '세포벽이 있고', ❷ '세포벽이 없기' 중 한 가지만 정확히 씀.	중

16 뿌리의 생김새는 식물의 종류에 따라 다양합니다.

채점 기준	
정답 키워드 명아주-굵고 곧은 뿌리 I 강아지풀-굵기가 비슷한 뿌리 등 '명아주의 뿌리는 굵고 곧은 뿌리에 가는 뿌리가 여러 개 난 모습이고, 강아지풀의 뿌리는 굵기가 비슷한 가는 뿌리가 수염처럼 난 모습이다.'와 같이 내용을 정확히 씀.	상
두 식물 뿌리의 생김새의 차이점을 썼지만, 표현이 정확하지 않음.	중

17 뿌리에서 흡수한 물은 줄기에 있는 통로로 이동하고, 줄기는 물을 식물 전체로 전달합니다.

채점 기준		
(1)	'물이 이동한 통로'를 정확히 씀.	
(2)	정답 키워드 물 I 통로 등 '줄기는 물이 이동하는 통로 역할을 한다.' 등과 같이 내용을 정확히 씀.	상
	줄기가 하는 일을 한 가지 썼지만, 표현이 정확하지 않음.	중

더 알아보기

줄기가 하는 일
- 지지 기능: 잎이나 꽃 등을 받쳐 식물을 지지합니다.
- 운반 기능: 뿌리에서 흡수한 물이 이동하는 통로 역할을 하여 물을 식물 전체로 전달합니다.
- 저장 기능: 감자, 토란 등은 줄기에 양분을 저장합니다.

18 양파 표피 세포와 입안 상피 세포는 크기가 매우 작아 맨눈으로 관찰하기 어려우므로 광학 현미경을 사용하여 확대해서 관찰해야 합니다.

19 양파 표피 세포와 입안 상피 세포는 모두 핵과 세포막이 있지만, 세포의 가장자리의 두께는 다릅니다.

20 식물 세포인 양파 표피 세포는 세포벽이 있지만, 동물 세포인 입안 상피 세포는 세포벽이 없습니다. 두 세포의 구조는 서로 다릅니다.

단원 실력 쌓기 `68~71`쪽

Step 1
1 예 청람색　　**2** 증산 작용　　**3** 수술
4 새　**5** 열매　**6** ⓒ　**7** ㉠　**8** ②
9 ②　**10** ②　**11** ①　**12** 씨
13 ㉣, ㉢, ㉠, ㉡　**14** ③

Step 2
15 (1) 예 물방울
　　(2) ❶ 예 물 ❷ 예 잎
16 (1) 꽃가루받이(수분)
　　(2) 예 꽃가루받이(수분)를 거쳐 씨를 만든다.
17 ⓒ, 예 어린 씨를 보호하고, 씨가 익으면 멀리 퍼뜨린다.

> **15** (1) 식물
> 　　(2) 뿌리
> **16** (1) 암술
> 　　(2) 씨
> **17** 씨

Step 3
18 ㉠ 예 뿌리털 ㉡ 줄기 ㉢ 씨
19 ㉠ 광합성 ㉡ 증산 작용　　**20** 예 식물은 꽃가루받이를 제대로 하지 못해 씨가 만들어지는 양이 줄어들 것이다.

1 아이오딘-아이오딘화 칼륨 용액과 빛을 받은 잎에서 만들어진 녹말이 반응하여 청람색이 나타납니다.

2 증산 작용은 잎에 도달한 물의 일부가 수증기가 되어 기공을 통해 밖으로 빠져나가는 것을 말합니다.

3 수술에서 꽃가루를 만듭니다.

4 동백나무의 수술에서 만들어지는 꽃가루는 새의 도움으로 암술에 옮겨 붙습니다.

동백나무
⬆ 새에 의한 꽃가루받이

5 열매는 씨와 씨를 둘러싼 껍질로 되어 있는데, 어린 씨를 보호하고 씨가 익으면 퍼지는 것을 돕습니다.

6 식물이 양분을 만들기 위해서는 빛이 필요합니다.

7 빛을 받은 잎은 아이오딘-아이오딘화 칼륨 용액과 반응하여 청람색이 나타납니다.

⬆ 청람색으로 변함. (빛을 받은 잎)

⬆ 색깔 변화가 없음. (빛을 받지 못한 잎)

8 잎에 도달한 물은 잎에 있는 작은 구멍인 기공을 통해 식물 밖으로 빠져나갑니다.

> **더 알아보기**
>
> **기공과 공변세포**
> 기공은 두 개의 공변세포에 둘러싸여 있습니다. 공변세포는 잎의 표피 세포가 변한 것으로 콩팥 모양이며, 두 개가 쌍을 이룹니다. 기공은 공변세포의 부피 변화로 열리고 닫히는데, 공변세포로 물이 흡수되어 공변세포의 부피가 늘어나면 공변세포가 휘어지면서 기공이 열리게 됩니다.
>
>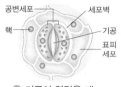
>
> 공변세포 / 세포벽 / 핵 / 기공 / 표피 세포
>
> ⬆ 기공이 열렸을 때　⬆ 기공이 닫혔을 때

9 암술은 꽃가루받이를 거쳐 씨를 만듭니다.

10 꽃가루받이는 수술에서 만들어지는 꽃가루가 암술에 옮겨 붙는 것입니다.

11 검정말은 물, 사과나무는 곤충, 동백나무는 새에 의해 꽃가루받이가 이루어집니다.

> **더 알아보기**
>
> **여러 가지 꽃가루받이(수분) 방법**
> • 곤충에 의한 꽃가루받이: 사과나무, 국화, 무궁화, 민들레 등
> • 새에 의한 꽃가루받이: 동백나무 등
> • 바람에 의한 꽃가루받이: 벼, 소나무, 옥수수, 느티나무, 부들 등
> • 물에 의한 꽃가루받이: 검정말, 나사말 등

12 열매는 어린 씨를 둘러싸서 보호하는 역할을 합니다.

껍질 / 씨

⬆ 열매(복숭아)

13 꽃이 피고 꽃가루받이가 된 암술 속에서는 씨가 생겨 자라고, 씨가 자라는 동안 씨를 싸고 있는 암술 등이 함께 자라서 열매가 됩니다.

14 산수유나무의 열매가 동물에게 먹혀서 씨가 퍼집니다.

> **더 알아보기**
>
> **식물의 씨가 퍼지는 여러 가지 방법**
> • 동물에게 먹혀서 씨가 퍼지는 식물: 산수유나무, 벚나무, 머루, 사과나무 등
> • 동물의 털이나 사람의 옷에 붙어서 씨가 퍼지는 식물: 도꼬마리, 도깨비바늘 등
> • 작은 동물이 옮겨서 씨가 퍼지는 식물: 딸기, 고구마, 졸참나무 등
> • 바람에 날려서 씨가 퍼지는 식물: 민들레, 단풍나무, 박주가리 등
> • 물에 실려서 씨가 퍼지는 식물: 연꽃, 마름, 야자나무 등
> • 스스로 터져서 씨가 퍼지는 식물: 콩, 봉선화 등

15 뿌리에서 줄기를 거쳐 잎에 도달한 물의 일부는 광합성에 이용되고 나머지는 대부분 잎을 통해 식물 밖으로 빠져나갑니다.

채점 기준		
(1)	'물방울'을 정확히 씀.	
(2)	**정답 키워드** 물 | 잎 등	
	❶ '물', ❷ '잎'과 같이 내용을 모두 정확히 씀.	상
	❶ '물', ❷ '잎' 중 한 가지만 정확히 씀.	중

16 꽃은 꽃가루받이를 거쳐 씨를 만드는 일을 합니다.

채점 기준		
(1)	'꽃가루받이(수분)'를 정확히 씀.	
(2)	**정답 키워드** 꽃가루받이(수분) | 씨 등	
	'꽃가루받이(수분)를 거쳐 씨를 만든다.'와 같이 내용을 정확히 씀.	상
	'꽃가루받이(수분)'를 넣어 꽃이 하는 일을 썼지만, 표현이 정확하지 않음.	중

17 ㉠은 껍질, ㉡은 씨입니다. 열매는 어린 씨를 보호하고, 씨가 익으면 멀리 퍼뜨립니다.

채점 기준		
정답 키워드 어린 씨 | 보호 | 퍼뜨리다 등		
'㉡'을 정확히 쓰고, '어린 씨를 보호하고, 씨가 익으면 멀리 퍼뜨린다.'와 같이 내용을 정확히 씀.		상
'㉡'을 정확히 쓰고 열매가 하는 일을 썼지만, 표현이 정확하지 않음.		중

18 뿌리에 뿌리털이 많으면 물을 더 잘 흡수할 수 있습니다. 줄기는 물의 이동 통로이고, 열매는 씨를 보호합니다.

> **더 알아보기**
>
> **뿌리털이 하는 일**
>
>
>
> ⬆ 뿌리털
>
> 뿌리털은 뿌리의 표피 세포의 일부가 가늘고 길게 변형된 것으로, 뿌리의 표면적을 넓혀 흙 속의 물을 효율적으로 흡수할 수 있게 합니다.

19 식물의 잎에서는 광합성과 증산 작용이 일어납니다.

20 꽃가루받이를 돕는 새와 곤충이 없어지면 식물은 꽃가루받이를 제대로 하지 못해 씨가 만들어지는 양이 줄어들 것입니다.

대단원 평가

72~75쪽

1 ④ **2** ⓒ **3** ② **4** (1) ㉠ (2) 예 대부분의
세포는 크기가 매우 작아 맨눈으로 보기 어렵기 때문이다.
5 ②, ③ **6** ③ **7** ㉠ 예 자르지 않은 ㉡ 예 자른
8 ② **9** (1) ⓒ (2) ⓒ (3) ㉠ **10** 예 물이 이동하는 통로
이다. **11** ③ **12** ②, ⑤ **13** 광합성
14 ④ **15** ⓒ **16** ㉠ 수술 ㉡ 암술 ㉢ 꽃잎 ㉣ 꽃받침
17 ① **18** ②
19 (1) **2** (2) 예 암술 속에서 씨가 생겨 자란다.
20 (1) ⓒ (2) ㉠ (3) ⓒ (4) ㉣

1 세포는 생물을 이루는 기본 단위입니다.

2 세포는 크기와 모양이 다양합니다.

3 세포벽이 가장 바깥에서 세포를 보호하고, 그 안쪽에
세포막이 있으며 세포막 안에 핵이 있습니다.

4 현미경으로 세포를 관찰하는 까닭은 대부분의 세포는
크기가 매우 작아 맨눈으로 보기 어렵기 때문입니다.

채점 기준

(1)	'㉠'을 정확히 씀.	4점
(2)	**정답 키워드** 크기 ∣ 작다 등 '대부분의 세포는 크기가 매우 작아 맨눈으로 보기 어렵기 때문이다.'와 같이 내용을 정확히 씀.	8점
	현미경으로 세포를 관찰하는 까닭을 썼지만, 표현이 정확하지 않음.	4점

5 당근은 뿌리에 양분을 저장합니다.

더 알아보기

뿌리에 양분을 저장하는 식물
식물의 잎에서 만들어진 양분을 뿌리에 저장하는 식물로 무, 당근,
고구마 등이 있습니다.

▲ 무 뿌리　　　▲ 당근 뿌리　　　▲ 고구마 뿌리

6 뿌리가 하는 일을 알아보기 위한 실험이므로 뿌리의 유무만
다르게 하여 실험합니다.

7 뿌리를 자르지 않은 양파를 올려놓은 비커의 물이 더
많이 줄어듭니다.

8 뿌리를 자르지 않은 양파는 물을 흡수하고, 뿌리를 자른
양파는 물을 거의 흡수하지 못하기 때문에 뿌리는 물을
흡수한다는 것을 알 수 있습니다.

9 딸기의 줄기는 땅 위를 기는 듯이 뻗어 나가고, 나팔꽃의
줄기는 다른 식물이나 물체를 감아 올라가며, 소나무의
줄기는 굵고 곧습니다.

10 백합 줄기의 단면에서 붉은 색소 물이 든 부분은 물이
이동하는 통로를 나타냅니다.

채점 기준

정답 키워드 물 ∣ 통로 등 '물이 이동하는 통로이다.'와 같이 내용을 정확히 씀.	8점
백합 줄기를 세로로 자른 단면에서 붉은 선이 나타내는 것을 썼지만, 표현이 정확하지 않음.	4점

11 줄기는 식물의 종류에 따라 생김새가 다양합니다.

12 빛을 받은 잎에서 녹말(양분)이 만들어지고, 아이오딘
－아이오딘화 칼륨 용액은 녹말과 반응하여 청람색으로
변합니다.

13 잎에서 광합성을 할 때에는 빛, 이산화 탄소, 물이 필요
합니다.

14 식물이 빛을 이용해 양분을 만드는 것은 광합성에 대한
설명입니다.

15 꽃잎은 암술과 수술을 보호하고, 꽃가루받이를 거쳐
씨를 만드는 것은 암술입니다.

16 ㉠은 수술, ㉡은 암술, ㉢은 꽃잎, ㉣은 꽃받침입니다.

17 수술에서 만들어지는 꽃가루가 암술에 옮겨 붙는 것을
꽃가루받이(수분)라고 합니다.

더 알아보기

꽃가루받이(수분)
수술에서 만들어지는 꽃가루는 곤충, 새, 바람, 물 등에 의해 암술로
옮겨집니다. 꽃은 꽃가루받이를 거쳐 씨를 만듭니다.

꽃가루
암술　수술
▲ 꽃가루받이 과정

18 부들, 소나무, 느티나무는 바람에 의해, 나사말은 물에 의해
꽃가루받이가 이루어집니다.

19
채점 기준

(1)	'**2**'를 정확히 씀.	4점
(2)	**정답 키워드** 암술 ∣ 씨 등 '암술 속에서 씨가 생겨 자란다.'와 같이 내용을 정확히 씀.	8점
	2 과정을 고쳐 썼지만, 표현이 정확하지 않음.	4점

20 씨가 퍼지는 방법은 식물의 종류에 따라 다양합니다.

5. 빛과 렌즈

개념 다지기   81쪽

1 ㉡   **2** 여러   **3** ①, ④   **4** (1) ㉡ (2) ㉠
5 ㉔ 경계   **6** ㉢

1 흰 도화지에 여러 가지 색의 빛으로 나타납니다.

2 햇빛은 여러 가지 색의 빛으로 이루어져 있습니다.

3 물이 든 수조에 우유를 떨어뜨린 후 향을 피우면 빛이 나아가는 모습을 잘 관찰할 수 있습니다.

4 (1)에서는 공기와 물의 경계에서 빛이 꺾이지 않고 그대로 나아가고, (2)에서는 빛이 꺾여 나아갑니다.

5 곧게 나아가던 빛은 두 물질의 경계에서 꺾여 나아갑니다.

6 직진하던 빛은 거울을 만나면 반사합니다.

단원 실력 쌓기   82~85쪽

Step ①

1 프리즘   **2** 여러   **3** 꺾여   **4** ㉔ 실제보다 다리가 짧아 보인다. 실제와 다르게 보인다. 등
5 빛의 굴절 **6** ①   **7** ㉢   **8** (1) ○
9

—레이저 지시기

공기

물

10 ㉠   **11** ⑤
12 굴절   **13** ③
14 ③

Step ②

15 (1) 프리즘 (2) ❶ ㉔ 여러 가지
     ❷ ㉔ 연속해서
16 (1) 굴절
     (2) ㉔ 빛을 비스듬하게 비추면 빛이 공기와 유리의 경계에서 꺾여 나아간다.
17 ㉔ 빛이 공기와 물의 경계에서 굴절하기 때문이다.

> **15** (1) 투명
>   (2) 색
> **16** (1) 경계
>   (2) 꺾여
> **17** • 다르게
>   • 굴절

Step ③

18 ㉠ ㉔ 우유 ㉡ ㉔ 향 연기
19 ❶ ㉔ 우유 ❷ ㉔ 빛
20 ❶ ㉔ 꺾이지 않고 그대로 ❷ ㉔ 빛이 공기와 물의 경계에서 꺾여 나아간다.

1 프리즘은 유리나 플라스틱 등으로 만든 투명한 삼각기둥 모양의 기구입니다.

2 프리즘을 통과한 햇빛은 여러 가지 색의 빛으로 나타납니다.

3 빛을 수면에 비스듬하게 비추면 빛이 공기와 물의 경계에서 꺾여 나아갑니다.

4 물속에 있는 다리를 물 밖에서 보면 실제보다 다리가 짧아 보입니다.

5 공기와 물, 공기와 유리와 같이 서로 다른 물질의 경계에서 빛이 꺾여 나아가는 현상을 빛의 굴절이라고 합니다.

6 프리즘은 유리나 플라스틱 등의 투명한 물질로 만들고, 삼각기둥 모양입니다.

7 프리즘을 통과한 햇빛은 흰 도화지에 여러 가지 색의 빛으로 나타납니다.

8 실험을 통해 햇빛은 여러 가지 색의 빛으로 이루어져 있음을 알 수 있습니다. 햇빛이 여러 가지 색으로 나뉘어 보이는 경우는 비가 내린 뒤 볼 수 있는 무지개, 폭포 주변의 무지개 등이 있습니다.

> **더 알아보기**
>
> **비가 내린 뒤 볼 수 있는 무지개**
> • 공기 중에 있는 물방울 속을 햇빛이 통과하면 빛의 경로가 달라집니다. 이때 빛의 색깔에 따라 꺾이는 정도가 다른데, 빨간색 빛보다 보라색 빛이 더 많이 꺾입니다.
> • 햇빛은 여러 가지 색의 빛으로 이루어져 있고, 햇빛이 물방울을 통과할 때 빛의 색깔에 따라 꺾이는 정도가 달라서 빛이 분산되어 무지개가 생깁니다.

9 빛을 수면에 수직으로 비추면 빛이 공기와 물의 경계에서 꺾이지 않고 그대로 나아갑니다.

10 빛을 수면에 비스듬하게 비추면 빛이 물과 공기의 경계에서 꺾여 나아갑니다.

11 빛을 유리에 수직으로 비추면 빛이 공기와 유리의 경계에서 꺾이지 않고 그대로 나아갑니다.

12 빛을 유리에 비스듬하게 비추면 서로 다른 물질의 경계에서 굴절합니다.

13 물속에 있는 물체의 모습은 실제와 다른 위치에 있는 것처럼 보입니다. 그 까닭은 빛이 공기와 물의 경계에서 굴절하기 때문입니다.

14 거울에 비친 물체의 모습이 좌우가 바뀌어 보이는 까닭은 빛의 반사 때문입니다.

15 햇빛이 프리즘을 통과하면 여러 가지 색의 빛이 연속해서 나타납니다.

채점 기준		
(1)	'프리즘'을 정확히 씀.	
(2)	**정답 키워드** 여러 가지 | 연속해서 ❶에 '여러 가지', ❷에 '연속해서'를 모두 정확히 씀.	상
	❶과 ❷ 중 한 가지만 정확히 씀.	중

16 빛이 공기 중에서 유리로 비스듬히 들어갈 때 공기와 유리의 경계에서 꺾여 나아갑니다. 이렇게 서로 다른 물질의 경계에서 빛이 꺾여 나아가는 현상을 빛의 굴절이라고 합니다.

채점 기준		
(1)	'굴절'을 정확히 씀.	
(2)	**정답 키워드** 경계 | 꺾이다 등 '빛을 비스듬하게 비추면 빛이 공기와 유리의 경계에서 꺾여 나아간다.' 등의 내용을 정확히 씀.	상
	빛이 어떻게 나아가는지 썼지만, 어디에서 꺾이는지 정확히 쓰지 못함.	중

17 물속에 있는 물체의 모습이 실제와 다른 위치에 있는 것처럼 보이는 까닭은 빛이 물에서 공기 중으로 나올 때 물과 공기의 경계에서 굴절하기 때문입니다.

채점 기준		
	정답 키워드 경계 | 굴절 등 '빛이 공기와 물의 경계에서 굴절하기 때문이다.' 등의 내용을 정확히 씀	상
	컵에 물을 부었을 때 빨대가 꺾여 보이는 까닭을 썼지만, 표현이 부족함.	중

18 스포이트로 물이 든 수조에 우유를 두세 방울 떨어뜨린 다음 향을 피웁니다.

19 수조에 우유를 넣고 향을 피우면 빛이 나아가는 모습을 잘 관찰할 수 있습니다.

20 빛을 수면에 비스듬히 비추면 빛이 공기와 물의 경계에서 꺾여 나아갑니다.

개념 다지기 89쪽

1 ③ **2** 볼록 렌즈 **3** (1) ㉠ (2) ㉣
4 ㉡ **5** ①, ③ **6** ㉢

1 가운데 부분이 가장자리보다 두꺼운 렌즈를 볼록 렌즈라고 합니다.

2 볼록 렌즈는 햇빛을 굴절시켜 빛을 한곳으로 모을 수 있습니다.

3 볼록 렌즈를 통과한 햇빛이 굴절해 한곳으로 모이기 때문에 주변보다 밝기가 밝고 온도가 높습니다.

4 볼록 렌즈로 멀리 있는 물체를 관찰하면 작고, 상하좌우가 바뀌어 보입니다.

5 겉 상자에는 볼록 렌즈가 붙어 있고, 간이 사진기로 본 물체의 모습은 실제 모습과 다르게 보입니다.

6 돋보기안경, 현미경은 공통으로 볼록 렌즈를 이용합니다.

단원 실력 쌓기 90~93쪽

Step ①
1 볼록 렌즈 **2** 두꺼운 **3** ㉐ 밝다. **4** 다르게 **5** 확대경
6 ㉢ **7** ② **8** ㉠ 굴절 ㉡ ㉐ 다르게
9 볼록 렌즈 **10** ② **11** ③ **12** ③
13 ㉠ **14** ④

Step ②
15 (1) ㉠ 평면 유리 ㉡ 볼록 렌즈
 (2) ❶ ㉐ 햇빛 ❷ ㉐ 모을 수
16 ㉐ 간이 사진기에 있는 볼록 렌즈에서 빛이 굴절하여 상하좌우가 바뀐 물체의 모습을 만들기 때문이다.
17 (1) 망원경
 (2) ㉐ 멀리 있는 물체를 확대해 자세히 관찰할 수 있다.

> **15** (1) 변합니다.
> (2) 있
> **16** 상하좌우
> **17** (1) 볼록
> (2) 크게

Step ③
18 ❶ ㉐ 크게 ❷ ㉐ 상하좌우가 바뀌어
19 ㉐ 빛이 볼록 렌즈를 통과할 때 굴절하기 때문이다.
20 ㉐ 작은 물체를 크게 보이게 한다.

1 볼록 렌즈는 렌즈의 가운데 부분이 가장자리보다 두껍습니다.

⬆ 볼록 렌즈의 단면

2 볼록 렌즈를 통과한 빛은 볼록 렌즈의 두꺼운 쪽으로 굴절합니다.

3 볼록 렌즈로 햇빛을 모은 곳은 주변보다 밝기가 밝고 온도가 높습니다.

4 볼록 렌즈로 물체를 보면 물체의 모습이 실제와 다르게 보입니다.

5 확대경은 볼록 렌즈를 이용해 물체를 확대하여 자세히 관찰할 수 있습니다.

6 곧게 나아가던 레이저 빛이 볼록 렌즈의 가장자리를 통과하면 빛은 볼록 렌즈의 두꺼운 가운데 부분으로 꺾여 나아갑니다.

7 햇빛이 만든 원의 크기에 따라 원 안의 밝기가 변합니다. 원의 크기가 가장 작을 때 원 안의 밝기가 가장 밝고, 온도가 높습니다.

8 볼록 렌즈로 물체를 보면 공기와 렌즈의 경계에서 빛이 굴절하기 때문에 물체의 모습이 실제보다 크거나 작게 보이기도 하고, 상하좌우가 바뀌어 보이기도 합니다.

9 유리 막대와 물이 담긴 둥근 어항은 투명하고, 가장자리보다 가운데 부분이 두꺼워 볼록 렌즈의 구실을 합니다.

> **더 알아보기**
>
> **유리 막대를 통과한 빛이 나아가는 모습:** 유리 막대도 볼록 렌즈와 같이 빛을 가운데 쪽으로 모으는 성질이 있습니다.
>
>
>
> 빛
> 유리 막대

10 간이 사진기로 물체를 보면 물체의 모습이 상하좌우가 바뀌어 보입니다.

11 간이 사진기로 본 물체의 모습이 실제 모습과 다른 까닭은 간이 사진기에 있는 볼록 렌즈가 빛을 굴절시켜 스크린(투사지)에 상하좌우가 바뀐 물체의 모습을 만들기 때문입니다.

12 간이 사진기의 겉 상자에 붙인 볼록 렌즈는 빛을 굴절시켜 스크린(투사지)에 상하좌우가 바뀐 물체의 모습을 만듭니다.

 ➡

△ 실제 물체의 모습　　△ 투사지에 맺힌 모습

13 돋보기안경은 작은 글씨나 물체를 크게 볼 때 사용합니다.

14 현미경으로 작은 물체를 확대해 자세히 관찰할 수 있습니다.

15 볼록 렌즈는 햇빛을 굴절시켜 한곳으로 모을 수 있지만, 평면 유리는 햇빛을 모을 수 없습니다.

채점 기준		
(1)	⊙에는 '평면 유리', ⓒ에는 '볼록 렌즈'를 정확히 씀.	
(2)	**정답 키워드** 햇빛 | 모을 수 ❶에 '햇빛', ❷에 '모을 수'를 모두 정확히 씀.	상
	❶과 ❷ 중 한 가지만 정확히 씀.	중

16 간이 사진기로 본 물체의 모습은 실제 모습과 다릅니다.

채점 기준	
정답 키워드 볼록 렌즈 | 빛 | 굴절 등 '간이 사진기에 있는 볼록 렌즈에서 빛이 굴절하여 상하좌우가 바뀐 물체의 모습을 만들기 때문이다.' 등의 내용을 정확히 씀.	상
간이 사진기로 본 물체의 모습이 실제와 다르게 보이는 까닭을 썼지만, 표현이 부족함.	중

17 망원경은 멀리 있는 물체의 모습을 확대해서 볼 수 있게 만든 기구입니다.

채점 기준		
(1)	'망원경'을 정확히 씀.	
(2)	**정답 키워드** 멀리 있는 물체 | 확대하다 등 '멀리 있는 물체를 확대해 자세히 관찰할 수 있다.' 등의 내용을 정확히 씀.	상
	망원경의 쓰임새를 썼지만, 볼록 렌즈와 관련지어 쓰지 못함.	중

18 볼록 렌즈로 물체를 관찰하면 물체가 크게 보이거나 작고, 상하좌우가 바뀌어 보입니다.

19 볼록 렌즈는 빛을 굴절시키기 때문에 볼록 렌즈로 물체를 보면 물체의 모습이 실제와 다르게 보입니다.

채점 기준	
정답 키워드 빛 | 굴절 등 '빛이 볼록 렌즈를 통과할 때 굴절하기 때문이다.' 등의 내용을 정확히 씀.	상
볼록 렌즈로 물체를 관찰할 때 실제와 다르게 보이는 까닭을 빛의 굴절과 관련지어 쓰지 못함.	중

20 확대경은 볼록 렌즈를 이용해 작은 물체를 크게 보기 위해 사용하는 도구입니다.

채점 기준	
정답 키워드 크게 | 보이게 하다 등 '작은 물체를 크게 보이게 한다.' 등의 내용을 정확히 씀.	상
확대경에 이용된 볼록 렌즈의 쓰임새를 썼지만, 표현이 부족함.	중

대단원 평가

94~96쪽

1 ②　　　　2 ㉠ 예 햇빛 ㉡ 예 물방울　　　3 ㉠

4 ⑤　　　5 (1) 굴절 (2) 예 빛이 공기와 유리의 경계에서
꺾여 나아가기 때문이다.　　　6 ㉢　　　7 ④

8 (1) ㉡㉢ (2) ㉠　　　9 ㉡　　　10 예 가운데, 두꺼운

11 ③　　　12 (1) ㉢ (2) 예 볼록 렌즈는 햇빛을 굴절시켜
한곳에 모은다.　　　13 ③　　　14 ②

15 예 가운데 부분이 가장자리보다 두껍다. 투명하여 빛을
통과시킬 수 있다. 등　　　16 ㉡　　　17 ㄴ　　　18 ⑤

19 볼록 렌즈, 크게　　　20 ㉢

---

1 햇빛이 프리즘을 통과하면 여러 가지 색의 빛으로 나타
납니다.

2 무지개는 햇빛이 물방울을 통과할 때 나타나는 여러 가지
색의 빛입니다.

3 레이저 지시기의 빛이 공기 중에서 물로 비스듬히 들어
가면 공기와 물의 경계에서 굴절합니다.

4 빛을 물에서 공기로 수직으로 비추면 물과 공기의 경계
에서 꺾이지 않고 그대로 나아갑니다.

5 레이저 지시기의 빛이 공기 중에서 유리로 비스듬히
들어갈 때 유리와 공기의 경계에서 굴절합니다.

채점 기준

(1)	'굴절'을 정확히 씀.	4점
(2)	정답 키워드 경계 | 꺾이다 등 '빛이 공기와 유리의 경계에서 꺾여 나아가기 때문이다.' 등의 내용을 정확히 씀.	8점
	경계에 대한 언급 없이 '꺾여 나아가기 때문이다.'와 같이 간단히 씀.	4점

6 ㉢은 빛의 반사에 대한 설명입니다.

7 햇빛이 프리즘을 통과할 때 여러 가지 색의 빛으로
나뉘는 까닭은 공기와 프리즘의 경계에서 빛의 색에 따라
굴절하는 정도가 다르기 때문입니다.

8 물속에 있는 다리를 물 밖에서 보면 실제보다 다리가
짧아 보입니다.

9 물속의 젓가락에서 출발한 빛이 물 밖으로 나올 때
물과 공기의 경계에서 굴절하여 눈에 들어오기 때문에
물속에 있는 젓가락이 꺾여 보입니다.

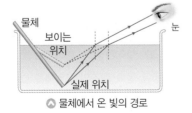

⬆ 물체에서 온 빛의 경로

10 레이저 빛이 볼록 렌즈의 가장자리를 통과하면 빛은
렌즈의 가운데 부분으로 꺾여 나아갑니다.

11 볼록 렌즈는 가운데 부분이 가장자리보다 두껍습니다.

12 볼록 렌즈로 햇빛을 한곳으로 모으면 빛이 모인 곳은
주변보다 밝기가 밝고, 온도가 높습니다.

채점 기준

(1)	㉢을 정확히 씀.	4점
(2)	정답 키워드 햇빛 | 굴절 | 모으다 등 '볼록 렌즈는 햇빛을 굴절시켜 한곳으로 모은다.' 등의 내용을 정확히 씀.	8점
	'빛을 굴절시킨다.'와 같이 볼록 렌즈의 성질을 간단히 씀.	4점

13 볼록 렌즈로 가까이 있는 물체를 보면 물체의 모습이
맨눈으로 볼 때보다 크게 보입니다.

14 볼록 렌즈의 구실을 하는 물체는 투명하고, 가운데 부분이
가장자리보다 두껍습니다.

15 가장자리보다 가운데가 두껍고, 투명한 물체를 지나는
빛은 굴절하기 때문에 볼록 렌즈의 구실을 합니다.

채점 기준

정답 키워드 가운데 | 두껍다 | 빛 | 통과시키다 등 '가운데 부분이 가장자리보다 두껍다.', '투명하여 빛을 통과시킬 수 있다.' 등의 내용 중 한 가지를 정확히 씀.	8점
볼록 렌즈의 구실을 하는 물체의 특징을 썼지만, 표현이 부족함.	4점

16 간이 사진기로 물체를 보면 속 상자에 붙인 투사지에
물체의 모습이 맺힙니다.

17 간이 사진기로 'ㄱ'을 관찰하면 상하좌우가 바뀌어
보입니다.

18 용수철저울은 용수철의 성질을 이용해 물체의 무게를
측정하는 기구입니다.

19 쌍안경은 볼록 렌즈를 이용하여 멀리 있는 물체를 크게
보이게 합니다.

20 무대 조명은 볼록 렌즈를 이용하여 빛을 한곳에 모으
거나 나란하게 하여 멀리 보낼 수 있습니다.

왜 틀렸을까?

㉠ 현미경, 확대경, 돋보기안경 등이 있습니다.
㉡ 망원경, 쌍안경 등이 있습니다.

1. 과학 탐구

개념 확인하기 | 4쪽

1 ㉢	2 ㉡	3 ㉡	4 ㉠	5 ㉡

온라인 학습 단원평가의 **정답**과 함께 **문항 분석**도 확인하세요.

단원평가 | 5~7쪽

문항 번호	정답	평가 내용	난이도
1	①	문제 인식의 뜻 알기	쉬움
2	①	가설 설정의 뜻 알기	쉬움
3	③	가설을 세우는 방법 알기	어려움
4	⑤	가설을 세울 때 생각할 점 알기	보통
5	⑤	실험 계획을 세우는 과정 알기	쉬움
6	④	탐구 문제를 해결하기 위한 실험 과정 알기	쉬움
7	②	실험에서 같게 해야 할 조건 알기	어려움
8	⑤	실험에서 다르게 해야 할 조건 알기	보통
9	②	실험을 할 때 주의할 점 알기	보통
10	⑤	실험 결과를 표로 변환하기	보통
11	①	실험 결과를 통해 알 수 있는 점 생각하기	보통
12	⑤	실험 결과가 예상과 다를 때 해야 할 일 알기	보통
13	①	정확한 실험 결과를 얻는 방법 알기	보통
14	③	자료를 변환하는 방법 알기	보통
15	②	자료를 그림으로 변환하기	쉬움
16	①	막대그래프와 꺾은선그래프의 쓰임 알기	어려움
17	⑤	자료를 꺾은선그래프로 변환하는 과정 알기	보통
18	④	자료 해석의 뜻 알기	쉬움
19	⑤	자료를 해석하는 방법 알기	보통
20	③	가설을 판단하고 결론을 도출하는 과정 알기	어려움

1 궁금한 점 중에서 한 가지를 탐구 문제로 정합니다.

2 가설 설정은 탐구 문제의 답을 예상하는 것입니다.

3 '종이 기둥 바닥의 꼭짓점 수가 많을수록 종이 기둥이 견디는 무게가 커질 것이다.'라는 가설을 세울 수 있습니다.

4 가설을 세울 때에는 이해하기 쉽도록 간결하고, 알아보려는 내용이 분명하게 드러나야 합니다.

5 모둠 구성원들의 성적은 실험 계획을 세울 때 필요하지 않습니다.

6 ㉠은 탐구 문제를 해결하기 위한 실험 과정에 해당합니다.

7 음료수의 종류는 실험에서 다르게 해야 할 조건입니다.

8 시험관을 담글 물의 온도는 다르게 해야 합니다.

9 관찰한 내용은 바로 기록하고, 실험 결과는 고치지 않습니다. 실험을 여러 번 하면 정확한 실험 결과를 얻을 수 있습니다.

10 종이 기둥 바닥의 꼭짓점 수에 따른 추의 개수가 기록되어 있습니다.

11 표를 통해 종이 기둥 바닥의 꼭짓점 수가 많을수록 종이 기둥이 견디는 추의 개수가 많아지는 것을 알 수 있습니다.

12 실험 결과가 예상과 달라도 고치거나 빼지 않습니다.

13 실험을 여러 번 하면 정확한 실험 결과를 얻을 수 있습니다.

14 자료를 변환하면 실험 결과를 한눈에 비교하기 쉽습니다.

15 자료를 그림으로 변환하여 나타낼 수 있습니다.

16 막대그래프는 종류별 차이를 비교할 때, 꺾은선그래프는 시간이나 양에 따른 변화를 나타낼 때 주로 사용합니다.

17 실험에서 다르게 한 조건과 조건에 따른 결과가 드러나도록 제목을 정합니다.

18 자료 해석 과정에서 자료 사이의 관계나 규칙을 찾아낼 수 있습니다.

19 실험에서 다르게 한 조건과 실험 결과 사이의 규칙을 찾아냅니다.

20 가설이 맞으면 결론을 이끌어 내고, 가설이 틀리면 가설을 수정하여 다시 탐구합니다.

2. 지구와 달의 운동

개념 확인하기   8쪽

1 ⓒ   **2** ②   **3** ⓒ
4 ⓒ   **5** ⓒ

개념 확인하기   9쪽

1 ⓒ   **2** ⓒ   **3** ⓒ
4 ⓒ   **5** ⓒ

실력 평가   10~11쪽

1 ⓒ 태양 ⓒ 지구   **2** ⓒ 서 ⓒ 동   **3** 예 서
4 ④   **5** ⑤   **6** 예 서쪽에서 동쪽
7 (1) ⓒ (2) ⓒ   **8** ⓒ   **9** ③   **10** ⓒ

1 하루 동안 지구의 운동과 태양의 위치 변화 관계를 알아보는 실험에서 전등 빛은 태양, 지구본은 지구, 투명 반구는 관찰자 모형이 바라본 하늘을 나타냅니다.

2 지구본 위 관찰자 모형의 위치에서는 전등 빛이 동쪽 지평선에서 떠오르기 시작하여 남쪽 하늘을 지나 서쪽 지평선으로 지는 것처럼 보입니다.

3 지구본 위 관찰자 모형의 위치에서는 전등 빛이 동쪽에서 남쪽을 지나 서쪽으로 움직이는 것처럼 보입니다.

> **더 알아보기**
>
> **히루 동안 태양의 위치 변화**
> 하루 동안 태양은 동쪽 지평선에서 떠오르고 시간이 지남에 따라 태양의 높이는 점점 높아지다가 낮아지며, 이후 서쪽 지평선으로 집니다.
>
>

4 지구가 자전축을 중심으로 하루에 한 바퀴씩 회전하는 것을 지구의 자전이라고 합니다.

5 하루 동안 태양, 달, 별이 동쪽에서 서쪽으로 움직이는 것처럼 보이는 까닭은 지구가 서쪽에서 동쪽으로 자전하기 때문입니다.

6 회전의자에 앉은 친구는 지구를 나타내므로, 회전의자를 지구의 자전 방향인 서쪽에서 동쪽으로 회전시킵니다.

7 관측자 모형이 전등 빛을 받을 때가 낮이고, 전등 빛을 받지 못할 때가 밤입니다.

8 지구본에 전등 빛이 비치는 곳(ⓒ)은 낮이고, 전등 빛이 비치지 않는 곳(ⓒ)은 밤입니다.

9 지구본을 회전시키면 낮과 밤이 번갈아 나타납니다. 낮이었던 지역은 밤이 되고, 밤이었던 지역은 낮이 됩니다.

10 지구가 하루에 한 바퀴씩 자전하면서 태양 빛을 받는 쪽과 태양 빛을 받지 못하는 쪽이 생기기 때문에 낮과 밤이 생깁니다.

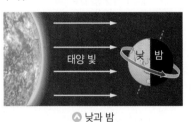

🔺 낮과 밤

개념 확인하기   12쪽

1 ⓒ   **2** ⓒ   **3** ⓒ
4 ⓒ   **5** ⓒ

개념 확인하기   13쪽

1 ⓒ   **2** ⓒ   **3** ⓒ
4 ⓒ   **5** ②

실력 평가   14~15쪽

1 ⓒ   **2** (1) 페가수스자리 (2) 사자자리   **3** ④
4 공전   **5** 소연   **6** ⓒ   **7** ④
8 ⓒ 예 동 ⓒ 예 서   **9** (1) ⓒ (2) ⓒ (3) ⓒ
10 ⓒ   ⓒ

1 ㉠은 봄철의 대표적인 별자리 모습이고, ㉡은 가을철의 대표적인 별자리 모습입니다.

2 지구가 ㉣ 위치에 있을 때는 페가수스자리가 가장 잘 보이고, 사자자리는 전등(태양)과 같은 방향이어서 볼 수 없습니다.

3 지구본을 사람과 전등 사이에 두고, 지구본을 서쪽에서 동쪽으로 회전시켜야 합니다.

4 지구가 태양을 중심으로 일 년에 한 바퀴씩 서쪽에서 동쪽으로 회전하는 것을 지구의 공전이라고 합니다.

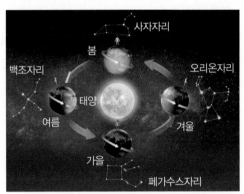

⬆ 지구의 공전에 따른 계절별 별자리의 변화

5 낮과 밤이 생기고, 하루 동안 별이 동쪽에서 서쪽으로 움직이는 것처럼 보이는 것은 지구의 자전으로 나타나는 현상입니다.

6 지구가 태양 주위를 공전하면서 계절에 따라 지구의 위치가 달라지고, 그 위치에 따라 밤에 보이는 별자리가 달라지기 때문에 계절에 따라 보이는 별자리가 달라집니다.

7 겨울철에는 여름철 별자리가 태양과 같은 방향에 있어 태양 빛 때문에 볼 수가 없습니다.

8 여러 날 동안 같은 시각에 달을 관찰하면 달의 모양은 날마다 달라지고, 달의 위치도 서쪽에서 동쪽으로 달라집니다.

9 (1)은 상현달, (2)는 초승달, (3)은 그믐달의 모습입니다.

> **더 알아보기**
>
> **달을 볼 수 있는 시기**
> • 초승달: 음력 2~3일 무렵
> • 상현달: 음력 7~8일 무렵
> • 보름달: 음력 15일 무렵
> • 하현달: 음력 22~23일 무렵
> • 그믐달: 음력 27~28일 무렵

10 초승달은 눈썹 모양이고, 하현달은 왼쪽이 볼록한 반달 모양입니다.

서술형·논술형 평가   **16**쪽

1 (1) 서
(2) 태양이 뜨는 방향: 동쪽, 태양이 지는 방향: 서쪽
(3) ⑩ 지구가 서쪽에서 동쪽으로 자전하기 때문이다.
2 (1) ㉡ (2) ⑩ 일 년(1년)
(3) ⑩ 계절에 상관없이 보이는 천체의 모습이 같다.
3 보름달, ⑩ 약 30일 후에 다시 보름달을 볼 수 있다.

1 실제로 태양은 움직이지 않지만, 지구가 서쪽에서 동쪽으로 자전하기 때문에 태양이 동쪽에서 서쪽으로 움직이는 것처럼 보입니다.

채점 기준		
(1)	'서'를 씀.	2점
(2)	태양이 뜨는 방향은 '동쪽', 태양이 지는 방향은 '서쪽'을 모두 정확히 씀.	4점
	태양이 뜨는 방향과 태양이 지는 방향 중 한 가지만 정확히 씀.	2점
(3)	**정답 키워드** 서쪽 → 동쪽 | 자전 등 '지구가 서쪽에서 동쪽으로 자전하기 때문이다.' 등의 내용을 정확히 씀.	6점
	'지구가 자전하기 때문이다.' 등과 같이 '서쪽 → 동쪽'의 방향을 쓰지 못함.	3점

2 지구가 태양 주위를 공전하기 때문에 계절에 따라 지구의 위치가 달라지고, 그 위치에 따라 보이는 천체의 모습이 다릅니다.

채점 기준		
(1)	'㉡'을 씀.	2점
(2)	'일 년' 또는 '1년' 이라고 씀.	2점
(3)	**정답 키워드** 천체 | 같다 등 '계절에 상관없이 보이는 천체의 모습이 같다.' 등의 내용을 정확히 씀.	8점
	지구가 공전하지 않을 때 나타나는 현상을 썼지만, 표현이 부족함.	4점

3 여러 날 동안 달의 모양은 약 30일을 주기로 변하므로 오늘 밤에 보름달을 보았다면 약 30일 후에 다시 보름달을 볼 수 있습니다.

채점 기준	
정답 키워드 보름달 | 약 30일 후 '보름달'을 쓰고, '약 30일 후에 다시 보름달을 볼 수 있다.' 등의 내용을 정확히 씀.	8점
'보름달'을 쓰고, 다시 보름달을 볼 수 있는 시기에 대해 썼지만, 표현이 부족함.	4점

온라인 학습 단원평가의 **정답**과 함께 **문항 분석**도 확인하세요.

문항 번호	정답	평가 내용	난이도
		단원평가 　　　17~19쪽	
1	④	하루 동안 태양과 달의 위치 변화 알기	쉬움
2	③	하루 동안 보름달이 움직인 방향 알기	쉬움
3	⑤	하루 동안 지구의 운동과 태양의 위치 변화 관계 알기	보통
4	②	하루 동안 지구의 운동과 태양의 위치 변화 관계 실험에서 전등이 의미하는 것 알기	쉬움
5	③	관찰자 모형에서 전등 빛이 이동하는 것처럼 보이는 방향 알기	보통
6	⑤	지구의 자전 알기	보통
7	①	지구의 자전 방향 알기	보통
8	④	지구의 자전 주기 알기	쉬움
9	④	태양이 움직이는 것처럼 보이는 까닭 알기	보통
10	④	낮과 밤이 생기는 까닭 알기	어려움
11	④	낮과 밤의 특징 알기	보통
12	④	겨울철의 대표적인 별자리 알기	어려움
13	③	계절별 대표적인 별자리의 특징 알기	보통
14	③	지구의 공전 뜻 알기	쉬움
15	⑤	지구의 공전 주기 알기	쉬움
16	④	계절에 따라 보이는 별자리가 달라지는 까닭 알기	어려움
17	②	여러 날 동안 관찰되는 달의 모양 변화 알기	보통
18	①	여러 날 동안 저녁 7시 무렵에 보이는 달의 모양과 위치 변화 알기	보통
19	⑤	그믐달을 볼 수 있는 시기 알기	어려움
20	③	하현달의 특징 알기	보통

1 동쪽 하늘에 있던 태양은 시간이 지남에 따라 남쪽 하늘을 지나 서쪽 하늘로 움직입니다.

2 달은 동쪽 하늘에서 남쪽 하늘을 지나 서쪽 하늘로 움직이는 것처럼 보입니다.

3 이 실험은 하루 동안 지구의 운동과 태양의 위치 변화 관계를 알아보기 위한 실험입니다.

4 실험에서 전등 빛은 태양, 지구본은 지구, 투명 반구는 관찰자 모형이 바라본 하늘을 나타냅니다.

5 지구본을 서쪽에서 동쪽으로 회전시키면 전등 빛은 동쪽에서 서쪽으로 움직이는 것처럼 보입니다.

6 지구가 자전축을 중심으로 하루에 한 바퀴씩 서쪽에서 동쪽(시계 반대 방향)으로 회전하는 것을 지구의 자전이라고 합니다.

7 지구는 서쪽에서 동쪽으로 자전합니다.

8 지구는 하루에 한 바퀴씩 자전합니다.

9 지구가 자전하기 때문에 하루 동안 태양이 움직이는 것처럼 보입니다.

10 관측자 모형이 붙어 있는 위치는 전등 빛을 받고 있으므로 현재 낮입니다.

11 지구가 하루에 한 바퀴씩 자전하기 때문에 낮과 밤이 하루에 한 번씩 번갈아 나타납니다.

12 겨울철의 대표적인 별자리에는 쌍둥이자리, 오리온자리, 큰개자리 등이 있습니다.

13 별자리는 한 계절에만 보이는 것이 아니라 두 계절이나 세 계절에 걸쳐 보입니다.

14 지구는 태양을 중심으로 공전합니다.

15 지구는 일 년에 한 바퀴씩 공전합니다.

16 지구가 태양 주위를 공전하면서 계절에 따라 지구의 위치가 달라지기 때문에 그 위치에 따라 밤에 보이는 별자리가 달라집니다.

17 달이 15일 동안 점점 커지다가 보름달이 되면 이후 15일 동안 점점 작아집니다.

18 여러 날 동안 같은 시각에 관측한 달의 위치는 서쪽에서 동쪽으로 날마다 조금씩 옮겨가면서 그 모양도 달라집니다.

19 그믐달은 음력 27~28일 무렵에 볼 수 있습니다.

20 보름달은 음력 15일 무렵에 볼 수 있고, 하현달은 음력 22~23일 무렵에 볼 수 있습니다.

3. 여러 가지 기체

온라인 학습북
17
~
27
쪽

개념 확인하기
20쪽

1 ㉡ 2 ㉡ 3 ㉡
4 ㉢ 5 ㉡

개념 확인하기
21쪽

1 ㉣ 2 ㉠ 3 ㉡
4 ㉠ 5 ㉠

실력 평가
22~23쪽

1 ③ 2 경은 3 고무관, ㄱ자 유리관 4 산소
5 ㉡ 6 ㉡ 7 ㉢, ㉡, ㉠, ㉣ 8 ①
9 ㉠ 금속 ㉡ 석회수 10 ④, ⑤

1 ㉢은 가지 달린 삼각 플라스크입니다.

2 콕은 닫힌 상태로 장치를 꾸며야 하며, ㄱ자 유리관을 집기병 안으로 너무 깊이 넣지 않습니다.

3 가지 달린 삼각 플라스크의 가지 부분에는 고무관을 끼우고, 반대쪽 끝은 ㄱ자 유리관을 연결합니다.

4 묽은 과산화 수소수와 이산화 망가니즈가 만나 산소를 발생시킵니다.

5 가지 달린 삼각 플라스크 안에서 기포가 발생합니다.

> **왜 틀렸을까?**
> ㉠ 집기병 안에서는 불꽃이 발생하지 않으며, ㄱ자 유리관 끝부분에서 기포가 하나둘씩 나옵니다.
> ㉡ 콕 깔때기는 콕을 돌려 묽은 과산화 수소수의 양을 조절하는 역할을 하며, 펑 소리는 나지 않습니다.

6 산소는 연료를 태울 때 이용되고, 이산화 탄소는 소화기의 재료로 이용됩니다.

> **더 알아보기**
> **산소의 이용** 예

⬆ 산소 호흡 장치   ⬆ 산소통

7 물과 탄산수소 나트륨이 들어있는 가지 달린 삼각 플라스크에 진한 식초를 부어 이산화 탄소를 발생시킬 수 있습니다.

8 이산화 탄소가 든 집기병에 향불을 넣으면 향불의 불꽃이 꺼집니다.

> **왜 틀렸을까?**
> ② 이산화 탄소가 석회수를 뿌옇게 만든다는 것을 확인하기 위한 방법입니다.
> ③ 이산화 탄소의 색깔을 확인하기 위한 방법입니다.
> ④ 이산화 탄소가 든 집기병에 향불을 넣을 때에는 집기병을 흔들지 않습니다.
> ⑤ 이산화 탄소의 냄새를 확인하기 위한 방법입니다.

9 산소는 철이나 구리와 같은 금속을 녹슬게 하며, 이산화 탄소는 석회수를 뿌옇게 만듭니다.

10 금속을 자르거나 붙일 때, 산소통 등으로 이용되는 것은 산소입니다.

개념 확인하기
24쪽

1 ㉡ 2 ㉠ 3 ㉠
4 ㉡ 5 ㉠

개념 확인하기
25쪽

1 ㉡ 2 ㉠ 3 ㉠
4 ㉡ 5 ㉠

실력 평가
26~27쪽

1 ㉡ 2 ㉢ 3 예 줄어든다 4 ③
5 (1) ㉡ (2) ㉠ 6 뜨거운, 늘어나 7 요한
8 (1) ○ (2) × (3) × 9 ㉢ 10 ②, ⑤

1 액체가 담긴 주사기에 압력을 가하면 부피가 거의 변하지 않습니다. 기체가 담긴 주사기에 압력을 가하면 부피가 줄어듭니다.

> **왜 틀렸을까?**
> ㉠ 피스톤을 세게 눌러도 피스톤이 잘 들어가지 않는 것으로 보아 액체는 압력을 받아도 부피가 거의 변하지 않습니다.

2 기체에 압력을 약하게 가하면 부피가 조금 줄어듭니다. 기체에 압력을 세게 가하면 부피가 많이 줄어듭니다.

3 압력에 따른 기체의 부피 변화의 예입니다. 기체에 압력을 가하면 기체의 부피가 줄어듭니다.

4 피스톤을 누르면 주사기에 들어있는 공기의 부피가 작아집니다.

5 삼각 플라스크의 입구에 고무풍선을 씌운 다음 뜨거운 물이 담긴 수조에 넣으면 고무풍선이 부풀어 오르고, 차가운 물이 담긴 수조에 넣으면 고무풍선이 오므라듭니다.

6 온도가 높아지면 기체의 부피가 늘어납니다.

탁구공
뜨거운 물

⊙ 찌그러진 탁구공을 뜨거운 물에 넣으면 탁구공 안 기체의 부피가 늘어나 찌그러진 부분이 펴짐.

7 온도가 낮아짐에 따른 기체의 부피 변화의 예입니다. 마개를 닫은 빈 페트병을 냉장고 안에 넣으면 페트병 속 기체의 부피가 줄어들어 페트병이 찌그러집니다.

8 조명 기구나 광고에 이용되는 것은 네온에 대한 설명입니다. 매우 가벼우며 환경을 오염하지 않고 전기를 만들 수 있는 것은 수소에 대한 설명입니다.

> **왜 틀렸을까?**
> ② 산소는 가정용 산소 발생기, 금속을 자르거나 붙일 때 등에 이용됩니다.
> ③ 메테인은 음식을 조리하거나 실내를 따뜻하게 하기 위해 이용됩니다.

9 이산화 탄소는 딸기와 같은 식물을 키우는 데 이용됩니다.

> **더 알아보기**
> **여러 가지 기체의 이용**
> • 산소는 금속을 자르거나 붙일 때, 연료를 태울 때 등에 이용됩니다.
> • 수소는 환경을 오염하지 않고 전기를 만드는 데 이용됩니다.
>
>
> ⊙ 연료를 태울 때   ⊙ 전기를 생산할 때

10 ㉠은 질소, ㉡은 헬륨이며 두 기체 모두 색깔이 없습니다. 소화기나 소화제의 재료로 이용되는 것은 이산화 탄소입니다.

> **서술형·논술형 평가** **28**쪽
>
> **1** (1) 핀치 집게
> (2) 예 물, 오일
> (3) 예 ㄱ자 유리관을 집기병 속으로 너무 깊이 넣지 않는다.
> **2** (1) (나)
> (2) ㉠ 예 조금 작아진다. ㉡ 예 변하지 않는다.
> (3) 예 하늘을 나는 비행기 안에서 과자 봉지는 땅에서보다 더 많이 부풀어 오른다. 바닷속에서 잠수부가 내뿜는 공기 방울은 물 표면으로 올라갈수록 커진다. 등

1 짧은 고무관을 끼운 깔때기를 스탠드의 링에 설치하고, 고무관에 핀치 집게를 끼웁니다. 고무마개에 유리관을 끼울 때에는 실험용 장갑을 끼고 고무마개에 물을 묻힌 뒤에 살살 돌려 가며 끼웁니다. 기체를 모을 때 ㄱ자 유리관을 집기병 속으로 너무 깊이 넣지 않도록 합니다.

채점 기준

(1)	'핀치 집게'를 정확히 씀.	2점
(2)	'물', '오일' 등의 내용을 정확히 씀.	2점
(3)	'ㄱ자 유리관을 집기병 속으로 너무 깊이 넣지 않는다.' 등의 내용을 정확히 씀.	6점
	ㄱ자 유리관을 집기병 입구에 둘 때의 주의점을 썼지만, 표현이 부족함.	3점

2 공기 40 mL를 넣은 주사기의 입구를 손가락으로 막고 피스톤을 세게 누르면 피스톤이 많이 들어갑니다. 액체는 압력을 약하게 가하거나 세게 가해도 부피가 변하지 않습니다.

채점 기준

(1)	'(나)'를 씀.	2점
(2)	**정답 키워드** 조금 | 변하지 않는다 등 ㉠에는 '조금 작아진다.', ㉡에는 '변하지 않는다.' 등의 내용을 모두 정확히 씀.	4점
	㉠과 ㉡ 중 한 가지만 정확히 씀.	2점
(3)	**정답 키워드** 비행기 | 과자 봉지 | 잠수부 | 공기 방울 등 '하늘을 나는 비행기 안에서 과자 봉지는 땅에서보다 더 많이 부풀어 오른다.', '바닷속에서 잠수부가 내뿜는 공기 방울은 물 표면으로 올라갈수록 커진다.' 등의 내용을 정확히 씀.	6점
	생활 속에서 기체에 압력을 가할 때 기체의 부피가 변하는 예를 썼지만, 표현이 부족함.	3점

단원평가

문항 번호	정답	평가 내용	난이도
1	③	콕 깔때기가 하는 역할 알기	보통
2	②	기체 발생 장치를 꾸밀 때 필요한 실험 기구 알기	쉬움
3	③	기체 발생 장치를 통해 산소가 발생했을 때의 모습 알기	보통
4	④	산소의 특징 알기	쉬움
5	⑤	산소의 냄새 알기	쉬움
6	⑤	산소의 색깔 알기	쉬움
7	④	이산화 탄소를 발생시키기 위한 물질 알기	어려움
8	⑤	이산화 탄소의 발생 과정 알기	어려움
9	②	이산화 탄소에 향불을 넣었을 때의 변화 알기	보통
10	①	이산화 탄소의 성질 알기	보통
11	③	압력에 따른 기체의 부피 변화 알기	보통
12	⑤	압력에 따른 액체의 부피 변화 알기	보통
13	③	압력에 따른 기체의 부피 변화의 예 알기	어려움
14	④	온도에 따른 고무풍선의 부피 변화 알기	어려움
15	②	온도에 따른 기체의 부피 변화 알기	보통
16	②	온도에 따른 기체의 부피 변화의 예 알기	보통
17	⑤	우리 생활에 산소가 이용되는 예 알기	보통
18	③	우리 생활에 이산화 탄소가 이용되는 예 알기	보통
19	①	질소의 색깔과 냄새 알기	쉬움
20	④	우리 생활에 네온이 이용되는 예 알기	쉬움

1 콕은 깔때기에 넣은 액체를 아래로 조금씩 흘려 보내는 역할을 합니다.

2 기체 발생 장치를 꾸밀 때에는 깔때기, 고무관, 고무마개, 가지 달린 삼각 플라스크, ㄱ자 유리관, 수조, 집기병 등이 필요합니다.

3 산소가 발생할 때 가지 달린 삼각 플라스크 안에서는 기포가 발생하고, ㄱ자 유리관 끝부분에서는 기포가 하나둘씩 나옵니다.

4 사람이 호흡할 때에 산소가 반드시 필요합니다.

5 손으로 바람을 일으켜 산소의 냄새를 맡을 수 있습니다.

6 산소는 색깔과 냄새가 없습니다.

7 진한 식초와 탄산수소 나트륨이 만나 반응하면 이산화 탄소가 발생합니다.

8 ㄱ자 유리관 끝부분에서 기포가 하나둘씩 나오며, ㄱ자 유리관을 집기병 입구 가까이에 넣고 이산화 탄소를 모읍니다.

9 이산화 탄소에 향불을 넣으면 향불의 불꽃이 꺼지며, 이산화 탄소는 다른 물질이 타는 것을 막는 성질이 있습니다.

10 ③ 공기의 대부분을 차지하는 것은 질소와 산소입니다. ②, ④, ⑤는 산소의 성질입니다.

11 기체에 압력을 가하면 기체의 부피가 작아집니다.

12 액체는 압력을 받아도 부피가 거의 변하지 않습니다.

13 잠수부가 내뿜는 공기 방울은 물 표면으로 올라갈수록 압력이 낮아져 크기가 커집니다.

14 온도가 높아지면 기체의 부피는 커지고, 온도가 낮아지면 기체의 부피는 작아집니다.

15 기체의 부피는 온도가 높아지면 늘어나고, 온도가 낮아지면 줄어듭니다.

16 온도 변화에 따라 기체의 부피가 변하는 예입니다.

17 산소는 금속을 자르거나 붙일 때, 가정용 산소 발생기 등에 이용됩니다.

18 풍선을 띄울 때 이용되는 기체는 헬륨입니다.

19 질소는 색깔과 냄새가 없습니다.

20 네온은 광고나 조명 기구 등에 이용됩니다.

4. 식물의 구조와 기능

개념 확인하기
32쪽

1 ⓒ 2 ⓒ 3 ⓒ 4 ㉠ 5 ㉠

개념 확인하기
33쪽

1 ㉠ 2 ⓒ 3 ㉠ 4 ㉠ 5 ⓒ

실력 평가
34~35쪽

1 생물 2 ① 3 ㉣ 4 ③, ④ 5 ⑤
6 ⓒ 7 ② 8 아영 9 ㉠ 10 ⑤

1 세포는 생물을 구성하는 기본 단위입니다.

2 식물뿐만 아니라 다른 생물도 세포로 되어 있습니다.

3 세포는 크기가 매우 작아 맨눈으로 관찰하기 어려우므로 광학 현미경을 사용하여 확대해서 관찰해야 합니다.

4 ㉠은 세포의 핵으로, 세포의 정보를 저장하고 생명 활동을 조절합니다.

5 ⓒ은 세포벽으로, 동물 세포에는 없습니다.

> **더 알아보기**
>
> **세포의 각 부분**
> • 핵: 세포 안에 있습니다.
> • 세포막: 세포를 둘러싸고 있습니다.
> • 세포벽: 식물 세포의 세포막 바깥쪽을 둘러싸고 있지만, 동물 세포는 세포벽이 없습니다.
>
>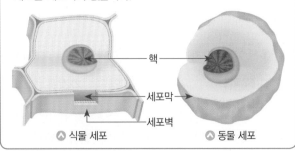
> ⬆ 식물 세포   ⬆ 동물 세포

6 뿌리의 흡수 기능을 알아보기 위한 실험입니다.

7 당근은 뿌리에 양분을 저장합니다.

8 나팔꽃의 줄기는 다른 물체를 감아 올라가며 자라고, 소나무의 줄기는 굵고 곧게 자랍니다.

⬆ 다른 물체를 감아 올라가며 자람.   ⬆ 굵고 곧게 자람.   ⬆ 땅 위를 기는 듯이 뻗어 나가며 자람.

9 붉은 색소 물에 백합 줄기를 4시간 동안 넣어 두면 백합 줄기의 단면에 붉은 색소 물이 든 부분이 나타납니다.

10 줄기는 물이 이동하는 통로 역할을 하여 식물 전체로 물을 전달합니다.

> **더 알아보기**
>
> **백합 줄기에서의 물의 이동**
>
>  ➡ 4시간 후
>
> 붉은 색소 물에 백합 줄기를 넣고 4시간 후에 백합 줄기를 관찰하면 줄기뿐만 아니라 꽃과 잎도 붉게 물들어 있습니다. 물은 줄기에 있는 통로로 이동하고, 줄기는 물을 식물 전체로 전달한다는 것을 알 수 있습니다.

개념 확인하기
36쪽

1 ㉠ 2 ⓒ 3 ⓒ 4 ⓒ 5 ㉠

개념 확인하기
37쪽

1 ㉣ 2 ⓒ 3 ⓒ 4 ㉠ 5 ⓒ

실력 평가
38~39쪽

1 ⓒ 2 ① 3 ⓒ 4 ② 5 ⓒ
6 ⑤ 7 꽃가루 8 ⓒ 9 ② 10 ④

1 알루미늄 포일을 씌운 잎은 빛을 받지 못하고, 알루미늄 포일을 씌우지 않은 잎은 빛을 받을 수 있습니다.

2 청람색으로 변한 ㉠의 잎에서만 녹말이 만들어졌습니다.

3 식물이 빛과 이산화 탄소, 뿌리에서 흡수한 물을 이용하여 스스로 양분을 만드는 것을 광합성이라고 합니다.

△ 잎에서 일어나는 광합성

4 광합성은 식물이 스스로 양분을 만드는 과정으로, 광합성을 할 때는 빛, 물, 이산화 탄소가 필요합니다.

5 잎에 도달한 물은 광합성에 이용되고, 나머지는 대부분 잎의 기공을 통해 식물 밖으로 빠져나갑니다.

6 ①은 열매, ②는 꽃잎, ③은 꽃받침, ④는 수술이 하는 일입니다.

> **더 알아보기**
>
> **꽃의 각 부분이 하는 일**
>
>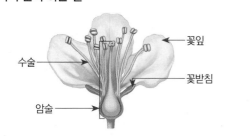
>
> • 암술: 꽃가루받이를 거쳐 씨를 만듭니다.
> • 수술: 꽃가루를 만듭니다.
> • 꽃잎: 암술과 수술을 보호합니다.
> • 꽃받침: 꽃잎을 보호합니다.

7 수술에서 만들어진 꽃가루는 암술에 붙어 꽃가루받이가 이루어집니다.

8 열매는 씨와 씨를 둘러싼 껍질 부분으로 되어 있으며, 어린 씨를 보호하고 씨가 익으면 멀리 퍼뜨리는 역할을 합니다.

9 꽃이 피고 꽃가루받이가 이루어진 후에 암술 속에 씨가 생기고, 씨가 자라면서 암술이 함께 자라 열매가 됩니다.

10 졸참나무의 씨(도토리)는 작은 동물이 옮겨서 퍼집니다.

> **왜 틀렸을까?**
>
> ① 콩의 씨는 스스로 터져서 퍼집니다.
> ② 연꽃의 씨는 물에 실려서 퍼집니다.
> ③ 단풍나무의 씨는 바람에 날려서 퍼집니다.

1 (1) 고추, 강아지풀

(2) 뿌리털

(3) 예 뿌리가 땅속으로 뻗어 식물을 지지하기 때문이다.

2 (1) 물

(2) 가로, 세로

(3) 예 줄기는 물이 이동하는 통로 역할을 한다.

3 예 연꽃은 물에 실려서 씨가 퍼지고, 도깨비바늘은 동물의 털이나 사람의 옷에 붙어서 씨가 퍼진다.

1 고추의 뿌리는 굵고 곧은 뿌리에 가는 뿌리들이 나 있고 강아지풀의 뿌리는 굵기가 비슷한 뿌리가 여러 가닥으로 수염처럼 나 있습니다. 뿌리털은 뿌리의 표피 세포의 일부가 가늘고 길게 변형된 것으로, 뿌리가 물을 더 잘 흡수할 수 있도록 해 줍니다. 뿌리는 식물을 지지합니다.

채점 기준

(1)	'고추'와 '강아지풀'을 순서대로 ○표함.	4점
(2)	'뿌리털'을 정확히 씀.	2점
(3)	**정답 키워드** 뿌리 ∣ 지지 등 '뿌리가 땅속으로 뻗어 식물을 지지하기 때문이다.'와 같이 내용을 정확히 씀.	6점
	식물이 강한 바람에도 잘 쓰러지지 않는 까닭을 썼지만, 표현이 정확하지 않음.	3점

2 줄기는 물이 이동하는 통로 역할을 하여 뿌리에서 흡수한 물이 줄기를 거쳐 식물 전체로 이동합니다.

채점 기준

(1)	'물'을 정확히 씀.	2점
(2)	'가로'와 '세로'를 순서대로 ○표함.	4점
(3)	**정답 키워드** 줄기 ∣ 물 ∣ 통로 등 '줄기는 물이 이동하는 통로 역할을 한다.'와 같이 내용을 정확히 씀.	6점
	실험으로 알게 된 식물 줄기의 기능을 썼지만, 표현이 정확하지 않음.	3점

3 연꽃은 물에 실려서, 도깨비바늘은 동물의 털이나 사람의 옷에 붙어서 씨가 퍼집니다.

채점 기준

정답 키워드 연꽃 – 물에 실린다 ∣ 도깨비바늘 – 동물의 털이나 사람의 옷에 붙는다 등 '연꽃은 물에 실려서 씨가 퍼지고, 도깨비바늘은 동물의 털이나 사람의 옷에 붙어서 씨가 퍼진다.'와 같이 내용을 정확히 씀.	8점
연꽃과 도깨비바늘의 씨가 퍼지는 방법 중에서 한 가지만 정확히 씀.	4점

온라인 학습북 **32~40**쪽

온라인 학습 단원평가의 **정답**과 함께 **문항 분석**도 확인하세요.

단원평가

41~43쪽

문항 번호	정답	평가 내용	난이도
1	①	세포의 특징 알기	쉬움
2	④	식물 세포의 특징 알기	쉬움
3	②	식물 세포와 동물 세포의 공통점과 차이점 알기	보통
4	⑤	뿌리의 흡수 기능을 알아보는 실험의 결과 알기	어려움
5	②	뿌리를 이용한 실험의 목적 알기	쉬움
6	④	뿌리털의 기능 알기	쉬움
7	④	양분을 저장하는 뿌리의 기능 알기	어려움
8	⑤	붉은 색소 물에 넣어 둔 백합 줄기 단면의 모습 알기	어려움
9	①	줄기가 하는 일 알기	보통
10	②	광합성을 통해 만들어지는 것 알기	보통
11	⑤	식물 밖으로 물을 내보내는 잎의 기능 알기	어려움
12	③	실험과 관계있는 잎의 작용 알기	보통
13	④	꽃의 구조 알기	보통
14	②	수술이 하는 일 알기	쉬움
15	③	암술이 하는 일 알기	쉬움
16	②	새에 의해 꽃가루받이가 이루어지는 식물 알기	보통
17	④	사과나무의 꽃가루받이를 돕는 것 알기	보통
18	④	열매의 특징 알기	보통
19	⑤	동물의 털이나 사람의 옷에 붙어서 씨가 퍼지는 식물 알기	보통
20	③	바람에 날려서 씨가 퍼지는 식물 알기	보통

1 세포는 생물을 이루는 기본 단위로, 모양이 다양하고 대부분 크기가 매우 작아 맨눈으로 보기 어렵습니다.

2 식물 세포는 세포막과 세포벽으로 둘러싸여 있고 그 안에 핵이 있습니다.

3 식물 세포인 ㉠은 핵, 세포막, 세포벽 등으로 이루어져 있고, 동물 세포인 ㉡은 핵, 세포막 등으로 이루어져 있습니다. 식물 세포와 동물 세포 모두 크기가 작아 맨눈으로 관찰하기 어렵습니다.

4 뿌리를 자른 양파 쪽 비커의 물은 거의 줄어들지 않고, 뿌리를 자르지 않은 양파 쪽 비커의 물은 많이 줄어듭니다.

5 뿌리가 물을 흡수하는 기능을 가지고 있음을 알아보기 위한 실험입니다.

6 뿌리 표면에 솜털처럼 작고 가는 뿌리털이 나 있어서 물을 많이 흡수할 수 있습니다.

7 고구마와 당근의 뿌리는 잎에서 만든 양분을 저장하는 저장 기능이 있어 굵고 단맛이 납니다.

8 백합 줄기 단면에 붉은 색소 물이 든 부분이 나타납니다.

9 줄기는 잎이나 꽃 등을 받쳐 식물을 지지합니다.

10 식물은 광합성을 통해 양분을 만듭니다.

11 잎이 있는 모종에 씌운 비닐봉지 안에만 물이 생깁니다.

12 잎에 도달한 물이 기공을 통해 식물 밖으로 빠져나가는 것을 증산 작용이라고 합니다.

13 ㉠은 꽃잎, ㉡은 암술, ㉢은 수술, ㉣은 꽃받침입니다.

14 꽃의 수술에서 꽃가루를 만듭니다.

15 암술에서 꽃가루받이를 거쳐 씨를 만듭니다.

16 벼는 바람에 의해, 연꽃과 코스모스는 곤충에 의해 꽃가루받이가 이루어집니다.

17 사과나무는 곤충에 의해 꽃가루받이가 이루어집니다.

18 열매는 동물, 바람, 물 등의 도움을 받아 이동하거나 스스로 터져서 씨를 멀리 퍼지게 합니다.

19 씨가 동물의 털이나 사람의 옷에 붙어서 퍼지는 식물에는 도꼬마리, 도깨비바늘 등이 있습니다.

20 바람에 날려서 씨가 퍼지는 식물에는 단풍나무, 민들레 등이 있습니다.

5. 빛과 렌즈

온라인 학습북 41~51쪽

개념 확인하기 44쪽

1 ㉡	2 ㉢	3 ㉡	4 ㉠	5 ㉠

개념 확인하기 45쪽

1 ㉡	2 ㉡	3 ㉠	4 ㉢	5 ㉠

실력 평가 46~47쪽

1 투명, 있습니다.	2 ⑤	3 ㉮ 여러 가지 색의 빛
4 ㉡	5 ㈏	6 ㉢	7 ②	8 ㉡
9 ㉠, ㉢	10 ⑤			

1 ㉠은 유리나 플라스틱 등으로 만든 투명한 삼각기둥 모양의 프리즘입니다.

2 프리즘을 통과한 햇빛은 흰 도화지에 여러 가지 색의 빛으로 나타납니다.

3 햇빛이 프리즘을 통과하면 여러 가지 색의 빛으로 나타나는 것을 통해 햇빛은 여러 가지 색의 빛으로 이루어져 있음을 알 수 있습니다.

4 폭포 주변이나 비가 내린 뒤 볼 수 있는 무지개는 햇빛이 여러 가지 색의 빛으로 이루어졌기 때문에 나타나는 현상입니다.

5 빛이 공기 중에서 물로 비스듬히 나아갈 때 공기와 물의 경계에서 꺾입니다.

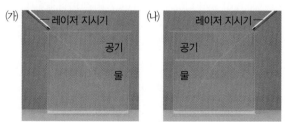

6 레이저 지시기의 빛을 수면에 수직으로 비추면 빛이 공기와 물의 경계에서 꺾이지 않고 그대로 나아갑니다.

7 레이저 지시기의 빛을 유리에 수직으로 비추면 빛이 두 물질의 경계에서 꺾이지 않고 그대로 나아가고, 비스듬하게 비추면 공기와 유리의 경계에서 꺾여 나아갑니다.

8 빛은 공기와 유리의 경계에서 굴절합니다.

9 물을 부으면 실제 동전의 위치가 바뀌는 것이 아니라 동전에서 출발한 빛이 물과 공기의 경계에서 굴절하여 눈에 들어오기 때문에 물속에 있는 동전의 모습은 실제와 다른 위치에 있는 것처럼 보입니다.

▲ 동전에서 온 빛의 경로

10 물에 잠긴 물체를 옆과 위에서 보면 실제와 다른 위치에 있는 것처럼 보입니다.

> **더 알아보기**
>
> **물에 잠긴 물체를 옆과 위에서 관찰하기**
>
>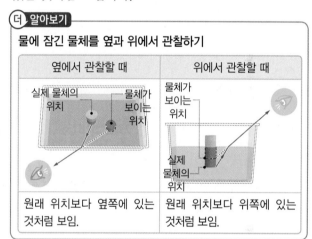
>
> | 옆에서 관찰할 때 | 위에서 관찰할 때 |
> | --- | --- |
> | 원래 위치보다 옆쪽에 있는 것처럼 보임. | 원래 위치보다 위쪽에 있는 것처럼 보임. |

개념 확인하기 48쪽

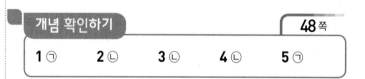

1 ㉠	2 ㉡	3 ㉡	4 ㉡	5 ㉠

개념 확인하기 49쪽

1 ㉢	2 ㉠	3 ㉠	4 ㉠	5 ㉡

실력 평가 50~51쪽

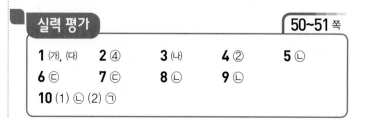

1 ㈎, ㈐	2 ④	3 ㈏	4 ②	5 ㉡
6 ㉢	7 ㉢	8 ㉡	9 ㉡	
10 (1) ㉡ (2) ㉠				

1 ㈎, ㈐는 렌즈의 가운데 부분이 가장자리보다 두껍습니다.

> **더 알아보기**
>
> ㈎: 평면 볼록 렌즈라고 하고, 한쪽 면은 평면이고 다른 쪽 면은 볼록한 렌즈입니다.
>
> ㈐: 양면 볼록 렌즈라고 하고, 양쪽 면이 모두 볼록 렌즈입니다.

2 ㈏, ㈑는 렌즈의 가장자리가 가운데 부분보다 두꺼운 모양이고, 오목 렌즈라고 합니다.

3 공기 중에서 곧게 나아가던 레이저 빛이 볼록 렌즈의 가장자리를 통과하면 빛은 두꺼운 가운데 부분으로 꺾여 나아가고, 레이저 빛이 렌즈의 가운데 부분을 통과하면 빛은 꺾이지 않고 그대로 나아갑니다.

4 빛은 공기 중에서 나아가다가 볼록 렌즈를 통과하면 볼록 렌즈의 두꺼운 가운데 부분으로 굴절하여 한곳에 모입니다.

5 평면 유리와 흰 종이 사이의 거리에 상관없이 햇빛이 만든 원의 모습은 변화가 없습니다.

> **왜 틀렸을까?**
>
> **평면 유리를 통과한 햇빛이 만든 원의 모습**
>
> | 구분 | 평면 유리와 흰 종이 사이의 거리 | | |
> |---|---|---|---|
> | | 가까울 때 | 중간일 때 | 멀 때 |
> | 원의 모습 | ㉠ ◯ | ㉡ ◯ | ㉢ ◯ |
>
> ➡ 평면 유리는 햇빛을 모을 수 없어서 원의 크기와 원 안의 밝기가 변하지 않습니다.

6 볼록 렌즈로 햇빛을 모은 곳은 주변보다 온도가 높기 때문에 종이를 태워 그림을 그릴 수 있습니다.

7 볼록 렌즈를 붙여 만든 간이 확대경으로 물체를 관찰하면 물체가 실제보다 크게 보입니다.

8 가운데 부분이 가장자리보다 두껍고 투명한 물체는 볼록 렌즈의 구실을 할 수 있습니다.

9 간이 사진기에 있는 볼록 렌즈에서 빛이 굴절하여 상하좌우가 바뀐 물체의 모습이 투사지에 맺힙니다.

△ 간이 사진기의 원리

10 망원경은 멀리 있는 물체를 확대할 때 쓰이고, 현미경은 작은 물체를 확대할 때 쓰입니다.

> **서술형·논술형 평가** 52쪽

1 (1) 프리즘
(2) 예 여러 가지
(3) 예 햇빛은 여러 가지 빛깔로 이루어져 있다.

2 (1) 다르다.
(2) ㉠ 굴절 ㉡ 다른
(3) 예 공기와 물의 경계에서 빛이 굴절하기 때문이다.

3 예 투명하고, 가운데 부분이 가장자리보다 두꺼워 빛을 굴절시키기 때문이다.

1 햇빛이 하얀색 도화지에 여러 가지 빛깔로 나타난 모습을 통해 햇빛은 여러 가지 빛깔로 이루어져 있음을 알 수 있습니다.

> **채점 기준**
>
> | | | |
> |---|---|---|
> | (1) | '프리즘'을 정확히 씀. | 2점 |
> | (2) | '여러 가지'라고 정확히 씀. | 2점 |
> | (3) | **정답 키워드** 햇빛 \| 빛깔
'햇빛은 여러 가지 빛깔로 이루어져 있다.' 등의 내용을 정확히 씀. | 6점 |
> | | 실험 결과를 통해 알게 된 햇빛의 특징을 썼지만, 표현이 부족함. | 3점 |

2 물속에 있는 물체의 모습이 실제 모습과 다르게 보이는 까닭은 공기와 물의 경계에서 빛이 굴절하기 때문입니다.

> **채점 기준**
>
> | | | |
> |---|---|---|
> | (1) | '다르다.'라고 정확히 씀. | 2점 |
> | (2) | ㉠에는 '굴절', ㉡에는 '다른' 등의 내용을 모두 정확히 씀. | 4점 |
> | | ㉠과 ㉡ 중 한 가지만 정확히 씀. | 2점 |
> | (3) | **정답 키워드** 경계 \| 굴절
'공기와 물의 경계에서 빛이 굴절하기 때문이다.' 등의 내용을 정확히 씀. | 6점 |
> | | '빛이 꺾여 나아가기 때문이다.'와 같이 경계에 대한 언급 없이 간단히 씀. | 3점 |

3 볼록 렌즈의 구실을 하는 물체는 빛을 통과시킬 수 있고, 가운데 부분이 가장자리보다 두꺼운 특징이 있습니다.

> **채점 기준**
>
> | | |
> |---|---|
> | **정답 키워드** 가운데 부분 \| 두껍다 \| 빛 \| 굴절 등
'투명하고, 가운데 부분이 가장자리보다 두꺼워 빛을 굴절시키기 때문이다.' 등의 내용을 정확히 씀. | 8점 |
> | '빛을 굴절시키기 때문이다.'와 같이 렌즈의 특징에 대한 언급 없이 간단히 씀. | 4점 |

온라인 학습 단원평가의 **정답**과 함께 **문항 분석**도 확인하세요.

단원평가

53~55쪽

문항 번호	정답	평가 내용	난이도
1	④	프리즘 알기	쉬움
2	①	프리즘을 통과한 햇빛의 특징 알기	보통
3	②	빛이 공기와 유리의 경계에서 나아가는 모습 알기	어려움
4	④	빛이 공기와 물의 경계에서 나아가는 모습 알기	보통
5	③	빛이 굴절할 수 있는 상황 알기	어려움
6	③	물속에 있는 물체가 실제와 다르게 보이는 까닭 알기	보통
7	③	빛과 관련된 상황 알기	어려움
8	②	볼록 렌즈의 모양 알기	쉬움
9	②	볼록 렌즈의 특징 알기	쉬움
10	④	빛이 볼록 렌즈를 통과할 때 나아가는 모습 알기	보통
11	②	볼록 렌즈와 평면 유리의 차이점 알기	보통
12	⑤	볼록 렌즈로 물체를 관찰한 결과 알기	보통
13	④	볼록 렌즈의 구실을 하는 물체의 공통점 알기	보통
14	①	간이 사진기를 만들 때 필요한 준비물 알기	쉬움
15	⑤	간이 사진기로 본 물체의 모습 알기	보통
16	④	간이 사진기로 본 물체의 모습이 실제와 다르게 보이는 까닭 알기	어려움
17	③	볼록 렌즈를 이용한 기구 알기	쉬움
18	③	망원경의 쓰임새 알기	보통
19	②	확대경에 이용된 볼록 렌즈의 성질 알기	쉬움
20	③	볼록 렌즈를 사용했을 때 좋은 점 알기	보통

1 프리즘은 유리나 플라스틱 등으로 만든 투명한 삼각기둥 모양의 기구입니다.

2 투명한 물체의 비스듬한 부분을 통과한 햇빛이 닿는 곳에 하얀색 도화지를 놓으면 여러 가지 빛깔이 나타납니다.

3 빛을 유리에 비스듬하게 비추면 빛이 공기와 유리의 경계에서 꺾여 나아갑니다.

4 한 물질에서 진행하던 빛이 다른 물질로 비스듬히 들어갈 때 두 물질의 경계에서 빛은 굴절합니다.

5 빛의 굴절은 빛이 서로 다른 물질을 통과할 때 두 물질의 경계에서 꺾여 나아가는 현상입니다.

6 물속에 있는 젓가락은 빛의 굴절 때문에 실제보다 떠올라 보이므로 꺾여 보입니다.

7 공기 중에서 나아가던 레이저 지시기의 빛이 물을 만나면 아래로 꺾입니다.

8 렌즈의 가운데 부분이 가장자리보다 더 두꺼우면 볼록 렌즈입니다.

9 볼록 렌즈는 투명한 물질로 만들어졌고, 가운데 부분이 가장자리보다 두꺼우며 돋보기안경을 만드는 데 사용되어 물체를 크게 보이게 합니다.

10 빛이 공기 중에서 나아가다가 볼록 렌즈를 통과하면 볼록 렌즈의 두꺼운 쪽으로 굴절하여 한곳으로 모입니다.

11 볼록 렌즈로 햇빛을 모은 곳은 주변보다 밝기가 밝고, 온도가 높습니다.

12 볼록 렌즈는 빛을 굴절시키기 때문에 볼록 렌즈로 물체를 보면 실제 모습과 다르게 보입니다.

13 볼록 렌즈의 구실을 하는 물체는 투명하여 빛을 통과시킬 수 있고, 가운데 부분이 가장자리보다 두껍습니다.

14 간이 사진기를 만들 때는 볼록 렌즈, 투사지, 셀로판테이프, 간이 사진기 전개도 등이 필요합니다.

15 간이 사진기로 본 물체의 모습은 실제 모습과 다르고, 상하좌우가 바뀌어 보입니다.

16 간이 사진기에 있는 볼록 렌즈에서 빛이 굴절하여 스크린(투사지)에 상하좌우가 바뀐 물체의 모습을 만듭니다.

17 쌍안경은 멀리 있는 물체를 크게 보이게 합니다.

18 망원경은 멀리 있는 물체를 확대할 때 쓰입니다.

19 확대경은 가까이 있는 물체를 크게 보이게 하는 볼록 렌즈의 성질을 이용한 기구입니다.

20 우리 생활에서 볼록 렌즈의 성질을 이용해 여러 가지 기구를 만들어 사용할 수 있습니다.

온라인 학습 단원평가의 **정답**과 함께 **문항 분석**도 확인하세요.

단원평가 전체 범위

56~59쪽

문항 번호	정답	평가 내용	난이도
1	④	하루 동안 태양의 위치 변화	보통
2	③	지구의 자전으로 나타나는 변화 알기	쉬움
3	①	지구의 공전 방향 알기	쉬움
4	②	달의 위치와 모양 관측 결과 알기	어려움
5	⑤	그믐달을 볼 수 있는 시기 알기	보통
6	⑤	기체 발생 장치를 꾸미는 방법 알기	어려움
7	②	산소의 색깔을 관찰하는 방법 알기	쉬움
8	⑤	압력에 따른 기체의 부피 변화 알기	어려움
9	④	온도에 따른 기체의 부피 변화 알기	보통
10	③	질소의 이용 알기	쉬움
11	④	식물 세포와 동물 세포의 공통점 알기	보통
12	①	뿌리의 흡수 기능 알기	보통
13	③	줄기의 생김새 알기	보통
14	③	광합성의 특징 알기	어려움
15	④	물에 의해 꽃가루받이가 이루어지는 식물 알기	보통
16	⑤	햇빛을 프리즘에 통과시킬 때 필요한 실험 조건 알기	쉬움
17	②	빛이 굴절하여 나타나는 모습 알기	보통
18	①	확대경으로 관찰했을 때의 결과 알기	쉬움
19	④	공기와 물의 경계에서 발생하는 빛의 굴절 알기	보통
20	②	돋보기안경의 이용 알기	보통

1 태양은 동쪽에서 떠서 남쪽 하늘을 지나 서쪽 방향으로 집니다.

2 지구가 자전하기 때문에 하루 동안 달의 위치가 달라지는 것처럼 보입니다.

3 지구가 태양을 중심으로 일 년에 한 바퀴씩 서쪽에서 동쪽으로 회전하는 것을 지구의 공전이라고 합니다.

4 여러 날 동안 같은 시각에 본 달은 서쪽에서 동쪽으로 날마다 조금씩 위치를 옮겨가고, 모양도 초승달에서 상현달, 보름달로 변합니다.

5 그믐달은 음력 27~28일 무렵에 관찰할 수 있습니다.

6 콕은 닫힌 상태인 지면과 수평한 상태로 장치를 꾸밉니다.

7 산소의 색깔을 관찰할 때 산소가 든 집기병 뒤에 흰 종이를 대고 색깔을 관찰합니다.

8 비행기 안의 압력은 땅보다 하늘에서 더 낮습니다.

9 온도가 높아지면 기체의 부피는 늘어나고, 온도가 낮아지면 기체의 부피는 줄어듭니다.

10 질소는 과자 봉지의 충전재로 이용됩니다.

11 식물 세포와 동물 세포 모두 핵과 세포막이 있습니다. 핵은 세포의 정보를 저장하는 역할을 합니다.

12 ㉠ 비커의 물 높이가 처음보다 낮아지며 뿌리가 물을 흡수하는 것을 알 수 있습니다.

13 감자는 양분을 저장하는 줄기, 소나무는 곧은줄기, 나팔꽃은 감는줄기, 딸기는 기는줄기를 가지고 있습니다.

14 식물의 온도를 조절하는 역할을 하는 것은 증산 작용입니다.

15 코스모스는 곤충, 벼는 바람, 동백나무는 새에 의해 꽃가루받이가 이루어집니다.

16 햇빛이 여러 가지 색의 빛으로 이루어져 있다는 것을 알기 위한 실험이므로 햇빛이 필요합니다.

17 빛을 수면에 비스듬하게 비추면 빛이 공기와 물의 경계에서 꺾여 나아갑니다.

18 볼록 렌즈를 이용한 확대경으로 곤충을 보면 크게 보입니다.

19 컵에 물을 부으면 동전에서 출발한 빛이 물 밖으로 나올 때 물과 공기의 경계에서 굴절하여 눈에 들어옵니다.

20 돋보기안경은 작은 물체나 글씨를 크게 보이게 할 때 사용합니다.

나는 그 누구보다도 실수를 많이 한다.
그리고 그 실수들 대부분에서
특허를 받아낸다.

I make more mistakes than anybody
and get a patent from those mistakes.

토마스 에디슨

실수는 '이제 난 안돼, 끝났어'라는 의미가 아니에요.
성공에 한 발자국 가까이 다가갔으니, 더 도전해보면 성공할 수 있다는
메시지랍니다. 그러니 실수를 두려워하지 마세요.

정답은
이안에
있어!

최고를 꿈꾸는 아이들의 수준 높은 상위권 문제집!

중상위
심화서

최상위
심화서

4

11종 공통

4 3·15 부정 선거 소식이 알려지자 국민들이 한 일은 어느 것입니까? (   )

① 선거 결과에 무관심했다.

② 지방 자치제 도입을 요구했다.

③ 이승만을 대통령으로 인정했다.

④ 부정 선거에 항의하며 시위했다.

⑤ 대통령 직선제의 내용을 담아 헌법을 고칠 것을 요구했다.

서술형·논술형 문제

11종 공통

5 다음은 김주열 학생의 죽음에 대한 내용입니다.

> 1960년 4월 11일, [   ] 시위 도중 실종된 김주열 학생이 [   ] 앞바다에서 죽은 채 발견되었습니다.

(1) 위 [   ] 안에 공통으로 들어갈 장소를 **보기** 에서 찾아 쓰시오.

> **보기**
> • 마산   • 인천   • 부산   • 강릉

(   )

(2) 김주열 학생이 죽은 채 발견된 것을 알게 된 시민들이 한 일을 쓰시오.

_____

_____

11종 공통

6 4·19 혁명과 관련 있는 사진이 <u>아닌</u> 것은 어느 것입니까? (   )

①
부정 선거는 무효다!

②
1인 독재 물러가라!

③
계엄군은 철수해라!

④
학생의 피에 보답하라!

11종 공통

7 4·19 혁명 당시 시민들이 요구했던 것을 **보기** 에서 찾아 기호를 쓰시오.

> **보기**
> ㉠ 재선거
> ㉡ 경제 발전
> ㉢ 이승만 정권의 유지

(   )

11종 공통

8 4·19 혁명의 과정에 대한 설명으로 알맞은 것에 ○표를 하시오.

(1) 전국적으로 시위가 거세지자 이승만이 대통령 자리에서 물러났습니다. (   )

(2) 대학교수들이 시위하는 모습을 시민들이 보고 전국에서 시위가 시작되었습니다. (   )

금성출판사, 김영사, 비상교과서, 아이스크림 미디어

9 4·19 혁명 당시 초등학생들도 시위에 나섰던 까닭을 바르게 말한 어린이를 쓰시오.

> 나후: 이승만이 대통령 자리에서 물러났기 때문이에요.
> 준서: 어른들이 시위에 참여하라고 강요했기 때문이에요.
> 가람: 경찰이 쏜 총에 초등학생이 맞아 숨졌기 때문이에요.

(   )

11종 공통

10 4·19 혁명의 의의로 알맞은 것은 어느 것입니까? (   )

① 대통령 간선제를 도입하게 되었다.

② 4·19 혁명 이후에 독재 정치가 사라졌다.

③ 시민들의 힘으로 독재 정권을 무너뜨렸다.

④ 정치인들만의 노력으로 민주주의를 되찾았다.

⑤ 정부와 시민들이 평화적으로 합의하여 이승만 정권을 유지하게 되었다.

11종 검정 교과서 단원 평가

❷ 5·16 군사 정변과 5·18 민주화 운동

1 5·16 군사 정변을 주도한 사람은 누구입니까?

( )

① 전두환 　② 이승만 　③ 박정희
④ 김주열 　⑤ 노태우

핵심 정리

🌰 박정희 정부와 독재 정치

① 5·16 군사 정변: 4·19 혁명 이후 박정희를 중심으로 한 일부 군인들이 군사 정변을 일으켜 정권을 잡았습니다.

② 유신 헌법의 내용　　　　　　미래엔, 지학사

대통령 임기	임기를 6년으로 늘리고, 대통령을 여러 번 할 수 있게 함.
대통령 선출 방법	통일 주체 국민 회의에서 뽑게 함.
국회의원 선출 방법	국회의원의 3분의 1도 통일 주체 국민 회의에서 뽑게 함.

③ 새로운 군인 세력(신군부)의 등장: 박정희가 죽은 후 전두환이 중심이 된 새로운 군인 세력이 권력을 장악했고, 시민들은 민주화를 요구하며 시위를 했습니다.

🌰 5·18 민주화 운동의 전개

① 1980년 5월, 전라남도 광주에서 대규모 시위가 일어나자 정부는 계엄군을 투입하여 시위를 진압했습니다.

② 정부는 신문과 방송을 통제하여 국민들이 광주에서 일어나는 일을 알지 못하도록 하였습니다.
아이스크림 미디어, 지학사

시위를 진압하는 계엄군의 폭력에 많은 시민이 죽거나 다쳤다.	➡	계엄군은 광주 시민들을 구하려고 폭력적인 무리들을 진압했다.
🔺 검열 전 신문		🔺 검열 후 신문

🌰 5·18 민주화 운동의 의의

① 광주 시민들은 스스로 질서와 치안을 유지하고, 다친 사람들을 위해 헌혈을 하기도 했습니다.

다친 사람들을 위해 헌혈할게요.

② 우리나라 민주화 운동의 밑바탕이 되었으며, 세계 여러 나라의 민주화 운동에도 많은 영향을 끼쳤습니다.

---

2 통일 주체 국민 회의에 대해 바르게 말한 어린이를 쓰시오.

> 지윤: 이승만 정부 때 통일 주체 국민 회의를 만들었어요.
> 선주: 통일 주체 국민 회의에서 국회의원을 뽑기도 했어요.
> 훈희: 통일 주체 국민 회의를 통해 대통령 직선제를 실현할 수 있었어요.

( )

3 다음과 같은 내용을 담고 있는 헌법을 쓰시오.

> • 대통령의 임기를 6년으로 늘린다.
> • 대통령을 여러 번 할 수 있다.
> • 대통령은 통일 주체 국민 회의에서 간선제로 뽑는다.

( )

4 박정희 정부가 한 일을 두 가지 고르시오.

(,)

① 3·15 부정 선거를 계획했다.
② 남성의 머리카락 길이를 단속했다.
③ 국민의 기본적인 권리를 제한했다.
④ 5·18 민주화 운동을 폭력적으로 진압했다.
⑤ 시민들의 요구로 인해 스스로 정권에서 물러났다.

5 박정희가 죽은 후 권력을 장악한 세력을 보기 에서 찾아 기호를 쓰시오.

금성출판사, 김영사, 비상교과서

보기
　㉠ 계엄군　　　　㉡ 신군부
　㉢ 이익 단체　　　㉣ 시민 단체

(　　　　　　　　)

6 다음 사진과 관련하여 □ 안에 들어갈 알맞은 말은 어느 것입니까? (　　　)

11종 공통

　5·18 민주화 운동 당시 시민들은 가족의 안전, 자유와 민주주의를 지키기 위해 □□□을/를 결성했습니다.

① 정당　　　　　　② 계엄군
③ 시민군　　　　　④ 주민 자치회
⑤ 지방 자치 단체

7 5·18 민주화 운동 당시 정부가 한 일은 어느 것입니까? (　　　)

11종 공통

① 다친 시민들을 보살폈다.
② 시민들을 폭력으로 진압했다.
③ 시민들에게 음식을 나누어 주었다.
④ 학생들과 협상을 통해 문제를 해결했다.
⑤ 해외 언론사에 광주 시민들의 노력을 알렸다.

8 다음은 1980년 5월에 발간된 검열 전, 후의 신문 기사입니다.

서술형·논술형 문제　　　　아이스크림 미디어, 지학사

㉠	㉡
시위를 진압하는 계엄군의 폭력에 많은 시민이 죽거나 다쳤다.	계엄군은 광주 시민들을 구하려고 폭력적인 무리들을 진압했다.

(1) 위에서 검열 후의 신문 기사를 찾아 기호를 쓰시오.

(　　　　　　　　)

(2) 위와 같이 신문 기사를 검열한 까닭을 쓰시오.

_____

_____

9 5·18 민주화 운동 당시 광주 시민들의 모습으로 알맞지 <u>않은</u> 것은 어느 것입니까? (　　　)

11종 공통

① 다친 사람들을 치료해 주었다.
② 주먹밥을 만들어 나누어 주었다.
③ 다친 사람들을 위해 헌혈을 했다.
④ 광주를 빠져나가기 위해 노력했다.
⑤ 스스로 질서를 유지하기 위해 노력했다.

10 5·18 민주화 운동의 의의를 바르게 말한 어린이를 쓰시오.

11종 공통

지아: 민주주의를 지키려는 정부의 의지를 보여 주었어요.
보현: 시민들은 더 이상 민주화 운동을 하지 않게 되었어요.
채윤: 세계 여러 나라의 민주화 운동에 많은 영향을 끼쳤어요.

(　　　　　　　　)

❸ 6월 민주 항쟁과 민주주의의 발전

핵심 정리

🐚 6월 민주 항쟁의 전개

교학사, 금성출판사, 김영사

> **1** 박종철이 경찰의 고문을 받다 사망함. ➡ **2** 전두환 정부가 헌법을 유지하겠다는 호헌 조치를 발표함. ➡ **3** 이한열이 사망하고, 전국적으로 대규모 시위가 일어남. ➡ **4** 노태우가 6·29 민주화 선언을 발표함.

🐚 6월 민주 항쟁 이후 민주주의의 발전

① 6월 민주 항쟁 이후 대통령 직선제로 선출된 대통령

천재교과서, 금성출판사, 김영사, 미래엔, 비상교과서, 비상교육

1988년	1993년	1998년	2003년
제13대 노태우	제14대 김영삼	제15대 김대중	제16대 노무현

2008년	2013년	2017년	2022년
제17대 이명박	제18대 박근혜	제19대 문재인	제20대 윤석열

② 지방 자치제: 지역 주민이 직접 선출한 지역 대표를 통하여 그 지역의 일을 처리하는 제도입니다. 천재교육

지방 자치제를 통해 지역 문제를 해결한 사례

○○구 주민들의 의견에 따라 ○○구청장, ○○구 의원들이 모여 논의하고 예산을 마련해 옐로 카펫을 만듦.

🔼 옐로 카펫 [출처: 뉴스뱅크]

🐚 시민들의 정치 참여

🔼 선거나 투표

🔼 서명 운동

🔼 시민 단체 활동

1

11종 공통

다음 인물들과 관련 있는 역사적 사건은 어느 것입니까? (　　　)

·박종철	·이한열	·전두환

① 4·19 혁명 　　　② 6·25 전쟁
③ 6월 민주 항쟁 　④ 3·15 부정 선거
⑤ 5·18 민주화 운동

2

11종 공통

다음 [보기]에서 6월 민주 항쟁의 과정 중 가장 마지막에 일어난 일을 찾아 기호를 쓰시오.

보기
ㄱ 전국적으로 대규모 시위가 일어났습니다.
ㄴ 시민들의 민주주의 요구를 받아들이겠다고 발표했습니다.
ㄷ 박종철이 경찰의 고문을 받다가 사망한 사실을 정부가 숨겼습니다.
ㄹ 전두환 정부는 대통령 직선제로 헌법을 바꾸지 않겠다고 발표했습니다.

(　　　　　　　)

3

11종 공통

다음은 6월 민주 항쟁에 참여했던 시민들의 모습입니다. ㈎에 들어갈 말로 알맞은 것은 어느 것입니까? (　　　)

① 독재를 반대한다!
② 계엄군은 물러나라!
③ 부정 선거는 무효다!
④ 유신 헌법을 철폐하라!
⑤ 경제 발전이 시급하다!

4 6월 민주 항쟁에서 시민들이 깨달은 것을 바르게 말한 어린이를 쓰시오.

> 민우: 민주 사회는 시민 스스로 만드는 거예요.
> 지형: 시민은 대통령이 정하는 대로 따라야 해요.
> 나진: 민주주의를 요구할 때 시위를 하는 것은 옳지 않아요.

(   )

11종 공통

5 6·29 민주화 선언에 포함된 내용이 <u>아닌</u> 것은 어느 것입니까? (   )

① 언론의 자유를 보장한다.
② 민주화 운동을 금지한다.
③ 대통령은 국민의 손으로 직접 뽑는다.
④ 인권 침해를 하지 않도록 헌법을 보완한다.
⑤ 지역의 일은 지역 사람들이 결정하고 해결한다.

천재교과서, 금성출판사, 김영사, 미래엔, 비상교과서, 비상교육

6 다음 대통령들의 공통점을 두 가지 고르시오.
(,   )

제13대	제14대	제15대	제16대
노태우	김영삼	김대중	노무현
제17대	제18대	제19대	제20대
이명박	박근혜	문재인	윤석열

① 직선제로 뽑았다.   ② 간선제로 뽑았다.
③ 독재 정치를 했다.   ④ 국회의원들이 뽑았다.
⑤ 6월 민주 항쟁 이후에 대통령이 되었다.

11종 공통

7 지방 자치제에 대한 설명으로 알맞은 것에 ○표를 하시오.

(1) 지역 대표를 지역 주민들이 직접 뽑는 제도입니다.   (   )

(2) 6월 민주 항쟁 이후에 우리나라에서 처음 시행되었습니다.   (   )

📋 **서술형·논술형 문제**   천재교육

8 다음은 ○○구의 지역 문제를 해결한 사례입니다.

○○구 주민들은 구청 누리집에 교통안전시설물 설치를 요청함. → ○○구청 직원들은 현장에 나가 교통안전 문제를 직접 확인함. → 지역 대표들이 모여 교통안전시설물 설치를 논의하고, 예산도 마련해 집행함.

(1) 위와 같은 과정을 통해 ○○구에 만들어진 시설물을 찾아 기호를 쓰시오.

ⓐ    ⓑ
🔺 경사로   🔺 옐로 카펫

(   )

(2) 위 사례에서 지역 문제를 해결한 방법을 지방 자치제의 의미를 포함하여 쓰시오.

_____

_____

11종 공통

9 다음 민주주의의 발전 과정에 대한 설명에서 ( ) 안의 알맞은 말에 ○표를 하시오.

> 6월 민주 항쟁 이후 시민들은 작은 권리를 찾기 위한 활동, 환경을 보호하는 활동, 선거 참여를 장려하는 활동을 하는 등 다양한 (시민운동 / 친목) 단체를 만들어 사회 문제 해결에 나섰습니다.

11종 공통

10 캠페인, 서명 운동, 정당 활동 등의 공통점으로 알맞은 것을 보기 에서 찾아 기호를 쓰시오.

> **보기**
> ⊙ 정치에 참여하는 모습입니다.
> ⊙ 경제활동을 하는 모습입니다.
> ⊙ 오늘날 법으로 금지되어 있는 활동입니다.

(   )

❶ 민주주의의 의미와 중요성

천재교육, 천재교과서, 교학사, 금성출판사, 김영사, 동아출판, 미래엔, 비상교과서, 비상교육

1 정치에 대해 바르게 말한 어린이를 쓰시오.

> 인우: 나랏일을 하는 사람들이 하는 활동만 정치라고 해요.
> 채선: 가족끼리 갈등을 해결하는 과정도 정치라고 할 수 있어요.
> 진하: 우리나라에서 정치 활동을 하는 사람들은 따로 정해져 있어요.

(   )

11종 공통

2 다음 민주네 가족의 대화를 읽고, 바르게 설명하지 <u>않은</u> 것은 어느 것입니까? (   )

> 민주: 저도 스마트폰을 갖고 싶어요. 친구들은 다 갖고 있는데 저만 없어서 속상해요.
> 엄마: 스마트폰을 사기에는 아직 어려서 엄마는 반대해.
> 아빠: 스마트폰이 왜 필요한지 먼저 생각해 보자.

① 서로 생각이 달라서 갈등이 발생했다.
② 부모님은 민주가 원하는 것을 해 주셔야 한다.
③ 정치를 통해 문제를 원만하게 해결할 수 있다.
④ 스마트폰에 대한 의견이 가족 간에 서로 다르다.
⑤ 민주네 가족은 문제를 해결하기 위해 대화를 할 수 있다.

천재교육, 천재교과서, 교학사, 금성출판사, 김영사, 동아출판, 미래엔, 비상교과서, 비상교육

3 넓은 의미의 정치와 좁은 의미의 정치에 해당하는 그림을 바르게 줄로 이으시오.

(1) 넓은 의미 ·

· ㉠
(법률안을 제안합니다.)

(2) 좁은 의미 ·

· ㉡
(층간 소음 문제를 어떻게 해결할까요?)

핵심 정리

🥟 정치

① 의미

천재교육, 천재교과서, 교학사, 금성출판사, 김영사, 동아출판, 미래엔, 비상교과서, 비상교육

좁은 의미	국회의원이 법을 만들고 대통령이나 장관 등이 국가의 중요한 일을 결정하고 처리하는 것
넓은 의미	일상생활에서 서로의 생각이나 입장이 달라서 나타나는 갈등이나 문제를 해결하는 과정

② 사례: 학급에서 짝을 정하는 문제를 해결하는 과정, 지역 문제를 해결하는 과정 등이 있습니다.

🥟 민주주의

① 의미: 국민이 나라의 주인으로서 권리를 지니고, 그 권리를 자유롭고 평등하게 행사하는 정치 형태입니다.

천재교과서, 동아출판

② 민주주의의 시작: 그리스 아테네에서는 국가의 주요 정책을 모든 시민이 참여하는 민회에서 결정했고, 시민들은 추첨을 통하거나 돌아가면서 누구나 공직에 참여할 기회를 얻었습니다.

③ 일상생활에서의 민주주의 예

🔺 학급 회의   🔺 공청회   🔺 시위나 집회

🥟 민주주의의 기본 정신

(우리는 모두 인간으로서 소중한 가치를 지니므로 태어날 때부터 존중받을 권리가 있어요.)

(미래의 직업을 결정할 자유가 있어요.)

(누구나 차별 없이 학교에 다닐 수 있어요.)

인간의 존엄성   자유   평등

4 다음 ( ) 안의 알맞은 말에 ○표를 하시오.

> 나라의 주인으로서 (국민 / 대통령)이 권리를 지니고, 그 권리를 자유롭고 평등하게 행사하는 정치 형태를 민주주의라고 합니다.

11종 공통

5 민주주의와 어울리지 <u>않는</u> 낱말은 어느 것입니까?
( )

① 선거　　② 자유　　③ 평등
④ 투표　　⑤ 독재

11종 공통

6 다음 민주주의에 대한 ○✕ 퀴즈에서 알맞은 답을 한 어린이를 쓰시오.

> (1) 나라의 일을 결정할 때 참여하는 것은 민주주의입니다.
> (2) 왕이나 신분이 높은 사람만 정치에 참여할 수 있는 것이 민주주의입니다.

⬆ 우식　　⬆ 재희

( )

천재교과서, 동아출판

7 고대 그리스의 민주주의에 대한 설명으로 알맞은 것을 보기 에서 찾아 기호를 쓰시오.

> **보기**
> ㉠ 민회에는 정치인들만 참여할 수 있었습니다.
> ㉡ 공직에 한번 오른 사람이 계속 독재를 했습니다.
> ㉢ 그리스 아테네에서 민주주의가 처음 시작되었습니다.

( )

🏫 서술형·논술형 문제　　11종 공통

8 다음 그림을 보고 알 수 있는 민주주의의 특징을 쓰시오.

🔺 가정에서　　🔺 학교에서

11종 공통

9 민주주의의 기본 정신 중 평등에 대해 말하고 있는 어린이는 누구입니까? ( )

① 우리는 모두 소중한 가치를 지녔어.
② 미래의 직업을 내 마음대로 결정할 거야.
③ 이번 여름휴가는 내가 원하는 장소로 갈 거야.
④ 누구나 차별 없이 선거에 참여할 수 있어.

천재교과서

10 다음 민주주의의 기본 정신을 침해하는 모습을 보고, ( ) 안의 알맞은 말에 ○표를 하시오.

나라에서 금지하는 종교를 믿었으니 처벌받을 것이다!

왼쪽 그림은 특정 종교를 믿는 것을 나라에서 금지하는 모습입니다. 이는 민주주의의 기본 정신 중 (평등 / 자유)을/를 침해한 모습입니다.

② 민주주의를 실천하는 태도와 민주적 의사 결정 원리

핵심 정리

🥟 생활 속에서 민주주의를 실천하는 바람직한 태도

관심	공동체의 일에 주의를 기울이는 태도
관용	나와 다른 의견을 인정하고 존중하는 태도
비판적 태도	어떤 사실이나 의견의 옳고 그름을 따져 살펴보는 태도
양보와 타협	서로 배려하고 협의하는 태도
실천	함께 결정한 일을 따르고 행동하는 태도

🥟 민주적 의사 결정 원리

① 대화와 타협 예 ○○ 아파트 생활 소음 문제   천재교육

문제 발생	늦은 밤 세탁기 사용으로 발생하는 생활 소음 때문에 고통받고 있음.
해결 노력	주민 회의를 열어 서로 대화하고 타협하며 의견 차이를 줄여 나감.
문제 해결	주민들이 서로 양보하여 오후 9시까지만 세탁기를 사용하기로 함.

② 다수결의 원칙과 소수 의견 존중

다수결의 원칙	• 다수의 의견이 소수의 의견보다 합리적일 것이라 가정하고 다수의 의견을 채택하는 방법임. • 쉽고 빠르게 문제를 해결할 수 있음.
소수 의견 존중	• 다수결을 사용하면 모든 사람의 의견을 반영하지 못하기 때문에 결정에 앞서 충분한 대화와 토론을 거쳐야 함. • 소수의 의견도 존중하려는 노력이 필요함.

천재교육, 천재교과서, 김영사, 동아출판, 비상교과서, 아이스크림 미디어

🥟 민주적 의사 결정 원리에 따른 문제 해결 과정

> **1** 문제 확인하기 ➡ **2** 문제 발생 원인 파악하기 ➡ **3** 문제 해결 방안 탐색하기 ➡ **4** 문제 해결 방안 결정하기 ➡ **5** 문제 해결 방안 실천하기

11종 공통

1 다음에서 설명하는 민주주의를 실천하는 바람직한 태도는 어느 것입니까? (   )

> 나와 다른 의견을 인정하고 존중하는 태도입니다.

① 관용   ② 실천   ③ 관심
④ 타협   ⑤ 비판

[2~3] 자리를 정하는 문제를 의논하는 라임이네 반의 학급 회의 모습을 보고, 물음에 답하시오.

아침에 일찍 오는 순서로 자리를 정하면 좋겠습니다.
선율

집에서부터 학교까지의 거리가 친구들마다 다르므로 아침에 일찍 오는 순서로 자리를 정하는 것은 불공평합니다.

재욱

키 순서로 자리를 정하면 좋겠습니다.

민준

키가 큰 친구가 일찍 와서 앞에 앉으면 뒤에 있는 사람은 칠판의 글씨가 잘 보이지 않습니다.

라임

11종 공통

2 비판적 태도를 지니고 있는 어린이를 두 명 찾아 이름을 쓰시오.

(,   )

11종 공통

3 위와 같이 공동체의 문제를 해결할 때 지녀야 할 태도로 알맞지 <u>않은</u> 것은 어느 것입니까? (   )

① 공동체의 일에 관심을 가진다.
② 상대방을 배려하고 서로 협의한다.
③ 나와 다른 의견을 인정하고 존중한다.
④ 사실이나 의견의 옳고 그름을 따져 살펴본다.
⑤ 다 함께 결정했더라도 내 의견과 다르면 따르지 않는다.

11종 공통

4 생활 속에서 민주주의를 실천하는 태도로 바람직한 것을 보기에서 모두 찾아 기호를 쓰시오.

보기
㉠ 견제　　　　㉡ 관심
㉢ 양보와 타협　　㉣ 편견과 선입견

(　　　,　　　)

[5~6] 다음 아파트의 주민 회의 모습을 보고, 물음에 답하시오.

주민 1: 요즘 늦은 시간에 세탁기 돌리는 소리가 들려서 도저히 잠을 잘 수 없어요.
주민 2: 저는 퇴근하고 집에 오면 오후 8시라, 늦은 시간에 세탁기를 쓸 수밖에 없어요.
주민 3: 그럼 오후 9시까지 세탁하실 수 있을까요? 그 시간까지는 참을 수 있습니다.
주민 2: 소음으로 고통받는 분들이 계시니 최대한 오후 9시 전에 세탁해 보겠습니다.
주민 대표: 그렇다면 우리 아파트에서는 세탁기를 오후 9시까지만 사용하는 것에 동의하십니까?
주민 1, 2, 3: 예, 동의합니다.

11종 공통

5 위 아파트 주민들이 문제를 해결한 방법으로 알맞은 것은 어느 것입니까? (　　　)

① 서명 운동
② 무시와 고집
③ 강요와 설득
④ 대화와 타협
⑤ 다수결의 원칙

📝 서술형·논술형 문제
11종 공통

6 위 아파트 주민들이 자기주장만을 고집했다면 어떤 문제가 발생했을지 쓰시오.

_____

_____

[7~8] 다음 검색 결과를 보고, 물음에 답하시오.

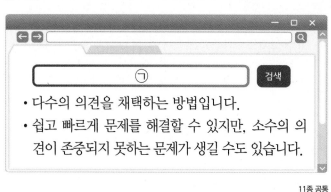

• 다수의 의견을 채택하는 방법입니다.
• 쉽고 빠르게 문제를 해결할 수 있지만, 소수의 의견이 존중되지 못하는 문제가 생길 수도 있습니다.

11종 공통

7 위 ㉠에 들어갈 민주적 의사 결정 원리를 쓰시오.

(　　　　　　)

11종 공통

8 위 ㉠을 사용할 때 주의해야 할 점으로 알맞은 것에 ○표를 하시오.

(1) 가능한 빨리 문제를 해결해야 합니다. (　　　)
(2) 결정에 앞서 충분히 대화하고 토론해야 합니다.
(　　　)

천재교육, 천재교과서, 김영사, 동아출판, 비상교과서, 아이스크림 미디어

9 다음 보기를 민주적 의사 결정 원리에 따라 문제를 해결하는 순서대로 기호를 쓰시오.

보기
㉠ 문제 확인하기
㉡ 문제 해결 방안 실천하기
㉢ 문제 해결 방안 탐색하기
㉣ 문제 해결 방안 결정하기
㉤ 문제 발생 원인 파악하기

㉠ → (　　) → (　　) → (　　) → (　　)

11종 공통

10 학교에서 일어나는 공동의 문제를 해결하는 자세로 알맞은 것은 어느 것입니까? (　　　)

① 민주적 의사 결정을 따른다.
② 소수의 의견을 무조건 따른다.
③ 자기가 속한 학급의 이익만 생각한다.
④ 나와 의견이 다른 친구의 말은 무시한다.
⑤ 모든 사람이 찬성할 때까지 결정을 하지 않는다.

사회

핵심 정리

🐚 민주정치의 기본 원리

국민 주권의 원리	주권이 국민에게 있으며, 나라의 중요한 일을 국민 스스로 결정할 수 있다는 것
권력 분립의 원리	국가 권력을 여러 국가기관이 나누어 맡도록 하는 것
국민 자치의 원리	주권이 있는 국민이 스스로 나라를 다스려야 한다는 것 천재교과서, 아이스크림 미디어
입헌주의의 원리	우리나라 최고의 법인 헌법에 따라 국가기관을 구성하고 국가를 운영하는 것 천재교과서, 아이스크림 미디어

🐚 국회와 국회의원

국회	국민의 대표인 국회의원들로 구성된 국민의 대표 기관
국회의원	임기는 4년이며, 국민이 선거로 뽑음.

⬆ 국회의원들이 일하는 국회 의사당

⬆ 국회 본회의장 모습

🐚 국회가 하는 일

법을 만들거나 고치고 없애기	• 국회는 법을 만들거나 고치고 없애는 일을 함. • 법을 만드는 일은 국민의 대표 기관인 국회가 하는 일 중 가장 중요함.
국정감사하기	나랏일을 하는 공무원에게 궁금한 점을 질문하고, 잘못한 일이 있다면 바로잡도록 요구함.
예산안 심의·확정하기	예산안을 심의하여 확정하고, 정부에서 예산을 제대로 사용했는지 심사함.

1 다음 □ 안에 공통으로 들어갈 알맞은 말은 어느 것입니까? (　　　)

11종 공통

> 국민 주권의 원리는 주권이 □□□에게 있으며, 나라의 중요한 일을 □□□ 스스로 결정할 수 있다는 것입니다.

① 법관　　　　　② 국민
③ 대통령　　　　④ 국무총리
⑤ 국회의원

2 주권이 있는 국민 스스로 나라를 다스려야 한다는 민주정치의 기본 원리를 보기 에서 찾아 기호를 쓰시오.

천재교과서 , 아이스크림 미디어

> **보기**
> ㉠ 입헌주의의 원리
> ㉡ 국민 자치의 원리
> ㉢ 권력 통합의 원리
> ㉣ 권력 분립의 원리

(　　　　　　　)

3 민주정치의 기본 원리로 알맞지 <u>않은</u> 것은 어느 것입니까? (　　　)

천재교과서 , 아이스크림 미디어

① 입헌주의 원리
② 삼심 제도의 원리
③ 국민 자치의 원리
④ 권력 분립의 원리
⑤ 국민 주권의 원리

11종 공통

4 다음에서 설명하는 국가기관을 쓰시오.

> 국민의 대표인 국회의원들로 구성된 국민의 대표 기관입니다.

( )

11종 공통

5 국회의원의 임기는 몇 년입니까? ( )

① 3년   ② 4년   ③ 5년
④ 10년   ⑤ 제한 없음.

11종 공통

6 국회의원에 대한 설명으로 알맞은 것에 ○표를 하시오.

(1) 국민이 선거로 직접 뽑습니다. ( )
(2) 법에 따라 판결을 내리는 일을 합니다. ( )
(3) 만 30세 이상의 대한민국 국민이면 누구나 국회의원이 될 수 있습니다. ( )

📝 **서술형·논술형 문제**

11종 공통

7 다음 그림과 관련하여 국회가 하는 일을 쓰시오.

초등학교 주변에 과속 방지 시설을 설치해야 한다는 여론이 있습니다.

_____

_____

11종 공통

8 다음 ☐ 안에 공통으로 들어갈 알맞은 말을 쓰시오.

> 민주주의 국가에서는 ☐☐이 문제를 해결하는 기준이므로, ☐☐을 만드는 일은 국회가 하는 일 중 가장 중요합니다.

( )

11종 공통

9 국회에서 다음과 같은 일을 하는 까닭으로 알맞은 것은 어느 것입니까? ( )

예산안을 신중히 검토하고 확정해야 합니다.

🔵 예산안 심의 · 확정

① 대통령의 의사를 반영해야 하기 때문에
② 국회에 권력을 집중시킬 수 있기 때문에
③ 정부에서 해야 하는 일이 매우 많기 때문에
④ 국회가 나라 살림을 꾸려 가는 일을 하기 때문에
⑤ 예산의 대부분은 국민이 낸 세금으로 마련되기 때문에

11종 공통

10 국회에서 하는 일로 알맞지 <u>않은</u> 것은 어느 것입니까?

( )

① 법을 만든다.
② 국정감사를 한다.
③ 법을 고치거나 없앤다.
④ 법에 따라 나라 살림을 한다.
⑤ 이미 사용한 예산이 잘 쓰였는지 검토한다.

❷ 정부가 하는 일

🐚 정부가 하는 일

정부의 역할	법에 따라 나라의 살림살이를 맡아 함.
하는 일	법률에 따라 사회질서를 유지하고, 공공시설을 만들고 관리하는 일 등을 함.

🐚 정부 구성

① 대통령과 국무총리

대통령	• 국민이 5년마다 뽑는 정부의 최고 책임자로서 정부를 이끄는 역할을 함. • 외국에 대해 우리나라를 대표함.
국무총리	• 대통령을 도와 정부의 각부를 관리함. • 대통령이 외국을 방문하거나 특별한 이유로 맡은 일을 할 수 없을 때 대통령을 대신함.

② 행정 각부: 하는 일에 따라 여러 개의 부, 처, 청, 그리고 위원회 등으로 구성됩니다.

③ 국무 회의: 정부의 정책을 심의하는 최고의 심의 기관으로 대통령과 국무총리, 국무 위원으로 구성됩니다.

🐚 정부 세종 청사

천재교육, 천재교과서, 교학사, 금성출판사, 김영사, 미래엔, 비상교육, 아이스크림 미디어

① 수도권에 집중된 인구를 분산하고, 국토를 균형 있게 발전시키려고 만든 정부 종합 청사입니다.

② 행정 각부가 모여 있어 많은 공무원들이 일하고 있습니다.

🔺 정부 세종 청사 (세종특별자치시)

🐚 행정 각부에서 하는 일

다른 나라와 협력할 수 있는 정책을 만들어요.
🔺 외교부

질병 예방 계획을 세우고 사회 복지 정책을 마련해요.
🔺 보건 복지부

---

1 법에 따라 나라 살림을 맡아 하는 국가기관은 어디입니까? (   )

① 정부   ② 법원
③ 국회   ④ 헌법 재판소
⑤ 선거 관리 위원회

2 다음 정부의 구성에 대한 설명에서 ☐ 안에 들어갈 알맞은 말을 쓰시오.

> 우리나라 정부는 ☐ 을 중심으로 국무총리와 여러 부, 처, 청, 위원회 등으로 구성되어 있습니다.

(   )

3 정부에서 일하지 않는 사람을 보기 에서 찾아 기호를 쓰시오.

보기
㉠ 판사   ㉡ 국무총리
㉢ 문화재청장   ㉣ 외교부 장관

(   )

4 대통령에 대한 설명으로 알맞은 것을 두 가지 고르시오. (,   )

① 임기는 4년이다.
② 국민이 직접 뽑는다.
③ 국회 의사당에서 일한다.
④ 장관과 국회의원을 임명한다.
⑤ 외국에 대해 우리나라를 대표한다.

[5~6] 다음 그림을 보고, 물음에 답하시오.

11종 공통

5 위 그림에 나타난 정부의 중요한 일이나 정책을 심의하는 기관은 무엇인지 쓰시오.

( )

11종 공통

6 위 **5**번 답에 참석하지 <u>않는</u> 사람은 누구입니까?

( )

① 대통령 　　　　 ② 국무총리
③ 교육부 장관 　 ④ 헌법 재판소장
⑤ 기획 재정부 장관

11종 공통

7 다음 밑줄 친 정부에서 일하는 '이 사람'이 누구인지 쓰시오.

> • <u>이 사람</u>은 대통령을 도와 정부의 각부를 관리합니다.
> • 대통령이 외국을 방문하거나 특별한 이유로 맡은 일을 할 수 없을 때, <u>이 사람</u>이 대통령을 대신해서 나랏일을 합니다.

( )

11종 공통

8 다음과 같은 일을 하는 정부 부서는 어디입니까?

( )

> 다른 나라와 협력할 수 있는 정책을 만듭니다.

① 외교부 　　　　 ② 국방부
③ 환경부 　　　　 ④ 법무부
⑤ 문화재청

11종 공통

9 교육부가 하는 일로 알맞은 것은 어느 것입니까?

( )

① 우리나라의 문화유산을 보호하고 관리한다.
② 국민의 교육 전반에 관한 업무를 맡고 처리한다.
③ 나랏일을 하는 데 필요한 예산을 계획하고 배분한다.
④ 자연환경을 보전하고 환경오염을 방지하는 일을 한다.
⑤ 군사적 위협과 침략으로부터 국가를 지키는 일을 한다.

🗂️ **서술형·논술형 문제** 　　 11종 공통

10 다음 밑줄 친 부분에 들어갈 알맞은 내용을 한 가지만 쓰시오.

_____

_____

11종 검정 교과서 단원평가

❸ 법원이 하는 일

1 법을 적용하여 판단하는 일을 하는 국가기관을 **보기** 에서 찾아 기호를 쓰시오.

> **보기**
> ㉠ 국회   ㉡ 정부
> ㉢ 법원   ㉣ 국무 회의

(   )

2 다음 (   ) 안에 들어갈 알맞은 말에 ○표를 하시오.

> 법원은 법에 따라 (재판 / 투표)을/를 하는 기관입니다. 사람들 사이에 다툼이 생기거나 누군가 억울한 일을 당했을 때 문제를 해결해 줍니다.

3 법원에서 하는 일에 대한 설명으로 알맞지 <u>않은</u> 것은 어느 것입니까? (   )
① 법을 지키지 않은 사람을 처벌한다.
② 사람들 사이의 다툼이나 갈등을 해결해 준다.
③ 국회에서 만든 법에 따라 나라의 살림살이를 맡아 한다.
④ 사회에 피해를 준 사람에게 벌을 주어 사회질서를 바로잡는다.
⑤ 법을 모든 국민에게 공정하게 적용해 국민의 자유와 권리를 보장한다.

4 재판을 진행하고 법에 따라 판결을 내리는 일을 하는 사람은 누구입니까? (   )
① 판사   ② 검사
③ 증인   ④ 변호인
⑤ 피고인

핵심 정리

🦪 법원과 법원 구성

법원	법을 적용하여 판단하는 일을 하는 곳
법원 구성	최고 법원인 대법원과 그 아래의 고등 법원, 지방 법원, 가정 법원 등 각급 법원으로 구성됨. 천재교과서, 아이스크림 미디어, 지학사

🦪 법원이 하는 일
① 사람들 사이의 갈등을 해결합니다.
② 법을 지키지 않은 사람을 처벌합니다.
③ 개인과 국가, 지방 자치 단체 사이에서 생긴 갈등을 해결합니다.

천재교육, 천재교과서, 교학사, 금성출판사, 김영사, 비상교과서, 지학사

검사 사건을 조사하고, 피고인이 범죄를 저질렀는지 판단하고자 법원에 심판을 요구하는 사람

판사 재판을 진행하고 법에 따라 판결 등을 하는 사람

변호인 피고인을 대신해 권리를 주장하며 피고인을 도와주는 사람

증인 사건과 관련하여 자기 경험을 말해 주는 사람

피고인 범죄를 저지른 것으로 의심되어 재판받는 사람

▲ 문제가 되는 사건에 대해 법에 따라 재판을 하는 모습

🦪 공정한 재판을 위한 노력

사법권의 독립	• 법관은 개인적인 의견이 아니라 헌법과 법률에 따라 공정하게 판결해야 함. • 법원은 외부의 간섭이나 영향을 받지 않고 독립적으로 운영되어야 함.
재판 공개	특정한 경우를 제외하고는 모든 재판의 과정과 결과를 공개함.
3심 제도	원칙적으로 한 사건에 대해 급이 다른 법원에서 세 번까지 재판받을 수 있음.

천재교육, 천재교과서, 교학사, 금성출판사,
김영사, 미래엔, 비상교과서, 지학사

5 형사 재판에서 밑줄 친 '김△△ 씨'와 같은 사람을 무엇이라고 하는지 보기 에서 찾아 쓰시오.

> 검사: 라임이네 가족은 가게에서 옷을 훔쳐 달아나는 <u>김△△ 씨</u>를 똑똑히 목격했습니다. 도망치던 <u>김△△ 씨</u>를 목격한 할아버지도 있습니다.

보기
• 판사   • 변호인   • 피고인

(   )

🗂 서술형·논술형 문제   11종 공통

6 다음 그림에 나타난 법원이 하는 일을 쓰시오.

> 절도죄가 인정되어 징역 ○년을 선고합니다.

_____

_____

11종 공통

7 법원이 하는 일로 알맞은 것에 ○표를 하시오.

(1) 국민들의 생활에 필요한 법을 만듭니다.

(   )

(2) 법률이 헌법에 어긋나지 않는지 판단합니다.

(   )

(3) 개인과 국가, 지방 자치 단체 사이에서 생긴 갈등을 해결합니다.

(   )

11종 공통

8 공정한 재판을 위한 노력으로 알맞은 것을 두 가지 고르시오. (,   )

① 법관은 국회의원의 감독을 받는다.
② 재판에서 내려진 판결을 비밀로 한다.
③ 법관은 법을 적용하여 판결을 내린다.
④ 법원은 외부의 영향이나 간섭을 받지 않는다.
⑤ 법관은 법률이 아닌 개인적인 의견에 따라 심판한다.

11종 공통

9 다음과 같은 제도를 시행하는 까닭으로 알맞은 것은 어느 것입니까? (   )

> 우리나라는 특정한 경우를 제외한 모든 재판의 과정과 결과를 공개합니다.

① 대통령에게 보고하기 위해서
② 법원의 일을 줄여 주기 위해서
③ 재판을 빠르게 진행하기 위해서
④ 특정 기업의 이익을 위한 판결을 내리기 위해서
⑤ 억울한 사람이 생기지 않도록 공정하게 재판을 하기 위해서

11종 공통

10 다음 □ 안에 들어갈 알맞은 말을 쓰시오.

> 우리나라는 국민이 공정한 재판을 받을 수 있도록 원칙적으로 한 사건에 대해 급이 다른 법원에서 □ 번까지 재판받을 수 있는 제도를 두고 있습니다.

(   )

사
회

① 가계와 기업이 하는 일과 합리적 선택

핵심 정리

📎 가계와 기업의 경제적 역할

가계	기업
• 기업에 노동력을 제공하고 그 대가로 소득을 얻음. • 소득으로 물건이나 서비스를 소비함.	• 가계에 일자리를 제공함. • 물건이나 서비스를 생산하고 이를 판매하여 이윤을 얻음.

📎 가계와 기업이 만나는 시장

① 시장: 물건이나 서비스를 사려는 사람과 팔려는 사람이 만나서 거래하는 곳입니다.

교학사, 금성출판사, 김영사, 지학사

② 시장에서 이루어지는 가계와 기업의 경제활동

가계	필요한 물건을 더 싸게 사려고 노력함.
기업	더 많은 이윤을 얻으려고 소비자들이 원하는 다양한 물건을 생산함.

📎 가계와 기업의 합리적 선택

① 가계의 합리적 선택: 소득의 범위 안에서 적은 비용으로 가장 큰 만족감을 얻을 수 있도록 선택하는 것입니다.

우선순위 정하기 ▶ 선택 기준 세우기 ▶ 비교·평가하여 선택하기

② 기업의 합리적 선택

• 가장 적은 비용으로 가장 큰 이윤을 얻을 수 있도록 선택함.
• 소비자가 어떤 물건을 좋아하는지 분석하고, 개발하여 최대한 많은 이윤을 얻을 수 있도록 노력함.

11종 공통

1 생산 활동에 참여하여 얻은 소득으로 소비 활동을 하는 경제주체를 [보기]에서 찾아 쓰시오.

> **보기**
> • 가계　　• 기업　　• 시민 단체

(　　　　　　　)

11종 공통

2 경제활동에서 기업이 하는 일로 알맞은 것을 두 가지 고르시오. (　　,　　)

① 생활에 필요한 물건을 만든다.
② 사람들에게 일자리를 제공한다.
③ 생활에 필요한 서비스를 이용한다.
④ 생산에 필요한 노동력을 제공한다.
⑤ 소득으로 생활에 필요한 물건을 구입한다.

11종 공통

3 다음 □ 안에 들어갈 알맞은 말은 어느 것입니까?

(　　　　)

가계와 기업의 경제적 역할

• 가계와 기업은 □□에서 만나서 경제활동을 합니다.
• 가계와 기업이 하는 일은 서로에게 도움이 됩니다.

① 법원　　　　　　② 시장
③ 학교　　　　　　④ 시청
⑤ 행정 복지 센터

4 시장에서 이루어지는 가계와 기업의 경제활동을 바르게 줄로 이으시오.

교학사, 금성출판사, 김영사, 지학사

(1) 가계 •

(2) 기업 •

• ㉠ 필요한 물건을 더 싸게 사려고 노력함.

• ㉡ 더 많은 이윤을 얻기 위해 소비자들이 원하는 물건을 생산함.

5 시장에 대한 설명으로 알맞지 <u>않은</u> 것에 ○표를 하시오.

11종 공통

(1) 시장의 종류는 다양합니다. ( )

(2) 눈으로 볼 수 있는 물건만 사고팝니다. ( )

(3) 물건을 사려는 사람과 팔려는 사람이 모여 거래하는 곳입니다. ( )

6 원하는 물건을 직접 보고 구입할 수 있는 시장은 어느 것입니까? ( )

천재교육, 천재교과서, 교학사, 금성출판사, 김영사, 미래엔, 비상교육, 비상교과서, 지학사

① 주식 시장 ② 전통 시장

③ 인터넷 쇼핑 ④ 일자리 시장

⑤ 부동산 시장

7 가계의 합리적 선택에 대한 설명으로 알맞은 것은 어느 것입니까? ( )

11종 공통

① 소득을 넘어서는 소비를 하는 것이다.

② 유명 상표의 물건을 구입하는 것이다.

③ 디자인이 가장 예쁜 것을 고르는 것이다.

④ 가격이 가장 비싼 물건을 구입하는 것이다.

⑤ 가장 적은 비용으로 큰 만족감을 얻을 수 있도록 소비하는 것이다.

8 컴퓨터를 고를 때 합리적 선택을 하지 <u>않은</u> 어린이를 쓰시오.

11종 공통

재현: 무상 관리 기간이 더 긴 컴퓨터를 골랐어.

혜정: 같은 품질과 성능이라면 가격이 더 비싼 컴퓨터를 골라야겠어.

종규: 화면 크기가 비슷하다면 에너지 사용량이 더 적은 컴퓨터가 좋겠어.

성희: 가격이 조금 더 비싸더라도 디자인이 더 마음에 드는 걸로 골라야겠어.

( )

9 기업이 합리적 선택을 하는 까닭으로 가장 알맞은 것은 어느 것입니까? ( )

11종 공통

① 상품의 판매 가격을 높이기 위해서

② 적은 비용으로 큰 이윤을 얻기 위해서

③ 사람들에게 일자리를 제공하기 위해서

④ 상품의 가격을 마음대로 정하기 위해서

⑤ 나라에서 정해 준 물건을 생산하기 위해서

서술형·논술형 문제

10 다음 그래프를 참고하여 필통을 만드는 기업이 이윤을 늘리기 위해 할 수 있는 일을 쓰시오.

금성출판사, 비상교과서

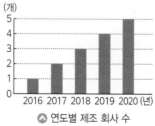

⬆ 연도별 제조 회사 수

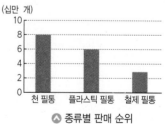

⬆ 종류별 판매 순위

_____

_____

_____

❷ 우리나라 경제의 특징과 바람직한 경제활동

핵심 정리

🐚 우리나라 경제의 특징

① 경제활동의 자유와 경쟁

자유	개인	• 소득을 자유롭게 사용함. • 자신의 능력과 적성에 따라 자유롭게 직업을 선택함.
	기업	• 이윤을 자유롭게 사용함. • 무엇을 얼마나 생산하고 판매할지 자유롭게 결정함.
경쟁	개인	원하는 직업을 얻으려고 다른 사람과 경쟁함.
	기업	우수한 인재를 얻고, 더 많은 이윤을 얻기 위해 다른 기업과 경쟁함.

② 경제활동의 자유와 경쟁이 우리 생활에 주는 도움

드디어 내가 원하는 상품이 새로 나왔네!
⚡ 개인이 다양한 상품을 소비할 수 있음.

우리 매장이 마을에서 처음으로 무료 배달 서비스를 시작했어요.
⚡ 개인이 더 좋은 서비스를 제공받을 수 있음.

할인 행사를 하니 손님이 많이 늘었네! 더 많은 이윤을 얻을 수 있겠어!
⚡ 기업이 많은 이윤을 얻을 수 있음.

🐚 바람직한 경제활동을 위한 노력

① 불공정한 경제활동으로 생기는 문제

거짓·과장 광고	소비자에게 잘못된 상품 정보를 전달하여 소비자가 올바른 선택을 할 수 없음.
독과점	기업들이 상의해서 가격을 올려 소비자는 합리적인 가격에 소비할 수 없음.

② 공정한 경제활동을 위한 정부와 시민 단체의 노력

정부	• 독과점 기업들이 가격을 올리지 못하도록 감시하고 규제함. • 더 많은 기업이 물건을 팔 수 있도록 지원함.
시민 단체	기업의 불공정한 경제활동을 감시하고 정부에 해결을 요구함.

---

1 우리나라 경제의 특징을 두 가지 고르시오.

(,)

① 자유　　② 평등　　③ 경쟁
④ 감시　　⑤ 간섭

11종 공통

2 소득을 자유롭게 사용하는 자유에 해당하는 모습을 두 가지 고르시오. (,)

① 빵집에서 빵을 사는 주부
② 월급의 일부를 저축하는 회사원
③ 원하는 직업을 얻기 위해 노력하는 학생
④ 경쟁에서 앞서기 위해 기술을 발전시키는 기업
⑤ 잘 팔리는 물건의 생산량을 늘리려고 하는 사장

11종 공통

3 다음과 같은 경제의 특징이 우리 생활에 주는 도움으로 알맞은 것은 어느 것입니까? ( )

> 개인은 자신의 능력과 적성에 따라 자유롭게 직업을 선택합니다.

① 소득을 자유롭게 사용할 수 있다.
② 원하는 물건을 모두 가질 수 있다.
③ 소비자는 좋은 서비스를 받을 수 있다.
④ 모든 사람이 똑같은 소득을 얻을 수 있다.
⑤ 하고 싶은 일을 하면서 자신의 능력을 더 잘 발휘할 수 있다.

11종 공통

4 우리나라 경제의 특징과 관련하여, 다음 ☐ 안에 공통으로 들어갈 알맞은 말을 쓰시오.

> 사람들은 원하는 직업을 얻기 위해 다른 사람과 ☐☐하고, 기업은 우수한 인재를 얻기 위해 다른 기업과 ☐☐합니다.

( )

천재교육, 천재교과서, 교학사, 김영사, 동아출판,
비상교과서, 비상교육, 지학사

🗂 서술형·논술형 문제   11종 공통

5 오른쪽 그림과 같이 기업이
다른 기업과 경쟁을 하는
까닭을 쓰시오.

가격을 내렸으니
옆 가게보다 더 많이
팔 수 있을 거야.

─────────────

─────────────

─────────────

11종 공통

6 경제활동에서 기업의 경쟁이 소비자에게 주는 좋은
점을 <u>잘못</u> 말한 어린이를 쓰시오.

> 선율: 품질이 좋은 상품을 살 수 있어.
> 라임: 더 나은 서비스를 받을 수 있어.
> 지혁: 많은 비용으로 큰 만족감을 얻을 수 있어.

(   )

천재교과서

7 다음과 같은 현상이 나타난 까닭은 어느 것입니까?
(   )

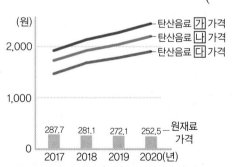

🔺 탄산음료를 독과점한 세 회사의 탄산음료 가격 및 원재료 가격 변화

① 탄산음료를 홍보하지 않기 때문이다.
② 탄산음료의 맛이 좋아졌기 때문이다.
③ 탄산음료 가격을 정부가 정하기 때문이다.
④ 많은 회사에서 탄산음료를 만들기 때문이다.
⑤ 탄산음료를 만드는 세 회사가 가격을 마음대로
올리기 때문이다.

8 불공정한 경제활동으로 생기는 문제와 관련하여, (   )
안의 알맞은 말에 ○표를 하시오.

> 독과점 기업의 가격 인상이나 허위 광고 등과
> 같이 기업들이 공정하지 않은 경제활동을 하면
> 좋지 않은 품질의 상품을 비싼 가격으로 사는
> 등 (생산자 / 소비자)에게 피해를 줄 수도 있
> 습니다.

11종 공통

9 다음과 같은 문제를 해결하기 위해 시민 단체가 할 수
있는 노력으로 알맞은 것에 ○표를 하시오.

> 기업 1: 축구공을 생산하는 기업은 우리 둘뿐이
>   니까 함께 가격을 올립시다.
> 기업 2: 좋습니다. 우리 마음대로 결정합시다.

(1) 다양한 기업이 물건을 만들어 팔 수 있도록 세
금을 줄여줍니다.   (   )
(2) 재판을 통해 공정하지 못한 경제활동을 한 기업
을 처벌합니다.   (   )
(3) 기업의 불공정한 행위를 감시하고 개선하도록
정부에 요구합니다.   (   )

11종 공통

10 정부가 공정한 경제활동을 위해 노력하는 일로 알맞지
<u>않은</u> 것은 어느 것입니까? (   )

① 제품을 만들어 파는 회사의 수를 줄인다.
② 거짓·과장 광고를 하지 못하도록 감시한다.
③ 소수의 기업끼리 상의해 가격을 정하지 못하도록
감시한다.
④ 불공정한 경제활동을 규제할 수 있도록 관련 법
률을 만든다.
⑤ 공정 거래 위원회를 만들어 공정한 경제활동을
할 수 있도록 감시한다.

사
회

11종 검정 교과서 단원평가

핵심 정리

🌏 1950~1980년대 우리나라의 경제 성장 과정

1950년대
- 농업 중심의 산업 구조를 공업 중심의 산업 구조로 변화시키기 위해 노력했음.
- 설탕, 밀가루 등 생활에 필요한 물품을 만드는 소비재 산업이 발전하기 시작했음.

1960년대
- 경제 개발 5개년 계획을 세우고 정유 시설, 발전소, 고속 국도, 항만 등을 건설했음.
- 경공업 제품을 주로 만들어 수출했음.

🔺 신발 공장

1970년대
- 철강·석유 화학·기계·조선 등의 중화학 공업이 발전했음.
- 교육 시설과 연구소 등을 설립했음.
- 1977년에는 수출 100억 달러를 달성했음.

1980년대
- 전자 산업, 기계 산업 등이 발전하였고, 자동차, 텔레비전 등이 주요 수출품으로 자리 잡았음.
- 우리나라의 산업 구조가 경공업에서 중화학 공업 중심으로 변화했음.
- 수출액과 국민 소득이 늘어나 사람들의 생활 수준이 향상됐음.

🔺 자동차 수출

---

1 11종 공통

6·25 전쟁 이후 우리나라의 경제 상황과 관련하여, ☐ 안에 들어갈 알맞은 말을 쓰시오.

> 우리나라는 6·25 전쟁 이후에 농업 중심의 산업 구조를 ☐ 중심의 산업 구조로 변화시키려고 노력했습니다.

(   )

2 11종 공통

1950년대 우리나라의 주요 산업에 대해 바르게 말한 어린이를 쓰시오.

> 현준: 기계, 조선 등의 중화학 공업이 발전했어.
> 슬아: 의류, 신발 등 노동력이 많이 필요한 경공업이 발전했어.
> 민지: 밀가루, 설탕 등 생활에 필요한 물품을 만드는 소비재 산업이 발전했어.

(   )

3 11종 공통

1960년대에 우리나라 경제 발전을 위한 정부의 노력과 관련하여, ☐ 안에 들어갈 알맞은 말을 쓰시오.

> 1962년에 정부는 ☐ 계획을 세우고, 국내에서 생산한 제품을 수출하여 경제를 발전시키려고 했습니다.

(   )

4 1960년대에 경제 성장을 위해 정부가 한 노력을 보기 에서 모두 찾아 기호를 쓰시오.

11종 공통

> **보기**
> ㉠ 제품을 수출하는 기업의 세금을 내려 주었습니다.
> ㉡ 생산에 필요한 에너지 공급을 위해 정유 시설과 발전소 등을 건설했습니다.
> ㉢ 정보화 사회의 경제 발전을 위해 전국에 초고속 정보 통신망을 만들었습니다.

(,)

📝 서술형·논술형 문제

11종 공통

5 1960년대에 다음과 같은 산업이 발달할 수 있었던 까닭을 쓰시오.

⊙ 섬유 산업   ⊙ 신발 산업

[출처: 연합뉴스]

_____

_____

11종 공통

6 1970년대 우리나라의 경제 성장 모습으로 알맞지 않은 것은 어느 것입니까? ( )

① 석유 화학 산업이 발전했다.
② 해외로 대형 선박을 수출했다.
③ 1977년에 수출액 100억 달러를 달성했다.
④ 세계에서 손꼽히는 반도체를 개발·생산했다.
⑤ 높은 기술력을 갖추기 위한 교육 시설과 연구소를 설립했다.

천재교과서, 교학사, 김영사, 미래엔, 비상교과서, 비상교육

7 다음 □ 안에 들어갈 알맞은 말을 두 가지 고르시오.
(,)

> 1970년대에 중화학 공업 중 □이 먼저 발달한 까닭은 제품을 만드는 데 필요한 재료를 만드는 산업이기 때문입니다.

① 철강 산업   ② 관광 산업
③ 신소재 산업   ④ 석유 화학 산업
⑤ 의료 서비스 산업

11종 공통

8 1980년대 우리나라의 주요 수출품으로 알맞은 것은 어느 것입니까? ( )

① 원유   ② 커피   ③ 자동차
④ 반도체   ⑤ 인공 지능

11종 공통

9 다음 ㉠과 ㉡에 들어갈 말이 알맞게 짝 지어진 것은 어느 것입니까? ( )

> 1980년대에 우리나라의 산업 구조가 ㉠에서 ㉡ 중심으로 변화하였고, 세계적으로 인정받는 우수한 제품을 생산할 수 있게 되었습니다.

	㉠	㉡
①	경공업	중화학 공업
②	경공업	소비재 산업
③	소비재 산업	경공업
④	소비재 산업	첨단 산업
⑤	중화학 공업	첨단 산업

11종 공통

10 다음 ( ) 안의 알맞은 말에 ○표를 하시오.

> 1980년대에는 우리나라의 수출과 국민 소득이 빠르게 (증가 / 감소)하여 사람들의 생활 수준이 크게 향상되었습니다.

❷ 1990년대 이후 경제 성장과 사회 모습의 변화

핵심 정리

🌏 1990년대 이후 우리나라의 경제 성장

1990년대	반도체 산업의 발달	1990년대에는 성능이 뛰어난 반도체를 개발·생산하게 되었음.
	초고속 정보 통신 산업의 발달	• 전국에 초고속 정보 통신망을 설치했음. • 정보 통신 기술의 영향으로 방송·은행·쇼핑·관광 산업이 더욱 발전했음.
2000년대 이후		• 우주 항공, 인공 지능(AI), 신소재 산업 등의 첨단 산업이 발달하고 있음. • 관광·의료 등의 다양한 서비스 산업이 발달하고 있음. • 새로운 산업 발달에 힘입어 더욱 성장하면서 국제 사회에서 위상이 높아지고 있음.

△ 우리나라의 첫 번째 우주 발사체인 나로호
[출처: 연합뉴스]

🌏 경제 성장에 따른 사회의 변화

[출처: 국립민속박물관]

△ 1960년대: 흑백텔레비전 보급　　△ 1970년대: 경부 고속 국도의 개통　　△ 1980년대: 컴퓨터의 보급

△ 1990년대: 자가용 자동차의 증가　　△ 2000년대: 고속 철도의 개통　　△ 2010년대: 스마트폰의 보급

➡ 경제가 크게 성장하면서 우리 사회의 모습에도 다양한 변화가 일어났습니다.

11종 공통

1 다음 1990년대 우리나라에 발달한 산업과 관련하여, ☐ 안에 공통으로 들어갈 알맞은 말을 쓰시오.

> • 개인용 컴퓨터와 가전제품의 생산이 늘어나면서 ☐의 중요성이 커졌습니다.
> • 현재 우리나라의 ☐ 산업은 세계적으로 인정받고 있습니다.

(　　　　　　　　)

천재교육, 천재교과서, 교학사, 금성출판사, 김영사,
미래엔, 비상교과서, 비상교육, 지학사

2 1990년대에 정보화 사회의 경제 발전을 위해 정부와 기업이 전국에 걸쳐 만든 것은 무엇입니까? (　　　　)

① 텔레비전　　　　② 대형 조선소
③ 기름 보일러　　　④ 문화 콘텐츠
⑤ 초고속 정보 통신망

11종 공통

3 초고속 정보 통신망이 산업 발전에 미친 영향에 대해 **잘못** 말한 어린이를 쓰시오.

> 수현: 다양한 인터넷 관련 기업들이 생겨났어.
> 성훈: 기존에 발달했던 산업에는 아무런 영향도 없었어.
> 재이: 사람들 간에 유용한 정보를 빠르게 주고받을 수 있어.
> 진우: 새로운 산업들이 생겨나 사람들에게 많은 일자리와 소득을 제공할 수 있어.

(　　　　　　　　)

11종 공통

4 다음 글을 읽고, ( ) 안의 알맞은 말에 ○표를 하시오.

> 2000년대 이후에 우리나라에서는 사람들의 생활을 편리하게 해 주고 삶의 질을 높여 주는 의료, 관광, 금융 등과 같은 (서비스 산업 / 소비재 산업)이 발달했습니다.

11종 공통

5 다음 산업이 발달한 시기는 언제입니까? ( )

[출처: 뉴스뱅크]

△ 나로호 발사체   △ 인공 지능 안내 로봇

① 1960년대   ② 1970년대   ③ 1980년대
④ 1990년대   ⑤ 2000년대 이후

11종 공통

6 다음 그래프를 보고 알 수 있는, 우리나라 경제 성장에 따른 사회 모습의 변화로 알맞은 것은 어느 것입니까?

( )

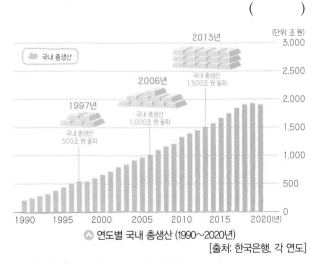

(단위: 조 원)

△ 연도별 국내 총생산 (1990~2020년)
[출처: 한국은행, 각 연도]

① 우리나라 경제 규모가 커졌다.
② 1인당 국민 총소득이 줄어들었다.
③ 다양한 서비스 산업이 발달하지 못했다.
④ 물질적으로 풍요로운 생활을 하지 못했다.
⑤ 고도의 기술이 필요한 산업이 발달하지 못했다.

11종 공통

7 경제가 성장하면서 2000년대 이후 우리나라에서 증가한 것으로 알맞지 <u>않은</u> 것은 어느 것입니까?

( )

① 공중전화   ② 국제 행사
③ 인터넷 쇼핑   ④ 해외여행자 수
⑤ 외국인 관광객

천재교육, 천재교과서, 교학사, 금성출판사, 김영사, 미래엔, 비상교과서, 비상교육, 아이스크림 미디어, 지학사

8 다음 ☐ 안에 들어갈 알맞은 말을 쓰시오.

> 경제가 성장하면서 케이팝(K-POP)이라고 불리는 우리나라의 대중가요와 드라마, 영화 등 ☐을/를 즐기는 외국인들이 늘어났습니다.

( )

[9~10] 우리나라 경제 성장에 따른 교통의 변화와 관련 있는 다음 자료를 보고, 물음에 답하시오.

△ 자가용 자동차의 증가   △ 경부 고속 국도의 개통   △ 고속 철도의 개통

11종 공통

9 위 ㉠~㉢을 변화한 순서대로 기호를 쓰시오.

( ) → ( ) → ( )

📋 **서술형·논술형 문제**
11종 공통

10 위 ㉢이 우리 생활에 미친 영향을 쓰시오.

_____

_____

11종
검정 교과서

단원평가

핵심 정리

천재교육, 천재교과서, 교학사, 금성출판사, 김영사, 동아출판, 미래엔, 비상교과서, 비상교육

🍡 경제 성장 과정에서 있었던 사건들

1960년대 이후	1994~1995년	1997년
농촌 사람들이 도시로 떠나 농촌에 일손이 부족해짐.	부실 공사로 인해 한강 다리와 백화점이 무너짐.	외환 위기를 겪으며 경제가 어려워짐.

🍡 경제 성장 과정에서 나타난 문제점과 해결 노력

① 빈부 격차 문제

문제점	잘사는 사람과 그렇지 못한 사람의 소득 격차가 커짐.
해결 노력	• 정부: 복지 제도를 만들어 시행함. • 시민 단체: 사회적 약자를 위해 봉사함.

② 노동 환경 문제

문제점	노동자들은 적은 임금을 받으며 긴 시간 동안 열악한 작업 환경에서 일함.
해결 노력	• 정부: 노동자와 기업 사이의 문제를 중재하고, 다양한 정책을 지원함. • 노동자와 기업: 대화와 타협으로 갈등을 해결함.

③ 환경오염 문제

문제점	무분별한 개발과 화석 연료 사용 증가로 자연환경이 오염됨.
해결 노력	• 정부: 친환경 자동차 보급을 지원함. • 기업: 친환경 제품을 개발하여 판매함.

🔼 전기 차 충전소

④ 정보 통신 기술과 인터넷 발달의 부작용   미래엔

문제점	개인 정보 유출, 사이버 폭력, 허위 정보 유포 등 피해를 입는 사람이 늘어남.
해결 노력	법과 제도를 개선하여 인터넷 발달의 부작용을 줄이기 위해 노력함.

천재교과서, 금성출판사, 김영사, 비상교과서

1 우리나라의 경제 성장 과정에서 나타난 사건과 관련하여, (   ) 안의 알맞은 말에 ○표를 하시오.

> 우리나라는 1997년에 다른 나라에서 빌린 돈을 갚지 못해 (석유 파동 / 외환 위기)을/를 겪었지만 국민, 기업, 정부가 함께 힘을 모아 극복했습니다.

[2~3] 경제 성장 과정에서 나타난 문제점의 해결 노력과 관련된 다음 자료를 보고, 물음에 답하시오.

🔼 시민 단체의 봉사 활동

🔼 다양한 복지 정책 시행

11종 공통

2 위 그림은 어떤 사회 문제를 해결하기 위한 노력입니까?
(   )

① 노사 갈등   ② 주차 부족
③ 빈부 격차   ④ 인종 차별
⑤ 자원 부족

11종 공통

3 위 **2**번 답의 문제를 해결하기 위해 정부가 한 노력을 바르게 말한 어린이를 쓰시오.

> 해인: 정부는 생계비와 양육비를 지원하고 있어.
> 동욱: 정부는 친환경 자동차 보급을 지원하고 있어.
> 소희: 정부는 노동자와 기업이 대화와 타협을 통해 문제를 해결하도록 도움을 주고 있어.

(   )

11종 공통

4 다음은 어떤 문제를 해결하기 위한 사람들의 노력입니까? (   )

① 농촌 문제
② 환경오염 문제
③ 산업 재해 문제
④ 빈부 격차 문제
⑤ 노동 환경 문제

11종 공통

5 우리나라의 노동 환경 문제에 대한 설명으로 알맞은 것을 다음 보기 에서 찾아 기호를 쓰시오.

> **보기**
> ㉠ 노동자들은 열악한 작업 환경에서 일했습니다.
> ㉡ 경제가 성장하는 과정에서 노동자들은 많은 임금을 받으며 일했습니다.
> ㉢ 석탄이나 석유 등 화석 연료를 많이 사용하면서 기후 변화가 발생했습니다.

(   )

천재교육

6 산업 재해 문제를 해결하기 위한 노력으로 알맞지 <u>않은</u> 것은 어느 것입니까? (   )

① 정부는 신재생 에너지 사용을 권장한다.
② 기업은 산업 현장에서 안전을 강조한다.
③ 정부는 노동 환경을 위한 법을 만들어 시행한다.
④ 노동자들은 안전 규칙을 지키기 위해 노력한다.
⑤ 기업은 산업 현장에서 직원들에게 안전 교육을 실시한다.

[7~8] 다음 경제 성장 과정에서 나타난 문제점과 관련된 사진을 보고, 물음에 답하시오.

⌃ 사람들의 건강을 위협하는 대기 오염

11종 공통

7 위 사진에 나타난 사회 문제는 무엇인지 쓰시오.

(   ) 문제

🔧 서술형·논술형 문제   11종 공통

8 위 **7**번 답과 같은 문제가 나타나게 된 원인을 한 가지만 쓰시오.

_____

_____

미래엔

9 정보 통신 기술과 인터넷 발달의 부작용으로 알맞은 것을 두 가지 고르시오. (,   )

① 산업 재해
② 자원 부족
③ 허위 정보 유포
④ 개인 정보 유출
⑤ 농촌의 일손 부족

미래엔

10 위 **9**번 답과 같은 문제를 해결하기 위한 노력으로 알맞은 것은 어느 것입니까? (   )

① 기업은 친환경 제품을 개발한다.
② 중소기업의 청년 채용을 지원한다.
③ 정부는 농촌 사람들에게 교육을 지원한다.
④ 정부는 「개인 정보 보호법」 등의 법률을 제정한다.
⑤ 정부와 기업은 노동자들의 요구를 받아들여 휴일을 늘린다.

11종
검정 교과서 단원 평가

핵심 정리

🐚 무역의 의미

뜻	나라와 나라가 물건이나 서비스를 사고파는 것
하는 까닭	• 나라마다 자연환경, 기술 등의 차이로 잘 만들 수 있는 물건이나 서비스가 달라서 • 경제적 이익을 얻을 수 있어서

🐚 우리나라의 경제 교류

우리나라 주요 수출품과 수입품(2021년)

아이스크림 미디어

➡ 우리나라는 반도체, 자동차, 석유 제품 등을 주로 수출하고 원유, 반도체, 반도체 제조 장비 등을 수입합니다.

🐚 우리나라 무역의 특징

특징	천연자원은 부족하지만, 기술력이 뛰어남.
가공 무역의 발달	다른 나라에서 원료를 수입하고, 이를 국내에서 가공하여 만든 제품을 다시 수출하는 가공 무역이 발달함.

🐚 우리나라와 다른 나라의 경제 관계

상호 의존 관계	• 발전된 기술이나 물건을 주고받으며 교류함. • 자유 무역 협정 등을 체결하여 자유로운 교류를 추구하기도 함.
상호 경쟁 관계	• 같은 종류의 물건을 생산하는 다른 나라의 기업과 경쟁함. • 예 기술 경쟁, 가격 경쟁, 시장 점유율 경쟁

❶ 무역의 의미와 우리나라의 경제 교류

[1~2] 다음 ㉠ 나라와 ㉡ 나라의 특징을 정리한 자료를 보고, 물음에 답하시오.

㉠ 나라
자원이 풍부하지만 물건을 생산하는 기술이 부족함.

㉡ 나라
물건을 만드는 기술이 뛰어나지만 자원이 부족함.

11종 공통

1 위 ㉠ 나라와 ㉡ 나라가 부족한 자원을 바르게 줄로 이으시오.

(1) ㉠ 나라 •   • ㉮ 기술력

(2) ㉡ 나라 •   • ㉯ 자원

11종 공통

2 위 두 나라가 교류하는 까닭을 바르게 말한 어린이를 쓰시오.

상호: 서로 경제적으로 손해를 보기 위해서야.
소현: 두 나라가 부족하거나 필요한 것이 다르기 때문이야.
원영: 두 나라의 자연환경과 기술력이 모두 같기 때문이야.

(   )

11종 공통

3 우리나라의 주요 수출품을 두 가지 고르시오.
(,   )

① 밀   ② 원유   ③ 자동차
④ 반도체   ⑤ 천연가스

📝 서술형·논술형 문제   아이스크림 미디어

4 우리나라에서 다음과 같은 무역 형태가 발달한 까닭을 쓰시오.

> 다른 나라에서 원료를 수입하고 이를 가공해 만든 제품을 수출하는 무역이 발달했습니다.

_____

_____

교학사, 금성출판사, 미래엔, 비상교과서

5 다음 □ 안에 들어갈 알맞은 말을 쓰시오.

🔺 러시아에서 수입한 대게

(   )

천재교육

6 다음 신문 기사를 통해 알 수 있는 우리나라 경제 교류의 모습으로 알맞은 것은 어느 것입니까? (   )

최근 우리나라의 △△ 산부인과가 미국에 있는 로스앤젤레스에 진출했습니다.

① 미국의 서비스를 수입하고 있다.
② 미국의 의료 기기가 우리나라로 수입되었다.
③ 우리나라와 미국은 경제 교류를 하지 않는다.
④ 우리나라의 의료 서비스가 미국에 수출되었다.
⑤ 우리나라의 의료 서비스는 세계 시장에서 인정받지 못하고 있다.

[7~8] 우리나라가 다른 나라와 맺은 협정에 대한 다음 설명을 읽고, 물음에 답하시오.

> 이 협정은 나라 간 물건이나 서비스의 자유로운 이동을 위해 세금, 법과 제도 등과 관련된 문제를 줄이거나 없애기로 한 약속입니다. 우리나라는 다양한 나라들과 이 협정을 맺고 있습니다.

11종 공통

7 위 밑줄 친 이 협정은 무엇인지 쓰시오.

(   )

11종 공통

8 위 협정이 우리나라에 미친 영향으로 알맞은 것은 어느 것입니까? (   )

① 우리나라의 수입이 줄어들었다.
② 우리나라의 수출이 줄어들었다.
③ 수입품에 매기는 세금이 늘어났다.
④ 소비자가 수입품을 비싼 가격에 사게 되었다.
⑤ 나라 간 경제적 상호 의존 관계가 더욱 긴밀해졌다.

11종 공통

9 다양한 나라의 기업들이 서로 경쟁하는 까닭으로 알맞은 것에 ○표를 하시오.

(1) 같은 종류의 물건을 생산하는 다른 나라의 기업이 많아서   (   )

(2) 같은 종류의 물건을 생산하는 다른 나라의 기업이 없어서   (   )

11종 공통

10 다양한 나라의 기업들이 서로 경쟁할 때의 영향으로 알맞은 것은 어느 것입니까? (   )

① 물건의 가격이 올라간다.
② 상품의 품질이 나빠진다.
③ 나라의 경제가 쇠퇴한다.
④ 소비자의 선택권이 줄어든다.
⑤ 물건을 만드는 기술이 발전한다.

❷ **경제 교류의 영향과 무역 문제**

핵심 정리

🍥 **경제 교류가 우리 생활에 미친 영향**

의생활	식생활

⬆ 외국에서 만든 옷을 삼.

⬆ 외국산 재료를 이용한 음식이 늘어남.

주생활	여가 생활

⬆ 외국에서 만든 가구를 삼.

⬆ 외국에서 만든 영화를 봄.

🍥 **경제 교류가 개인과 기업의 경제생활에 미친 영향**

개인	외국 기업에 일자리를 얻거나 해외에서 물건을 구매하는 등 경제활동의 범위가 넓어짐.
기업	• 외국 기업과 기술, 아이디어를 교류함. • 다른 나라에 공장을 세워 물건 생산 비용과 운반 비용을 줄일 수 있음.

🍥 **여러 가지 무역 문제와 해결 노력**

무역 문제	• 우리나라 물건에 높은 관세를 부과함. • 다른 나라가 수입을 제한하거나 거부함. • 다른 나라에 의존하는 물건의 수입 문제가 발생함.
해결 노력	• 상품을 수출할 다른 나라를 찾아봄. • 문제가 발생한 나라끼리 협상하고 합의함. • 무역 문제를 해결해 줄 수 있는 국제기구에 도움을 요청함.

1 11종 공통

다음 그림을 통해 알 수 있는 경제 교류로 달라진 생활 모습은 어느 것입니까? (   )

외국의 뮤지컬을 우리나라에서도 쉽게 볼 수 있어요.

① 의생활   ② 식생활
③ 주생활   ④ 여가 생활
⑤ 취업 활동

2 11종 공통

오른쪽 그림은 경제 교류가 우리 생활의 어떤 부분에 미친 영향입니까? (   )

① 의생활
② 식생활
③ 주생활
④ 여가 생활
⑤ 취업 활동

집에서도 맛있는 필리핀 망고를 먹을 수 있어.

3 11종 공통

경제 교류가 주생활에 미친 영향에 대해 알맞게 말한 사람을 쓰시오.

> 석훈: 삼촌이 베트남에서 만든 옷을 사 주셨어.
> 주희: 내가 가고 싶은 외국 기업에 꼭 취업할 거야.
> 민주: 아빠와 함께 가구점에 가서 독일에서 만든 의자를 샀어.

(   )

11종 공통

4 다음 그림과 같은 변화가 일어난 까닭이 알맞게 되도록 ( ) 안의 알맞은 말에 ○표를 하시오.

여러 나라와의 경제 교류로 개인의 경제활동 범위가 (넓어지면서 / 줄어들면서) 외국에서 만든 영화, 게임 등을 쉽게 접할 수 있게 되었습니다.

천재교육, 천재교과서, 금성출판사, 김영사, 동아출판, 미래엔, 비상교과서, 비상교육, 아이스크림 미디어, 지학사

5 다음 ㉠, ㉡에 들어갈 말이 알맞게 짝 지어진 것은 어느 것입니까? (   )

> 경제 교류가 활발해지면서 ㉠ 은 다른 나라의 ㉠ 과 새로운 ㉡ (이)나 아이디어를 주고받을 수 있게 되었습니다.

	㉠	㉡		㉠	㉡
①	기업	기술	②	개인	규제
③	기업	관세	④	개인	관세
⑤	기업	규제			

🖥 **서술형·논술형 문제**

11종 공통

6 다음 질문에 대한 알맞은 댓글을 쓰시오.

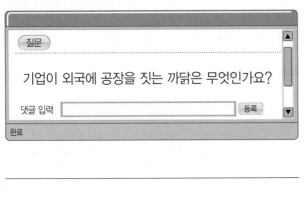

_____

_____

[7~8] 다음 외국 기업이 우리나라의 어촌 마을에 수산물 공장을 짓고 있는 그림을 보고, 물음에 답하시오.

11종 공통

7 위 밑줄 친 부분에 들어갈 내용으로 알맞은 것을 **보기** 에서 찾아 기호를 쓰시오.

> **보기**
> ㉠ 수출이 더욱 늘어날 거예요.
> ㉡ 물건을 수입해서 큰 이익을 얻을 수 있어요.
> ㉢ 수출 경쟁에 밀려 어려움을 겪을 수 있어요.

(   )

11종 공통

8 위와 같은 상황에서 우리나라의 기업을 보호하기 위해 정부가 할 수 있는 일은 어느 것입니까? (   )

① 우리나라의 기업을 규제한다.
② 외국의 수산물을 더 수입한다.
③ 외국산 수산물의 관세를 줄인다.
④ 수산물 수입을 제한하는 법을 만든다.
⑤ 자유 무역 협정을 맺어 무역 장벽을 낮춘다.

11종 공통

9 무역 문제로 인해 발생할 수 있는 일로 알맞은 것에 ○표를 하시오.

(1) 다른 나라와 자유롭게 무역을 하며 사이가 좋아 집니다. (   )

(2) 다른 나라에서 우리나라 제품의 수입을 제한하 여 수출이 감소합니다. (   )

아이스크림 미디어

10 다음 무역 의존도에 대한 설명을 읽고, 우리나라의 무역 의존도에 대해 알맞게 말한 어린이를 쓰시오.

> 무역 의존도는 한 나라의 경제가 무역에 얼마나 의존하고 있는지를 나타내는 지표입니다. 우리나라는 다른 나라에 비해 무역 의존도가 높습니다.

> 서영: 우리나라는 다른 나라의 경제 상황에 영향을 잘 받지 않습니다.
> 진운: 우리나라는 무역이 제대로 이루어지지 않으면 경제가 어려워질 수 있습니다.

( )

11종 공통

11 오른쪽 그림과 같은 무역 문제가 발생하는 까닭은 어느 것입니까? ( )

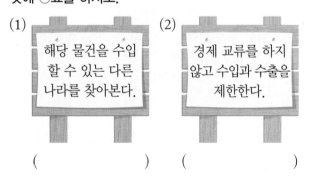

기후 변화로 △△ 나라의 커피 생산량이 크게 줄어 수입이 어려워졌어.

① 다른 나라의 수입 제한
② 우리나라 기업의 수출 증가
③ 우리나라 물건의 수입 거부
④ 우리나라 물건에 높은 관세 부과
⑤ 외국산에 의존하는 물건의 수입 문제

11종 공통

12 위 **11**번과 같은 문제를 해결하기 위한 방법으로 알맞은 것에 ○표를 하시오.

(1)
해당 물건을 수입할 수 있는 다른 나라를 찾아본다.

(2)
경제 교류를 하지 않고 수입과 수출을 제한한다.

( ) ( )

[13~14] 다음 무역 문제가 발생한 상황을 보고, 물음에 답하시오.

ⓒ 나라의 자동차 수입을 중단하고 우리나라 경제를 보호하겠습니다.

우리나라도 당하기만 하지는 않을 것입니다.

㉠ 나라   ⓒ 나라

11종 공통

13 위와 같은 무역 문제가 발생한 까닭에 대해 알맞게 말한 어린이를 쓰시오.

> 선민: ㉠ 나라에서 ⓒ 나라의 자동차 수입을 중단했기 때문입니다.
> 지철: ⓒ 나라가 자기 나라의 산업 보호를 위해 ㉠ 나라의 수출품에 관세를 올렸기 때문입니다.

( )

📋 서술형·논술형 문제   11종 공통

14 위와 같은 무역 문제를 해결하기 위한 방법을 한 가지만 쓰시오.

_____

_____

11종 공통

15 세계 무역 기구에서 하는 일을 두 가지 고르시오.
(,)

① 전쟁 피해 아동과 청소년들을 돕는다.
② 나라 간의 무역 문제를 판결하고 해결한다.
③ 세계 여러 나라에서 전염병 퇴치를 위해 힘쓴다.
④ 언론의 자유를 보장하기 위해 국가들을 감시한다.
⑤ 무역 장벽을 낮추고 나라 간의 자유로운 교류를 돕는다.

어느 **교과서**를 배우더라도

꼭 알아야 하는 **개념**과 **기본 문제** 구성으로

다양한 학교 평가에 완벽 대비할 수 있어요!

9종 검정 교과서 평가 자료집

과학 6-1

공통 개념과 다양한 검정 교과서 자료

9종 교과서를 아우르는 다양한 평가 문제

1 하루 동안 태양과 달의 위치 변화 / 지구의 자전

🌏 **하루 동안 태양과 달의 위치 변화** → 태양이나 달과 마찬가지로 별들도 하루 동안 동쪽에서 서쪽으로 움직이는 것처럼 보입니다.

① 하루 동안 태양의 위치 변화

오전 9시 무렵 / 오후 12시 30분 무렵 / 오후 3시 무렵
동 남 서
⬆ 태양은 동쪽에서 떠올라 시간이 지남에 따라 점점 높아지다가 낮아지며, 이후 서쪽으로 짐.

② 하루 동안 달의 위치 변화

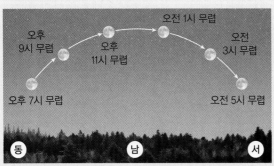
오후 9시 무렵 / 오후 11시 무렵 / 오전 1시 무렵 / 오전 3시 무렵
오후 7시 무렵 / 오전 5시 무렵
동 남 서
⬆ 달도 태양처럼 동쪽에서 서쪽으로 움직임.

천재교과서, 비상

🌏 **하루 동안 지구의 운동과 태양의 위치 변화 관계**

➡ 지구본을 서쪽에서 동쪽으로 회전시키면 전등 빛(태양)이 동쪽에서 떠서 서쪽으로 지는 것처럼 보입니다.

투명 반구 / 관찰자 모형 / 전등 / 지구본

🌏 **지구의 자전**

① 지구의 자전: 지구가 자전축을 중심으로 서쪽에서 동쪽으로 하루에 한 바퀴씩 회전하는 것
② 자전축: 지구의 북극과 남극을 이은 가상의 직선

지구의 자전축
서 동

1
9종 공통

다음 하루 동안 태양과 달의 위치 변화와 이동 방향을 줄로 바르게 이으시오.

(1) 하루 동안 태양의 위치 변화 ・   ・㉠ 동쪽 → 서쪽

(2) 하루 동안 달의 위치 변화 ・   ・㉡ 서쪽 → 동쪽

2
9종 공통

다음은 하루 동안 태양의 움직임을 관찰하여 나타낸 것입니다. 가장 먼저 볼 수 있는 태양의 기호를 쓰시오.

㉠ ㉡ ㉢
동 남 서

(   )

3
9종 공통

다음은 하루 동안 보름달의 위치 변화에 대한 설명입니다. ㉠과 ㉡에 들어갈 알맞은 말을 각각 쓰시오.

보름달은 동쪽 하늘에서 보이기 시작하여 ㉠ 쪽 하늘을 지나 ㉡ 쪽 하늘로 움직이는 것처럼 보입니다.

㉠ (   )
㉡ (   )

4
9종 공통

다음 중 하루 동안 별의 이동 방향으로 옳은 것은 어느 것입니까? (   )

① 동쪽 → 서쪽   ② 서쪽 → 동쪽
③ 서쪽 → 남쪽   ④ 남쪽 → 동쪽
⑤ 북쪽 → 동쪽

5 다음은 하루 동안 달의 위치 변화를 나타낸 것입니다. ㉠에 알맞은 방위를 쓰시오.

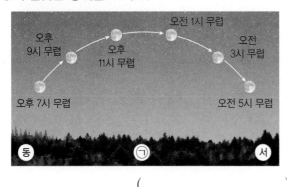

(   )

[6~7] 다음은 하루 동안 지구의 운동과 태양의 위치 변화를 알아보기 위한 실험입니다. 물음에 답하시오.

천재교과서, 비상

6 위 실험에서 전등 빛이 나타내는 것은 다음 중 어느 것입니까? (   )

① 달
② 지구
③ 태양
④ 행성
⑤ 별자리

천재교과서, 비상

7 다음은 위 실험을 통해 알게 된 점입니다. ☐ 안에 들어갈 알맞은 말을 쓰시오.

> 지구본 위의 관찰자 모형에게는 전등 빛이 동쪽에서 떠오르기 시작하여 남쪽 하늘을 지나 ☐쪽으로 지는 것처럼 보입니다.

(   )

8 다음은 지구의 운동에 대한 설명입니다. ☐ 안에 들어갈 알맞은 말은 어느 것입니까? (   )

> 지구가 자전축을 중심으로 하루에 한 바퀴씩 회전하는 것을 ☐(이)라고 합니다.

① 달의 공전
② 지구의 자전
③ 지구의 공전
④ 태양의 자전
⑤ 태양의 공전

9 다음 중 지구의 자전 방향을 화살표로 바르게 표시한 것에 ○표를 하시오.

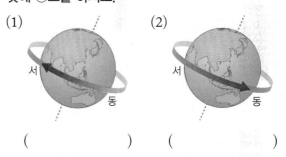

(1)   (2)

(   )   (   )

📦 서술형·논술형 문제

10 다음은 지구가 자전하는 모습을 나타낸 것입니다.

(1) ㉠을 무엇이라고 하는지 쓰시오.

(   )

(2) 지구가 자전하기 때문에 나타나는 현상을 천체의 움직임과 관련하여 쓰시오.

_____

_____

9종
검정 교과서

단원평가

2 낮과 밤

핵심 정리

🌏 낮과 밤이 생기는 까닭 알아보기

천재교과서

전등 빛이 비치는 곳: 낮
전등 → 전등 빛이 비치지 않는 곳: 밤
관찰자 모형
지구본

① 지구본을 회전시킬 때: 낮과 밤이 번갈아 나타납니다.
② 지구본을 회전시키지 않을 때: 낮인 지역은 계속 낮, 밤인 지역은 계속 밤이 지속됩니다.

🌏 우리나라가 낮과 밤일 때 관측자 모형의 위치

김영사, 비상, 지학사

관측자 모형
전등
지구본

관측자 모형

🔺 우리나라가 낮일 때 관측자 모형의 위치: 전등을 향함.

🔺 우리나라가 밤일 때 관측자 모형의 위치: 전등 반대편을 향함.

🌏 낮과 밤이 생기는 까닭

① 낮과 밤 → 지구가 자전할 때 태양 빛을 받는 지역은 낮이 되고, 태양 빛을 받지 못하는 지역은 밤이 됩니다.

낮	태양이 떠오를 때부터 질 때까지의 시간
밤	태양이 진 때부터 다시 떠오르기 전까지의 시간

② 우리나라에서 하루를 주기로 낮과 밤이 나타나는 까닭: 지구가 하루에 한 바퀴씩 자전하기 때문입니다.

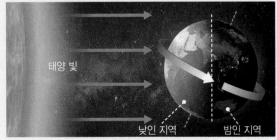

태양 빛
낮인 지역   밤인 지역

🔺 지구의 낮인 지역과 밤인 지역

---

1 다음은 낮과 밤이 생기는 까닭을 알아보기 위한 실험의 방법입니다. ( ) 안의 알맞은 말에 각각 ○표를 하시오.

천재교과서

> 1 지구본에서 30 cm 떨어진 곳에 전등을 놓고 켜기
> 2 지구본에서 낮인 지역과 밤인 지역에 각각 관찰자 모형을 붙이고, 투명 반구로 덮기
> 3 지구본을 (동 / 서)쪽에서 (동 / 서)쪽으로 회전시키며 낮과 밤인 지역의 변화 관찰하기

[2~4] 다음은 낮과 밤이 생기는 까닭을 알아보기 위한 실험의 모습입니다. 물음에 답하시오.

ㄱ

ㄴ

천재교과서

2 다음 중 위에서 전등 빛, 지구본, 관찰자 모형이 나타내는 것을 바르게 짝지은 것은 어느 것입니까? ( )

① 전등 빛 – 달
② 전등 빛 – 지구
③ 지구본 – 태양
④ 지구본 – 지구
⑤ 관찰자 모형 – 태양

천재교과서

3 위에서 ㉠과 ㉡ 중 밤인 지역을 골라 기호를 쓰시오.

( )

천재교과서

4 다음은 위 실험을 통해 알게 된 점입니다. ☐ 안에 들어갈 알맞은 말을 쓰시오.

> 지구본을 회전시키면 낮이었던 지역은 밤이 되고, 밤이었던 지역은 ☐이/가 됩니다.

( )

김영사, 비상, 지학사

5 다음은 지구본의 우리나라 위치에 관측자 모형을 붙이고 천천히 회전시키는 모습입니다. 우리나라가 밤일 때 관측자 모형의 위치를 골라 기호를 쓰시오.

( )

[6~7] 다음과 같이 전등으로 지구본을 비추면서 지구본을 서쪽에서 동쪽으로 회전시켰습니다. 물음에 답하시오.

김영사, 비상, 지학사

6 다음 보기 에서 지구본에서 우리나라가 낮이 시작될 때 밤이 시작되는 나라를 골라 기호를 쓰시오.

보기
㉠ 우리나라의 북쪽에 있는 나라
㉡ 우리나라의 남쪽에 있는 나라
㉢ 우리나라의 지구 반대쪽에 있는 나라

( )

김영사, 비상, 지학사

7 위 실험으로 알게 된 점으로 옳은 것은 어느 것입니까?

( )

① 지구가 둥근 까닭
② 낮과 밤이 생기는 까닭
③ 태양이 빛을 내는 까닭
④ 태양의 크기가 일정한 까닭
⑤ 계절에 따라 기온이 달라지는 까닭

천재교과서

8 다음은 지구의 낮과 밤에 대한 설명입니다. ㉠, ㉡에 알맞은 말을 각각 쓰시오.

㉠	태양이 지평선 위로 떠오를 때부터 지평선 아래로 질 때까지의 시간
㉡	태양이 지평선 아래로 져서 어두워진 때부터 이튿날 태양이 지평선 위로 떠서 밝아지기 전까지의 시간

㉠ ( )
㉡ ( )

9종 공통

9 다음 중 낮이 되는 지역과 밤이 되는 지역에 맞게 줄로 바르게 이으시오.

(1) 낮이 되는 지역 • • ㉠ 지구가 자전할 때 태양 빛을 받는 지역

(2) 밤이 되는 지역 • • ㉡ 지구가 자전할 때 태양 빛을 받지 못하는 지역

서술형·논술형 문제

9종 공통

10 다음은 지구의 낮과 밤인 지역을 나타낸 것입니다.

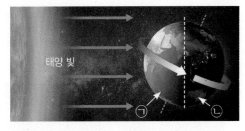

(1) 위에서 낮인 지역의 기호를 쓰시오.

( )

(2) 우리나라에서 낮과 밤이 번갈아 나타나는 까닭은 무엇인지 쓰시오.

_____

_____

③ 계절별 별자리 / 지구의 공전

🌏 **계절별 대표적인 별자리** → 별자리는 한 계절에만 보이는 것이 아니라 두 계절이나 세 계절에 걸쳐 보입니다.

① 봄철: 목동자리, 사자자리, 처녀자리

② 여름철: 백조자리, 거문고자리, 독수리자리

③ 가을철: 안드로메다자리, 페가수스자리, 물고기자리

④ 겨울철: 쌍둥이자리, 오리온자리, 큰개자리

🌏 **계절마다 보이는 별자리가 다른 까닭 알아보기** 천재교육

① 지구본의 각 위치에서 잘 보이는 별자리

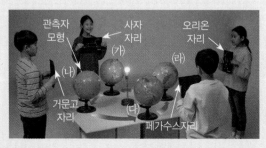

(가)	사자자리	(나)	거문고자리
(다)	페가수스자리	(라)	오리온자리

② 지구본이 놓인 위치에 따라 관측자 모형에게 보이는 별자리가 달라지는 까닭: 지구본의 위치에 따라 전등 반대쪽에 있는 별자리가 다르기 때문입니다.

🌏 **지구의 공전과 계절별 별자리 변화**

① 지구의 공전: 지구가 태양을 중심으로 일 년에 한 바퀴씩 서쪽에서 동쪽으로 회전하는 것

② 계절별 별자리가 달라지는 까닭: 지구가 공전하면서 지구의 위치가 달라져 밤에 보이는 별자리가 달라집니다.

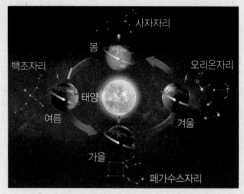

⬆ 지구의 공전에 따른 계절별 별자리의 변화

---

1 다음 중 봄철의 대표적인 별자리가 <u>아닌</u> 것을 두 가지 고르시오. (　　,　　)

9종 공통

① 목동자리 　　　　② 처녀자리

③ 사자자리 　　　　④ 물고기자리

⑤ 페가수스자리

2 다음 [보기]에서 봄철에 볼 수 <u>없는</u> 별자리는 어느 계절의 대표적인 별자리인지 골라 기호를 쓰시오.

9종 공통

[보기]
ⓐ 여름철　　　ⓑ 가을철　　　ⓒ 겨울철

(　　　　　　　　　)

3 다음을 겨울철에 볼 수 있는 별자리와 겨울철에 볼 수 <u>없는</u> 별자리에 맞게 줄로 바르게 이으시오.

9종 공통

(1)
| 겨울철에 볼 수 있는 별자리 | • | • ⓐ | 쌍둥이자리, 오리온자리, 큰개자리 |

(2)
| 겨울철에 볼 수 없는 별자리 | • | • ⓑ | 백조자리, 거문고자리, 독수리자리 |

4 다음에서 설명하는 것은 무엇인지 쓰시오.

9종 공통

어느 계절의 밤하늘에서 오랜 시간 동안 볼 수 있는 별자리입니다.

(　　　　　　　　　)

[5~7] 다음은 계절마다 보이는 별자리가 다른 까닭을 알아보는 실험입니다. 물음에 답하시오.

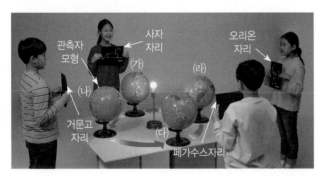

천재교육

5 위에서 지구본의 (가) 위치에서 우리나라가 한밤일 때 관측자 모형에게 가장 잘 보이는 별자리를 다음 보기 에서 골라 기호를 쓰시오.

보기
㉠ 사자자리 ㉡ 거문고자리
㉢ 오리온자리 ㉣ 페가수스자리

(   )

천재교육

6 위 5번 답의 별자리가 보이지 않는 지구본의 위치는 (가)~(라) 중 어디인지 쓰시오.

(   )

천재교육

7 다음은 위 실험을 통해 알게 된 점입니다. □ 안에 들어갈 알맞은 말을 쓰시오.

지구본이 놓인 위치에 따라 관측자 모형에게 보이는 별자리가 달라지는 까닭은 지구본의 위치에 따라 전등 반대쪽에 있는 □이/가 다르기 때문입니다.

(   )

8 다음 중 지구의 공전 방향을 화살표로 바르게 표시한 것의 기호를 쓰시오.

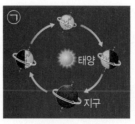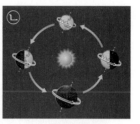

(   )

9 다음 중 계절에 따라 보이는 별자리가 달라지는 까닭으로 옳은 것을 두 가지 고르시오. (,   )

① 지구가 둥글기 때문이다.
② 지구가 자전하기 때문이다.
③ 지구가 공전하기 때문이다.
④ 지구와 태양 사이의 거리가 변하기 때문이다.
⑤ 계절에 따라 지구의 위치가 달라지기 때문이다.

📚 **서술형·논술형 문제**

10 다음은 계절에 따라 보이는 별자리를 나타낸 것입니다.

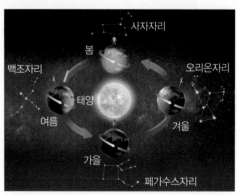

(1) 위에서 여름철 별자리를 볼 수 없는 계절을 쓰시오.

(   )

(2) 위에서 여름철에 볼 수 없는 별자리를 쓰고, 그렇게 답한 까닭을 쓰시오.

_____

_____

핵심 정리

🌑 여러 날 동안 달의 모양과 위치 변화

① 태양이 진 직후(저녁 7시 무렵) 초승달은 서쪽 하늘, 상현달은 남쪽 하늘, 보름달은 동쪽 하늘에서 관찰됩니다.

② 여러 날 동안 달의 모양과 위치 변화

달의 모양	가느다란 눈썹 모양처럼 보이던 달이 점차 차서 오른쪽 반달이 되고, 이후에 둥근달로 변했음.
달의 위치	같은 시각에 관찰했을 때 달의 위치가 전날에 비해 왼쪽(동쪽)으로 이동하였음.

🌑 여러 날 동안 달의 모양 변화

① 달의 모양 변화

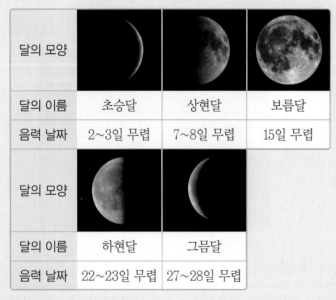

달의 모양			
달의 이름	초승달	상현달	보름달
음력 날짜	2~3일 무렵	7~8일 무렵	15일 무렵
달의 모양			
달의 이름	하현달	그믐달	
음력 날짜	22~23일 무렵	27~28일 무렵	

② 달의 모양 변화 순서

➡ 초승달 ➡ 상현달 ➡ 보름달 ➡ 하현달 ➡ 그믐달 ➡

③ 달의 모양 변화 주기: 약 30일
➡ 오늘 밤에 보름달을 보았다면 앞으로 약 30일 후에 보름달을 다시 볼 수 있습니다.

4 달의 모양과 위치 변화

9종 공통

1 다음 중 여러 날 동안 태양이 사라진 직후에 보이는 달의 모양과 위치에 대한 설명으로 옳은 것을 두 가지 고르시오. (　　,　　)

① 달의 위치가 항상 같다.
② 달의 모양이 조금씩 변한다.
③ 달의 모양이 거의 일정하다.
④ 달의 위치가 서쪽에서 동쪽으로 날마다 조금씩 옮겨 간다.
⑤ 달의 위치가 동쪽에서 북쪽으로 날마다 조금씩 옮겨 간다.

9종 공통

2 다음 여러 날 동안 태양이 진 직후 같은 시각, 같은 장소에서 관측한 달의 모양과 달의 위치를 줄로 바르게 이으시오.

(1) 보름달 •

(2) 상현달 •

(3) 초승달 •

• ㉠ 음력 2~3일 무렵 서쪽 하늘

• ㉡ 음력 7~8일 무렵 남쪽 하늘

• ㉢ 음력 15일 무렵 동쪽 하늘

9종 공통

3 다음은 여러 날 동안 저녁 7시 무렵에 달이 보이는 위치를 나타낸 것입니다. 동, 서 중에서 ㉠과 ㉡에 알맞은 방위를 각각 쓰시오.

㉠ (　　　　　　)
㉡ (　　　　　　)

9종 공통

4 다음 중 음력 15일 무렵 태양이 진 직후에 동쪽 하늘에서 관찰할 수 있는 달의 기호를 쓰시오.

( )

9종 공통

5 다음은 여러 날 동안 태양이 진 직후에 관찰한 달의 위치 변화에 대한 설명입니다. ㉠과 ㉡에 들어갈 알맞은 방위를 각각 쓰시오.

> 달이 ㉠ 쪽에서 ㉡ 쪽으로 날마다 조금씩 위치를 옮겨 갑니다.

㉠ ( )
㉡ ( )

9종 공통

6 다음은 여러 날 동안 달의 모양을 관찰하여 기록한 내용입니다. 음력 15일 무렵에 볼 수 있는 달의 모양을 그리시오.

날짜	음력 1일 무렵	음력 8일 무렵	음력 15일 무렵
달의 모양	보이지 않음.	🌓	

9종 공통

7 다음 중 달의 모양이 변하는 주기로 옳은 것은 어느 것입니까? ( )

① 약 3일 ② 약 10일
③ 약 15일 ④ 약 30일
⑤ 약 60일

[8~9] 다음은 여러 가지 달의 모양입니다. 물음에 답하시오.

9종 공통

8 위에서 음력 2~3일 무렵에 볼 수 있는 달의 기호를 쓰시오.

( )

9종 공통

9 위에서 음력 7~8일 무렵에 볼 수 있는 달의 기호와 이름을 옳게 짝지은 것은 어느 것입니까? ( )

① ㉠, 상현달 ② ㉡, 그믐달 ③ ㉢, 초승달
④ ㉣, 하현달 ⑤ ㉤, 보름달

🗂 **서술형·논술형 문제** 9종 공통

10 다음은 여러 날 동안 달을 관찰하여 기록한 내용입니다. 마지막으로 관찰하고 7일이 지난 후 관찰할 수 있는 달의 모양을 그리고, 그렇게 답한 까닭을 쓰시오.

일	월	화	수	목	금	토
○/○○	○/○○	○/○○	○/○○	○/○○	○/○○	○/○○
○/○○	○/○○	○/○○	○/○○	○/○○	○/○○	○/○○

(1) 달의 모양	(2) 그렇게 답한 까닭

9종
검정 교과서
단원평가

핵심 정리

천재교과서, 아이스크림

🌀 기체 발생 장치 꾸미기

1	2
콕 깔때기에 고무마개를 끼우고, 콕 깔때기를 스탠드의 링에 설치하기	콕 깔때기에 끼운 고무마개로 가지 달린 삼각 플라스크의 입구를 막기

(고무마개에 물이나 오일을 묻힙니다.)

3	4
가지 달린 삼각 플라스크의 가지 부분에 고무관을 끼우고, 반대쪽 끝은 ㄱ자 유리관과 연결하기	물이 $\frac{2}{3}$ 정도 담긴 수조에 물을 가득 채운 집기병을 거꾸로 세우고, ㄱ자 유리관을 집기병의 입구에 넣기

▼

스탠드 — 링 클램프 — 콕 깔때기 — 고무관 — 고무마개 — 가지 달린 삼각 플라스크 — 집기병 — ㄱ자 유리관

▲ 기체 발생 장치

🌀 기체 발생 장치를 꾸밀 때 주의할 점
① 콕이 닫힌 상태로 장치를 꾸밉니다.
② ㄱ자 유리관을 집기병 안으로 너무 깊이 넣지 않습니다.

1 다음 중 기체 발생 장치에서 사용되는 실험 기구가 <u>아닌</u> 것은 어느 것입니까? (   )

① 콕   ② 고무관   ③ 집기병
④ 스탠드   ⑤ 흰 종이

천재교과서, 아이스크림

2 다음의 기체 발생 장치를 통해 발생시킬 수 <u>없는</u> 것을 보기 에서 골라 기호를 쓰시오.

콕 깔때기
가지 달린 삼각 플라스크
집기병

보기
⊙ 얼음   ⓒ 산소   ⓒ 이산화 탄소

(   )

천재교과서, 아이스크림

3 다음 중 기체 발생 장치를 꾸미는 과정에서 더 먼저 해야 하는 것을 골라 기호를 쓰시오.

⊙

▲ 콕 깔때기에 고무마개를 끼우기

ⓒ

▲ ㄱ자 유리관을 집기병의 입구에 넣기

(   )

9종 공통

4 다음은 기체 발생 장치를 꾸미는 과정 중 일부입니다. (   ) 안의 알맞은 말에 ○표를 하시오.

기체 발생 장치를 만들 때 수조에 물을 ($\frac{1}{5}$ / $\frac{2}{3}$) 정도 담습니다.

5 다음의 기체 발생 장치를 꾸밀 때 필요한 ㉠의 이름으로 옳은 것은 어느 것입니까? (   )

천재교과서, 아이스크림

① 스탠드   ② 집기병   ③ 고무마개
④ 링 클램프   ⑤ ㄱ자 유리관

천재교과서, 아이스크림

6 다음은 기체 발생 장치를 꾸미는 과정에서 주의할 점에 대한 설명입니다. ☐ 안에 공통으로 들어갈 말을 쓰시오.

> 콕이 ☐ 상태로 장치를 꾸미며, 지면과 수평한 상태가 ☐ 상태입니다.

(   )

천재교과서, 아이스크림

7 다음의 기체 발생 장치를 꾸미는 과정에 대한 설명으로 옳은 것은 어느 것입니까? (   )

① 콕을 연다.
② 집기병에 물을 가득 채운다.
③ ㄱ자 유리관을 고무마개와 연결한다.
④ ㄱ자 유리관을 집기병의 입구에 넣는다.
⑤ 가지 달린 삼각 플라스크의 가지 부분에 고무관을 끼우고, 반대쪽 끝은 ㄱ자 유리관과 연결한다.

서술형·논술형 문제   9종 공통

8 다음의 기체 발생 장치를 꾸미는 과정에서 주의할 점을 한 가지 쓰시오.

천재교과서, 아이스크림

9 다음의 기체 발생 장치에서 기체가 모이는 곳의 기호를 쓰시오.

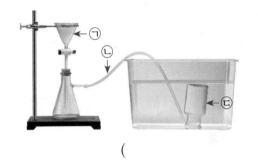

(   )

천재교과서, 아이스크림

10 다음 보기 는 기체 발생 장치를 꾸미는 과정을 순서에 관계없이 나타낸 것입니다. 순서에 맞게 기호를 쓰시오.

> 보기
>
> ㉠ 콕 깔때기에 고무마개를 끼우고, 콕 깔때기를 스탠드의 링에 설치합니다.
> ㉡ 콕 깔때기에 끼운 고무마개로 가지 달린 삼각 플라스크의 입구를 막습니다.
> ㉢ 물이 담긴 수조에 물을 채운 집기병을 거꾸로 세우고, ㄱ자 유리관을 집기병의 입구에 넣습니다.
> ㉣ 가지 달린 삼각 플라스크의 가지 부분에 고무관을 끼우고, 반대쪽 끝은 ㄱ자 유리관과 연결합니다.

(   ) → (   ) → (   ) → (   )

2 산소와 이산화 탄소의 성질

산소 발생시키기

천재교과서, 김영사, 동아, 미래엔, 비상, 아이스크림

1 가지 달린 삼각 플라스크에 물과 이산화 망가니즈를 한 숟가락 넣기

2 콕 깔때기에 묽은 과산화 수소수를 $\frac{1}{2}$ 정도 붓고 콕을 열어 조금씩 흘려보내기

3 산소가 집기병에 모이면 아크릴판으로 집기병의 입구를 막고 집기병을 꺼내기

이산화 탄소 발생시키기

천재교과서, 금성, 김영사, 미래엔, 비상, 아이스크림, 지학사

1 가지 달린 삼각 플라스크에 물과 탄산 수소 나트륨을 다섯 숟가락 정도 넣기

2 콕 깔때기에 진한 식초를 $\frac{1}{2}$ 정도 붓고 콕을 열어 조금씩 흘려보내기

3 이산화 탄소가 집기병에 모이면 아크릴판으로 집기병의 입구를 막고 집기병을 꺼내기 → ㄱ자 유리관을 집기병 입구 가까이에 넣습니다.

산소와 이산화 탄소 발생 실험 결과

가지 달린 삼각 플라스크 안	기포가 발생함.
ㄱ자 유리관 끝부분	기포가 하나둘씩 나옴.

산소와 이산화 탄소의 성질

구분	산소	이산화 탄소
색깔과 냄새	없음.	
향불을 넣었을 때	불꽃이 커짐.	불꽃이 꺼짐.
기타 특징	스스로 타지 않음.	석회수를 뿌옇게 만듦.
이용	산소 호흡 장치	소화제

[1~2] 다음은 기체 발생 장치를 이용해 산소를 발생시키는 모습입니다. 물음에 답하시오.

천재교과서, 김영사, 동아, 미래엔, 비상, 아이스크림

1 위의 실험에서 콕 깔때기에 넣어 주어야 하는 물질은 무엇인지 쓰시오.

(   )

천재교과서, 김영사, 동아, 미래엔, 비상, 아이스크림

2 위의 실험에서 산소를 발생시킬 때 나타나는 현상으로 옳은 것을 두 가지 고르시오. (,   )

① 수조 속의 물이 뿌옇게 흐려진다.
② 집기병 속에 산소가 조금씩 모인다.
③ 집기병 속으로 물이 들어와 가득 차게 된다.
④ 가지 달린 삼각 플라스크에서 기포가 발생한다.
⑤ 가지 달린 삼각 플라스크에서 열이 나며 검은 연기가 발생한다.

천재교과서, 김영사, 동아, 미래엔, 비상, 아이스크림

3 다음은 기체 발생 장치에서 산소가 모이는 장소에 대한 설명입니다. (   ) 안의 알맞은 말에 ○표를 하시오.

> 기체 발생 장치를 통해 산소를 발생시키면, 산소는 (콕 깔때기 / 집기병) 안에 모입니다.

천재교과서, 금성, 김영사, 미래엔, 비상, 아이스크림, 지학사

4 다음은 기체 발생 장치를 통해 이산화 탄소를 발생시키는 실험에 대한 설명입니다. ☐ 안에 들어갈 알맞은 말을 쓰시오.

> 콕 깔때기에 넣어 주는 물질은 진한 ☐ 입니다.

(   )

서술형·논술형 문제 천재교과서, 금성, 김영사, 미래엔, 비상, 아이스크림, 지학사

5 다음은 기체 발생 장치로 이산화 탄소를 발생시키는 실험의 모습입니다. 집기병에 모인 이산화 탄소를 꺼내는 방법을 쓰시오.

- 콕 깔때기
- 가지 달린 삼각 플라스크
- 집기병
- ㄱ자 유리관

9종 공통

6 다음은 서로 다른 기체를 넣은 두 집기병에 향불을 각각 넣어 본 후의 모습입니다. 산소가 들어 있는 집기병의 기호를 쓰시오.

향불
집기병

ⓐ 불꽃이 커짐.   ⓐ 불꽃이 꺼짐.

(   )

9종 공통

7 다음 중 산소의 성질이 <u>아닌</u> 것은 어느 것입니까?
(   )

① 색깔이 없다.
② 스스로 탄다.
③ 냄새가 나지 않는다.
④ 다른 물질을 타게 도와준다.
⑤ 철이나 구리와 같은 금속을 녹슬게 한다.

9종 공통

8 다음은 이산화 탄소의 성질에 대한 설명입니다. 옳은 것에는 ○표, 옳지 <u>않은</u> 것에는 ×표를 하시오.

(1) 석회수를 뿌옇게 만듭니다.   (   )
(2) 다른 물질이 타는 것을 돕습니다. (   )
(3) 색깔이 없고 냄새가 나지 않습니다. (   )

9종 공통

9 다음 보기 에서 공기 중에 산소의 양이 지금보다 많아질 때 일어날 수 있는 일로 옳지 <u>않은</u> 것은 어느 것입니까? (   )

보기
㉠ 불을 끄기 어려울 것입니다.
㉡ 화재가 전혀 발생하지 않을 것입니다.
㉢ 한 번 숨을 쉴 때 들이마시는 산소의 양이 많아질 것입니다.

① ㉠   ② ㉡   ③ ㉢
④ ㉠, ㉡   ⑤ ㉡, ㉢

9종 공통

10 다음과 같이 탄산음료의 재료로 이용되는 기체는 무엇인지 쓰시오.

(   )

단원 평가
9종
검정 교과서

③ 압력과 온도에 따른 기체의 부피 변화

9종 공통

1 다음은 액체와 기체에 대한 설명입니다. □ 안에 공통으로 들어갈 알맞은 말을 쓰시오.

> 액체는 □을/를 가해도 부피가 거의 변하지 않지만, 기체는 □을/를 가한 정도에 따라 부피가 달라집니다.

( )

핵심 정리

천재교육, 천재교과서, 금성, 동아, 미래엔, 비상, 아이스크림, 지학사

피스톤을 누를 때 공기의 부피 변화

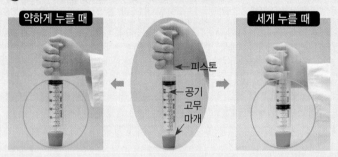

약하게 누를 때 ← → 세게 누를 때
피스톤
공기
고무
마개

정리 ≫ 압력을 약하게 가하면 기체의 부피가 조금 줄어들고, 압력을 세게 가하면 기체의 부피가 많이 줄어듦.

[2~3] 다음과 같이 주사기에 공기와 물 40 mL를 각각 넣고 주사기 입구를 손가락으로 막은 다음, 같은 힘으로 피스톤을 누르면서 변화를 관찰하였습니다. 물음에 답하시오.

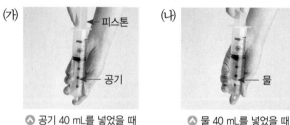

(가) 피스톤 / 공기 — ◎ 공기 40 mL를 넣었을 때
(나) 물 — ◎ 물 40 mL를 넣었을 때

천재교과서, 동아, 미래엔, 아이스크림

삼각 플라스크의 입구에 고무풍선을 씌우고 물이 담긴 수조에 넣었을 때 고무풍선의 변화

고무
풍선
점점
부풀어 올라.
뜨거운 물
◎ 뜨거운 물에 넣기 전
◎ 뜨거운 물에 넣은 후

점점
오므라 들어.
차가운 물
◎ 차가운 물에 넣기 전
◎ 차가운 물에 넣은 후

정리 ≫ 온도가 높아지면 기체의 부피는 늘어나고, 온도가 낮아지면 기체의 부피는 줄어듦.

9종 공통

2 위의 (가)와 (나)에서 서로 다르게 해야 하는 조건을 보기에서 골라 기호를 쓰시오.

> **보기**
> ㉠ 주사기의 종류
> ㉡ 주사기의 색깔
> ㉢ 주사기에 넣는 물질
> ㉣ 피스톤에 가한 압력의 크기

( )

기체의 부피가 달라지는 예

① 비행기가 하늘로 날아오르면 비행기 속 과자 봉지가 부풀어 오릅니다.
└→ 압력이 낮아집니다.

② 마개를 닫은 빈 페트병을 냉장고 안에 넣으면 페트병이 찌그러집니다.
└→ 온도가 낮아집니다.

9종 공통

3 위의 실험 결과, (가)와 (나) 중 주사기 속 물질의 부피가 더 많이 줄어드는 경우를 골라 기호를 쓰시오.

( )

9종 공통

4 다음 중 압력에 따라 기체의 부피가 변하는 예로 옳은 것은 어느 것입니까? ( )

① 공을 발로 강하게 차면 공이 찌그러진다.

② 시간이 지나면 과자가 부서지거나 맛이 변한다.

③ 찌그러진 탁구공을 뜨거운 물에 넣으면 찌그러진 부분이 펴진다.

④ 마개를 닫은 빈 페트병을 냉장고 안에 넣으면 페트병이 찌그러진다.

⑤ 뜨거운 음식이 담긴 그릇을 비닐랩으로 씌우면 비닐랩이 부풀어 오른다.

🖋 **서술형·논술형 문제**

미래엔, 비상, 지학사

5 다음과 같이 비행기 안의 과자 봉지가 땅보다 하늘에서 더 부풀어 오르는 까닭을 쓰시오.

땅 | 하늘

_____

_____

천재교과서, 동아, 미래엔, 아이스크림

6 오른쪽과 같이 고무풍선을 씌운 삼각 플라스크를 뜨거운 물이 든 수조에 넣는 실험에 대해 바르게 말한 친구의 이름을 쓰시오.

고무풍선
뜨거운 물

기석: 온도에 따른 액체의 부피 변화를 알아보는 실험이야.

용진: 온도가 높아지면 기체의 부피는 커진다는 것을 알 수 있어.

유라: 삼각 플라스크를 뜨거운 물이 담긴 수조에 넣으면 고무풍선의 부피는 작아져.

( )

천재교과서, 동아, 미래엔, 아이스크림

7 앞 **6**번의 고무풍선을 차가운 물이 담긴 수조에 넣었을 때 고무풍선의 부피는 어떻게 되는지 쓰시오.

( )

9종 공통

8 다음은 물질의 변화에 대한 설명입니다. ☐ 안에 들어갈 말을 순서대로 바르게 나열한 것은 어느 것입니까?

( )

압력과 ☐ 에 따라 ☐ 의 부피가 달라집니다.

① 온도, 고체   ② 온도, 액체

③ 온도, 기체   ④ 빛의 세기, 고체

⑤ 빛의 세기, 액체

9종 공통

9 다음은 마개를 닫은 빈 페트병을 냉장고에 넣었을 때 페트병이 찌그러지는 까닭에 대한 설명입니다. ㉠과 ㉡에 들어갈 알맞은 말을 각각 쓰시오.

온도가 ㉠ 페트병 안 공기의 부피가 ㉡ 때문입니다.

㉠ ( )

㉡ ( )

9종 공통

10 위 **9**번에서 찌그러진 페트병을 펴고 싶을 때에 해야 할 일로 옳은 것을 **보기**에서 골라 기호를 쓰시오.

보기

㉠ 찌그러진 페트병을 얼음물에 넣는다.

㉡ 찌그러진 페트병을 뜨거운 물에 넣는다.

㉢ 찌그러진 페트병의 마개를 더 세게 닫는다.

( )

9종 검정 교과서 단원평가

4 공기를 이루는 여러 가지 기체

핵심 정리

🌀 공기

① 질소와 산소가 공기의 대부분을 차지합니다.

② 공기는 여러 가지 기체로 이루어진 혼합물입니다.

🌀 공기를 이루는 여러 가지 기체

질소	산소

과자가 부서지거나 맛이 변하는 것을 막음.	• 금속의 절단 및 용접 등에 이용됨. • 고기의 색을 유지할 수 있도록 함.
네온	수소

조명 기구나 광고에 이용됨.	매우 가벼우며, 환경을 오염하지 않고 전기를 만들 수 있음.
이산화 탄소	헬륨

• 식물을 키우는 데 이용됨. • 소화기, 소화제의 재료 등으로 이용됨.	• 풍선을 띄울 때 이용됨. • 비행선을 하늘 높이 띄우기 위해 이용됨.

▼

공통점: 색깔과 냄새가 모두 없음.

---

1 다음 중 공기의 대부분을 차지하는 기체로 옳은 것을 두 가지 고르시오. (,   )

① 네온　　② 산소　　③ 수소

④ 질소　　⑤ 메테인

9종 공통

2 다음 기체에 대한 설명에서 ☐ 안에 공통으로 들어갈 알맞은 기체는 어느 것입니까? (   )

> • ☐☐은/는 매우 가볍습니다.
> • ☐☐은/는 환경을 오염하지 않고 전기를 만들 수 있습니다.

① 수소　　② 산소　　③ 질소

④ 헬륨　　⑤ 이산화 탄소

9종 공통

3 오른쪽과 같이 조명 기구에 이용하는 것은 무엇인지 쓰시오.

(   )

[4~5] 오른쪽은 과자 봉지에 기체를 넣어 제품을 포장한 모습입니다. 물음에 답하시오.

9종 공통

4 위와 같이 과자 등의 제품을 포장할 때 사용하는 기체는 무엇인지 쓰시오.

(   )

9종 공통

5 앞의 과자 봉지에 산소를 채우면 어떤 현상이 나타날지 보기에서 골라 기호를 쓰시오.

보기
㉠ 과자 봉지가 부풀어 오를 것입니다.
㉡ 과자 봉지 속 내용물이 변할 것입니다.
㉢ 과자 봉지 속 과자의 모양이 변하지 않고 그대로 유지될 것입니다.

( )

9종 공통

6 다음과 같은 경우에 이용되는 기체를 보기에서 골라 각각 쓰시오.

보기
산소   수소   이산화 탄소

㉠
⬥ 소화제의 재료

㉡
⬥ 금속을 자르거나 붙일 때

( )   ( )

9종 공통

7 다음 중 공기에 대한 설명으로 옳은 것에 ○표, 옳지 않은 것에는 ×표를 하시오.

(1) 네온과 수소는 공기를 이루는 기체가 아닙니다. ( )

(2) 공기를 이루고 있는 기체 중 질소와 산소만 우리 생활에 이용됩니다. ( )

9종 공통

8 다음과 같이 이용되는 기체에 대한 설명으로 옳은 것은 어느 것입니까? ( )

⬥ 풍선을 띄울 때

① 독한 냄새가 난다.
② 소화기의 재료로 이용된다.
③ 식물을 키우는 데 이용된다.
④ 매우 가벼우며 환경을 오염하지 않는다.
⑤ 비행선을 하늘 높이 띄우기 위해 이용된다.

9종 공통

9 다음 중 여러 가지 기체에 대한 설명으로 옳은 것은 어느 것입니까? ( )

① 이산화 탄소는 색깔이 있다.
② 산소는 소화기의 재료로 이용된다.
③ 수소는 고기의 색을 유지할 수 있도록 한다.
④ 이산화 탄소를 이용하여 딸기를 키울 수 있다.
⑤ 질소는 특유의 빛을 내는 조명 기구에 이용된다.

🟦 서술형·논술형 문제   9종 공통

10 다음은 공기를 이루고 있는 기체인 산소와 수소를 우리 생활에 이용한 모습입니다. 두 기체의 공통점을 쓰시오.

⬥ 산소 충전 포장

⬥ 수소 연료 자동차

_____

_____

핵심 정리

🐚 세포

① 세포는 생물을 이루는 기본 단위로, 생물은 세포로 이루어져 있습니다.

② 세포는 대부분 크기가 매우 작아 맨눈으로 보기 어렵습니다.

③ 세포는 종류에 따라 모양, 크기, 하는 일 등이 다릅니다.

🐚 양파 표피 세포와 입안 상피 세포의 모습

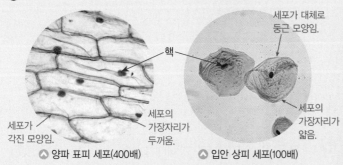

세포가 각진 모양임.

핵

세포의 가장자리가 두꺼움.

🔼 양파 표피 세포(400배)

세포가 대체로 둥근 모양임.

세포의 가장자리가 얇음.

🔼 입안 상피 세포(100배)

🐚 식물 세포와 동물 세포의 공통점과 차이점

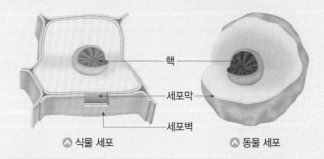

핵

세포막

세포벽

🔼 식물 세포

🔼 동물 세포

공통점	• 핵과 세포막이 있음. • 크기가 매우 작아 맨눈으로 관찰하기 어려움.
차이점	식물 세포는 세포벽이 있고, 동물 세포는 세포벽이 없음.

🐚 세포의 구조

① 핵: 세포 안에 있는 핵은 세포의 정보를 저장하고, 생명 활동을 조절하는 역할을 합니다.

② 세포막: 세포를 둘러싸고 있습니다.

③ 세포벽: 식물 세포의 세포막 바깥쪽을 둘러싸고 있지만, 동물 세포에는 없습니다.

미래엔

1 다음은 생물을 이루고 있는 세포에 대한 설명입니다. ( ) 안의 알맞은 말에 각각 ○표를 하시오.

9종 공통

> 세포는 모양과 크기가 (일정 / 다양)하고, 그에 따라 하는 일도 (같습 / 다릅)니다.

[2~4] 다음은 양파 표피 세포를 관찰한 모습입니다. 물음에 답하시오.

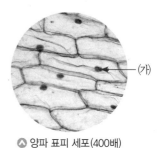

(가)

🔼 양파 표피 세포(400배)

2 다음 중 위 양파 표피 세포를 관찰할 때 사용하는 도구로 알맞은 것은 어느 것입니까? ( )

9종 공통

① 안경
② 돋보기
③ 망원경
④ 용수철저울
⑤ 광학 현미경

3 다음 보기에서 양파 표피 세포의 특징으로 옳지 않은 것을 골라 기호를 쓰시오.

9종 공통

> **보기**
> ㉠ 핵이 있습니다.
> ㉡ 세포의 가장자리가 두껍습니다.
> ㉢ 세포가 대체로 둥근 모양입니다.

( )

4 다음 중 위의 (가)에 대한 설명으로 옳은 것은 어느 것입니까? ( )

9종 공통

① 세포막이다.
② 동물 세포에서는 볼 수 없다.
③ 대부분 맨눈으로 보기 어렵다.
④ 식물 중 양파에서만 볼 수 있다.
⑤ 세포의 핵으로, 대부분 맨눈으로 볼 수 있다.

5 오른쪽의 입안 상피 세포에 대한 설명으로 옳지 <u>않은</u> 것은 어느 것입니까? (   )

9종 공통

△ 입안 상피 세포(100배)

① 핵이 있다.
② 세포막이 있다.
③ 세포벽이 있다.
④ 동물 세포이다.
⑤ 맨눈으로 관찰하기 어렵다.

6 다음 설명에 해당하는 입안 상피 세포의 구조를 쓰시오.

미래엔

> 세포 안에 있는 구조로, 세포의 정보를 저장하고 생명 활동을 조절하는 역할을 합니다.

(   )

[7~8] 다음은 식물 세포와 동물 세포의 모습입니다. 물음에 답하시오.

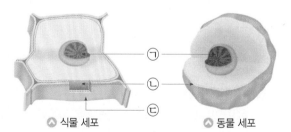
△ 식물 세포   △ 동물 세포

7 다음 중 식물 세포와 동물 세포의 구조에서 ㉠~㉢의 이름을 옳게 짝지은 것은 어느 것입니까? (   )

9종 공통

① ㉠, 세포막   ② ㉠, 세포벽
③ ㉡, 핵   ④ ㉡, 세포벽
⑤ ㉢, 세포벽

🗂 서술형·논술형 문제

9종 공통

8 앞의 식물 세포와 동물 세포의 모습을 참고하여, 식물 세포와 동물 세포의 차이점을 쓰시오.

_____

_____

9종 공통

9 다음 중 식물 세포와 동물 세포에 대한 설명으로 옳은 것은 어느 것입니까? (   )

① 동물 세포는 우리 몸에서 볼 수 없다.
② 동물 세포의 핵은 세포막 바깥쪽에 있다.
③ 식물 세포와 동물 세포의 공통점은 없다.
④ 식물 세포는 세포막과 세포벽으로 둘러싸여 있다.
⑤ 식물 세포는 광학 현미경으로 관찰할 수 있지만, 동물 세포는 관찰할 수 없다.

9종 공통

10 다음 설명 중 식물 세포에 대한 설명이면 '식물', 동물 세포에 대한 설명이면 '동물', 식물 세포와 동물 세포의 공통된 설명이면 '공통'이라고 쓰시오.

(1) 핵이 있습니다.   (   )

(2) 세포막으로 둘러싸여 있습니다.
                    (   )

(3) 세포막 바깥쪽을 둘러싼 세포벽이 있습니다.
                    (   )

과학

단원평가

9종
검정 교과서

핵심 정리

🌰 뿌리의 생김새 → 뿌리는 대부분 땅속으로 자랍니다.

천재교과서

① 굵고 곧은 뿌리에 가는 뿌리가 여러 개 난 것

△ 감나무 뿌리　　△ 명아주 뿌리　　△ 당근 뿌리

② 굵기가 비슷한 뿌리가 수염처럼 난 것

△ 파 뿌리　　△ 양파 뿌리　　△ 강아지풀 뿌리

🌰 뿌리가 하는 일

지지 기능	땅속으로 뻗어 식물을 지지함.
흡수 기능	흙 속의 물을 흡수함. → 뿌리털이 물을 더 많이 흡수하도록 해 줍니다.
저장 기능	무, 당근 등은 뿌리에 양분을 저장함.

🌰 줄기의 생김새

김영사

곧은줄기	봉선화, 느티나무
감는줄기	나팔꽃, 담쟁이덩굴
기는줄기	딸기, 고구마
양분을 저장하는 줄기	감자

🌰 줄기가 하는 일

지지 기능	잎, 꽃 등을 받쳐 식물을 지지함.
운반 기능	물을 식물 전체로 전달함.
저장 기능	감자, 토란 등은 줄기에 양분을 저장함.

② 뿌리와 줄기의 생김새와 하는 일

1 다음 보기 에서 뿌리에 대한 설명으로 옳지 않은 것을 골라 기호를 쓰시오.

9종 공통

보기
㉠ 뿌리는 대부분 땅속으로 자랍니다.
㉡ 모든 식물 뿌리의 생김새는 같습니다.
㉢ 뿌리의 생김새는 식물의 종류에 따라 다양합니다.

(　　　　　　　)

2 다음 중 굵기가 비슷한 뿌리가 수염처럼 나는 것은 어느 것입니까? (　　　　)

천재교육, 천재교과서, 동아, 지학사

① △ 당근 뿌리　　② △ 감나무 뿌리
③ △ 명아주 뿌리　　④ △ 강아지풀 뿌리

3 다음은 뿌리가 물을 더 많이 흡수할 수 있는 까닭에 대한 설명입니다. ☐ 안에 공통으로 들어갈 알맞은 말을 쓰시오.

9종 공통

뿌리에는 솜털처럼 가는 ☐☐☐이/가 나 있고, ☐☐☐은/는 뿌리가 물을 더 잘 흡수하도록 해 줍니다.

(　　　　　　　)

[4~5] 뿌리가 하는 일을 알아보기 위해 다음과 같이 장치하고 햇빛이 잘 비치는 곳에 두었습니다. 물음에 답하시오.

ⓐ 뿌리를 자른 양파

ⓐ 뿌리를 자르지 않은 양파

천재교육, 천재교과서, 동아, 미래엔

4 위의 실험에서 2~3일 뒤에 관찰했을 때 비커 안의 물이 거의 줄어들지 않은 것을 골라 기호를 쓰시오.

( )

천재교육, 천재교과서, 동아, 미래엔

5 다음은 위 실험 결과로 알 수 있는 점을 정리한 것입니다. ( ) 안의 알맞은 말에 각각 ○표를 하시오.

> 뿌리를 (자른 / 자르지 않은) 양파를 올려 놓은 비커 안의 물이 더 많이 줄어들었으므로 뿌리가 (물 / 양분)을 흡수한다는 것을 알 수 있습니다.

9종 공통

6 다음 식물의 구조 중 아래로 뿌리가 이어져 있고, 위로 잎이 나 있어 뿌리와 잎을 연결하는 것은 어느 것입니까?

( )

① 꽃　　　② 줄기　　　③ 열매
④ 뿌리털　　⑤ 꽃받침

천재교과서, 금성, 김영사

7 다음 중 기는줄기를 갖고 있는 식물은 어느 것입니까?

( )

① 감자　　　② 토란　　　③ 딸기
④ 소나무　　⑤ 나팔꽃

김영사

8 다음 두 식물 줄기가 자라는 모습의 차이점을 쓰시오.

ⓐ 봉선화

ⓐ 나팔꽃

_____

_____

천재교육, 천재교과서, 금성, 동아, 미래엔, 아이스크림, 지학사

9 오른쪽의 붉은 색소 물에 4시간 동안 넣어 둔 백합 줄기를 가로로 자른 단면의 모습으로 옳은 것의 기호를 쓰시오.

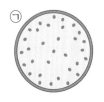
ⓒ

ⓛ

ⓒ

( )

9종 공통

10 다음 중 줄기의 운반 기능에 대한 설명으로 옳은 것은 어느 것입니까? ( )

① 양분을 저장한다.
② 잎이나 꽃 등을 받친다.
③ 빛을 이용해 양분을 만든다.
④ 물을 식물 전체로 전달한다.
⑤ 해충이나 세균 등의 침입을 막는다.

9종
검정 교과서

단원 평가

3 잎의 생김새와 하는 일

천재교과서, 미래엔, 아이스크림

1 다음 중 잎의 생김새에 대해 **잘못** 말한 친구는 누구입니까? (   )

① 선영: 대부분 초록색을 띠어.

② 현지: 대부분 주황색을 띠어.

③ 정한: 잎자루는 줄기에 붙어 있어.

④ 동민: 잎몸에는 잎맥이 퍼져 있어.

⑤ 연우: 잎몸이 잎자루에 연결되어 있어.

핵심 정리

🌿 잎의 생김새

천재교과서, 미래엔, 아이스크림

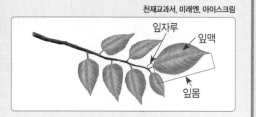

잎자루 / 잎맥 / 잎몸

🌿 광합성과 양분의 이동

① 광합성: 식물이 빛을 이용하여 이산화 탄소와 물로 양분을 만드는 것

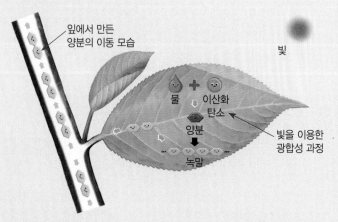

잎에서 만든 양분의 이동 모습 / 빛 / 물 / 이산화 탄소 / 양분 / 빛을 이용한 광합성 과정 / 녹말

② 빛을 받은 잎에서는 녹말(양분)이 만들어지는데, 잎에 아이오딘-아이오딘화 칼륨 용액을 떨어뜨렸을 때 녹말과 반응하여 청람색이 나타납니다. 천재교육, 동아, 비상, 지학사

빛을 받은 봉선화 잎	빛을 받지 못한 봉선화 잎
청람색으로 변함.	색깔 변화가 없음.

③ 잎에서 만든 양분은 줄기를 통해 뿌리, 열매 등 여러 부분으로 이동하여 사용되고, 남은 양분은 저장됩니다.

🌿 증산 작용

증산 작용	잎에 도달한 물의 일부가 수증기가 되어 기공을 통해 식물 밖으로 빠져나가는 것
증산 작용의 역할	• 뿌리에서 흡수한 물을 식물의 꼭대기까지 끌어 올리는 것을 도움. • 더울 때 식물의 온도가 계속 올라가는 것을 막아 식물의 온도를 적당하게 유지함.

[2~4] 잎에서 만든 물질을 알아보기 위해서 봉선화 잎 중 한 개에만 알루미늄 포일을 씌워 햇빛이 드는 곳에 두었습니다. 물음에 답하시오.

천재교육, 동아, 비상, 지학사

2 다음 날 오후에 알루미늄 포일을 씌우지 않은 잎과 알루미늄 포일을 씌운 잎을 따서 다음과 같이 실험하였습니다. ☐ 안에 들어갈 알맞은 말을 쓰시오.

> **1** 각 잎을 뜨거운 물이 담긴 비커에 1분간 담갔다가 에탄올이 담긴 작은 비커에 옮겨 넣기
>
> **2** **1**의 작은 비커를 뜨거운 물이 담긴 비커에 넣어 유리판으로 덮고 5분 동안 기다리기
>
> **3** **2**의 잎을 따뜻한 물로 헹구고, ☐☐☐☐ 용액을 떨어뜨려 색깔 변화를 관찰하기

(   )

천재교육, 동아, 비상, 지학사

3 위 **2**번과 같이 실험하였을 때 알루미늄 포일을 씌우지 않은 잎과 알루미늄 포일을 씌운 잎 중 색깔 변화가 나타나는 잎을 쓰시오.

알루미늄 포일을 (   ) 잎

4 천재교육, 동아, 비상, 지학사

다음 중 앞의 **3**번의 답을 통해 알게 된 점으로 옳은 것은 어느 것입니까? (   )

① 빛을 받은 잎에서 녹말이 만들어진다.

② 잎은 흙 속의 물을 흡수하는 일을 한다.

③ 빛을 받지 않은 잎에서 녹말이 만들어진다.

④ 빛을 받은 잎에서는 아무것도 만들어지지 않는다.

⑤ 잎에서 녹말이 만들어지는 데에는 빛이 영향을 주지 않는다.

5 9종 공통

다음은 생물이 살아가는 데 필요한 것에 대한 설명입니다. ☐ 안에 공통으로 들어갈 알맞은 말을 쓰시오.

> 사람은 살아가는 데 필요한 ☐을/를 음식으로 얻지만, 식물은 빛을 이용해 스스로 필요한 ☐을/를 만듭니다.

(   )

6 9종 공통

다음 중 광합성에 대해 바르게 말한 친구를 골라 이름을 쓰시오.

> 수민: 주로 잎에서 일어나지.
> 연지: 광합성은 빛이 없어도 일어나는 현상이야.
> 가현: 식물이 빛을 이용해 이산화 탄소를 만드는 것이야.

(   )

7 9종 공통

다음 중 잎에서 만들어진 양분에 대한 설명으로 옳은 것을 두 가지 고르시오. (,   )

① 대부분 식물 밖으로 빠져나간다.

② 기공을 통해 식물 밖으로 빠져나간다.

③ 뿌리를 통해 식물 밖으로 빠져나간다.

④ 줄기를 통해 뿌리, 열매 등으로 이동한다.

⑤ 뿌리, 열매 등으로 이동하여 사용되고, 남은 양분은 저장된다.

8 📝 서술형·논술형 문제 9종 공통

다음과 같이 식물의 모종 중 하나만 잎을 제거하여 각각 물에 넣어 비닐봉지를 씌운 후 햇빛이 잘 비치는 곳에 두었습니다. 몇 시간 후에 두 비닐봉지 안쪽을 관찰한 결과를 각각 쓰시오.

⬆ 잎을 제거함.   ⬆ 잎을 그대로 둠.

_____

_____

9 9종 공통

다음 중 위 **8**번의 답을 통해 알 수 있는 점은 어느 것입니까? (   )

① 뿌리는 양분을 흡수한다.

② 광합성은 주로 잎에서 일어난다.

③ 뿌리털이 많으면 광합성이 잘 일어난다.

④ 물은 잎을 통해 식물 밖으로 빠져나간다.

⑤ 물이 식물 밖으로 빠져나가는 것은 잎의 유무와 관련이 없다.

10 9종 공통

다음 보기 에서 증산 작용에 대한 설명으로 옳지 <u>않은</u> 것을 골라 기호를 쓰시오.

> **보기**
> ㉠ 잎의 기공에서 일어납니다.
> ㉡ 더울 때 식물의 온도가 계속 올라가는 것을 막습니다.
> ㉢ 수증기가 물의 형태로 기공을 통해 식물 밖으로 빠져나갑니다.

(   )

4 꽃과 열매의 생김새와 하는 일

🌱 꽃의 생김새와 하는 일

꽃의 구조	대부분 암술, 수술, 꽃잎, 꽃받침으로 이루어져 있음.
꽃이 하는 일	꽃가루받이(수분)를 거쳐 씨를 만듦.

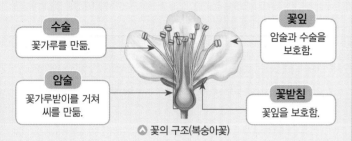

수술 꽃가루를 만듦.

꽃잎 암술과 수술을 보호함.

암술 꽃가루받이를 거쳐 씨를 만듦.

꽃받침 꽃잎을 보호함.

⬆ 꽃의 구조(복숭아꽃)

🌱 꽃가루받이(수분): 수술에서 만들어지는 꽃가루가 암술에 옮겨 붙는 것입니다.

곤충에 의한 꽃가루받이	국화, 민들레, 무궁화 등
새에 의한 꽃가루받이	동백나무, 바나나 등
바람에 의한 꽃가루받이	느티나무, 소나무, 부들 등
물에 의한 꽃가루받이	나사말, 검정말 등

🌱 열매의 생김새와 하는 일

열매의 구조	씨와 씨를 둘러싼 껍질
열매가 하는 일	어린 씨를 보호하고, 씨가 익으면 씨가 퍼지는 것을 도움.

🌱 식물의 씨가 퍼지는 다양한 방법

바람에 날려서	민들레, 버드나무 등
동물의 털에 붙어서	도꼬마리, 도깨비바늘 등
동물에게 먹혀서	벚나무, 머루 등
물에 떠서	연꽃, 야자나무 등
스스로 터져서	봉선화 등

9종 공통

1 다음 보기 에서 꽃의 구조에 대한 설명으로 옳은 것을 골라 기호를 쓰시오.

> **보기**
> ㉠ 대부분 암술, 수술, 꽃잎, 꽃받침으로 이루어져 있습니다.
> ㉡ 대부분 암술, 수술, 열매, 꽃받침으로 이루어져 있습니다.
> ㉢ 대부분 암술, 수술, 뿌리털, 꽃받침으로 이루어져 있습니다.

( )

9종 공통

2 다음 중 꽃이 하는 일에 대해 바르게 설명한 친구는 누구입니까? ( )

① 은정: 꽃가루받이를 거쳐 씨를 만들어.
② 성현: 꽃가루받이를 거쳐 수술을 만들지.
③ 민지: 기공을 통해 물을 식물 밖으로 내보내.
④ 송이: 씨를 보호하고, 씨가 퍼지는 것을 도와.
⑤ 준석: 물을 흡수하고, 식물 전체로 물을 전달해.

9종 공통

3 다음의 복숭아꽃의 구조에서 암술과 수술을 보호하는 것을 골라 기호를 쓰시오.

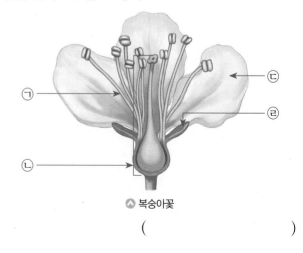

⬆ 복숭아꽃

( )

천재교육, 천재교과서, 김영사, 미래엔, 지학사

4 다음 중 호박꽃에 대한 설명으로 옳은 것을 두 가지 고르시오. (,   )

① 호박꽃의 암꽃은 수술이 없다.

② 호박꽃의 암꽃은 암술이 없다.

③ 호박꽃의 수꽃은 수술이 없다.

④ 호박꽃의 수꽃은 암술이 없다.

⑤ 호박꽃 한 송이에 암술, 수술, 꽃잎, 꽃받침이 모두 있다.

9종 공통

5 다음은 꽃가루받이에 대한 설명입니다. ㉠, ㉡에 들어갈 알맞은 말을 각각 쓰시오.

> 꽃가루받이는 ㉠ (이)라고도 하며, 수술에서 만들어지는 꽃가루가 ㉡ 에 옮겨 붙는 것입니다.

㉠ (   )

㉡ (   )

천재교육, 김영사

6 다음 보기 에서 곤충에 의해 꽃가루받이가 이루어지는 식물을 골라 기호를 쓰시오.

> **보기**
> ㉠ 국화   ㉡ 나사말
> ㉢ 소나무   ㉣ 동백나무

(   )

김영사

7 다음은 검정말의 꽃가루받이에 대한 설명입니다. ☐ 안에 들어갈 알맞은 말을 쓰시오.

> 검정말은 ☐ 에 의해 꽃가루받이가 이루어집니다.

(   )

9종 공통

8 다음 중 열매에 대한 설명으로 옳은 것은 어느 것입니까?

(   )

① 꽃가루를 만든다.

② 어린 씨를 보호한다.

③ 빛을 이용해 녹말을 만든다.

④ 식물 밖으로 물을 내보낸다.

⑤ 꽃가루받이를 거쳐 씨를 만든다.

천재교과서, 동아, 지학사

9 다음 식물 중 동물의 털이나 사람의 옷에 붙어서 씨가 퍼지는 것을 두 가지 고르시오. (,   )

①
🔺 연꽃

②
🔺 민들레

③
🔺 도꼬마리

④
🔺 도깨비바늘

📦 서술형·논술형 문제

동아, 지학사

10 오른쪽은 머루의 모습입니다. 머루는 어떻게 씨가 퍼지는지 쓰시오.

🔺 머루

_____

_____

과학

단원 평가

1 프리즘을 통과한 햇빛 / 빛의 굴절

핵심 정리

🌀 프리즘을 통과한 햇빛

① 햇빛이 프리즘을 통과할 때: 여러 가지 색의 빛으로 나타 납니다. ➡ 햇빛은 여러 가지 색의 빛으로 이루어져 있음을 알 수 있습니다.

② 햇빛이 여러 가지 색의 빛으로 나타나는 현상: 비가 내린 뒤 볼 수 있는 무지개 등

⬆ 햇빛이 프리즘을 통과할 때 흰 도화지에 나타나는 모습

🌀 공기와 물의 경계에서 빛이 나아가는 모습

① 빛이 수직으로 나아갈 때: 두 물질의 경계에서 꺾이지 않고 그대로 나아갑니다.

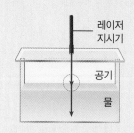
⬆ 빛이 공기 중에서 물로 수직 으로 나아갈 때

⬆ 빛이 공기 중에서 유리로 수직 으로 나아갈 때

② 빛이 비스듬히 나아갈 때: 두 물질의 경계에서 꺾여 나아갑니다.

⬆ 빛이 공기 중에서 물로 비스 듬히 나아갈 때

⬆ 빛이 공기 중에서 유리로 비스 듬히 나아갈 때

🌀 빛의 굴절: 서로 다른 물질의 경계에서 빛이 꺾여 나아가는 현상

---

1 다음에서 설명하는 것은 무엇인지 쓰시오.

> • 유리나 플라스틱 등으로 만든 투명한 삼각기둥 모양의 기구 입니다.
> • 빛을 통과시킬 수 있습니다.

( )

---

2 오른쪽은 프리즘을 통과한 햇빛의 모습을 그린 것입니다. 이를 통해 알게 된 점으로 옳은 것을 보기 에서 골라 기호를 쓰시오.

> 보기
> ㉠ 햇빛은 빨간색의 빛으로만 이루어져 있습니다.
> ㉡ 햇빛은 세 가지 색의 빛으로 이루어져 있습니다.
> ㉢ 햇빛은 여러 가지 색의 빛으로 이루어져 있습니다.

( )

---

3 다음은 비가 내린 뒤 볼 수 있는 무지개에 대한 설명 입니다. ( ) 안의 알맞은 말에 ○표를 하시오.

> 비가 내린 뒤 볼 수 있는 무지개는 (햇빛 / 공기 / 물방울)이/가 여러 가지 색의 빛으로 이루어졌기 때문에 나타나는 현상입니다.

4 오른쪽 폭포 주변의 모습에서 프리즘 역할을 하는 것은 무엇입니까? (　　　)

금성, 지학사

무지개 →

① 돌　　　　② 바위
③ 나무　　　④ 무지개
⑤ 공기 중의 물방울

5 오른쪽과 같이 투명한 사각 수조에 레이저 지시기의 빛을 비스듬히 비출 때 빛이 나아 가는 모습으로 옳은 것을 보기에서 골라 기호를 쓰시오.

9종 공통

레이저 지시기

공기

△ 수조에 물이 없을 때

보기
㉠ 빛이 사라집니다.
㉡ 빛이 곧게 나아갑니다.
㉢ 빛이 꺾여 나아갑니다.

(　　　　　　　　)

[6~7] 다음은 레이저 지시기의 빛을 공기 중에서 물로 나아 가도록 여러 각도에서 비추는 모습입니다. 실험 결과를 보기에서 골라 각각 기호를 쓰시오.

보기
㉠ 빛이 사라집니다.
㉡ 빛이 두 물질의 경계에서 꺾여 나아갑니다.
㉢ 빛이 두 물질의 경계에서 꺾이지 않고 그대로 나아갑 니다.

9종 공통

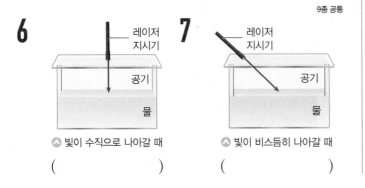

6

레이저 지시기

공기

물

△ 빛이 수직으로 나아갈 때

(　　　　　)

7

레이저 지시기

공기

물

△ 빛이 비스듬히 나아갈 때

(　　　　　)

8 오른쪽은 빈 수조에 유리 판을 넣고 레이저 지시기의 빛을 비춘 모습입니다. 두 물질의 경계에서 관찰할 수 있는 빛의 성질은 어느 것입니까? (　　　)

천재교육, 김영사, 미래엔, 비상, 아이스크림, 지학사

레이저 지시기

반투명한 유리판

① 빛의 직진　　② 빛의 반사　　③ 빛의 굴절
④ 빛의 합성　　⑤ 빛과 그림자

천재교육, 동아

9 다음은 물에 잠긴 수수깡을 옆과 위에서 관찰한 모습 입니다. 물속에 잠긴 물체를 옆과 위에서 볼 때 어떻게 보이는지 각각 쓰시오.

← 수수깡

← 수수깡

△ 옆에서 관찰한 모습　　△ 위에서 관찰한 모습

(1) 옆에서 볼 때: ＿＿＿＿＿＿＿＿＿＿＿＿＿＿＿＿

＿＿＿＿＿＿＿＿＿＿＿＿＿＿＿＿＿＿＿＿＿＿＿＿

(2) 위에서 볼 때: ＿＿＿＿＿＿＿＿＿＿＿＿＿＿＿＿

＿＿＿＿＿＿＿＿＿＿＿＿＿＿＿＿＿＿＿＿＿＿＿＿

금성, 김영사, 지학사

10 다음은 물속에 있는 물고기를 물 밖에서 관찰한 모습에 대한 설명입니다. ⬜ 안에 들어갈 알맞은 말을 쓰시오.

물속에 있는 실제 물고기의 위치는 물 밖의 사람이 생각하는 물고기의 위치보다 더 ⬜⬜쪽에 있습니다.

(　　　　　　　　)

과 학

9종 검정 교과서 단원평가

핵심 정리

🌀 **볼록 렌즈**: 가운데 부분이 가장자리보다 두꺼운 렌즈

🌀 **볼록 렌즈에서 빛의 굴절**: 빛은 공기 중에서 나아가다가 볼록 렌즈를 통과하면 볼록 렌즈의 두꺼운 가운데 부분으로 굴절합니다. 천재교과서, 금성, 김영사, 동아, 미래엔, 비상, 지학사

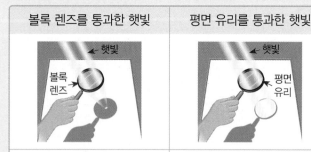

3구 레이저 / 볼록 렌즈

빛이 볼록 렌즈의 가장자리를 통과할 때	빛이 볼록 렌즈의 두꺼운 가운데 부분으로 꺾여 나아감.
빛이 볼록 렌즈의 가운데 부분을 통과할 때	빛이 꺾이지 않고 그대로 나아감.

🌀 **볼록 렌즈를 통과하는 햇빛**
① 볼록 렌즈와 평면 유리를 통과한 햇빛

볼록 렌즈를 통과한 햇빛	평면 유리를 통과한 햇빛
햇빛 / 볼록 렌즈	햇빛 / 평면 유리
빛을 모을 수 있기 때문에 햇빛을 모은 곳은 주변보다 밝기가 밝고 온도가 높음.	빛을 모을 수 없기 때문에 주변과 밝기와 온도가 비슷함.

② 알게 된 점
• 볼록 렌즈에 햇빛을 통과시키면 볼록 렌즈에서 햇빛이 굴절하여 한곳으로 모을 수 있습니다.
• 볼록 렌즈를 통해 햇빛을 모은 부분은 주변보다 밝기가 밝고 온도가 높습니다.

2 볼록 렌즈의 특징 / 볼록 렌즈를 통과하는 햇빛

9종 공통

1 다음 중 볼록 렌즈를 두 가지 고르시오.

(　　,　　)

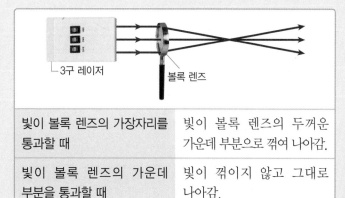

① ② ③ ④

🗨 **서술형·논술형 문제** 　　9종 공통

2 위 **1**번 답과 같이 쓴 까닭을 쓰시오.

_____

_____

천재교과서, 금성, 김영사, 동아, 미래엔, 비상, 지학사

3 다음 중 곧게 나아가던 레이저 빛이 볼록 렌즈를 통과하는 실험 결과에 대한 설명으로 옳은 것을 두 가지 고르시오. (　　,　　)

① 빛은 볼록 렌즈를 통과하지 못한다.
② 빛이 볼록 렌즈를 통과하면 항상 곧게 나아간다.
③ 빛이 볼록 렌즈의 가장자리를 통과하면 꺾여 나아간다.
④ 빛이 볼록 렌즈를 통과하면 여러 가지 색깔의 빛으로 나타난다.
⑤ 빛이 볼록 렌즈의 가운데 부분을 통과하면 꺾이지 않고 그대로 나아간다.

천재교과서, 금성, 김영사, 동아, 미래엔, 비상, 지학사

4 다음은 볼록 렌즈를 통과한 빛에 대한 설명입니다. ㉠, ㉡에 들어갈 알맞은 말을 각각 쓰시오.

> 빛은 공기 중에서 곧게 나아가다가 볼록 렌즈를 통과하면 볼록 렌즈의 ㉠ 부분으로 ㉡ 합니다.

㉠ (　　　　　) ㉡ (　　　　　)

[5~6] 다음은 볼록 렌즈를 흰 도화지 위에서부터 점점 멀리 하였을 때 흰 도화지에 생긴 햇빛이 만든 원의 모습입니다. 물음에 답하시오.

9종 공통

5 위에서 햇빛이 만든 원에 대한 설명으로 옳은 것을 두 가지 고르시오. (,   )

① 원의 크기에 상관없이 원 안의 밝기는 같다.

② 원의 크기가 가장 클 때 원 안의 밝기가 가장 밝다.

③ 원의 크기가 가장 작을 때 원 안의 밝기가 가장 밝다.

④ 볼록 렌즈와 흰 도화지 사이의 거리에 따라 원의 크기가 변한다.

⑤ 볼록 렌즈와 흰 도화지 사이의 거리에 상관없이 원의 크기가 변하지 않는다.

9종 공통

6 다음은 위 실험 결과로 알 수 있는 볼록 렌즈의 특징입니다. ( ) 안의 알맞은 말에 각각 ○표를 하시오.

> 볼록 렌즈는 햇빛을 모을 수(있어서 / 없어서) 볼록 렌즈로 햇빛을 모은 곳은 주변보다 밝기가 (어둡습니다. / 밝습니다.)

9종 공통

7 오른쪽은 볼록 렌즈를 통과한 햇빛으로 열 변색 종이 위에 그림을 그리는 모습입니다. ㉠ 부분은 주변보다 온도가 어떠한지 쓰시오.

(   )

[8~9] 오른쪽은 햇빛이 평면 유리를 통과했을 때 흰 도화지에 나타난 모습입니다. 물음에 답하시오.

9종 공통

8 위의 평면 유리를 흰 도화지 위에서 점점 멀리 하였을 때 흰 도화지에 생긴 햇빛이 만든 원에 대한 설명으로 옳은 것을 보기 에서 골라 기호를 쓰시오.

> **보기**
> ㉠ 햇빛이 만든 원의 크기가 더 커집니다.
> ㉡ 햇빛이 만든 원의 크기가 더 작아집니다.
> ㉢ 햇빛이 만든 원의 크기가 변하지 않습니다.

(   )

9종 공통

9 다음은 위의 평면 유리를 통과한 햇빛으로 열 변색 종이 위에 그림을 그릴 수 없는 까닭입니다. □ 안에 들어갈 알맞은 말을 쓰시오.

> 평면 유리는 햇빛을 모을 수 없어서 주변보다 온도가 □□□지지 않기 때문입니다.

(   )

천재교육, 천재교과서, 동아

10 오른쪽은 얼음으로 햇빛을 모아 불을 붙이는 모습입니다. 얼음의 모양은 어떠한지 보기 에서 골라 기호를 쓰시오.

> **보기**
> ㉠ 볼록 렌즈 모양   ㉡ 평면 유리 모양

(   )

핵심 정리

🐚 **볼록 렌즈로 본 물체의 모습**: 볼록 렌즈로 물체를 관찰하면 실제 모습과 다르게 보입니다. ➡ 볼록 렌즈에서 빛이 굴절하기 때문입니다.

크게 보임.

△ 볼록 렌즈를 통해 가까이 있는 물체 관찰

작고 상하좌우가 바뀌어 보임.

△ 볼록 렌즈를 통해 멀리 있는 물체 관찰

🐚 **볼록 렌즈의 구실을 하는 것**: 물이 담긴 둥근 유리컵, 유리구슬, 물방울, 물이 담긴 둥근 어항 등

🐚 **간이 사진기를 만들어 물체 관찰하기**

천재교육, 금성, 김영사, 미래엔, 지학사

① 간이 사진기 만드는 방법

볼록 렌즈

1

△ 겉 상자 전개도의 구멍 뚫린 부분에 볼록 렌즈를 붙이기

2

△ 겉 상자를 접기

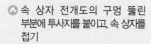

투사지

3

△ 속 상자 전개도의 구멍 뚫린 부분에 투사지를 붙이고, 속 상자를 접기

겉 상자

속 상자

4

△ 겉 상자 속에 속 상자를 넣어 완성하기

② 간이 사진기로 물체 관찰: 물체의 모습이 상하좌우가 바뀌어 보입니다.

3 볼록 렌즈로 물체 관찰

9종 공통

1 다음은 볼록 렌즈로 물체를 관찰한 결과입니다. ( ) 안의 알맞은 말에 ○표를 하시오.

> 볼록 렌즈로 물체를 보면 실제 모습과 (같게 / 다르게) 보입니다.

[2~3] 다음은 진호가 작성한 관찰 기록장입니다. 물음에 답하시오.

구분	관찰 방법	관찰 결과
관찰1	볼록 렌즈로 가까이 있는 물체 관찰하기	㉠ 크게 보임.
관찰2	볼록 렌즈로 멀리 있는 물체 관찰하기	㉡ 상하만 바뀌어 보임.

9종 공통

2 위 관찰 기록장 중 관찰 결과를 <u>잘못</u> 작성한 부분의 기호를 쓰시오.

( )

🖊 서술형·논술형 문제

9종 공통

3 위 2번에서 답한 부분을 바르게 고쳐 쓰시오.

_____

_____

천재교육, 천재교과서, 금성, 김영사, 동아, 미래엔, 비상, 지학사

4 오른쪽의 풀잎에 매달린 물방울에 대한 설명으로 옳지 <u>않은</u> 것을 보기 에서 골라 기호를 쓰시오.

보기
㉠ 물방울은 불투명합니다.
㉡ 물방울을 통해 물체가 보입니다.
㉢ 물방울은 가장자리보다 가운데 부분이 두껍습니다.

( )

5 다음은 물이 담긴 둥근 어항과 유리구슬로 물체를 본 모습입니다. 물이 담긴 둥근 어항과 유리구슬이 구실을 하는 것을 보기에서 골라 기호를 쓰시오.

9종 공통

⬆ 물이 담긴 둥근 어항으로 본 모습

⬆ 유리구슬로 본 모습

보기
㉠ 프리즘   ㉡ 볼록 렌즈   ㉢ 거울

(   )

6 물이 담긴 둥근 어항과 유리구슬이 위 **5**번 답과 같은 물체의 구실을 하는 까닭을 두 가지 고르시오.

9종 공통

(,   )

① 투명하기 때문이다.
② 불투명하기 때문이다.
③ 빛을 굴절시키지 못하기 때문이다.
④ 가운데 부분이 가장자리보다 두껍기 때문이다.
⑤ 가장자리가 가운데 부분보다 두껍기 때문이다.

[7~8] 다음은 간이 사진기 만드는 과정을 순서에 상관없이 나타낸 것입니다. 물음에 답하시오.

1 겉 상자 속에 속 상자를 넣어 완성하기
2 겉 상자 전개도를 접어 겉 상자를 만들기
3 속 상자의 구멍 뚫린 부분에 투사지를 붙이고 전개도를 접어 속 상자를 만들기
4 겉 상자 전개도의 구멍 뚫린 부분에 셀로판테이프로 ㉠ 을/를 붙이기

천재교육, 금성, 김영사, 미래엔, 지학사

7 간이 사진기를 만드는 순서에 맞게 번호를 쓰시오.

4 → (   ) → (   ) → (   )

천재교육, 금성, 김영사, 미래엔, 지학사

8 앞의 간이 사진기를 만드는 과정에서 ㉠에 들어갈 기구로 옳은 것에 ○표를 하시오.

(1)
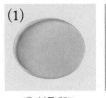
⬆ 볼록 렌즈
(   )

(2)

⬆ 평면 유리
(   )

(3)

⬆ 거울
(   )

천재교육, 금성, 김영사, 미래엔, 지학사

9 다음 간이 사진기에서 빛이 굴절하는 부분의 기호를 쓰시오.

간이 사진기 / 겉 상자 / 속 상자

(   )

천재교육, 금성, 김영사, 미래엔, 지학사

10 오른쪽의 글자를 간이 사진기로 관찰한 모습으로 옳은 것은 어느 것입니까?

과학

(   )

① 과학

②

③

④ **과학**

핵심 정리

🍥 볼록 렌즈를 이용하는 예

🔺 사진기

🔺 현미경

🔺 박물관의 확대경

🔺 시계 확대 창

🔺 쌍안경

🔺 망원경

🔺 등대 불빛 천재교육

🔺 무대 조명

🍥 볼록 렌즈를 이용하는 예와 쓰임새

볼록 렌즈를 이용하는 예	볼록 렌즈의 쓰임새
사진기	빛을 모아 사진이나 영상을 촬영할 때 쓰임.
현미경, 박물관의 확대경, 시계 확대 창, 돋보기안경	작은 물체를 크게 볼 때 쓰임.
쌍안경, 망원경	멀리 있는 물체를 크게 볼 때 쓰임.
등대 불빛, 무대 조명	빛을 한곳에 모으거나 나란하게 하여 멀리 보낼 때 쓰임.

4 볼록 렌즈의 쓰임새

정답 16쪽

1 9종 공통

다음 상황에서 공통으로 사용되는 것으로 옳은 것은 어느 것입니까? (   )

🔺 시계의 날짜를 확인할 때

🔺 작은 전시물을 관찰할 때

① 거울   ② 유리
③ 프리즘   ④ 투사지
⑤ 볼록 렌즈

2 9종 공통

다음은 위 **1**번 상황에서 사용한 기구의 쓰임새입니다. ☐ 안에 들어갈 알맞은 말을 쓰시오.

> 물체의 모습을 ☐하여 작은 물체를 자세히 관찰할 수 있습니다.

(   )

3 9종 공통

다음 볼록 렌즈를 이용한 기구와 쓰임새를 줄로 바르게 이으시오.

(1)

🔺 쌍안경

• ㉠ 멀리 있는 물체를 크게 볼 때

(2)

🔺 현미경

• ㉡ 작은 물체를 크게 볼 때

4 천재교육

다음 보기 에서 등대 불빛에 이용된 볼록 렌즈의 쓰임새를 골라 기호를 쓰시오.

> **보기**
> ㉠ 빛을 사방으로 퍼지게 합니다.
> ㉡ 물체의 모습을 스크린에 비춥니다.
> ㉢ 빛을 나란하게 하여 멀리 보냅니다.

(   )

어느 교과서를 배우더라도

꼭 알아야 하는 **기본 문제** 구성으로

다양한 학교 평가에 완벽 대비할 수 있어요!

10종
검정 교과서

단원 평가 자료집

수학 6-1

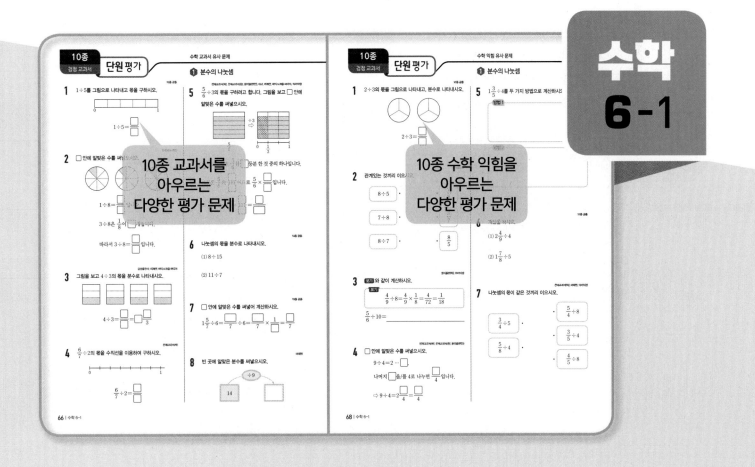

1 분수의 나눗셈

10종 공통

1 $1 \div 5$를 그림으로 나타내고 몫을 구하시오.

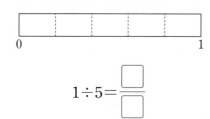

$$1 \div 5 = \frac{\square}{\square}$$

천재교과서(한)

2 ☐ 안에 알맞은 수를 써넣으시오.

$1 \div 8 = \dfrac{\square}{\square}$ 입니다.

$3 \div 8$은 $\dfrac{1}{8}$이 ☐개입니다.

따라서 $3 \div 8 = \dfrac{\square}{\square}$ 입니다.

금성출판사, 미래엔, 아이스크림 미디어

3 그림을 보고 $4 \div 3$의 몫을 분수로 나타내시오.

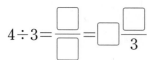

$$4 \div 3 = \frac{\square}{\square} = \square\frac{\square}{3}$$

천재교과서(박)

4 $\dfrac{6}{7} \div 2$의 몫을 수직선을 이용하여 구하시오.

$$\frac{6}{7} \div 2 = \frac{\square}{\square}$$

천재교과서(박), 천재교과서(한), 동아출판(안), 대교, 미래엔, 아이스크림 미디어, 와이비엠

5 $\dfrac{5}{6} \div 3$의 몫을 구하려고 합니다. 그림을 보고 ☐ 안에 알맞은 수를 써넣으시오.

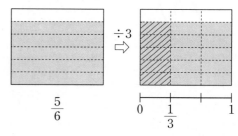

$\dfrac{5}{6} \div 3$의 몫은 $\dfrac{5}{6}$를 ☐등분 한 것 중의 하나입니다.

이것은 $\dfrac{5}{6}$의 $\dfrac{\square}{\square}$이므로 $\dfrac{5}{6} \times \dfrac{\square}{\square}$입니다.

$$\Rightarrow \frac{5}{6} \div 3 = \frac{5}{6} \times \frac{\square}{\square} = \frac{\square}{\square}$$

10종 공통

6 나눗셈의 몫을 분수로 나타내시오.

(1) $8 \div 15$

(2) $11 \div 7$

10종 공통

7 ☐ 안에 알맞은 수를 써넣어 계산하시오.

$$1\frac{5}{7} \div 6 = \frac{\square}{7} \div 6 = \frac{\square}{7} \times \frac{1}{\square} = \frac{\square}{7}$$

미래엔

8 빈 곳에 알맞은 분수를 써넣으시오.

$\div 9$

$14 \rightarrow \square$

동아출판(박), 동아출판(안), 아이스크림 미디어

9 관계있는 것끼리 이으시오.

$\dfrac{3}{4} \div 2$ •   • $\dfrac{7}{5} \times \dfrac{1}{4}$ •   • $\dfrac{3}{8}$

$\dfrac{6}{7} \div 3$ •   • $\dfrac{3}{4} \times \dfrac{1}{2}$ •   • $\dfrac{7}{20}$

$\dfrac{7}{5} \div 4$ •   • $\dfrac{6}{7} \times \dfrac{1}{3}$ •   • $\dfrac{2}{7}$

10종 공통

10 계산을 하시오.

(1) $\dfrac{9}{7} \div 5$

(2) $4\dfrac{1}{8} \div 7$

10종 공통

11 나눗셈의 몫을 <u>잘못</u> 나타낸 것은 어느 것입니까?

(   )

① $1 \div 4 = \dfrac{1}{4}$ ② $5 \div 7 = \dfrac{5}{7}$

③ $3 \div 10 = \dfrac{3}{10}$ ④ $4 \div 5 = \dfrac{4}{5}$

⑤ $7 \div 6 = \dfrac{6}{7}$

동아출판(박), 동아출판(안), 아이스크림 미디어, 와이비엠

12 잘못 계산한 곳을 찾아 바르게 계산하시오.

$1\dfrac{8}{9} \div 4 = 1\dfrac{8 \div 4}{9} = 1\dfrac{2}{9}$

비상교육

13 나눗셈의 몫이 다른 하나에 ○표 하시오.

$\dfrac{3}{8} \div 3$ $\dfrac{1}{2} \div 4$ $\dfrac{5}{8} \div 2$

천재교과서(박)

14 은정이네 텃밭의 넓이는 $16\ \mathrm{m}^2$입니다. 이 텃밭에 고구마, 상추, 오이를 똑같은 넓이로 심기로 했습니다. 고구마를 심을 텃밭의 넓이는 몇 m^2입니까?

(   )

📋 **서술형·논술형 문제**

대교, 미래엔

15 끈 $\dfrac{4}{9}\ \mathrm{m}$를 모두 사용하여 정사각형 모양을 만들었습니다. 이 정사각형의 한 변의 길이는 몇 m인지 풀이 과정을 쓰고 답을 구하시오.

풀이 _____

_____

_____

_____

답 _____

1 분수의 나눗셈

1 $2 \div 3$의 몫을 그림으로 나타내고, 분수로 나타내시오.

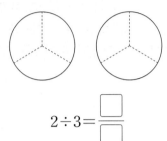

$$2 \div 3 = \frac{\square}{\square}$$

2 관계있는 것끼리 이으시오.

$8 \div 5$ · · $\dfrac{7}{8}$

$7 \div 8$ · · $\dfrac{8}{7}$

$8 \div 7$ · · $\dfrac{8}{5}$

3 보기 와 같이 계산하시오.

보기

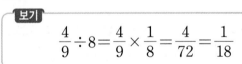
$$\frac{4}{9} \div 8 = \frac{4}{9} \times \frac{1}{8} = \frac{4}{72} = \frac{1}{18}$$

$\dfrac{5}{6} \div 10 =$ _____

4 □ 안에 알맞은 수를 써넣으시오.

$9 \div 4 = 2 \cdots \boxed{}$,

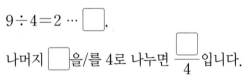
나머지 $\boxed{}$을/를 4로 나누면 $\dfrac{\boxed{}}{4}$입니다.

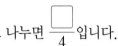
$\Rightarrow 9 \div 4 = 2\dfrac{\boxed{}}{4} = \dfrac{\boxed{}}{4}$

5 $1\dfrac{3}{5} \div 4$를 두 가지 방법으로 계산하시오.

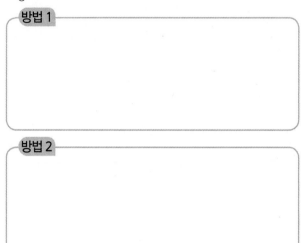

방법 1

방법 2

6 계산을 하시오.

(1) $2\dfrac{4}{9} \div 4$

(2) $1\dfrac{7}{8} \div 5$

7 나눗셈의 몫이 같은 것끼리 이으시오.

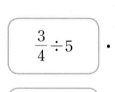

$\dfrac{3}{4} \div 5$ ·

$\dfrac{5}{8} \div 4$ ·

· $\dfrac{5}{4} \div 8$

· $\dfrac{3}{5} \div 4$

· $\dfrac{4}{5} \div 8$

천재교과서(박), 천재교과서(한), 대교

8 계산 결과를 비교하여 ○ 안에 >, =, <를 알맞게 써넣으시오.

$$\frac{6}{7} \div 3 \bigcirc \frac{10}{13} \div 5$$

천재교과서(한), 금성출판사, 동아출판(박), 동아출판(안), 대교, 와이비엠

9 잘못 계산한 곳을 찾아 바르게 계산하시오.

$$\frac{5}{9} \div 3 = \frac{5}{9 \div 3} = \frac{5}{3} = 1\frac{2}{3}$$

천재교과서(박), 아이스크림 미디어, 와이비엠

10 계산 결과가 큰 것부터 차례로 기호를 쓰시오.

$$\bigcirc\ 3 \div 5 \qquad \bigcirc\ \frac{3}{7} \div 3 \qquad \bigcirc\ \frac{6}{11} \div 2$$

(   )

천재교과서(박), 동아출판(안)

11 나눗셈의 몫이 1보다 큰 것을 모두 찾아 기호를 쓰시오.

$$\bigcirc\ 5\frac{1}{2} \div 3 \qquad \bigcirc\ 2\frac{3}{8} \div 5$$

$$\bigcirc\ 3\frac{1}{4} \div 2 \qquad \bigcirc\ 1\frac{1}{6} \div 4$$

(   )

천재교과서(한), 대교, 와이비엠

12 물 3 L와 물 5 L를 모양과 크기가 같은 병에 똑같이 나누어 담으려고 합니다. 물 3 L를 병 4개에, 물 5 L를 병 6개에 똑같이 나누어 담을 때, 병 가와 병 나 중 어느 병에 물이 더 많은지 기호를 쓰시오.

(   )

천재교과서(한), 미래엔, 아이스크림 미디어, 와이비엠

13 한 병에 $\frac{9}{5}$ L씩 들어 있는 주스가 5병 있습니다. 이 주스를 2주일 동안 똑같이 나누어 마시려면 하루에 마셔야 할 주스는 몇 L입니까?

(   )

📦 **서술형·논술형 문제**   천재교과서(한), 동아출판(박), 미래엔, 아이스크림 미디어

14 가로가 7 cm이고 넓이가 $\frac{63}{4}$ cm²인 직사각형의 세로는 몇 cm인지 풀이 과정을 쓰고 답을 구하시오.

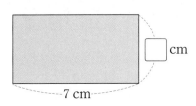

풀이

답

수
학

천재교과서(한)

15 드론이 3시간 동안 $\dfrac{18}{5}$ km를 날아갔습니다 드론이 같은 빠르기로 날아갔다면 1시간 동안 드론이 간 거리는 몇 km인지 구하시오.

(   )

천재교과서(박), 천재교과서(한), 금성출판사, 대교, 미래엔

16 수 카드 3장을 모두 사용하여 계산 결과가 가장 작은 (진분수)÷(자연수) 식을 만들고 계산하시오.

| 7 | | 8 | | 9 |

식 _____

답 _____

천재교과서(박), 천재교과서(한)

17 색 테이프 $\dfrac{9}{10}$ m를 모두 사용하여 크기가 똑같은 정삼각형 모양을 2개 만들었습니다. 이 정삼각형의 한 변의 길이는 몇 m입니까?

(   )

천재교과서(박), 금성출판사, 미래엔, 아이스크림 미디어, 와이비엠

18 ☐ 안에 들어갈 수 있는 자연수 중에서 가장 작은 수를 구하시오.

$$9\dfrac{4}{5} \div 7 < \boxed{}$$

(   )

천재교과서(박), 금성출판사, 미래엔, 아이스크림 미디어

19 어떤 자연수를 12로 나누어야 할 것을 잘못하여 곱했더니 60이 되었습니다. 바르게 계산하면 얼마인지 몫을 분수로 나타내시오.

(   )

동아출판(박), 대교, 비상교육, 아이스크림 미디어

20 무게가 똑같은 사과 5개가 놓여 있는 접시의 무게가 $2\dfrac{4}{7}$ kg입니다. 접시의 무게가 $\dfrac{3}{7}$ kg이라면 사과 한 개는 몇 kg입니까?

(   )

2 각기둥과 각뿔

천재교과서(박)

1 서로 평행하고 합동인 두 다각형이 있는 입체도형을 찾아 기호를 쓰시오.

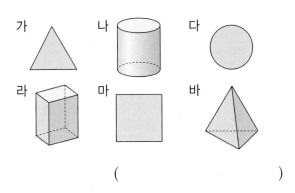

가   나   다
라   마   바

(   )

천재교과서(한), 미래엔, 아이스크림 미디어, 와이비엠

2 각뿔의 이름을 쓰시오.

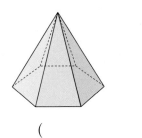

(   )

천재교과서(한), 미래엔, 아이스크림 미디어

3 각기둥의 이름을 쓰시오.

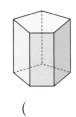

(   )

금성출판사, 비상교육

4 각뿔을 모두 찾아 기호를 쓰시오.

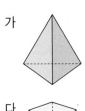

가   나
다   라

(   )

10종 공통

5 전개도를 접었을 때 만들어지는 입체도형의 이름을 쓰시오.

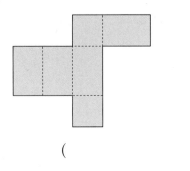

(   )

천재교과서(박)

6 각기둥에서 서로 평행한 두 면을 찾아 색칠하시오.

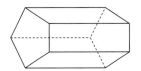

10종 공통

7 보기 에서 알맞은 말을 골라 ☐ 안에 한 번씩 써넣으시오.

> **보기**
> 모서리   각뿔의 꼭짓점   높이   옆면

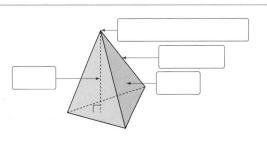

천재교과서(박), 금성출판사, 대교, 비상교육, 아이스크림 미디어

8 각기둥의 전개도를 모두 고르시오. (   )

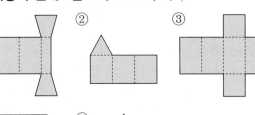

①   ②   ③
④   ⑤

천재교과서(한), 대교, 미래엔, 비상교육

9 각뿔에서 밑면을 찾아 쓰시오.

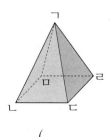

(   )

천재교과서(한), 금성출판사, 동아출판(박), 동아출판(안), 대교, 미래엔, 아이스크림 미디어, 와이비엠

10 각기둥을 보고 빈칸에 알맞은 수를 써넣으시오.

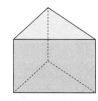

꼭짓점의 수(개)	면의 수(개)	모서리의 수(개)

와이비엠

11 각기둥의 높이는 몇 cm입니까?

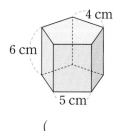

4 cm
6 cm
5 cm

(   )

동아출판(박), 미래엔, 대교

12 각뿔의 모서리는 모두 몇 개입니까?

(   )

천재교과서(박)

13 칠각기둥에 대한 설명입니다. ☐ 안에 알맞은 수나 말을 쓰시오.

칠각기둥
• 밑면은 ☐개입니다.
• 꼭짓점의 수는 ☐개입니다.
• 옆면의 모양은 ☐입니다.

천재교과서(박), 동아출판(안)

14 전개도를 접었을 때 만들어지는 입체도형의 이름을 쓰시오.

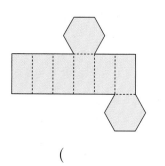

(   )

📋 **서술형·논술형 문제**
비상교육

15 밑면의 모양이 다음과 같은 각기둥의 모서리는 모두 몇 개인지 풀이 과정을 쓰고 답을 구하시오.

풀이 _____

_____

_____

_____

답 _____

2 각기둥과 각뿔

천재교과서(한), 대교, 비상교육

1 각기둥의 이름을 쓰시오.

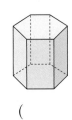

( )

천재교과서(박), 비상교육

2 각뿔의 꼭짓점을 찾아 쓰시오.

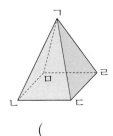

( )

천재교과서(박), 천재교과서(한), 금성출판사, 대교, 미래엔, 아이스크림 미디어, 와이비엠

3 각기둥을 보고 □ 안에 알맞은 말을 써넣으시오.

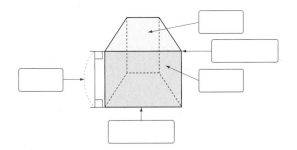

천재교과서(박), 대교, 비상교육, 아이스크림 미디어

4 각뿔을 보고 빈칸에 알맞은 수를 써넣으시오.

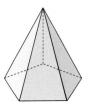

꼭짓점의 수(개)	면의 수(개)	모서리의 수(개)

천재교과서(박), 동아출판(박), 대교, 비상교육, 와이비엠

5 각기둥에 대한 설명 중에서 **틀린** 것은 어느 것입니까? ( )

① 두 밑면은 서로 평행합니다.

② 두 밑면은 서로 합동입니다.

③ 밑면과 옆면은 서로 수직으로 만납니다.

④ 옆면은 모두 삼각형입니다.

⑤ 밑면의 모양이 육각형이면 육각기둥이라고 합니다.

천재교과서(박), 천재교과서(한)

6 각기둥의 겨냥도를 완성하시오.

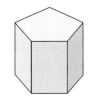 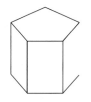

천재교과서(한)

7 다음 각기둥의 모서리는 몇 개인지 쓰시오.

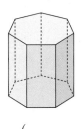

( )

수 학

[8~9] 각기둥의 전개도를 보고 물음에 답하시오.

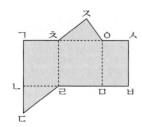

와이비엠

8 전개도를 접었을 때 면 ㅊㄹㅁㅇ에 수직인 면을 모두 찾아 쓰시오.

( )

천재교과서(한), 대교, 비상교육, 와이비엠

9 전개도를 접었을 때 선분 ㅅㅂ과 맞닿는 선분을 찾아 쓰시오.

( )

서술형·논술형 문제

천재교과서(박), 천재교과서(한),
동아출판(안), 비상교육, 아이스크림 미디어

10 다음 입체도형이 각뿔이 아닌 이유를 쓰시오.

_____

_____

천재교과서(박), 동아출판(박), 비상교육, 와이비엠

11 입체도형 가, 나에 대한 설명으로 옳지 않은 것은 어느 것입니까? ( )

가 　　　나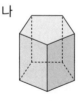

① 나의 모서리는 15개입니다.
② 가와 나는 밑면의 수가 다릅니다.
③ 가와 나는 밑면의 도형 이름이 같습니다.
④ 가는 오각뿔이고, 나는 오각기둥입니다.
⑤ 가와 나는 옆면의 모양이 같습니다.

금성출판사, 동아출판(박), 동아출판(안), 대교, 비상교육

12 각뿔에 대해 **잘못** 설명한 것을 찾아 기호를 쓰시오.

> ㉠ 각뿔의 밑면은 1개입니다.
> ㉡ 각뿔에서 옆면과 옆면이 만나는 선분은 높이입니다.
> ㉢ 각뿔에서 모서리와 모서리가 만나는 점은 꼭짓점입니다.

( )

천재교과서(한), 동아출판(안), 와이비엠

13 각기둥을 보고 표를 완성하고 규칙을 찾아 식으로 나타내시오.

도형	삼각기둥	사각기둥	오각기둥
한 밑면의 변의 수(개)			
꼭짓점의 수(개)			

⇨ (꼭짓점의 수)＝(한 밑면의 변의 수)×☐

천재교과서(한), 금성출판사, 동아출판(안)

14 각뿔을 보고 표를 완성하고 규칙을 찾아 식으로 나타내시오.

도형	삼각뿔	사각뿔	오각뿔
밑면의 변의 수(개)			
면의 수(개)			

⇨ (면의 수)＝(밑면의 변의 수)＋☐

천재교과서(박), 천재교과서(한), 대교, 미래엔, 비상교육, 아이스크림 미디어, 와이비엠

15 전개도를 접어서 각기둥을 만들었습니다. ☐ 안에 알맞은 수를 써넣으시오.

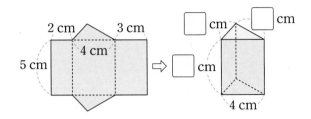

천재교과서(박)

16 다음 입체도형에서 ㉠+㉡+㉢은 얼마인지 쓰시오.

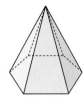

㉠ 모서리의 수
㉡ 꼭짓점의 수
㉢ 면의 수

( )

10종 공통

17 삼각기둥의 전개도를 그리시오.

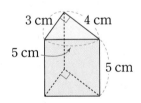

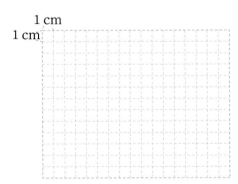

천재교과서(박), 동아출판(안), 미래엔, 와이비엠

18 다음은 어떤 입체도형에 대한 설명입니까?

• 면이 7개입니다.
• 모서리가 15개입니다.
• 꼭짓점이 10개입니다.

( )

금성출판사, 동아출판(박)

19 꼭짓점이 10개이고 모서리가 18개인 각뿔의 이름은 무엇입니까?

( )

동아출판(박), 미래엔

20 다음 각기둥의 모든 모서리의 길이의 합을 구하시오.

• 밑면은 정오각형입니다.
• 옆면은 한 변의 길이가 7 cm인 정사각형입니다.

( )

수
학

단원평가

3 소수의 나눗셈

천재교과서(박)

[1~2] ☐ 안에 알맞은 수를 써넣으시오.

천재교과서(박), 천재교과서(한), 동아출판(안), 미래엔

1 $17.92 \div 8 = \dfrac{\boxed{}}{100} \div 8 = \dfrac{\boxed{} \div 8}{100}$

$= \dfrac{\boxed{}}{100} = \boxed{}$

천재교과서(박), 천재교과서(한), 동아출판(안), 미래엔

2 $1.88 \div 4 = \dfrac{\boxed{}}{100} \div 4 = \dfrac{\boxed{} \div 4}{100}$

$= \dfrac{\boxed{}}{100} = \boxed{}$

천재교과서(박), 천재교과서(한), 동아출판(안), 미래엔, 와이비엠

3 ☐ 안에 알맞은 수를 써넣으시오.

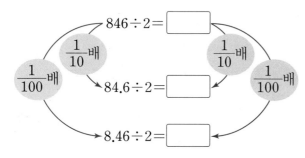

천재교과서(한), 대교, 와이비엠

4 다음은 $35.84 \div 7$을 계산한 식입니다. 몫의 알맞은 위치에 소수점을 찍으시오.

```
      5□1□2
  7)3 5.8 4
    3 5
        8
        7
      1 4
      1 4
          0
```

천재교과서(박)

5 **보기** 와 같은 방법으로 계산하시오.

> **보기**
> $6.8 \div 8 = \dfrac{680}{100} \div 8 = \dfrac{680 \div 8}{100} = \dfrac{85}{100} = 0.85$

$1.8 \div 4$

천재교과서(박), 천재교과서(한), 미래엔, 아이스크림 미디어

6 자연수의 나눗셈을 이용하여 ☐ 안에 알맞은 수를 써넣으시오.

(1) $648 \div 9 = 72 \Rightarrow 6.48 \div 9 = \boxed{}$

(2) $900 \div 4 = 225 \Rightarrow 9 \div 4 = \boxed{}$

천재교과서(박), 대교, 와이비엠

7 계산 결과를 찾아 이으시오.

$8.48 \div 8$	•	•	1.08
$6.48 \div 6$	•	•	1.04
$9.36 \div 9$	•	•	1.06

10종 공통

8 계산을 하시오.

(1) $5\,)\,8.6$

(2) $6\,)\,4\,7.1$

천재교과서(박), 와이비엠

9 어림셈하여 몫의 소수점 위치를 찾아 표시하시오.

$$51.66 \div 7$$

어림 ☐ ÷ ☐ ⇨ 약 ☐

몫   7☐3☐8

금성출판사, 동아출판(안), 대교

10 계산 결과를 비교하여 ○ 안에 >, =, <를 알맞게 써넣으시오.

$$19.36 \div 4 \bigcirc 23.82 \div 6$$

천재교과서(박), 미래엔

11 빈 곳에 알맞은 소수를 써넣으시오.

⟶ ÷ ⟶

15	6	
13	4	

천재교과서(박), 대교, 아이스크림 미디어, 와이비엠

12 리본 62.4 cm를 2명에게 똑같이 나누어 주려고 합니다. ☐ 안에 알맞은 수를 써넣으시오.

1 cm = 10 mm이므로 62.4 cm = 624 mm입니다. 624 ÷ 2 = ☐, 한 사람에게 줄 수 있는 리본은 ☐ mm이므로 ☐ cm입니다.

천재교과서(박), 동아출판(박)

13 계산을 잘못한 곳을 찾아 바르게 계산하시오.

```
      5. 7
  8 ) 4 0. 5 6
      4 0
      ─────
        5 6
        5 6
      ─────
          0
```

⇨ ☐

천재교과서(박), 동아출판(박), 미래엔, 와이비엠, 비상교육

14 쌀 63 kg을 봉지 15개에 똑같이 나누어 담으려고 합니다. 한 봉지에 담아야 할 쌀은 몇 kg입니까?

(   )

📎 **서술형·논술형 문제** 천재교과서(박), 동아출판(박), 미래엔, 비상교육, 와이비엠

15 둘레가 3.56 m인 마름모의 한 변의 길이는 몇 m인지 풀이 과정을 쓰고 답을 구하시오.

풀이 _____

_____

_____

답 _____

수
학

3 소수의 나눗셈

천재교과서(박)

1 보기 와 같은 방법으로 몫을 구하시오.

보기

$$3 \div 2 = \frac{3}{2} = \frac{15}{10} = 1.5$$

$4 \div 5$

10종 공통

5 계산을 하시오.

$$5 \overline{)42.4}$$

10종 공통

2 계산을 하시오.

(1)
$$8 \overline{)17.92}$$

(2)
$$9 \overline{)8.01}$$

금성출판사, 미래엔, 아이스크림 미디어

6 큰 수를 작은 수로 나눈 몫을 구하시오.

| 8 | 8.16 |

(   )

천재교과서(한)

3 자연수의 나눗셈을 이용하여 ☐ 안에 알맞은 수를 써넣으시오.

$$1308 \div 4 = 327 \Rightarrow 13.08 \div 4 = \boxed{}$$

와이비엠

7 몫의 자연수 부분이 0이 <u>아닌</u> 것을 찾아 기호를 쓰시오.

| ㉠ $1.02 \div 6$ | ㉡ $5.74 \div 7$ |
| ㉢ $4.52 \div 4$ | ㉣ $2.52 \div 3$ |

(   )

천재교과서(한)

4 $369 \div 3 = 123$을 이용하여 소수의 나눗셈을 하시오.

(1) $36.9 \div 3 = \boxed{}$

(2) $3.69 \div 3 = \boxed{}$

10종 공통

8 계산을 잘못한 곳을 찾아 바르게 계산하시오.

$$
\begin{array}{r}
4.6 \\
6\,\overline{)\,2.7\,6} \\
2\,4 \\
\hline
3\,6 \\
3\,6 \\
\hline
0
\end{array}
$$

⇨ [ ]

천재교과서(박)

9 빈 곳에 알맞은 수를 써넣으시오.

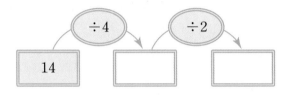

천재교과서(한)

10 몫을 어림하여 알맞은 식을 찾아 ○표 하시오.

(1)
24.85÷5=497
24.85÷5=49.7
24.85÷5=4.97

(2)
7.52÷8=94
7.52÷8=9.4
7.52÷8=0.94

천재교과서(박), 미래엔

11 빈칸에 알맞은 소수를 써넣으시오.

÷	47.3	96.75	60.83
	5	9	7
	9.46		

천재교과서(한), 대교, 아이스크림 미디어

12 몫의 크기를 비교하여 ○ 안에 >, =, <를 알맞게 써넣으시오.

$$1.8÷4 \bigcirc 3.4÷5$$

금성출판사, 대교

13 몫을 어림하여 몫이 1보다 큰 나눗셈을 모두 찾아 기호를 쓰시오.

㉠ 2.28÷6　　　㉡ 7.56÷6
㉢ 5.74÷7　　　㉣ 7.21÷7

(　　　　　　　　　)

금성출판사, 미래엔

14 몫이 큰 것부터 차례로 기호를 쓰시오.

㉠ 8.49÷3　　　㉡ 12.7÷5
㉢ 11÷2　　　　㉣ 8.32÷4

(　　　　　　　　　)

동아출판(박), 동아출판(안)

15 미술 작품에 장식품을 만들기 위해 끈 8.44 m를 4명이 똑같이 나누어 가지려고 합니다. 한 명이 가질 수 있는 끈은 몇 m입니까?

( )

금성출판사

16 모든 모서리의 길이가 같은 삼각기둥이 있습니다. 모든 모서리의 길이의 합이 9.54 m일 때 한 모서리의 길이는 몇 m입니까?

( )

천재교과서(박), 금성출판사, 동아출판(박), 대교

17 그림을 보고 진아네 가게의 사과 한 개와 진우네 가게의 사과 한 개 중 어느 것이 더 무겁다고 할 수 있을지 사과 1개 무게의 평균을 구하여 비교해 보시오.

진아네 가게의 사과   진우네 가게의 사과

( )네 가게의 사과 한 개

천재교과서(한), 동아출판(안), 비상교육, 아이스크림 미디어

18 수 카드 4장 중 2장을 사용하여 몫이 가장 작은 나눗셈을 만들고 계산하시오.

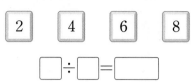

□ ÷ □ = □

📦 서술형·논술형 문제   금성출판사, 대교, 와이비엠

19 가로의 길이가 4.2 m인 텃밭에 모종 5개를 같은 간격으로 그림과 같이 심으려고 합니다. 모종 사이의 간격을 몇 m로 해야 하는지 풀이 과정을 쓰고 답을 구하시오.

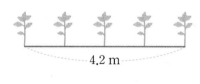

4.2 m

풀이 _____

_____

_____

_____

답 _____

천재교과서(한)

20 어떤 수를 14로 나누었더니 몫이 2.5였습니다. 어떤 수를 4로 나누었을 때의 몫을 구하시오.

( )

10종
검정 교과서

단원평가

④ 비와 비율

[1~2] 선생님께서 한 모둠에 자두를 한 봉지씩 나누어 주셨습니다. 한 모둠이 5명씩이고 한 봉지의 자두 수는 10개입니다. 물음에 답하시오. *천재교과서(박), 미래엔, 비상교육, 아이스크림 미디어, 와이비엠*

1 모둠 수에 따른 모둠원 수와 자두 수를 구해 표를 완성하시오.

모둠 수	1	2	3	4	5
모둠원 수(명)	5	10	15	20	25
자두 수(개)	10	20			

천재교과서(박), 미래엔, 비상교육, 아이스크림 미디어, 와이비엠

2 모둠 수에 따른 모둠원 수와 자두 수를 나눗셈으로 비교하려고 합니다. ☐ 안에 알맞은 수를 써넣으시오.

자두 수는 항상 모둠원 수의 ☐배입니다.

금성출판사, 대교

3 그림을 보고 ☐ 안에 알맞은 수를 써넣으시오.

사탕 수와 초콜릿 수의 비 ⇨ ☐ : ☐

금성출판사

4 다음을 비로 나타내시오.

(1) 8 대 13 ⇨ (   )

(2) 15 대 11 ⇨ (   )

5 비를 보고 ☐ 안에 알맞은 수를 써넣으시오.

27 : 13

☐의 ☐에 대한 비

천재교과서(박), 금성출판사, 동아출판(안), 미래엔, 와이비엠

6 그림을 보고 전체에 대한 색칠한 부분의 비율을 백분율로 나타내시오.

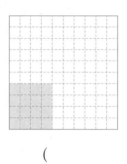

(   )

천재교과서(한), 동아출판(박), 대교

7 비교하는 양과 기준량을 찾아 쓰고 비율을 구하시오.

비	비교하는 양	기준량	비율
1과 5의 비			
2에 대한 7의 비			

8 비율을 백분율로 나타내시오.

(1) $\dfrac{8}{25}$ ⇨ (   )

(2) 0.33 ⇨ (   )

수

학

금성출판사, 대교, 비상교육

9 빈칸에 알맞은 수를 써넣으시오.

분수	소수	백분율(%)
$\dfrac{2}{5}$		
	0.75	

천재교과서(한), 아이스크림 미디어

10 같은 크기의 컵으로 팬케이크 가루 2컵과 우유 1컵을 섞어 팬케이크 반죽을 만들려고 합니다. 팬케이크 가루의 양과 우유의 양의 비를 쓰시오.

( )

천재교과서(박), 동아출판(안), 비상교육, 아이스크림 미디어, 와이비엠

11 직사각형의 가로에 대한 세로의 비율을 분수로 나타내시오.

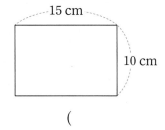

15 cm

10 cm

( )

천재교과서(박), 대교, 미래엔

12 300 km를 달리는 데 6시간이 걸리는 오토바이가 있습니다. 오토바이가 300 km를 달리는 데 걸린 시간에 대한 달린 거리의 비율을 구하시오.

( )

천재교과서(한), 동아출판(박), 대교, 미래엔

13 송이네 마을의 넓이는 5 km²이고 인구는 6500명입니다. 송이네 마을의 넓이에 대한 인구의 비율을 구하시오.

( )

대교, 아이스크림 미디어

14 자동차 공장에서 자동차를 500대 만들 때 불량품이 30대 나온다고 합니다. 전체 자동차 수에 대한 불량품 수의 비율을 백분율로 나타내시오.

( )

📋 **서술형·논술형 문제**   대교, 미래엔, 와이비엠

15 과학 시간에 소금물 만들기 실험을 했습니다. 선아가 소금 30 g을 녹여 소금물 150 g을 만들었습니다. 선아가 만든 소금물 양에 대한 소금 양의 비율은 몇 % 인지 풀이 과정을 쓰고 답을 구하시오.

풀이 _____

_____

_____

_____

답 _____

4 비와 비율

천재교과서(박), 금성출판사, 동아출판(안), 미래엔, 와이비엠

1 사과 수와 딸기 수를 비교하려고 합니다. ☐ 안에 알맞은 수를 써넣으시오.

사과	딸기
(사과 그림)	(딸기 그림)

(1) 딸기가 사과보다 $10 - 5 = $ ☐ (개) 더 많습니다.

(2) 딸기 수는 사과 수의 $10 \div 5 = $ ☐ (배)입니다.

10종 공통

2 다음 비를 <u>잘못</u> 읽은 것은 어느 것입니까? ( )

$$9 : 17$$

① 9 대 17
② 9와 17의 비
③ 17의 9에 대한 비
④ 17에 대한 9의 비
⑤ 9의 17에 대한 비

천재교과서(박), 동아출판(안)

3 비율을 백분율로 나타내시오.

$$0.2$$

( )

천재교과서(한), 동아출판(박), 대교, 미래엔

4 빈칸에 알맞은 수를 써넣으시오.

비	비교하는 양	기준량	비율
$9 : 25$			

천재교과서(박), 와이비엠

🧰 서술형·논술형 문제

5 체육관에 있는 야구공 수와 농구공 수를 뺄셈으로 비교하시오.

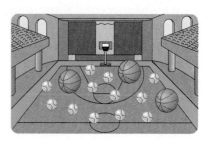

_____

_____

천재교과서(박), 금성출판사, 동아출판(안), 미래엔, 비상교육, 와이비엠

6 관계있는 것끼리 이으시오.

7과 25의 비	·	·	$\frac{1}{2}$	·	·	0.28
16에 대한 8의 비	·	·	$\frac{4}{5}$	·	·	0.5
4의 5에 대한 비	·	·	$\frac{7}{25}$	·	·	0.8

천재교과서(박)

7 전체에 대한 색칠한 부분의 비가 $3 : 8$이 되도록 색칠하시오.

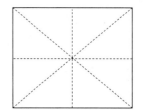

수학

미래엔

8 지도에서의 거리가 1 cm일 때 실제 거리가 600 m인 지도가 있습니다. 축척을 (지도에서의 거리) : (실제 거리)로 나타낼 때 이 지도의 축척은 얼마입니까?

( )

천재교과서(한)

9 기준량이 비교하는 양보다 큰 비율을 찾아 기호를 쓰시오.

$$\bigcirc\ 127\ \% \qquad \bigcirc\ 2.7$$

$$\bigcirc\ \frac{4}{3} \qquad \textcircled{2}\ \frac{3}{4}$$

( )

천재교과서(박), 천재교과서(한), 대교, 미래엔, 비상교육, 아이스크림 미디어

10 그림을 보고 전체에 대한 색칠한 부분의 비율을 백분율로 나타내시오.

( )

금성출판사

11 오케스트라 단원 30명 중 남자는 13명입니다. 전체 오케스트라 단원 수에 대한 여자 오케스트라 단원 수의 비를 쓰시오.

( )

천재교과서(박), 미래엔, 와이비엠

12 어느 야구 선수가 지난해 300타수 중에서 안타를 54개 쳤다고 합니다. 이 선수의 지난해 전체 타수에 대한 안타 수의 비율을 소수로 나타내시오.

( )

금성출판사, 미래엔

13 정가가 3000원인 액자를 2550원에 샀습니다. 몇 %를 할인받아 산 것입니까?

( )

천재교과서(박), 대교, 미래엔

14 윤진이는 소금 80 g을 녹여 소금물 120 g을 만들었습니다. 소금물 양에 대한 소금의 양의 비율을 분수로 나타내시오.

( )

천재교과서(한), 대교, 미래엔

15 파란 버스는 210 km를 가는 데 3시간이 걸렸고, 초록 버스는 160 km를 가는 데 2시간이 걸렸습니다. 두 버스의 걸린 시간에 대한 간 거리의 비율을 각각 구하고, 어느 버스가 더 빠른지 알아보시오.

파란 버스 (   )

초록 버스 (   )

더 빠른 버스 (   )

천재교과서(박)

16 작년에 800원이었던 버스 요금이 올해 880원으로 올랐습니다. 버스 요금의 인상률은 몇 % 입니까?

(   )

천재교과서(박), 비상교육, 아이스크림 미디어

17 같은 시각에 민서와 연아의 그림자 길이를 재었습니다. 민서와 연아의 키에 대한 그림자 길이의 비율을 각각 구하시오.

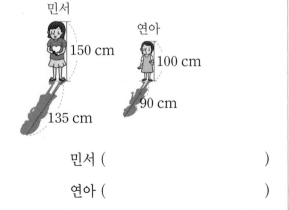

민서 (   )

연아 (   )

천재교과서(박), 비상교육

18 다음은 해미네 학교와 민우네 학교 농구부의 일 년 동안 경기 결과를 나타낸 표입니다. 승률은 전체 경기 수에 대한 이긴 경기 수의 비율입니다. 어느 학교의 승률이 더 높습니까?

일 년 동안 경기 결과

학교	해미네	민우네
전체 경기 수(경기)	24	15
이긴 경기 수(경기)	18	12

(   )

천재교과서(박), 미래엔

19 수학여행을 바다로 가는 것에 찬성하는 학생 수를 조사했습니다. 찬성률이 가장 높은 반은 몇 반입니까?

	전체 학생 수(명)	찬성하는 학생 수(명)
1반	24	12
2반	25	14
3반	20	11

(   )

천재교과서(박), 천재교과서(한)

20 우민이는 △△은행에 20만 원을 저금하였습니다. 이 은행에 1년 동안 저금했을 때 원금의 4 %를 이자로 받을 수 있습니다. 우민이가 1년 뒤 받게 될 이자는 얼마인지 구하시오.

(   )

수학

10종
검정 교과서 단원평가

⑤ 여러 가지 그래프

미래엔

1 어느 도서관에서 1년 동안 대출된 도서 수를 나타낸 표입니다. 대출된 도서 수를 그림그래프로 나타내시오.

대출된 도서 수

종류	문학	역사	언어	과학	합계
도서 수(만 권)	14	8	12	6	40

대출된 도서 수

종류	도서 수
문학	
역사	
언어	
과학	

▨ 10만 권
▨ 1만 권

[2~4] 진아네 학교 학생들이 태어난 계절을 나타낸 그래프입니다. 물음에 답하시오.

태어난 계절별 학생 수

0 10 20 30 40 50 60 70 80 90 100 (%)

| 봄 (40 %) | 여름 (20 %) | 가을 (30 %) | ← 겨울 (10 %) |

미래엔, 아이스크림 미디어, 와이비엠

2 전체에 대한 각 부분의 비율을 띠 모양에 나타낸 그래프를 무엇이라고 합니까?

( )

천재교과서(박), 천재교과서(한)

3 학생들이 가장 많이 태어난 계절을 쓰시오.

( )

천재교과서(박), 금성출판사, 대교, 와이비엠

4 봄에 태어난 학생 수는 여름에 태어난 학생 수의 몇 배입니까?

( )

[5~8] 성훈이네 학교 학생들이 생일에 받고 싶은 선물을 조사하여 나타낸 표입니다. 물음에 답하시오.

생일에 받고 싶은 선물별 학생 수

선물	휴대전화	옷	신발	기타	합계
학생 수(명)	80	60	40	20	200
백분율(%)	40		20		

10종 공통

5 생일에 받고 싶은 선물별 학생 수의 백분율을 구하시오.

$$옷: \frac{60}{200} \times 100 = \boxed{} (\%)$$

$$기타: \frac{20}{200} \times 100 = \boxed{} (\%)$$

천재교과서(한), 금성출판사, 동아출판(안), 대교

6 각 선물의 백분율을 모두 더하면 얼마입니까?

( )

10종 공통

7 띠그래프를 완성하시오.

생일에 받고 싶은 선물별 학생 수

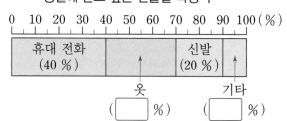

0 10 20 30 40 50 60 70 80 90 100 (%)

| 휴대 전화 (40 %) | ↑ 옷 (☐ %) | 신발 (20 %) | ↑ 기타 (☐ %) |

금성출판사, 비상교육, 아이스크림 미디어

8 생일에 옷을 받고 싶은 학생 수의 비율은 신발을 받고 싶은 학생 수의 비율의 몇 배입니까?

( )

[9~11] 영진이네 학교 학생들이 가고 싶은 체험 학습 장소를 조사하여 나타낸 표입니다. 물음에 답하시오.

체험 학습 장소별 학생 수

장소	놀이공원	수족관	박물관	기타	합계
학생 수(명)	105	90	75	30	300
백분율(%)	35			10	100

10종 공통

9 가고 싶은 체험 학습 장소별 학생 수의 백분율을 구하시오.

$$수족관: \frac{90}{300} \times 100 = \boxed{}(\%)$$

$$박물관: \frac{75}{300} \times 100 = \boxed{}(\%)$$

천재교과서(한), 금성출판사

10 원그래프를 완성하시오.

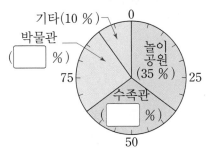

체험 학습 장소별 학생 수

대교, 비상교육

11 가장 많은 학생이 가고 싶은 체험 학습 장소는 어디입니까?

( )

천재교과서(한), 동아출판(안), 대교, 미래엔, 비상교육

12 띠그래프와 원그래프로 나타내기에 가장 알맞은 자료를 찾아 기호를 쓰시오.

> ㉠ 1년 동안 몸무게 변화
> ㉡ 하루 평균 스마트폰 사용 시간별 학생 수의 비율
> ㉢ 은정이네 반 친구들의 키

( )

[13~15] 어느 마을의 재활용품별 배출량을 나타낸 표입니다. 물음에 답하시오.

금성출판사, 대교, 미래엔, 와이비엠

13 표를 완성하시오.

재활용품별 배출량

종류	종이류	플라스틱류	병류	비닐류	합계
배출량(kg)	1200		600	300	3000
백분율 (%)		30	20	10	100

10종 공통

14 띠그래프로 나타내시오.

재활용품별 배출량

0 10 20 30 40 50 60 70 80 90 100 (%)

천재교과서(박), 천재교과서(한), 금성출판사, 와이비엠

📄 **서술형·논술형 문제**

15 띠그래프를 보고 알 수 있는 내용을 쓰시오.

_____

_____

_____

⑤ 여러 가지 그래프

1 권역별 쌀 생산량을 그림그래프로 나타내시오.

권역별 쌀 생산량

권역	쌀 생산량(t)	권역	쌀 생산량(t)
서울 · 인천 · 경기	440000	강원	150000
대전 · 세종 · 충청	940000	대구 · 부산 · 울산 · 경상	920000
광주 · 전라	1420000	제주	0

권역별 쌀 생산량

● 100만 t
● 10만 t
· 1만 t

미래엔, 아이스크림 미디어, 와이비엠

2 은석이네 반 학생들의 취미 활동을 나타낸 그래프입니다. 다음과 같이 전체에 대한 각 부분의 비율을 원 모양에 나타낸 그래프를 무엇이라고 합니까?

취미 활동별 학생 수

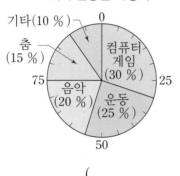

(   )

[3~7] 민아가 한 달에 쓴 용돈의 쓰임새를 나타낸 표입니다. 물음에 답하시오.

용돈의 쓰임새별 금액

용돈의 쓰임새	군것질	학용품	저금	선물	기타	합계
금액(원)	8000	4000	3000	3000	2000	
백분율(%)	40		15		10	100

천재교과서(박), 와이비엠

3 민아의 한 달 용돈은 얼마입니까?

(   )

4 용돈의 쓰임새별 금액의 백분율을 구하시오.

$$학용품: \frac{4000}{20000} \times 100 = \boxed{}(\%)$$

$$선물: \frac{3000}{20000} \times 100 = \boxed{}(\%)$$

천재교과서(박), 동아출판(안), 대교, 와이비엠

5 띠그래프를 완성하시오.

용돈의 쓰임새별 금액

0 10 20 30 40 50 60 70 80 90 100 (%)

군것질 (40 %)	

천재교과서(박), 금성출판사, 아이스크림 미디어

6 군것질에 사용한 금액은 학용품에 사용한 금액의 몇 배입니까?

(   )

아이스크림 미디어

7 용돈의 쓰임새의 비율이 같은 것을 찾아 쓰시오.

(   ) , (   )

[8~10] 송이네 학교 학생들이 수학여행을 가고 싶어하는 장소별 학생 수를 조사하여 나타낸 원그래프입니다. 물음에 답하시오.

수학여행을 가고 싶어하는 장소별 학생 수

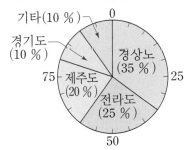

10종 공통

8 가장 많은 학생이 가고 싶어하는 장소는 어디입니까?

( )

천재교과서(한), 천재교과서(한), 동아출판(박), 아이스크림 미디어

9 제주도를 가고 싶어하는 학생 수는 경기도를 가고 싶어하는 학생 수의 몇 배입니까?

( )

🖊️서술형·논술형 문제   천재교과서(박), 천재교과서(한), 대교, 와이비엠

10 원그래프를 보고 알 수 있는 내용을 두 가지 이상 쓰시오.

_____

_____

_____

_____

[11~13] 주혁이네 학교 학생들이 좋아하는 과목별 학생 수를 조사하여 나타낸 표입니다. 물음에 답하시오.

좋아하는 과목별 학생 수

과목	영어	수학	국어	사회	과학	합계
학생 수(명)		96	80	40	24	400
백분율(%)				20	10	6	100

10종 공통

11 표를 완성하시오.

10종 공통

12 띠그래프로 나타내시오.

좋아하는 과목별 학생 수

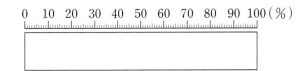

천재교과서(박), 천재교과서(한), 대교, 동아출반(박)

13 수학을 좋아하는 학생 수는 과학을 좋아하는 학생 수의 몇 배입니까?

( )

천재교과서(박), 대교

14 우정이네 학교 학년별 학생 수의 비율을 그래프로 나타내려고 합니다. 알맞은 그래프를 모두 찾아 기호를 쓰시오.

> ㉠ 그림그래프   ㉡ 띠그래프
> ㉢ 원그래프   ㉣ 꺾은선그래프

( )

수
학

와이비엠

[15~17] 은주네 학교 학생들이 배우고 싶은 악기별 학생 수를 조사하여 나타낸 표입니다. 물음에 답하시오.

배우고 싶은 악기별 학생 수

악기	피아노	바이올린	첼로	플루트	기타	합계
학생 수(명)	70	48	42	24	16	200
백분율(%)	35	24	21			

천재교과서(박), 천재교과서(한), 대교, 와이비엠

15 표를 완성하시오.

10종 공통

16 원그래프로 나타내시오.

배우고 싶은 악기별 학생 수

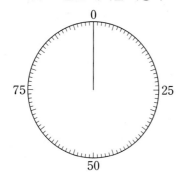

동아출판(안), 와이비엠

17 원그래프를 보고 알 수 없는 것을 찾아 기호를 쓰시오.

> ㉠ 가장 많은 학생들이 배우고 싶은 악기
> ㉡ 은주네 학교 남학생 수

( )

18 민정이가 하루 동안 한 일별 시간을 조사하여 나타낸 원그래프입니다. 잠자기와 학교 생활을 한 시간의 합은 놀이를 한 시간의 몇 배입니까?

하루 동안 한 일별 시간

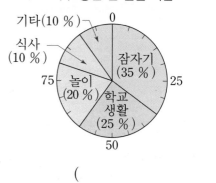

( )

[19~20] 아이스크림 가게에서 이번 주에 팔린 아이스크림 수를 조사하여 나타낸 띠그래프입니다. 물음에 답하시오.

맛별 팔린 아이스크림 수

0 10 20 30 40 50 60 70 80 90 100 (%)

바닐라 (35 %)	초코 (30 %)	딸기 (20 %)	기타 (15 %)

천재교과서(한), 대교, 와이비엠

19 팔린 초코 아이스크림이 300개일 때 기타에 속하는 아이스크림은 몇 개입니까?

( )

금성출판사, 와이비엠

20 팔린 딸기 아이스크림이 200개일 때 팔린 전체 아이스크림은 몇 개입니까?

( )

6 **직육면체의 부피와 겉넓이**

10종 공통

1 부피가 큰 직육면체부터 차례로 기호를 쓰시오.

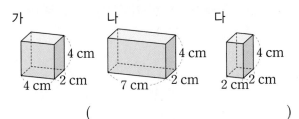

가   나   다

4 cm   4 cm   4 cm
4 cm 2 cm   7 cm 2 cm   2 cm 2 cm

(   )

10종 공통

2 직육면체 모양의 두 상자에 크기가 같은 쌓기나무를 담아 두 상자의 부피를 비교하려고 합니다. 가와 나 상자 중에서 부피가 더 큰 상자는 어느 것인지 기호를 쓰시오.

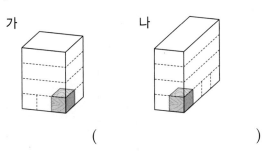

가   나

(   )

[3~4] 부피가 1 cm³인 쌓기나무를 다음과 같이 직육면체 모양으로 쌓았습니다. 물음에 답하시오.

천재교과서(박), 금성출판사, 대교

3 쌓기나무의 수를 곱셈식으로 나타내시오.

□ × □ × □ = □(개)

10종 공통

4 직육면체의 부피는 몇 cm³입니까?

(   )

금성출판사, 대교, 미래엔, 와이비엠

5 부피가 1 cm³인 쌓기나무로 다음과 같이 직육면체를 만들었습니다. 직육면체의 부피는 몇 cm³입니까?

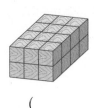

(   )

10종 공통

6 직육면체의 부피는 몇 cm³입니까?

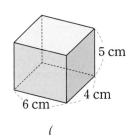

5 cm
6 cm   4 cm

(   )

동아출판(박), 동아출판(안), 미래엔, 아이스크림 미디어

7 □ 안에 알맞은 수를 써넣으시오.

(1) 9 m³ = □ cm³

(2) 7200000 cm³ = □ m³

[8~9] 직육면체의 겉넓이를 두 가지 방법으로 구하려고 합니다. 물음에 답하시오.

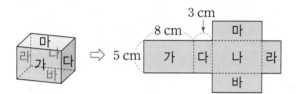

10종 공통

8 여섯 면의 넓이의 합으로 직육면체의 겉넓이를 구하시오.

□ + □ + □ + □ + □ + □

= □ (cm²)

10종 공통

9 세 쌍의 면이 합동인 성질을 이용하여 직육면체의 겉넓이를 구하시오.

(□ + □ + □) × 2

= □ (cm²)

[10~11] 정육면체의 전개도를 보고 겉넓이를 구하려고 합니다. 물음에 답하시오.

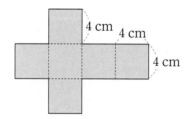

미래엔

10 정육면체의 한 면의 넓이는 몇 cm²입니까?

( )

천재교과서(박), 금성출판사, 동아출판(안), 미래엔, 비상교육

11 정육면체의 겉넓이는 몇 cm²입니까?

( )

금성출판사, 미래엔

12 부피가 1 cm³인 쌓기나무로 다음과 같이 직육면체를 만들었습니다. 나는 가보다 부피가 몇 cm³ 더 큰지 구하시오.

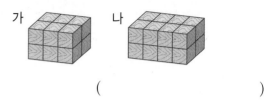

( )

10종 공통

13 직육면체의 겉넓이는 몇 cm²입니까?

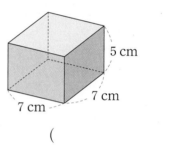

( )

동아출판(박), 동아출판(안), 미래엔

14 정육면체의 겉넓이는 몇 cm²입니까?

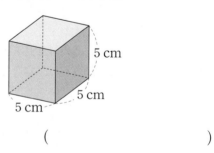

( )

10종 공통

15 정육면체의 부피는 몇 cm³입니까?

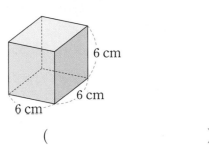

(   )

미래엔, 비상교육, 와이비엠

16 직육면체의 부피를 m³와 cm³로 각각 나타내시오.

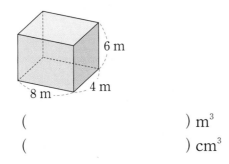

(   ) m³
(   ) cm³

미래엔, 아이스크림 미디어, 와이비엠

17 지훈이는 가로가 20 cm, 세로가 7 cm, 높이가 5 cm인 직육면체 모양의 필통을 샀습니다. 지훈이가 산 필통의 부피는 몇 cm³입니까?

(   )

천재교과서(박)

18 한 면의 넓이가 64 cm²인 정육면체의 부피는 몇 cm³입니까?

(   )

비상교육, 와이비엠

19 직육면체의 부피는 m³입니까?

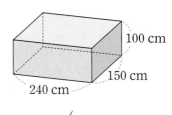

(   )

🎒 서술형·논술형 문제   천재교과서(박), 천재교과서(한), 금성출판사

20 직육면체의 부피는 315 cm³입니다. 이 직육면체의 높이는 몇 cm인지 풀이 과정을 쓰고 답을 구하시오.

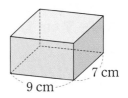

풀이 _____

_____

_____

_____

답 _____

6 직육면체의 부피와 겉넓이

10종 공통

1 크기가 같은 쌓기나무를 사용하여 두 직육면체의 부피를 비교하고, ○ 안에 >, =, <를 알맞게 써넣으시오.

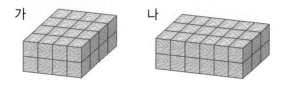

가

나

가의 부피 ◯ 나의 부피

천재교과서(한)

2 부피가 1 cm³인 쌓기나무로 다음과 같은 직육면체 모양을 만들려고 합니다. 쌓기나무는 모두 몇 개 필요합니까?

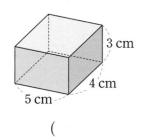

3 cm
4 cm
5 cm

( )

10종 공통

3 직육면체의 부피는 몇 cm³입니까?

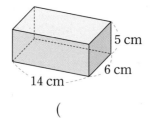

5 cm
6 cm
14 cm

( )

10종 공통

4 ☐ 안에 알맞은 수를 써넣으시오.

(1) 6 m³ = ☐ cm³

(2) 250000 cm³ = ☐ m³

10종 공통

5 정육면체의 겉넓이는 몇 cm²입니까?

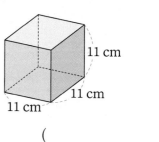

11 cm
11 cm
11 cm

( )

동아출판(박), 대교, 아이스크림 미디어

6 다음 전개도를 접어서 만든 직육면체의 겉넓이는 몇 cm²입니까?

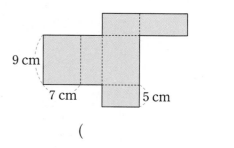

9 cm
7 cm
5 cm

( )

10종 공통

7 직육면체의 부피는 몇 m³입니까?

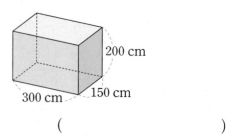

200 cm
300 cm
150 cm

( )

[8~9] 다음 정육면체의 전개도를 보고 물음에 답하시오.

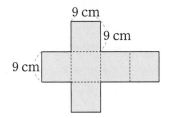

동아출판(박), 미래엔, 비상교육

8 전개도를 이용하여 정육면체 모양의 상자를 만들었습니다. 이 상자의 겉넓이는 몇 cm^2입니까?

( )

천재교과서(한), 미래엔, 와이비엠

9 전개도를 이용하여 만든 정육면체 모양의 상자의 부피는 몇 cm^3입니까?

( )

금성출판사, 대교, 미래엔

10 부피가 가장 큰 것을 찾아 기호를 쓰시오.

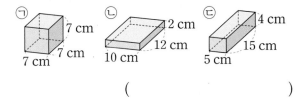

( )

천재교과서(박), 미래엔, 비상교육, 와이비엠

11 지현이와 선우가 각각 직육면체 모양의 상자를 만들었습니다. 누가 만든 상자의 겉넓이가 얼마나 더 넓은지 구하시오.

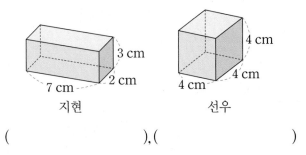

( ), ( )

금성출판사, 동아출판(안), 대교

12 두 직육면체의 부피가 같습니다. ☐ 안에 알맞은 수를 써넣으시오.

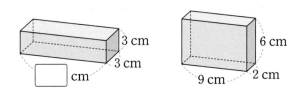

천재교과서(한)

13 작은 정육면체 여러 개를 다음과 같이 쌓았습니다. 쌓은 정육면체의 부피가 216 cm^3일 때 작은 정육면체의 한 모서리의 길이는 몇 cm입니까?

( )

천재교과서(박), 대교, 비상교육, 아이스크림 미디어, 와이비엠

14 부피가 큰 순서대로 기호를 쓰시오.

> ㉠ 850000 cm^3
> ㉡ 한 모서리의 길이가 50 cm인 정육면체의 부피
> ㉢ 가로가 0.6 m, 세로가 4 m, 높이가 70 cm인 직육면체의 부피

( )

금성출판사, 와이비엠

15 직육면체의 겉넓이는 236 cm²입니다. 이 직육면체의 높이는 몇 cm입니까?

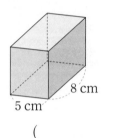

8 cm
5 cm

(   )

미래엔, 와이비엠

16 그림과 같은 직육면체 모양의 식빵을 잘라서 정육면체 모양으로 만들려고 합니다. 만들 수 있는 가장 큰 정육면체 모양의 부피는 몇 cm³입니까?

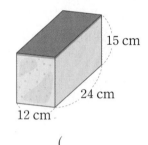

15 cm
24 cm
12 cm

(   )

📚 서술형·논술형 문제   금성출판사, 와이비엠

17 직육면체 가의 겉넓이는 정육면체 나의 겉넓이와 같습니다. 이것을 이용하여 정육면체 나의 한 모서리의 길이가 몇 cm인지 풀이 과정을 쓰고 답을 구하시오.

가   나

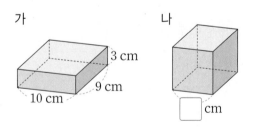

3 cm
9 cm
10 cm
□ cm

풀이 _____

_____

_____

_____

답 _____

천재교과서(박)

18 안쪽 모서리의 가로가 6 m, 세로가 2 m, 높이가 2 m인 직육면체 모양의 컨테이너가 있습니다. 이 컨테이너 안에 한 모서리의 길이가 40 cm인 정육면체 모양의 상자를 빈틈없이 쌓으려고 합니다. 정육면체 모양의 상자를 모두 몇 개 쌓을 수 있습니까?

(   )

천재교과서(박), 대교, 아이스크림 미디어, 와이비엠

19 다음과 같이 직육면체 2개를 붙여서 만든 입체도형의 부피는 몇 cm³입니까?

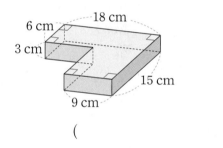

18 cm
6 cm
3 cm
15 cm
9 cm

(   )

천재교과서(박)

20 떡을 똑같이 2조각으로 자를 때 떡 2조각의 겉넓이의 합은 처음 떡의 겉넓이보다 144 cm² 늘어납니다. 다음과 같이 떡을 똑같이 4조각으로 자를 때 떡 4조각의 겉넓이의 합은 처음 떡의 겉넓이보다 얼마나 더 늘어나는지 구하시오.

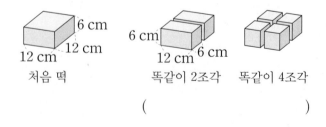

6 cm
12 cm
처음 떡

6 cm
12 cm   6 cm
똑같이 2조각

똑같이 4조각

(   )

실패는 고통스럽다.
그러나 최선을 다하지 못했음을 깨닫는 것은
몇 배 더 고통스럽다.

Failure hurts, but realizing you didn't do your best
hurts even more.

앤드류 매슈스

살아가면서 실패는 누구나 겪는 감기몸살 같은 것이지만
최선을 다 하지 않은 것은 부끄러운 일이라고 합니다. 만약 최선을 다 하고도
실패했다면 좌절하지 마세요. 언젠가 값진 선물이 되어 다시 돌아올 테니까요.

천재교육

검정 교과서
단원평가 자료집

정답과 풀이

6·1

사회·과학·수학

1. ❶ 민주주의의 발전과 시민 참여

❶ 4·19 혁명

단원평가 2~3쪽

1 헌법   **2** ①, ⑤   **3** 민후   **4** ④
5 (1) 마산 (2) 예 학생들과 시민들의 분노가 폭발하여 전국에서 시위를 벌였다.   **6** ③   **7** ㉠   **8** (1) ○
9 가람   **10** ③

1 이승만은 무리하게 헌법을 바꾸며 독재 정치를 이어 나 갔습니다.

2 같은 사람은 두 번까지만 대통령을 할 수 있다고 헌법에 되어 있었지만 초대 대통령은 예외로 한다고 헌법을 바꿨습니다.

3 3·15 부정 선거 당시 당선될 표를 미리 준비해 놓고, 국민들이 투표한 투표지들을 태우기도 했습니다.

4 부정 선거 소식이 알려지자, 시민들은 부정 선거에 항의하는 시위를 전개했습니다.

5 마산 시위에 참여했던 고등학생 김주열이 마산 앞바다에서 죽은 채로 발견되자 시민들과 학생들의 시위는 빠르게 확산됐습니다.

채점 기준		
(1)	'마산'이라고 정확히 씀.	
(2)	**정답 키워드** 전국 | 시위 '학생들과 시민들의 분노가 폭발하여 전국에서 시위를 벌였다.' 등의 내용을 정확히 씀.	상
	시민들이 한 일을 썼지만 표현이 부족함.	중

6 1980년 5월, 전두환을 중심으로 한 군인들은 시위를 진압할 계엄군을 광주로 보냈습니다.

7 시민들은 이승만 정부의 독재를 끝내고자 대규모 시위를 벌였습니다.

8 4·19 혁명 당시 시위에 참여한 학생들을 지지하며 대학 교수들도 정부에 항의하기 시작했습니다.

9 부모, 형제에게 총부리를 대지 말라고 하며 초등학생들도 시위에 참여했습니다.

10 4·19 혁명을 통해 시민들과 학생들의 힘으로 독재 정권을 무너뜨리고 민주주의를 되찾았습니다.

❷ 5·16 군사 정변과 5·18 민주화 운동

단원평가 4~5쪽

1 ③   **2** 선주   **3** 유신 헌법   **4** ②, ③
5 ㉡   **6** ③   **7** ②   **8** (1) ㉡ (2) 예 국민들이 광주에서 일어나는 일을 알지 못하도록 하기 위해서였다.
9 ④   **10** 채윤

1 4·19 혁명 이후 새로운 정부가 들어선 지 1년도 되지 않아 박정희를 중심으로 한 일부 군인이 군사 정변을 일으켜 정권을 잡았습니다.

2 통일 주체 국민 회의는 유신 헌법에 따라 구성된 조직으로, 여기에서 대통령도 뽑고, 국회의원의 3분의 1도 뽑았습니다.

3 1972년 10월, 박정희 정부는 유신 헌법을 공포하여 대통령을 할 수 있는 횟수를 제한하지 않았고, 대통령 직선제를 간선제로 바꾸었습니다.

4 박정희 정부는 유신 헌법을 통해 국민의 기본적인 권리를 제한했습니다.

5 신군부는 새로 권력을 잡은 전두환 중심의 군인 세력을 앞서 권력을 잡은 군인 세력(박정희)과 구분해서 하는 말입니다.

6 시민군은 시민들이 스스로 조직한 군대입니다.

7 전두환이 광주에 보낸 계엄군은 민주주의를 요구하며 시위에 나선 시민과 학생들을 폭력으로 진압했습니다.

8 정부는 신문과 방송을 통제하고, 광주에 사람이 오고 가는 것도 막았습니다.

채점 기준		
(1)	'㉡'이라고 정확히 씀.	
(2)	**정답 키워드** 국민 | 광주 | 모르게 '국민들이 광주에서 일어나는 일을 모르게 하기 위해서였다.' 등의 내용을 정확히 씀.	상
	신문 기사를 검열한 까닭을 썼지만 표현이 부족함.	중

9 5·18 민주화 운동 기간 동안 시민들은 스스로 광주 시내의 질서를 지키려고 힘썼으며, 어려움에 부닥친 이웃을 돕는 등 힘든 상황을 함께 헤쳐 나가려고 노력했습니다.

10 5·18 민주화 운동은 우리나라의 민주주의 발전에 밑거름이 되었고, 세계 여러 나라의 민주화 운동에 영향을 주었습니다.

❸ 6월 민주 항쟁과 민주주의의 발전

단원평가   6~7쪽

1 ③   **2** ㉡   **3** ①   **4** 민우   **5** ②
6 ①, ⑤   **7** (1) ○   **8** (1) ㉡ (2) ⑩ 지역 주민들이 의견
을 내고, 지역 대표들이 의견을 받아들여 문제를 해결했다.
9 시민운동   **10** ㉠

1 대학생 이한열이 경찰이 쏜 최루탄에 맞아 쓰러지자,
시민과 학생들이 분노했습니다.

2 당시 여당 대표이자 대통령 후보였던 노태우가 대통령
직선제를 포함하여 학생과 시민들의 민주주의 요구를
받아들이겠다고 발표했습니다.

3 6월 민주 항쟁 당시 시민들과 학생들은 전국 각지에서
전두환 정부의 독재를 반대하고, 대통령 직선제를 요구
하며 적극적으로 시위했습니다.

4 1987년 6월 민주 항쟁 이후 시민들은 민주 사회는 시민
스스로가 이끌어 가는 것임을 다시 한번 깨달았습니다.

5 6·29 민주화 선언에는 대통령 직선제, 언론의 자유 보
장, 지방 자치제 시행 등을 포함하는 국민의 민주화 요
구가 반영되어 있었습니다.

6 제시된 자료는 6월 민주 항쟁 이후 대통령 직선제로 선
출된 역대 대통령들입니다.

7 지방 자치제는 지역 주민들이 시장, 도지사, 구청장,
군수, 지방 의회 의원 등 지역의 대표를 직접 선출하는
제도입니다.

8 지방 자치제에서는 지역 주민들이 지역의 문제를 스스
로 해결하려고 의견을 냅니다.

채점 기준		
(1)	'㉡'이라고 정확히 씀.	
(2)	**정답 키워드** 지역 주민 | 의견 | 지역 대표 '지역 주민들이 의견을 제시하고, 지역 대표들이 의견을 받아들여 문제를 해결했다.' 등의 내용을 정확히 씀.	상
	지역 문제를 해결한 방법을 썼지만 지방 자치제의 의미를 포함하지 않았거나 표현이 부족함.	중

9 정치 제도의 민주화가 이루어지면서 시민의 인권 의식
이 확산되고 다양한 시민운동이 본격적으로 전개되었
습니다.

10 오늘날 시민들은 다양한 방법으로 정치에 참여하고 있
습니다.

1. ❷ 일상생활과 민주주의

❶ 민주주의의 의미와 중요성

단원평가   8~9쪽

1 채선   **2** ②   **3** (1) ㉡ (2) ㉠   **4** 국민
5 ⑤   **6** 재희   **7** ㉢   **8** ⑩ 민주
주의는 일상생활에서도 경험할 수 있다. 가정, 학교에서 중요
한 일을 결정할 때 직접 참여하는 것도 민주주의이다.
9 ④   **10** 자유

1 가정에서의 갈등을 해결하는 것도 정치에 해당합니다.

2 가족이 함께 살아가다 보면 서로 생각이나 입장이 달라
갈등이나 문제가 나타나는 경우가 있습니다.

3 정치는 국가와 관련된 특정한 활동을 말하기도 하지
만, 공동의 문제를 해결하는 과정을 말하기도 합니다.

4 국민이 나라의 주인으로서 권리를 지니고, 그 권리를
자유롭고 평등하게 행사하는 정치 형태를 민주주의라
고 합니다.

5 민주주의는 다수의 지배에서 출발하므로, 소수의 지배
를 뜻하는 독재는 민주주의와 어울리는 말이 아닙니다.

6 나라의 일을 결정할 때 참여하는 것도 민주주의이지
만, 가정, 학교, 지역 사회에서 중요한 일을 결정할 때
참여하는 것도 민주주의입니다.

7 민주주의는 고대 그리스에서 처음 시작되었고, 그리스
지역 중 중심이 되는 나라가 아테네였습니다.

8 오늘날 민주주의는 정치 형태를 넘어 일상생활에서도
실현되고 있습니다.

채점 기준		
정답 키워드 일상생활 | 직접 | 참여 '민주주의는 일상생활에서도 경험할 수 있다.', '가정, 학교에서 중요한 일을 결정할 때 직접 참여하는 것도 민주주의이다.' 등의 내용을 정확히 씀.		상
민주주의의 특징을 썼지만 표현이 부족함.		중

9 누구나 차별없이 학교에 다니고, 선거에 참여하는 것
은 평등을 지키는 모습입니다.

10 사람들이 종교를 선택할 자유를 박탈당했기 때문에 민
주주의 정신에 어긋나는 모습입니다.

❷ 민주주의를 실천하는 태도와 민주적 의사 결정 원리

단원평가 10~11쪽

1 ①　　**2** 재욱, 라임　　**3** ⑤　　**4** ㉡, ㉢
5 ④　　**6** 예 갈등이 해결되지 않아서 주민 모두가 불편
해졌을 것이다.　　**7** 다수결의 원칙
8 (2) ○　　**9** ㉤, ㉢, ㉣, ㉡　　**10** ①

1 관용은 나와 다른 의견을 인정하고 공존을 허용하는 태도입니다.

2 재욱이와 라임이는 학급 친구들이 낸 의견에 대해 옳고 그름을 따져 살펴보고 판단하는 비판적 태도를 가지고 있습니다.

3 다 함께 참여해서 대화와 토론으로 결정한 일은 내 의견과 다르더라도 잘 실천해야 합니다.

4 생활 속에서 민주주의를 실천하려면 관심, 관용, 비판적 태도, 양보와 타협, 실천의 태도 등이 필요합니다.

5 제시된 자료의 아파트 주민들은 생활 소음으로 생긴 갈등을 대화와 타협을 통해 원만하게 해결했습니다.

6 주민들이 대화와 타협을 통해 양보하지 않았다면 갈등이 해결되지 않아 주민 모두가 불편해졌을 것입니다.

채점 기준	
정답 키워드 갈등 | 불편	
'갈등이 해결되지 않아서 주민 모두가 불편해졌을 것이다.' 등의 내용을 정확히 씀.	상
주민들이 자기주장만을 고집했을 때 발생할 수 있는 문제에 대해 썼으나 표현이 부족함.	중

7 다수결의 원칙은 다수의 의견이 소수의 의견보다 합리적일 것이라고 가정하고 다수의 의견을 따르는 방법입니다.

8 다수결의 원칙을 따르면 쉽고 빠르게 문제를 해결할 수 있지만, 다수의 의견이 항상 옳은 것은 아니기 때문에 먼저 충분한 대화와 토론을 해야 합니다.

9 민주적 의사 결정 원리에 의하면 문제를 확인한 후 원인을 파악하고 해결 방안을 탐색해야 합니다. 그런 다음 해결 방안을 결정하고 실천합니다.

10 대화와 타협, 다수결의 원칙, 소수 의견 존중 등 민주적 의사 결정 원리에 따라 공동체의 문제를 해결하는 것이 바람직합니다.

1. ❸ 민주정치의 원리와 국가기관의 역할

❶ 민주정치의 원리와 국회가 하는 일

단원평가 12~13쪽

1 ②　　**2** ㉡　　**3** ②　　**4** 국회
5 ②　　**6** (1) ○　　**7** 예 초등학교 주변에 과속 방지 시설을 설치하는 법을 만든다.　　**8** 법
9 ⑤　　**10** ④

1 국민 주권이란 국민이 한 나라의 주인으로서 나라의 중요한 일을 스스로 결정하는 권리를 말합니다.

2 우리나라를 비롯한 많은 국가에서는 국민 자치 실현을 위해 선거로 뽑힌 국민의 대표가 국민을 대신해 나라의 중요한 일을 결정합니다.

3 민주정치의 기본 원리에는 국민 주권의 원리, 국민 자치의 원리, 입헌주의의 원리, 권력 분립의 원리가 있습니다.

4 국회는 국회의원들이 모여 법을 만들고, 나라의 중요한 일을 의논하여 결정하는 국가기관입니다.

5 국회의원은 4년에 한 번 뽑으며, 지역 주민들이 뽑아 주면 여러 번 다시 할 수 있습니다.

6 만 18세 이상의 대한민국 국민은 선거를 통해 국회의원이 될 수 있습니다.

왜 틀렸을까?
② 법에 따라 판결을 내리는 일을 하는 사람은 판사입니다.

7 국회에서 국회의원이 국민들의 생활에 필요한 법을 발의하여 관련 법이 만들어집니다.

채점 기준	
정답 키워드 법 | 만든다	
'초등학교 주변에 과속 방지 시설을 설치하는 법을 만든다.' 등의 내용을 정확히 씀.	상
그림과 관련 있는 국회가 하는 일을 썼으나 표현이 부족함.	중

8 법은 민주주의 국가에서 일어나는 문제를 해결하는 기준이 되므로 국회에서 법을 만드는 일은 중요합니다.

9 국가 예산의 대부분은 세금으로 마련되기 때문에 국민의 대표인 국회의원이 이를 살펴보고 확정합니다.

10 국회에서 만든 법에 따라 나라의 살림을 꾸려 나가는 곳은 정부입니다.

② 정부가 하는 일

1 ①	**2** 대통령	**3** ㉠	**4** ②, ⑤	**5** 국무 회의
6 ④	**7** 국무총리	**8** ①	**9** ②	
10 ⑩ 질병 예방 계획 세우기, 사회 복지 정책 마련하기				

1 정부는 국회에서 만든 법에 따라 나라의 살림살이를 맡아 하는 곳입니다.

2 정부는 대통령을 중심으로 국무총리와 행정 각부 등으로 구성되며, 행정 각부는 하는 일에 따라 여러 개의 부, 처, 청, 그리고 위원회 등으로 구성됩니다.

3 판사는 법원에서 일하는 사람입니다.

4 국민이 5년마다 직접 뽑는 대통령은 정부를 이끄는 최고 책임자로, 외국에 대해 우리나라를 대표합니다.

5 국무 회의는 정부의 주요 정책을 심의하는 최고의 심의 기관입니다.

> **더 알아보기**
>
> **국무 회의가 필요한 까닭**
> 국무 회의는 정부의 주요 정책 결정에 대해 국무 위원이 서로 의견을 나누며 대통령이 정책을 신중하게 결정하도록 하는 심의 기관입니다. 그러나 대통령이 국무 회의 심의 결과를 반드시 따라야 할 의무는 없습니다.

6 국무 회의에는 대통령과 국무총리, 정부의 각부 장관이 참석합니다.

7 국무총리는 대통령을 돕고 대통령의 명령을 받아 행정 각부를 관리합니다. 또 대통령이 자리를 비우게 될 때에는 대통령의 역할을 대신합니다.

8 외교부는 다른 나라와 협력할 수 있는 정책을 만들고, 다른 나라에 있는 우리 국민을 보호하는 일을 합니다.

9 교육부는 아이들이 행복하고 올바르게 성장할 수 있도록 교육 전반에 관한 일을 합니다.

10 보건 복지부는 국민이 건강하고 행복한 삶을 누릴 수 있는 정책을 만드는 일을 하는 정부 부서입니다.

> **채점 기준**
>
> | **정답 키워드** 질병 예방 계획 \| 사회 복지 정책 | |
> |---|---|
> | '질병 예방 계획 세우기', '사회 복지 정책 마련하기' 등의 내용을 정확히 씀. | 상 |
> | 보건 복지부에서 하는 일을 썼으나 표현이 부족함. | 중 |

③ 법원이 하는 일

1 ㉢	**2** 재판	**3** ③	**4** ①	**5** 피고인
6 ⑩ 법원은 재판을 통해 법을 지키지 않은 사람을 처벌한다.				
7 (3) ○	**8** ③, ④	**9** ⑤	**10** 세	

1 법원은 사법권을 행사하는 국가기관으로, 법을 위반하는 일이나 사람들 사이에 다툼이 생겼을 때 분쟁을 해결하고 사회질서를 유지하고자 법을 적용하여 판단하는 일을 합니다.

2 법원에서는 사람들 사이에 다툼이 생기거나 누군가가 억울한 일을 당했을 때 재판으로 문제를 해결합니다.

3 국회에서 만든 법에 따라 나라의 살림살이를 맡아 하는 곳은 정부입니다.

4 판사는 사람들 사이의 다툼이 있을 경우 법률에 따라 공정한 판단을 내리고 조정하는 역할을 합니다.

5 범죄를 저지른 것으로 의심되어 재판받는 김△△ 씨와 같은 사람을 피고인이라고 합니다.

6 제시된 그림에서 판사는 절도죄를 저지른 사람에게 징역을 선고하고 있습니다.

> **채점 기준**
>
> | **정답 키워드** 재판 \| 처벌 | |
> |---|---|
> | '법원은 재판을 통해 법을 지키지 않은 사람을 처벌한다.' 등의 내용을 정확히 씀. | 상 |
> | 법원이 하는 일 중 그림과 관련 없는 것을 썼거나 법원이 하는 일을 썼으나 표현이 부족함. | 중 |

7 법원은 사람들 사이의 갈등뿐만 아니라 개인과 국가, 지방 자치 단체 사이에서 생긴 갈등도 해결해 줍니다.

8 우리나라는 법원을 다른 국가기관으로부터 독립시켜 재판이 공정하게 이루어질 수 있도록 하고 있습니다. 또 헌법은 법관이 헌법과 법률에 의해 누구의 간섭도 받지 않고 재판할 수 있도록 법관을 보호하고 있습니다.

9 법원은 재판의 공정성을 확보하기 위해 재판을 공개하는 것을 원칙으로 하고 있습니다.

10 재판할 때 증거가 부족하거나 판사가 잘못된 판단을 하여 억울한 판결을 받을 수도 있기 때문에 한 사건에 대해 원칙적으로 세 번까지 재판을 받을 수 있도록 합니다.

2. ❶ 경제주체의 역할과 우리나라 경제체제

❶ 가계와 기업이 하는 일과 합리적 선택

단원평가　18~19쪽

1 가계　**2** ①, ②　**3** ②　**4** (1) ㉠ (2) ㉡
5 (2) ○　**6** ②　**7** ⑤　**8** 혜정
9 ②　**10** ⑩ 신제품을 개발한다. 신제품을 적극적으로 광고한다. 가장 인기 많은 제품의 생산량을 늘린다.

1 가계는 생산 활동에 참여한 대가로 소득을 얻어 생활에 필요한 물건이나 서비스를 소비합니다.

2 기업은 생활에 필요한 물건과 서비스를 생산하여 시장에 공급하고, 사람들에게 일자리를 제공합니다.

3 가계와 기업이 만나 물건이나 서비스를 거래하는 곳을 시장이라고 합니다.

4 기업은 시장에 생산품을 제공하고, 가계는 시장에서 원하는 물건을 구입합니다.

5 시장에서 물건만 거래하는 것은 아닙니다. 눈으로 볼 수 있는 물건을 사고파는 시장도 있고, 눈으로 볼 수 없는 것을 사고파는 시장도 있습니다.

6 주식 시장, 일자리 시장은 눈에 보이지 않는 것을 사고파는 시장이고, 인터넷 쇼핑과 부동산 시장은 물건을 직접 만져보지 않고 구입하는 시장의 형태입니다.

7 가계의 합리적 선택이란 다양한 기준을 고려하여 가장 적은 비용으로 가장 큰 만족감을 얻을 수 있도록 선택하는 것을 말합니다.

8 같은 품질과 성능이라면 가격이 더 싼 컴퓨터를 고르는 것이 합리적 선택입니다.

9 기업은 물건이나 서비스를 생산할 때 적은 비용으로 보다 많은 이윤을 얻을 수 있도록 합리적 선택을 해야 합니다.

10 더 많은 이윤을 남기기 위해 신제품을 개발하고, 광고하는 등 필통의 판매량을 높이려는 노력이 필요합니다.

채점 기준

정답 키워드 신제품 | 개발 | 광고 | 생산량 | 늘리다	
'신제품을 개발한다.', '신제품을 적극적으로 광고한다.', '가장 인기 많은 제품의 생산량을 늘린다.' 등의 내용을 정확히 씀.	상
기업이 이윤을 늘리기 위해 할 수 있는 일을 썼지만 표현이 부족함.	중

❷ 우리나라 경제의 특징과 바람직한 경제활동

단원평가　20~21쪽

1 ①, ③　**2** ①, ②　**3** ⑤　**4** 경쟁
5 ⑩ 더 많은 이윤을 얻기 위해서이다.　**6** 지혁
7 ⑤　**8** 소비자　**9** (3) ○　**10** ①

1 우리나라는 경제활동에서 개인과 기업의 자유로운 경쟁을 보장합니다.

2 개인은 경제활동으로 얻은 소득을 자신의 결정에 따라 자유롭게 사용할 수 있습니다.

3 개인은 자신이 하고 싶은 직업을 선택하여 자신의 재능과 능력을 더 잘 발휘할 수 있습니다.

4 개인은 더 좋은 일자리를 얻으려고 다른 사람과 경쟁하고, 경쟁에서 앞서고자 자신의 실력을 높이기 위해 노력합니다.

5 기업은 더 많은 이윤을 얻기 위해 다른 기업과 품질, 서비스, 디자인, 가격 등 다양한 분야에서 경쟁합니다.

채점 기준

정답 키워드 많은 | 이윤	
'더 많은 이윤을 얻기 위해서이다.' 등의 내용을 정확히 씀.	상
기업이 다른 기업과 경쟁하는 까닭을 썼지만 표현이 부족함.	중

6 많은 이윤을 얻으려는 기업 간의 경쟁으로 소비자는 싼 가격에 품질이 좋은 상품을 구입할 수 있고, 더 나은 서비스를 제공받을 수 있습니다.

7 탄산음료를 만드는 기업들끼리 상의하여 함께 가격을 올리기로 했기 때문입니다.

8 기업이 이윤을 높이기 위해 가격 담합이나 허위 광고, 과장 광고 등의 공정하지 않은 경제활동을 하면 소비자가 피해를 입습니다.

9 시민 단체는 기업의 공정하지 않은 경제활동을 감시하고 정부에 규제를 요청하는 등 공정한 경제활동을 위해 노력합니다.

왜 틀렸을까?

(1), (2)는 정부가 할 수 있는 노력입니다.

10 정부는 더 많은 기업이 물건을 만들어 팔 수 있도록 지원하여 기업 간에 바람직한 경쟁이 이루어지도록 돕습니다.

정답과 풀이 14~21쪽

2. ❷ 우리나라의 경제 성장과 경제생활의 변화

❶ 1950~1980년대 우리나라의 경제 성장

단원평가 22~23쪽

1 공업 **2** 민지 **3** 경제 개발 5개년 **4** ㉠, ㉡
5 예 풍부한 노동력을 바탕으로 제품을 낮은 가격으로 생산해 수출할 수 있었기 때문이다. **6** ④
7 ①, ④ **8** ③ **9** ① **10** 증가

1 1950년대 우리나라는 다른 나라의 도움을 받아 농업 중심의 산업 구조를 공업 중심의 산업 구조로 변화시키려고 했습니다.

2 1950년대에는 밀가루, 설탕 등 생활에 필요한 물품을 만드는 소비재 산업이 주로 발전했습니다.

3 경제 개발 5개년 계획은 정부가 경제 발전을 위해 1962년부터 1981년까지 5년 단위로 추진한 경제 계획입니다.

4 1960년대에 정부는 수출을 통해 경제를 발전시키려고 했습니다.

5 1960년대에는 만드는 데 일손이 많이 필요한 경공업이 발달했습니다.

채점 기준

정답 **키워드** 풍부한 | 노동력	
'풍부한 노동력을 바탕으로 제품을 낮은 가격으로 생산해 수출할 수 있었기 때문이다.' 등의 내용을 정확히 씀.	상
1960년대 우리나라에 경공업이 발달할 수 있었던 까닭에 대해 썼지만 표현이 부족함.	중

6 1970년대 우리나라는 철강, 조선 등 중화학 공업 발전에 힘을 쏟았습니다.

7 우리나라는 중화학 공업에 필요한 재료 대부분을 다른 나라에서 수입해야 했기 때문에 재료가 되는 철강 산업과 석유 화학 산업이 가장 먼저 발달했습니다.

8 1980년대에는 기계 산업, 전자 산업, 자동차 산업 등이 크게 발전했고, 텔레비전, 자동차 등이 주요 수출품으로 자리 잡았습니다.

9 1980년대에는 우리나라의 주요 산업이 경공업에서 중화학 공업 중심으로 변화했습니다.

10 1980년대에는 경공업 제품의 수출 비중이 감소하고, 중화학 공업 제품의 수출 비중이 증가하면서 수출액과 국민 소득도 함께 늘어나게 되었습니다

❷ 1990년대 이후 경제 성장과 사회 모습의 변화

단원평가 24~25쪽

1 예 반도체 **2** ⑤ **3** 성훈 **4** 서비스 산업 **5** ⑤
6 ① **7** ① **8** 예 한류 **9** ㉡, ㉠, ㉢
10 예 고속 철도가 개통되어 지역 간 이동이 편리해졌다. 지역과 지역을 오가는 이동 시간이 크게 줄어들었다.

1 우리나라는 꾸준한 노력으로 1990년대에는 성능이 뛰어난 반도체를 생산할 수 있게 되었습니다.

2 1990년대 후반에 정부와 기업이 전국에 초고속 정보 통신망을 설치하여 우리나라가 정보화 사회로 나아가는 데 큰 역할을 했습니다.

3 초고속 정보 통신망이 발전하면서 기존에 발달했던 산업들도 정보 통신 기술의 영향으로 더욱 발전하게 되었습니다.

4 2000년대 이후에 우리나라는 새로운 산업 발달에 힘입어 다양한 서비스 산업이 발달하고 있습니다.

5 2000년대 이후부터 우리나라는 우주 항공, 인공 지능(AI), 신소재 산업, 로봇 산업과 같이 고도의 기술이 필요한 첨단 산업이 발달했습니다.

6 우리나라의 국내 총생산이 큰 폭으로 증가하면서 경제 규모가 커졌고, 1인당 국민 총소득이 늘어나 사람들의 생활 수준이 향상되었습니다.

7 경제가 성장하면서 공중전화는 사라지고, 사람들이 스마트폰을 이용하게 되었습니다.

8 한류는 우리나라의 영화, 드라마, 대중가요 등 우리 문화가 전 세계로 퍼지는 현상입니다.

9 1970년대에는 경부 고속 국도가 개통되었고, 1990년대에는 자가용 자동차가 증가했으며, 2000년대에는 고속 철도가 개통되었습니다.

10 교통이 발달하면서 지역과 지역을 더 빠르고 편리하게 이동할 수 있게 되었고, 지역 간 이동 시간이 크게 줄어들었습니다.

채점 기준

정답 **키워드** 이동 | 편리 | 이동 시간 | 줄어든다	
'고속 철도가 개통되어 지역 간 이동이 편리해졌다.', '지역과 지역을 오가는 이동 시간이 크게 줄어들었다.' 등의 내용을 정확히 씀.	상
고속 철도의 개통이 우리 생활에 미친 영향을 썼지만 표현이 부족함	중

③ 경제 성장에 따른 문제점과 해결 방안

1 외환 위기　**2** ③　　**3** 해인　**4** ①　　**5** ㉠
6 ①　　　　**7** 예 환경오염　　**8** 예 석탄이나 석유 등
화석 연료를 많이 사용하여 환경오염 문제가 발생했다. 일회
용품을 많이 사용했다.　**9** ③, ④　　**10** ④

1 외화가 부족해지면서 많은 기업이 문을 닫았고, 국민
　들이 경제적인 어려움을 겪었습니다.

2 경제적 어려움을 겪는 사람들의 빈부 격차 문제를 해결
　하기 위해 다양한 활동을 하고 있습니다.

3 정부는 빈부 격차 문제를 해결하기 위해 「국민 기초 생활
　보장법」을 제정하고, 다양한 복지 정책과 법률을 만들
　어 시행하고 있습니다.

4 1960년대 이후 젊은 사람들이 일자리를 찾아 도시로
　떠나면서 농촌에는 일할 사람이 부족해졌습니다.

5 경제가 성장하는 과정에서 노동자들이 적은 임금을 받
　으며 열악한 작업 환경에서 일하는 노동 환경 문제가
　발생했습니다.

6 정부는 환경오염 문제를 해결하기 위해 신재생 에너지
　사용을 권장하고 있습니다.

7 우리나라는 급격한 경제 성장 과정에서 환경을 충분히
　고려하지 못해 환경오염 문제가 발생했습니다.

8 경제의 성장 과정에서 화석 연료를 많이 사용하고, 정화
　되지 않은 공장 폐수 등을 강과 바다로 내보내며 기후
　변화와 환경오염 문제가 발생했습니다.

채점 기준

정답 키워드 화석 연료 | 일회용품 | 사용	
'석탄이나 석유 등 화석 연료를 많이 사용하여 환경오염 문제가 발생했다.', '일회용품을 많이 사용했다.' 등의 내용을 정확히 씀.	상
우리나라의 경제 성장 과정에서 환경오염 문제가 나타나게 된 원인을 썼지만 표현이 부족함.	중

9 정보 통신 기술과 인터넷이 발달하면서 개인 정보 유출,
　사이버 폭력, 허위 정보 유포 등의 피해를 입는 사람들
　이 늘어났습니다.

10 인터넷 발달의 부작용을 해소하기 위해 정부는 정보 통
　신과 관련된 법률을 제정하여 시행하고 있습니다.

2. ③ 세계 속의 우리나라 경제

① 무역의 의미와 우리나라의 경제 교류

1 (1) ㉮ (2) ㉯　　**2** 소현　**3** ③, ④　**4** 예 우리
나라는 천연자원이 부족하지만 기술력이 뛰어나 가공 무역이
발달했다.　　**5** 예 원산지　　**6** ④
7 자유 무역 협정(FTA)　**8** ⑤　　**9** (1) ○　**10** ⑤

1 ㉠ 나라는 기술력이 부족하고, ㉡ 나라는 자원이 부족
　합니다.

2 나라마다 기술, 자원, 노동력 등에 차이가 있어 더 잘
　만들 수 있는 상품이 다르고, 경제 교류를 통해 서로
　이익을 얻을 수 있기 때문에 무역을 합니다.

3 우리나라는 주로 반도체, 자동차, 석유 제품, 전자 제
　품 등을 수출합니다.

왜 틀렸을까?

① 밀, ② 원유, ⑤ 천연가스는 우리나라의 주요 수입 품목입
니다.

4 우리나라는 다른 나라에서 원유를 수입해 석유 제품을
　만들어 판매하는 등 가공 무역이 발달했습니다.

채점 기준

정답 키워드 천연자원 | 부족 | 기술력 | 뛰어남	
'우리나라는 천연자원이 부족하지만 기술력이 뛰어나 가공 무역이 발달했다.' 등의 내용을 정확히 씀.	상
우리나라에 가공 무역이 발달한 까닭을 썼지만 표현이 부족함.	중

5 원산지는 어떤 물건이 생산된 곳을 뜻하는 말입니다.
　따라서 물건의 원산지를 살펴보면 재료가 어느 나라 산
　인지, 물건을 생산한 나라는 어디인지 등을 알 수 있습
　니다.

6 우리나라는 물건뿐만 아니라 의료, 영상, 교육, 만화 등
　다양한 서비스 분야에서 세계 여러 나라와 교류합니다.

7 우리나라는 다양한 나라와 자유 무역 협정(FTA)을 맺
　고 서로 교류합니다.

더 알아보기

자유 무역 협정(FTA)의 경제적 효과
자유 무역 협정을 통해 우리나라의 수출품이 상대 나라에 많이
팔리게 되고, 상대 나라의 수출품도 우리나라에서 많이 팔리는 등
활발한 경제 교류를 통해 긍정적인 경제적 효과를 가져옵니다.

8 세계 여러 나라는 물건이나 서비스의 자유로운 이동을 위해 자유 무역 협정을 체결합니다.

> **더 알아보기**
>
> **다른 나라와 상호 의존하면서 경제 교류를 하면 좋은 점**
> 서로에게 필요한 것을 주고받으며 각 나라의 특징을 살려 다른 나라와 경제 교류를 하면 더 효율적으로 상품을 생산할 수 있습니다.

9 우리나라는 세계의 다른 나라들과 서로 의존하기도 하고, 경쟁하기도 합니다.

10 다양한 나라의 기업들이 경쟁하면서 물건의 품질이 좋아지고 새로운 상품이 개발되기도 합니다.

② 경제 교류의 영향과 무역 문제

> **단원평가**   **30~32**쪽
>
> **1** ④   **2** ②   **3** 민주   **4** 넓어지면서
> **5** ①   **6** ⑩ 다른 나라에 공장을 세워 그 나라의 값싼 노동력을 활용해 생산 비용을 줄일 수 있기 때문이다.   **7** ⓒ
> **8** ④   **9** (2) ○   **10** 진운   **11** ⑤   **12** (1) ○
> **13** 선민   **14** ⑩ 서로 협상하고 합의한다. 세계 무역 기구에 도움을 요청한다. 상품을 수출할 수 있는 다른 나라를 찾는다.   **15** ②, ⑤

1 경제 교류로 다른 나라와 물건뿐만 아니라 문화나 서비스도 함께 교류하면서 외국에서 만든 만화, 영화, 게임 등을 쉽게 접할 수 있게 되었고, 사람들의 여가 생활도 많이 달라졌습니다.

2 경제 교류로 식재료의 원산지가 다양해졌고, 다양한 나라의 음식을 먹을 수 있게 되었습니다.

3 다른 나라와의 경제 교류를 통해 제품을 선택할 수 있는 폭이 넓어지게 되면서 우리 생활의 많은 부분에 영향을 주었습니다.

> **왜 틀렸을까?**
>
> 석훈이는 의생활, 주희는 취업 활동에 미친 영향에 대해 말했습니다.

4 경제 교류로 경제활동 범위가 넓어지면서 외국에서 만든 만화, 영화 등을 쉽게 접할 수 있게 되었습니다.

5 경제 교류가 활발해지면서 다른 나라의 기업과 정보를 주고받으며 기술을 발전시켰습니다.

6 인건비가 싼 나라에 공장을 세우면 생산 비용을 줄일 수 있고, 운반 비용도 줄일 수 있습니다.

> **채점 기준**
>
> | **정답 키워드** 값싼 노동력 \| 생산 비용 \| 운반 비용 \| 줄이다 | |
> |---|---|
> | '다른 나라에 공장을 세워 그 나라의 값싼 노동력을 활용해 생산 비용과 운반 비용을 줄일 수 있기 때문이다.' 등의 내용을 정확히 씀. | 상 |
> | 기업이 외국에 공장을 세우는 까닭을 썼지만 표현이 부족함. | 중 |

7 외국의 대기업이 우리나라에 공장을 지으면 우리나라의 작은 기업들의 제품들이 경쟁에서 뒤처질 수 있습니다.

8 세계 여러 나라는 자기 나라 경제를 보호하려고 여러 제도를 만들기도 합니다.

9 다른 나라 물건의 수입을 거부하여 다른 나라와 무역 문제가 생기면 우리나라 기업의 제품 수출에도 피해를 입게 됩니다.

10 우리나라는 다른 나라에 비해 무역 의존도가 높아 주로 무역하는 국가의 경제 상황에 크게 영향을 받습니다. 이로 인해 수출과 수입이 원활하게 이루어지지 않으면 우리나라의 경제가 어려워질 수 있습니다.

11 수입에 의존해야 하는 자원이나 물건들을 수입하지 못해 어려움이 생기기도 합니다.

12 특정 국가에 의존하는 수입품을 교류하는 나라를 늘리는 방식을 통해 문제를 해결할 수도 있습니다.

13 ㉠ 나라가 자기 나라의 경제를 보호하기 위해 ㉡ 나라의 자동차 수입을 중단하여 무역 문제가 발생했습니다.

14 무역 문제로 발생하는 피해를 줄일 수 있는 대책을 마련해야 합니다.

> **채점 기준**
>
> | **정답 키워드** 협상 \| 세계 무역 기구 \| 다른 나라 | |
> |---|---|
> | '서로 협상하고 합의한다.', '세계 무역 기구에 도움을 요청한다.', '상품을 수출할 수 있는 다른 나라를 찾는다.' 등의 내용을 정확히 씀. | 상 |
> | 무역 문제를 해결하기 위한 방법을 썼지만 표현이 부족함. | 중 |

15 세계 무역 기구는 국가 간 무역 문제를 심판하고 무역 장벽을 낮추는 데 도움을 주는 국제기구입니다.

> **더 알아보기**
>
> **세계 무역 기구(WTO)**
> 세계 무역 기구는 나라와 나라 사이에 무역 문제가 일어났을 때 공정하게 심판하기 위해 1995년에 만들어진 국제기구로, 세계 무역 분쟁 조정, 관세 인하 요구 등의 법적인 권한과 구속력을 행사합니다.

2. 지구와 달의 운동

❶ 하루 동안 태양과 달의 위치 변화 / 지구의 자전

단원평가 34~35쪽

1 (1) ㉠ (2) ㉠ **2** ㉠ **3** ㉠ 남 ㉡ 서
4 ① **5** 남 **6** ③ **7** 예 서 **8** ②
9 (2) ○ **10** (1) 자전축 (2) 예 하루 동안 태양과 달, 별이 동쪽에서 서쪽으로 움직이는 것처럼 보인다.

1 하루 동안 태양과 달은 동쪽에서 서쪽으로 움직이는 것처럼 보입니다.

2~3 하루 동안 태양과 달은 동쪽 하늘에서 남쪽 하늘을 지나 서쪽 하늘로 움직이는 것처럼 보입니다.

4 지구가 서쪽에서 동쪽으로 자전하기 때문에 별이 동쪽에서 서쪽으로 이동하는 것처럼 보입니다.

5 달은 동쪽에서 남쪽 하늘을 지나 서쪽으로 움직이는 것처럼 보입니다.

6 하루 동안 지구의 운동과 태양의 위치 변화를 알아보기 위한 실험에서 전등 빛은 태양을 나타냅니다.

더 알아보기

실험에서 각 모형이 나타내는 것

실험 모형	나타내는 것
지구본	지구
관찰자 모형	지구에 있는 관찰자
투명 반구	관찰자 모형이 바라본 하늘

7 지구본을 서쪽에서 동쪽으로 회전시키면 전등 빛이 동쪽에서 서쪽으로 움직이는 것처럼 보입니다.

8 지구가 자전축을 중심으로 하루에 한 바퀴씩 회전하는 것을 지구의 자전이라고 합니다.

9 지구는 서쪽에서 동쪽(시계 반대 방향)으로 자전합니다.

10 지구가 자전하기 때문에 하루 동안 태양과 달, 별이 움직이는 것처럼 보입니다.

채점 기준

(1)	'자전축'을 정확히 씀.	
(2)	**정답 키워드** 동쪽 → 서쪽 | 움직이다 '하루 동안 태양과 달, 별이 동쪽에서 서쪽으로 움직이는 것처럼 보인다.' 등의 내용을 정확히 씀.	상
	지구의 자전으로 나타나는 천체의 움직임에 대해 썼지만, 표현이 부족함.	중

❷ 낮과 밤

단원평가 36~37쪽

1 서, 동 **2** ④ **3** ㉡ **4** 예 낮 **5** ㉡
6 ㉢ **7** ② **8** ㉠ 낮 ㉡ 밤
9 (1) ㉠ (2) ㉡ **10** (1) ㉠ (2) 예 지구가 하루에 한 바퀴씩 자전하면서 태양 빛을 받는 지역이 달라지기 때문이다.

1 낮과 밤이 생기는 까닭을 알아보기 위한 실험에서 지구 본은 지구의 자전 방향인 서쪽에서 동쪽으로 회전시켜야 합니다.

2 이 실험에서 전등 빛은 태양을, 지구본은 지구를, 관찰자 모형은 지구에 있는 관찰자를 나타냅니다.

3 ㉠은 낮인 지역이고, ㉡은 밤인 지역입니다.

4 실험에서 지구본을 회전시키면 낮이었던 지역은 밤이 되고, 밤이었던 지역은 낮이 되며, 낮과 밤이 번갈아 나타납니다.

5 우리나라가 밤일 때 관측자 모형의 위치는 전등 빛을 받지 못해 어두운 쪽(㉡)에 위치합니다. ㉠은 우리나라가 낮일 때입니다.

6 우리나라가 전등 빛을 받을 때 낮이 시작되고, 우리나라의 지구 반대쪽에 있는 나라들은 전등 빛을 받지 못해 밤이 시작됩니다.

7 지구본을 서쪽에서 동쪽으로 회전시킬 때 우리나라가 전등 빛을 받으면 낮이 되고, 전등 빛을 받지 못하면 밤이 됩니다.

8 태양이 떠오를 때부터 질 때까지의 시간은 낮(㉠)이고, 태양이 져서 어두워진 때부터 이튿날 태양이 떠서 밝아지기 전까지의 시간은 밤(㉡)입니다.

9 지구가 자전할 때 태양 빛을 받는 지역은 낮이 되고, 태양 빛을 받지 못하는 지역은 밤이 됩니다.

10 ㉠은 낮인 지역, ㉡은 밤인 지역입니다. 낮과 밤이 번갈아 나타나는 것은 지구의 자전 때문입니다.

채점 기준

(1)	'㉠'을 씀.	
(2)	**정답 키워드** 자전 | 태양 빛을 받는 지역 | 달라지다 '지구가 하루에 한 바퀴씩 자전하면서 태양 빛을 받는 지역이 달라지기 때문이다.' 등의 내용을 정확히 씀.	상
	우리나라에서 낮과 밤이 번갈아 나타나는 까닭에 대해 썼지만, 표현이 부족함.	중

정답과 풀이 30~37쪽

3 계절별 별자리 / 지구의 공전

단원평가   38~39쪽

1 ④, ⑤   **2** ㉡   **3** (1) ㉠ (2) ㉡
4 예 계절의 대표적인 별자리   **5** ㉠   **6** ㈐
7 예 별자리   **8** ㉡   **9** ③, ⑤
10 (1) 겨울 (2) 오리온자리, 예 지구가 여름철 위치에 있을 때 겨울철 별자리는 태양과 같은 방향에 있어 태양 빛 때문에 볼 수 없기 때문이다.

1 봄철의 대표적인 별자리는 목동자리, 처녀자리, 사자자리 등입니다.

> **왜 틀렸을까?**
> ④ 물고기자리와 ⑤ 페가수스자리는 가을철의 대표적인 별자리입니다.

2 지구가 봄철 위치에 있을 때 가을철 별자리는 태양과 같은 방향에 있어서 볼 수 없습니다.

3 겨울철에 볼 수 있는 별자리는 쌍둥이자리, 오리온자리, 큰개자리입니다.

4 계절의 대표적인 별자리는 어느 계절의 밤하늘에서 오랜 시간 동안 볼 수 있는 별자리입니다.

5 우리나라가 한밤일 때 지구본의 ㈎ 위치에서 가장 잘 보이는 별자리는 사자자리입니다.

6 지구본의 ㈐ 위치에서는 사자자리가 보이지 않습니다.

7 지구본의 위치에 따라 전등 반대쪽에 있는 별자리가 달라집니다.

8 지구는 태양을 중심으로 서쪽에서 동쪽(시계 반대 방향)으로 일 년에 한 바퀴씩 공전합니다.

9 계절에 따라 보이는 별자리가 달라지는 까닭은 지구가 태양 주위를 공전하기 때문입니다.

10 지구가 여름철 위치에 있을 때 겨울철 별자리는 태양과 같은 방향에 있어 태양 빛 때문에 볼 수 없습니다.

채점 기준

(1)	'겨울'을 씀.	
(2)	**정답 키워드** 태양 | 같은 방향 | 태양 빛 '오리온자리'를 쓰고, '지구가 여름철 위치에 있을 때 겨울철 별자리는 태양과 같은 방향에 있어 태양 빛 때문에 볼 수 없기 때문이다.' 등의 내용을 정확히 씀.	상
	'오리온자리'를 썼지만, 오리온자리를 여름철에 볼 수 없는 까닭은 정확히 쓰지 못함.	중

4 달의 모양과 위치 변화

단원평가   40~41쪽

1 ②, ④   **2** (1) ㉢ (2) ㉡ (3) ㉠   **3** ㉠ 동 ㉡ 서
4 ㉡   **5** ㉠ 서 ㉡ 동   **6** ◯   **7** ④
8 ㉢   **9** ①
10 (1) ◖ (2) 예 마지막으로 음력 15일 무렵에 보름달을 관찰했으므로 7일이 지난 후 음력 22일 무렵에는 하현달을 볼 수 있기 때문이다.

1 달의 위치가 서쪽에서 동쪽으로 날마다 조금씩 옮겨 가면서 달의 모양도 변합니다.

2 태양이 진 직후에 초승달은 서쪽 하늘, 상현달은 남쪽 하늘, 보름달은 동쪽 하늘에서 보입니다.

3 음력 2~3일부터 음력 15일까지 저녁 7시 무렵에 달을 관측하면 달은 서쪽에서 동쪽으로 날마다 조금씩 위치를 옮겨 갑니다.

4 음력 15일 무렵에는 태양이 진 직후에 동쪽 하늘에서 보름달을 관찰할 수 있습니다.

5 여러 날 동안 달을 관측하면 달이 서쪽에서 동쪽으로 날마다 조금씩 위치를 옮겨 갑니다.

6 음력 15일 무렵에는 보름달을 볼 수 있습니다.

7 달의 모양은 약 30일 주기로 변합니다.

8 음력 2~3일 무렵에는 초승달을 볼 수 있습니다.

9 음력 7~8일 무렵에는 상현달을 볼 수 있습니다.

> **더 알아보기**
> **여러 가지 모양의 달을 볼 수 있는 시기**
> • 초승달: 음력 2~3일 무렵   • 상현달: 음력 7~8일 무렵
> • 보름달: 음력 15일 무렵   • 하현달: 음력 22~23일 무렵
> • 그믐달: 음력 27~28일 무렵

10 음력 15일 무렵에는 보름달을 볼 수 있고, 7일이 지난 후 음력 22일 무렵에는 하현달을 볼 수 있습니다.

채점 기준

(1)	'◖' 모양을 정확히 그림.	
(2)	**정답 키워드** 보름달 | 7일 후 | 하현달 '마지막으로 음력 15일 무렵에 보름달을 관찰했으므로 7일이 지난 후 음력 22일 무렵에는 하현달을 볼 수 있기 때문이다.' 등의 내용을 정확히 씀.	상
	보름달을 본 뒤 7일이 지난 후에 볼 수 있는 달에 대해 썼지만, 표현이 부족함.	중

3. 여러 가지 기체

❶ 기체 발생 장치

1 ⑤ **2** ㉠ **3** ㉠ **4** $\frac{2}{3}$ **5** ⑤
6 예 닫힌 **7** ⑤ **8** 예 ㄱ자 유리관을 집기병 안으로 너무 깊이 넣지 않는다. 등 **9** ㉢
10 ㉠, ㉤, ㉣, ㉢

1 기체 발생 장치에 흰 종이는 사용되지 않습니다.

2 기체 발생 장치를 통해 산소, 이산화 탄소 등과 같은 기체를 발생시킬 수 있습니다.

3 ㄱ자 유리관을 집기병의 입구에 넣는 것은 더 나중에 해야 할 일입니다. 기체 발생 장치를 꾸미는 마지막 단계에서 물이 $\frac{2}{3}$ 정도 담긴 수조에 물을 가득 채운 집기병을 거꾸로 세우고, ㄱ자 유리관을 집기병의 입구에 넣습니다.

4 수조에 물을 $\frac{2}{3}$ 정도 담습니다.

5 기체 발생 장치를 꾸미기 위해 필요한 ㄱ자 유리관의 모습입니다.

6 콕이 닫힌 상태로 장치를 꾸미며, 지면과 수평한 상태가 닫힌 상태입니다.

⬆ 핀치 집게: 콕 대신 사용할 수 있음.

7 가지 달린 삼각 플라스크의 가지 부분에 고무관을 끼우고, 반대쪽 끝은 ㄱ자 유리관과 연결합니다.

8 ㄱ자 유리관을 집기병 안으로 깊이 넣지 않도록 합니다.

채점 기준	
정답 키워드 ㄱ자 유리관 | 집기병 | 깊이 등	
'ㄱ자 유리관을 집기병 안으로 너무 깊이 넣지 않는다.' 등의 내용을 정확히 씀.	상
기체 발생 장치를 꾸미는 과정에서 주의할 점을 썼지만, 표현이 부족함.	중

9 기체 발생 장치에서 만들어진 기체는 집기병에 안에 모입니다.

10 기체 발생 장치를 통해 기체를 발생시킬 수 있습니다.

❷ 산소와 이산화 탄소의 성질

1 묽은 과산화 수소수 **2** ②, ④ **3** 집기병 **4** 예 식초
5 예 물속에서 아크릴판으로 집기병의 입구를 막아 집기병을 꺼낸다. 등 **6** ㉠ **7** ② **8** (1) ○ (2) × (3) ○
9 ② **10** 이산화 탄소

1 기체 발생 장치에서 산소를 발생시키기 위해 콕 깔때기를 통해 묽은 과산화 수소수를 조금씩 흘려보냅니다.

2 가지 달린 삼각 플라스크에 물을 조금 넣고 이산화 망가니즈를 넣은 뒤 콕을 열어 묽은 과산화 수소수를 넣어 주면 기포가 생깁니다.

3 집기병 안에서 산소를 모을 수 있습니다.

4 콕 깔때기에 진한 식초를 넣어 이산화 탄소를 발생시킬 수 있습니다.

5 집기병에 이산화 탄소가 가득 차면 물속에서 아크릴판으로 집기병의 입구를 막아 집기병을 꺼냅니다.

채점 기준	
정답 키워드 물속 | 아크릴판 | 집기병 | 막다 등	
'물속에서 아크릴판으로 집기병의 입구를 막아 집기병을 꺼낸다.' 등의 내용을 정확히 씀.	상
집기병에 모인 이산화 탄소를 꺼내는 방법을 썼지만, 표현이 부족함.	중

6 산소가 든 집기병에 향불을 넣으면 향불의 불꽃이 커집니다. 이산화 탄소가 든 집기병에 향불을 넣으면 향불의 불꽃이 꺼집니다.

⬆ 산소가 든 집기병에 향불을 넣었을 때: 불꽃이 커짐.

7 산소는 스스로 타지 않지만, 다른 물질을 타게 도와줍니다.

8 이산화 탄소는 다른 물질이 타는 것을 막는 성질이 있습니다.

9 공기 중에 산소의 양이 지금보다 더 많아지면 불을 끄기 어려워 화재가 자주 발생할 것입니다.

10 이산화 탄소는 탄산음료의 재료로 이용됩니다.

❸ 압력과 온도에 따른 기체의 부피 변화

단원평가   46~47쪽

1 압력   **2** ㉢   **3** (가)   **4** ①   **5** 예 비행기 안의 압력은 땅보다 하늘에서 더 낮기 때문이다. 등   **6** 용진
7 예 줄어든다.   **8** ③   **9** ㉠ 예 낮아져서 ㉡ 예 줄어들기   **10** ㉡

1 액체는 압력을 가해도 부피가 거의 변하지 않지만, 기체는 압력을 가한 정도에 따라 부피가 달라집니다.

2 주사기에 넣는 물질을 공기(기체)와 물(액체)로 다르게 하고 나머지 모든 조건은 같게 해야 합니다.

3 기체에 압력을 가하면 부피가 줄어듭니다.

4 ②는 압력과 관련이 없습니다. ③, ④, ⑤는 온도에 따라 기체의 부피가 변하는 예입니다.

5 비행기 안의 압력은 땅보다 하늘에서 더 낮기 때문에 비행기가 하늘을 나는 동안 과자 봉지가 더 부풀어 오릅니다.

채점 기준

정답 키워드 압력 | 하늘 | 낮다 등	
'비행기 안의 압력은 땅보다 하늘에서 더 낮기 때문이다.' 등의 내용을 정확히 씀.	상
과자 봉지가 땅보다 하늘에서 더 부풀어 오르는 까닭을 썼지만, 표현이 부족함.	중

6 온도가 높아지면 기체의 부피는 늘어납니다.

고무 풍선 / 뜨거운 물
△ 뜨거운 물에 넣기 전   △ 뜨거운 물에 넣은 후

7 온도가 낮아지면 기체의 부피는 줄어듭니다.

8 압력과 온도에 따라 기체의 부피가 달라집니다.

9 마개를 닫은 빈 페트병을 냉장고 안에 넣어두면 온도가 낮아져서 페트병 안 기체의 부피가 줄어듭니다.

10 찌그러진 페트병을 뜨거운 물에 넣으면 찌그러진 페트병을 다시 펼 수 있습니다.

왜 틀렸을까?

㉠ 찌그러진 페트병을 얼음물에 넣으면 페트병 안 기체의 부피가 줄어듭니다.
㉢ 찌그러진 페트병의 마개를 더 세게 닫는 것으로 페트병을 펼 수 없습니다.

❹ 공기를 이루는 여러 가지 기체

단원평가   48~49쪽

1 ②, ④   **2** ①   **3** 네온   **4** 질소   **5** ㉡
6 (1) 이산화 탄소 (2) 산소   **7** (1) × (2) ×
8 ⑤   **9** ④   **10** 예 색깔과 냄새가 없다. 등

1 질소와 산소가 공기의 대부분을 차지합니다.

2 수소는 매우 가벼우며, 수소를 이용하여 환경을 오염하지 않고 전기를 만듭니다.

△ 수소를 이용하여 전기를 생산함.

3 네온을 이용한 조명 기구입니다.

4 질소는 과자가 부서지거나 맛이 변하는 것을 막아 과자 봉지의 충전제로 이용됩니다.

5 산소가 과자 봉지 속 내용물을 변하게 할 것입니다.

6 이산화 탄소는 소화제의 재료로 이용되고, 산소는 금속을 자르거나 붙일 때 이용됩니다.

7 공기는 질소와 산소 외에 네온, 수소 등 여러 가지 기체로 이루어져 있으며 모두 우리 생활에 이용됩니다.

➕ 더 알아보기

공기의 조성
공기는 여러 가지 기체로 이루어진 혼합물이며, 공기의 대부분을 차지하고 있는 것은 질소입니다. 공기는 약 78 %의 질소와 약 21 %의 산소로 이루어져 있습니다.

8 헬륨은 색깔과 냄새가 없고 비행선에 이용됩니다.

9 이산화 탄소는 색깔이 없습니다. ②는 이산화 탄소, ③은 산소, ⑤는 네온에 대한 설명입니다.

10 산소와 수소는 색깔과 냄새가 없습니다.

채점 기준

정답 키워드 색깔 | 냄새 | 없다 등	
'색깔과 냄새가 없다.' 등의 내용을 정확히 씀.	상
산소와 수소의 공통점을 썼지만, 표현이 부족함.	중

4. 식물의 구조와 기능

❶ 생물을 이루는 세포

1 다양, 다름   **2** ⑤   **3** ㉢   **4** ③
5 ③   **6** 핵   **7** ⑤   **8** 예 식물 세포에는 세포벽이 있고, 동물 세포에는 세포벽이 없다.   **9** ④
10 (1) 공통 (2) 공통 (3) 식물

1 세포는 종류에 따라 모양, 크기, 하는 일 등이 다릅니다.

더 알아보기

세포의 크기와 모양
세포의 크기는 대부분 매우 작지만, 일부 신경 세포 등과 같이 맨눈으로 볼 수 있을 정도로 큰 것도 있습니다. 세포의 모양은 생물의 종류에 따라서도 다르고, 한 생물체 내에서도 종류에 따라 다릅니다.

2 광학 현미경으로 양파의 표피 세포의 모습을 관찰할 수 있습니다.

3 양파 표피 세포 안에 둥근 모양의 핵이 있고, 가장자리가 두껍습니다. 양파 표피 세포는 각진 모양입니다.

4 ㉮는 핵으로, 식물 세포와 동물 세포에서 모두 볼 수 있습니다.

5 입안 상피 세포는 동물 세포로, 세포벽이 없습니다.

6 핵은 세포의 정보를 저장하고, 생명 활동을 조절합니다. 동물 세포와 식물 세포 모두 핵이 있습니다.

7 ㉠은 핵, ㉡은 세포막, ㉢은 세포벽입니다.

8 식물 세포에는 세포벽이 있고, 동물 세포에는 세포벽이 없습니다.

채점 기준

정답 키워드 식물 세포 | 동물 세포 | 세포벽 등	
'식물 세포에는 세포벽이 있고, 동물 세포에는 세포벽이 없다.'와 같이 내용을 정확히 씀.	상
식물 세포와 동물 세포의 차이점을 썼지만, 표현이 정확하지 않음.	중

9 식물 세포는 세포막과 세포벽으로 둘러싸여 있습니다. 광학 현미경으로 식물 세포와 동물 세포를 관찰할 수 있습니다.

10 식물 세포와 동물 세포 모두 핵과 세포막이 있습니다. 동물 세포는 세포벽이 없습니다.

❷ 뿌리와 줄기의 생김새와 하는 일

1 ㉡   **2** ④   **3** 뿌리털   **4** ㉠
5 자르지 않은, 물   **6** ②   **7** ③
8 예 봉선화 줄기는 곧게 자라고, 나팔꽃 줄기는 다른 물체를 감아 올라가며 자란다.   **9** ㉠   **10** ④

1 뿌리는 대부분 땅속으로 자라고, 뿌리의 생김새는 식물의 종류에 따라 다양합니다.

2 강아지풀은 굵기가 비슷한 뿌리가 수염처럼 나는 식물이고, 당근, 감나무, 명아주는 굵기가 비슷한 뿌리가 수염처럼 나는 식물입니다.

3 뿌리털은 뿌리의 표피 세포의 일부가 가늘고 길게 변형된 것으로, 뿌리가 물을 더 많이 흡수할 수 있도록 해 줍니다.

4 뿌리를 자르지 않은 양파를 올려놓은 비커 안의 물이 뿌리를 자른 양파를 올려놓은 비커 안의 물보다 더 많이 줄어듭니다.

5 뿌리는 물을 흡수하는 일을 합니다.

6 줄기는 아래로 뿌리와 이어지고, 위로 잎이 나 있어 뿌리와 잎을 연결합니다.

7 딸기는 기는줄기를 갖고 있어서 땅 위를 기는 듯이 뻗어 나가며 자랍니다. 감자와 토란은 줄기에 양분을 저장하고, 소나무는 굵고 곧게 자라며 나팔꽃은 다른 물체를 감아 올라가며 자랍니다.

8 봉선화는 곧게 자라는 곧은줄기를 가지고 있고, 나팔꽃은 다른 물체를 감아 올라가며 자라는 감는줄기를 가지고 있습니다.

채점 기준

정답 키워드 봉선화 | 곧다 | 나팔꽃 | 감는다 등	
'봉선화 줄기는 곧게 자라고, 나팔꽃 줄기는 다른 물체를 감아 올라가며 자란다.'와 같이 내용을 정확히 씀.	상
봉선화와 나팔꽃 줄기가 자라는 모습의 차이점을 썼지만, 표현이 정확하지 않음.	중

9 붉은색 점이 여러 개 보이는 것이 붉은 색소 물에 4시간 동안 넣어 둔 백합 줄기의 가로 단면의 모습입니다.

10 줄기는 뿌리에서 흡수한 물이 이동하는 통로 역할을 하여 물을 식물 전체로 전달합니다.

3 잎의 생김새와 하는 일

단원평가 54~55쪽

1 ②	2 아이오딘-아이오딘화 칼륨		
3 씌우지 않은	4 ①	5 양분	6 수민
7 ④, ⑤	8 예 잎을 제거한 모종의 비닐봉지에는 물방울이		

맞히지 않고, 잎을 그대로 둔 모종의 비닐봉지에는 물방울이
맺힌다. **9** ④ **10** ⓒ

1 잎은 대부분 초록색을 띱니다.

2 아이오딘-아이오딘화 칼륨 용액과 녹말이 반응하면 색깔이
변합니다.

3 빛을 받은 잎에서만 녹말이 만들어집니다.

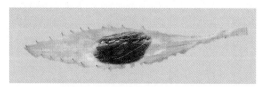

⬆ 빛을 받은 잎에서 청람색이 나타남.

4 빛을 받은 잎에서 만들어진 녹말과 아이오딘-아이오딘화
칼륨 용액이 반응하여 청람색이 나타납니다.

5 식물은 광합성으로 필요한 양분을 스스로 얻습니다.

6 광합성은 식물이 빛을 이용하여 이산화 탄소와 물로 양분을
만드는 것으로, 주로 잎에서 일어납니다.

7 잎에서 만들어진 양분은 줄기를 통해 뿌리, 열매 등으로
이동하여 사용되고, 남은 양분은 저장됩니다.

8 잎에 도달한 물의 일부는 광합성에 이용되고 나머지는
대부분 잎을 통해 식물 밖으로 빠져나갑니다.

채점 기준

정답 키워드 잎을 제거한 모종 - 물방울이 맺히지 않는다 │ 잎을 그대로 둔 모종 - 물방울이 맺힌다 등	
'잎을 제거한 모종의 비닐봉지에는 물방울이 맺히지 않고, 잎을 그대로 둔 모종의 비닐봉지에는 물방울이 맺힌다.'와 같이 내용을 정확히 씀.	상
두 비닐봉지 안쪽을 관찰한 결과를 썼지만, 표현이 정확하지 않음.	중

9 기공은 식물의 표피 조직 중 반달 모양의 두 세포가
만드는 구멍으로, 물은 잎의 기공을 통해 식물 밖으로
빠져나갑니다.

10 증산 작용이란 잎에 도달한 물의 일부가 수증기가 되어
기공을 통해 식물 밖으로 빠져나가는 것입니다. 더울 때
식물이 온도가 계속 올라가는 것을 막습니다.

4 꽃과 열매의 생김새와 하는 일

단원평가 56~57쪽

1 ㉠	2 ①	3 ㉢	4 ①, ④
5 ㉠ 수분 ㉡ 암술	6 ㉠	7 물	8 ②
9 ③, ④	10 예 머루는 동물에게 먹혀서 씨가 퍼진다.		

1 꽃은 대부분 암술, 수술, 꽃잎, 꽃받침으로 이루어져
있습니다.

2 꽃은 꽃가루받이를 거쳐 씨를 만듭니다.

3 꽃에서 암술과 수술을 보호하는 부분은 꽃잎(㉢)입니다.
㉠은 수술, ㉡은 암술, ㉣은 꽃받침입니다.

4 호박꽃 한 송이에 암술, 수술, 꽃잎, 꽃받침이 모두 있지
않습니다. 호박꽃의 암꽃은 수술이 없고, 수꽃은 암술이
없습니다.

더 알아보기

꽃의 구조가 다른 꽃 예
암술, 수술, 꽃잎, 꽃받침은 꽃의 구성 요소입니다. 복숭아꽃은
암술, 수술, 꽃잎, 꽃받침이 모두 있는 꽃이고, 호박꽃과 옥수수
꽃은 네 가지 구성 요소 중 암술이나 수술이 없는 꽃입니다. 튤립은
꽃받침이 없는 꽃입니다.

⬆ 복숭아꽃 ⬆ 호박 암꽃 ⬆ 호박 수꽃

5 꽃가루받이는 수분이라고도 하며, 수술에서 만들어지는
꽃가루가 암술에 옮겨 붙는 것입니다.

6 국화는 곤충에 의해 꽃가루받이가 이루어집니다. 나사말은
물에 의해, 소나무는 바람에 의해, 동백나무는 새에 의해
꽃가루받이가 이루어집니다.

7 검정말은 물에 의해 꽃가루받이가 이루어집니다.

8 열매는 어린 씨를 보호하고, 씨가 익으면 씨가 퍼지는
것을 돕습니다.

9 연꽃의 씨는 물에 떠서 퍼지고, 민들레의 씨는 바람에
날려서 퍼집니다.

10 머루는 동물에게 먹혀서 씨가 퍼집니다.

채점 기준

정답 키워드 동물 │ 먹히다 등	
'머루는 동물에게 먹혀서 씨가 퍼진다.'와 같이 내용을 정확히 씀.	상
머루의 씨가 퍼지는 방법을 썼지만, 표현이 정확하지 않음.	중

5. 빛과 렌즈

① 프리즘을 통과한 햇빛 / 빛의 굴절

단원평가   58~59 쪽

1 프리즘   **2** ㉢   **3** 햇빛   **4** ⑤   **5** ㉡
6 ㉢   **7** ㉡   **8** ③   **9** (1) 예 원래 위치보다
옆쪽에 있는 것처럼 보인다. (2) 예 원래 위치보다 위쪽에 있는
것처럼 보인다.   **10** 예 아래

1 프리즘은 유리나 플라스틱 등으로 만든 투명한 삼각기둥
모양의 기구이고, 빛을 통과시킬 수 있습니다.

2 햇빛이 프리즘을 통과하면 여러 가지 색의 빛으로 나타
나는 것으로 보아 햇빛은 여러 가지 색의 빛으로 이루
어져 있음을 알 수 있습니다.

3 무지개는 햇빛이 공중에 떠 있는 물방울을 통과하면서
여러 가지 색의 빛으로 나뉘기 때문에 나타나는 현상입
니다.

4 폭포 주변에서 햇빛이 여러 가지 색의 빛으로 나타나는
모습(무지개)을 볼 수 있는데, 이것은 물방울이 프리즘
역할을 하기 때문입니다.

5 빛은 공기 중에서 곧게 나아갑니다.

6 빛을 수면에 수직으로 비추면 빛이 공기와 물의 경계에서
꺾이지 않고 그대로 나아갑니다.

7 빛을 수면에 비스듬하게 비추면 빛이 공기와 물의 경계에서
꺾여 나아갑니다.

8 빛이 공기 중에서 유리로 비스듬히 나아갈 때 두 물질의
경계에서 굴절합니다.

9 물속에 있는 물체에서 오는 빛이 나아가다 물과 공기의
경계에서 굴절하여 눈에 들어오기 때문에 원래의 모습과
다르게 보입니다.

채점 기준

(1)	**정답 키워드** 옆쪽 등	
	'원래 위치보다 옆쪽에 있는 것처럼 보인다.' 등의 내용을 정확히 씀.	상
	'다르게 보인다.'와 같이 간단히 씀.	중
(2)	**정답 키워드** 위쪽 등	
	'원래 위치보다 위쪽에 있는 것처럼 보인다.' 등의 내용을 정확히 씀.	상
	'다르게 보인다.'와 같이 간단히 씀.	중

10 물속에 있는 실제 물고기의 위치는 물 밖의 사람이
생각하는 물고기의 위치보다 더 아래쪽에 있습니다.

② 볼록 렌즈의 특징 / 볼록 렌즈를 통과하는 햇빛

단원평가   60~61 쪽

1 ②, ④   **2** 예 볼록 렌즈는 가운데 부분이 가장자리보다
두껍기 때문이다.   **3** ③, ⑤   **4** ㉠ 두꺼운 또는 가운데
㉡ 예 굴절 **5** ③, ④   **6** 있어서, 밝습니다.   **7** 예 높다.
8 ㉢   **9** 예 높아 **10** ㉠

1 ①과 ③은 오목 렌즈입니다.

> **더 알아보기**
>
> **여러 가지 모양의 볼록 렌즈:** 볼록 렌즈는 가운데 부분이 가장
> 자리보다 두꺼운 렌즈로, 다양한 형태가 있습니다.
>
>
>
> ㉤ 여러 가지 모양의 볼록 렌즈

2 볼록 렌즈는 가운데 부분이 가장자리보다 두껍습니다.

채점 기준

정답 키워드 가운데 | 두껍다 등	
'볼록 렌즈는 가운데 부분이 가장자리보다 두껍기 때문이다.' 등의 내용을 정확히 씀.	상
'가운데가 두껍기 때문이다.'와 같이 가장자리에 대한 언급 없이 간단히 씀.	중

3 곧게 나아가던 레이저 빛이 볼록 렌즈의 가장자리를
통과하면 렌즈의 가운데 부분으로 꺾여 나아가고, 가운데
부분을 통과하면 꺾이지 않고 그대로 나아갑니다.

4 빛이 볼록 렌즈를 통과하면 렌즈의 두꺼운 가운데 부분으로
굴절합니다.

5 햇빛이 만든 원의 크기에 따라 원의 밝기가 변하고, 원의
크기가 가장 작을 때 원 안의 밝기가 가장 밝습니다.

6 볼록 렌즈는 햇빛을 굴절시켜 한곳으로 모을 수 있습니다. 볼록 렌즈로 햇빛을 모은 곳은 주변보다 밝기가 밝습니다.

> **더 알아보기**
> **햇빛이 한곳에 모일 때 그 부분의 밝기가 주변보다 밝아지고 온도가 높아지는 까닭:** 햇빛을 한곳으로 모으면 같은 양의 햇빛이 비추는 면적이 작아지면서 단위 면적당 태양 에너지를 더 많이 받기 때문입니다.

7 볼록 렌즈를 통과한 햇빛이 만든 원의 크기를 가장 작게 했을 때 열 변색 종이의 색깔이 변합니다. 볼록 렌즈로 햇빛을 모은 곳은 주변보다 온도가 높습니다.

8 평면 유리는 햇빛을 모을 수 없기 때문에 햇빛이 만든 원의 크기가 변하지 않습니다.

9 평면 유리는 햇빛을 모을 수 없어서 주변보다 온도가 높아지지 않습니다.

10 얼음을 볼록 렌즈 모양으로 만들면 얼음을 지나는 빛이 한곳에 모이기 때문에 마른 풀에 불을 붙일 수 있습니다.

5 물이 담긴 둥근 어항과 유리구슬로 물체를 보면 볼록 렌즈로 물체를 본 것과 같이 실제 모습과 다르게 보입니다.

6 물이 담긴 둥근 어항과 유리구슬은 투명하고, 가운데 부분이 가장자리보다 두꺼워 빛을 굴절시키기 때문에 볼록 렌즈와 같은 구실을 합니다.

7 간이 사진기를 만들 때 겉 상자와 속 상자를 각각 만들고, 겉 상자에 속 상자를 끼워 완성합니다.

8 겉 상자 전개도의 구멍 뚫린 부분에 셀로판테이프로 볼록 렌즈를 붙입니다.

9 겉 상자에 붙인 볼록 렌즈에서 빛이 굴절합니다.

10 간이 사진기로 '과학' 글자를 보면 상하좌우가 바뀌어 보입니다.

❸ 볼록 렌즈로 물체 관찰

단원평가 62~63쪽

1 다르게   **2** ㉡   **3** 📝 작고 상하좌우가 바뀌어 보인다.
4 ㉠   **5** ㉡   **6** ①, ④   **7** 2, 3, 1
8 (1) ○   **9** ㉠   **10** ③

1 볼록 렌즈로 물체를 보면 공기와 렌즈의 경계에서 빛이 굴절하기 때문에 실제 모습과 다르게 보입니다.

2 볼록 렌즈로 물체를 보면 물체의 모습이 실제와 다르게 보입니다.

3 볼록 렌즈로 멀리 있는 물체를 보면 작고 상하좌우가 바뀌어 보입니다.

> **채점 기준**
>
> | 정답 키워드 상하좌우 | 바뀌다 등 | |
> |---|---|
> | '작고 상하좌우가 바뀌어 보인다.' 등의 내용을 정확히 씀. | 상 |
> | '다르게 보인다.'와 같이 간단히 씀. | 중 |

4 물방울은 투명하고, 가장자리보다 가운데 부분이 두껍습니다. 물방울을 통해 물체를 보면 실제 모습과 다르게 보입니다.

❹ 볼록 렌즈의 쓰임새

단원평가 64쪽

1 ⑤   **2** 📝 확대   **3** (1) ㉠ (2) ㉡   **4** ㉢

1 볼록 렌즈는 시계 확대 창, 박물관의 확대경, 돋보기 안경 등 여러 기구에 이용됩니다.

2 볼록 렌즈를 사용했을 때 물체의 모습을 확대해서 볼 수 있기 때문에 작은 물체를 자세히 관찰할 수 있습니다.

> **더 알아보기**
> **우리 생활에서 볼록 렌즈를 사용할 수 없을 때 불편한 점** 📝
> • 작은 물체를 자세히 관찰하기 어려울 것입니다.
> • 섬세한 작업을 할 때 크게 보이지 않아서 불편할 것입니다.

3 쌍안경에 있는 볼록 렌즈는 멀리 있는 물체를 크게 볼 때 쓰이고, 현미경은 작은 물체를 크게 볼 때 쓰입니다.

4 볼록 렌즈를 이용한 등대 불빛은 빛을 나란하게 하여 멀리 보낼 수 있습니다.

⊙ 등대 불빛

1. 분수의 나눗셈

'분수의 나눗셈'에서 계산 결과를 기약분수나 대분수로 나타내지 않아도 정답으로 인정합니다.

1 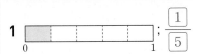 ; $\dfrac{1}{5}$

2 $\dfrac{1}{8}$, 3, $\dfrac{3}{8}$ **3** $\dfrac{4}{3}$, $1\dfrac{1}{3}$

4 ; $\dfrac{3}{7}$

5 3, $\dfrac{1}{3}$, $\dfrac{1}{3}$, $\dfrac{1}{3}$, $\dfrac{5}{18}$

6 (1) $\dfrac{8}{15}$ (2) $1\dfrac{4}{7}$ **7** 12, 12, 6, $\dfrac{2}{7}$

8 $1\dfrac{5}{9}$ **9**

10 (1) $\dfrac{9}{35}$ (2) $\dfrac{33}{56}$ **11** ⑤

12 $1\dfrac{8}{9}\div4=\dfrac{17}{9}\div4=\dfrac{17}{9}\times\dfrac{1}{4}=\dfrac{17}{36}$

13 $\dfrac{5}{8}\div2$에 ○표   **14** $5\dfrac{1}{3}$ m²

15 예 정사각형은 네 변의 길이가 모두 같으므로 한 변의 길이는 $\dfrac{4}{9}\div4=\dfrac{4\div4}{9}=\dfrac{1}{9}$ (m)입니다. ; $\dfrac{1}{9}$ m

10 (1) $\dfrac{9}{7}\div5=\dfrac{9}{7}\times\dfrac{1}{5}=\dfrac{9}{35}$

  (2) $4\dfrac{1}{8}\div7=\dfrac{33}{8}\div7=\dfrac{33}{8}\times\dfrac{1}{7}=\dfrac{33}{56}$

13 $\dfrac{3}{8}\div3=\dfrac{3}{8}\times\dfrac{1}{3}=\dfrac{1}{8}$,

  $\dfrac{1}{2}\div4=\dfrac{1}{2}\times\dfrac{1}{4}=\dfrac{1}{8}$, $\dfrac{5}{8}\div2=\dfrac{5}{8}\times\dfrac{1}{2}=\dfrac{5}{16}$

15

채점 기준	
정사각형의 한 변의 길이를 바르게 구함.	상
정사각형의 한 변의 길이를 구하는 식은 썼지만 답을 바르게 구하지 못 함.	중
정사각형의 한 변의 길이를 구하지 못함.	하

1 예 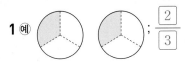 ; $\dfrac{2}{3}$

2

3 $\dfrac{5}{6}\div10=\dfrac{5}{6}\times\dfrac{1}{10}=\dfrac{5}{60}=\dfrac{1}{12}$

4 1, 1, 1, 1, 9

5 방법 1 예 $1\dfrac{3}{5}\div4=\dfrac{8}{5}\div4=\dfrac{8\div4}{5}=\dfrac{2}{5}$

  방법 2 예 $1\dfrac{3}{5}\div4=\dfrac{8}{5}\div4=\dfrac{8}{5}\times\dfrac{1}{4}=\dfrac{2}{5}$

6 (1) $\dfrac{11}{18}$ (2) $\dfrac{3}{8}$ **7**

8 >

9 예 $\dfrac{5}{9}\div3=\dfrac{15}{27}\div3=\dfrac{15\div3}{27}=\dfrac{5}{27}$

10 ㉠, ㉢, ㉡   **11** ㉠, ㉢

12 나   **13** $\dfrac{9}{14}$ L

14 예 (직사각형의 세로)=(넓이)÷(가로)이므로

  $\dfrac{63}{4}\div7=\dfrac{63}{4}\times\dfrac{1}{7}=\dfrac{9}{4}=2\dfrac{1}{4}$ (cm)입니다.

  ; $2\dfrac{1}{4}$ cm

15 $1\dfrac{1}{5}$ km   **16** 예 $\dfrac{7}{8}\div9$; $\dfrac{7}{72}$

17 $\dfrac{3}{20}$ m   **18** 2

19 $\dfrac{5}{12}$ **20** $\dfrac{3}{7}$ kg

8 $\dfrac{6}{7}\div3=\dfrac{6\div3}{7}=\dfrac{2}{7}$, $\dfrac{10}{13}\div5=\dfrac{10\div5}{13}=\dfrac{2}{13}$

  ⇨ $\dfrac{2}{7}>\dfrac{2}{13}$

10 ㉠ $3\div5=\dfrac{3}{5}$ ㉡ $\dfrac{3}{7}\div3=\dfrac{1}{7}$ ㉢ $\dfrac{6}{11}\div2=\dfrac{3}{11}$

  ⇨ ㉠>㉢>㉡

11 ㉠ $5\dfrac{1}{2}\div3=1\dfrac{5}{6}$ ㉡ $2\dfrac{3}{8}\div5=\dfrac{19}{40}$

  ㉢ $3\dfrac{1}{4}\div2=1\dfrac{5}{8}$ ㉣ $1\dfrac{1}{6}\div4=\dfrac{7}{24}$

  ⇨ 몫이 1보다 큰 것은 ㉠, ㉢입니다.

13 (전체 주스의 양)$=\dfrac{9}{5}\times5=9$ (L)

(하루에 마셔야 할 주스의 양)

$=9\div14=\dfrac{9}{14}$ (L)

14

채점 기준	
직사각형의 넓이를 이용하여 직사각형의 세로를 바르게 구함.	상
직사각형의 넓이를 이용하는 것은 알지만 계산이 틀림.	중
직사각형의 세로를 구하지 못 함.	하

15 $\dfrac{18}{5}\div3=\dfrac{18}{5}\times\dfrac{1}{3}=\dfrac{6}{5}=1\dfrac{1}{5}$ (km)

16 나누는 수가 7일 때 $\dfrac{8}{9}\div7=\dfrac{8}{9}\times\dfrac{1}{7}=\dfrac{8}{63}$

나누는 수가 8일 때 $\dfrac{7}{9}\div8=\dfrac{7}{9}\times\dfrac{1}{8}=\dfrac{7}{72}$

나누는 수가 9일 때 $\dfrac{7}{8}\div9=\dfrac{7}{8}\times\dfrac{1}{9}=\dfrac{7}{72}$

$\Rightarrow\dfrac{8}{63}>\dfrac{7}{72}$

17 (정삼각형 1개를 만드는 데 사용한 길이)

$=\dfrac{9}{10}\div2=\dfrac{9}{10}\times\dfrac{1}{2}=\dfrac{9}{20}$ (m)

(정삼각형의 한 변의 길이)

$=\dfrac{9}{20}\div3=\dfrac{9}{20}\times\dfrac{1}{3}=\dfrac{9}{60}=\dfrac{3}{20}$ (m)

18 $9\dfrac{4}{5}\div7=\dfrac{49}{5}\div7=\dfrac{49\div7}{5}=\dfrac{7}{5}=1\dfrac{2}{5}$

$\Rightarrow1\dfrac{2}{5}<\square$이므로 $\square$ 안에 들어갈 수 있는 자연수 중에서 가장 작은 수는 2입니다.

19 어떤 자연수를 $\square$라 하면

$\square\times12=60$, $\square=5$입니다.

따라서 바르게 계산하면 $5\div12=\dfrac{5}{12}$입니다.

20 (사과 5개의 무게)$=2\dfrac{4}{7}-\dfrac{3}{7}=2\dfrac{1}{7}$ (kg)

(사과 한 개의 무게)

$=2\dfrac{1}{7}\div5=\dfrac{15}{7}\div5=\dfrac{15\div5}{7}=\dfrac{3}{7}$ (kg)

2. 각기둥과 각뿔

1 라 **2** 육각뿔

3 오각기둥 **4** 가, 라

5 사각기둥

6

7

각뿔의 꼭짓점 / 모서리 / 옆면 / 높이

8 ③, ⑤ **9** 면 ㄴㄷㄹㅁ

10 6, 5, 9 **11** 6 cm

12 10개 **13** 2, 14, 직사각형

14 육각기둥

15 예 밑면의 모양이 팔각형인 각기둥이므로 팔각기둥입니다. 팔각기둥의 모서리는 모두 $8\times3=24$(개)입니다.

; 24개

2 밑면의 모양이 육각형인 각뿔이므로 육각뿔입니다.

3 밑면의 모양이 오각형인 각기둥이므로 오각기둥입니다.

6 각기둥에서 두 밑면은 서로 평행합니다.

9 밑면은 사각형 모양인 면 ㄴㄷㄹㅁ이고, 옆면은 삼각형 모양의 나머지 면입니다.

10 (삼각기둥의 꼭짓점의 수)$=3\times2=6$(개)

(삼각기둥의 면의 수)$=3+2=5$(개)

(삼각기둥의 모서리의 수)$=3\times3=9$(개)

11 각기둥의 높이는 두 밑면 사이의 거리이므로 6 cm입니다.

12 오각뿔의 모서리의 수는 $5\times2=10$(개)입니다.

13 칠각기둥의 꼭짓점의 수는 $7\times2=14$(개)입니다.

14 밑면이 육각형이고, 옆면이 직사각형인 육각기둥의 전개도입니다.

15

채점 기준	
팔각기둥임을 알고 모서리의 수를 바르게 구함.	상
팔각기둥인 것은 알지만 모서리의 수를 바르게 구하지 못 함.	중
팔각기둥임을 알지 못해 모서리의 수를 구하지 못 함.	하

1 육각기둥

2 점 → 꼭짓점 ㄱ이라고 써도 정답입니다.

3

4 6, 6, 10

5 ④

6

7 21개

8 면 ㅈㅊㅇ, 면 ㄴㄷㄹ

9 선분 ㄱㄴ

10 (예) 옆면이 삼각형이 아닙니다.

11 ⑤

12 ㄴ

13

도형	삼각기둥	사각기둥	오각기둥
한 밑면의 변의 수(개)	3	4	5
꼭짓점의 수(개)	6	8	10

; 2

14

도형	삼각뿔	사각뿔	오각뿔
밑면의 변의 수(개)	3	4	5
면의 수(개)	4	5	6

; 1

15

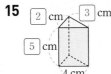

2 cm 3 cm 5 cm 4 cm

16 26

17 (예)
1 cm
1 cm

18 오각기둥

19 구각뿔

20 105 cm

10

채점 기준	
각뿔이 아닌 이유를 바르게 씀.	상
각뿔이 아닌 이유를 썼으나 미흡함.	중
각뿔이 아닌 이유를 쓰지 못 함.	하

16 ㉠ 12 ㉡ 7 ㉢ 7 ⇨ 12+7+7=26

19 각뿔에서 꼭짓점의 수는 (밑면의 변의 수)+1이므로 꼭짓점이 10개이면 밑면의 변의 수는 9입니다. 따라서 밑면의 모양이 구각형인 각뿔이므로 구각뿔입니다.

20 밑면이 오각형이므로 오각기둥입니다. 옆면이 정사각형이므로 모든 모서리의 길이는 7 cm입니다. 오각기둥의 모서리는 15개이므로 모서리의 길이의 합은 7×15=105 (cm)입니다.

---

3. 소수의 나눗셈

1 1792, 1792, 224, 2.24

2 188, 188, 47, 0.47

3 (위에서부터) 423, 42.3, 4.23

4 5.1.2

5 $1.8 \div 4 = \dfrac{180}{100} \div 4 = \dfrac{180 \div 4}{100} = \dfrac{45}{100} = 0.45$

6 (1) 0.72 (2) 2.25

7

8 (1) 1.72 (2) 7.85

9 (예) 52, 7, 7 ; 7.3.8

10 >

11 2.5, 3.25

12 312, 312, 31.2

13
```
       5.0 7
  8 ) 4 0.5 6
      4 0
          5 6
          5 6
              0
```

14 4.2 kg

15 (예) 마름모는 네 변의 길이가 모두 같으므로 둘레가 3.56 m 인 마름모의 한 변의 길이는 3.56÷4=0.89 (m)입니다. ; 0.89 m

8 (1)
```
       1.7 2
   5 ) 8.6
       5
       3 6
       3 5
           1 0
           1 0
               0
```
(2)
```
       7.8 5
   6 ) 4 7.1
       4 2
         5 1
         4 8
           3 0
           3 0
               0
```

10 19.36÷4=4.84, 23.82÷6=3.97
⇨ 4.84>3.97

11
```
       2.5
   6 ) 1 5
       1 2
         3 0
         3 0
             0
```
```
       3.2 5
   4 ) 1 3
       1 2
         1 0
           8
         2 0
         2 0
             0
```

14 (한 봉지에 담아야 할 쌀의 무게)=63÷15=4.2 (kg)

정답과 풀이 71~77쪽

15 채점 기준

마름모의 네 변의 길이가 같음을 알고 답을 바르게 구함.	상
마름모의 네 변의 길이가 같음을 알고 식을 썼지만 계산이 틀림.	중
한 변의 길이를 구하는 식을 만들지 못 함.	하

수학 익힘 유사 문제 **단원평가** 78~80쪽

1 $4÷5=\dfrac{4}{5}=\dfrac{8}{10}=0.8$

2 (1) 2.24 (2) 0.89

3 3.27

4 (1) 12.3 (2) 1.23

5 8.48

6 1.02

7 ㉢

8
$$\begin{array}{r} 0.46 \\ 6\overline{)2.76} \\ \underline{2\ 4} \\ 3\ 6 \\ \underline{3\ 6} \\ 0 \end{array}$$

9 3.5, 1.75

10 (1) 24.85÷5=4.97에 ○표
(2) 7.52÷8=0.94에 ○표

11 10.75, 8.69

12 <

13 ㉡, ㉣

14 ㉢, ㉠, ㉡, ㉣

15 2.11 m

16 1.06 m

17 진우

18 ☐2☐ ÷ ☐8☐ = ☐0.25☐

19 ⑩ 모종 5개를 같은 간격으로 심으려면 4.2 m를 4등분해야 합니다. 따라서 모종 사이의 간격은
4.2÷4=1.05 (m)입니다. ; 1.05 m

20 8.75

2 (1)
$$\begin{array}{r} 2.24 \\ 8\overline{)17.92} \\ \underline{16} \\ 19 \\ \underline{16} \\ 32 \\ \underline{32} \\ 0 \end{array}$$

(2)
$$\begin{array}{r} 0.89 \\ 9\overline{)8.01} \\ \underline{72} \\ 81 \\ \underline{81} \\ 0 \end{array}$$

5
$$\begin{array}{r} 8.48 \\ 5\overline{)42.4} \\ \underline{40} \\ 24 \\ \underline{20} \\ 40 \\ \underline{40} \\ 0 \end{array}$$

6
$$\begin{array}{r} 1.02 \\ 6\overline{)8.16} \\ \underline{8} \\ 16 \\ \underline{16} \\ 0 \end{array}$$

7 나누어지는 수가 나누는 수보다 크면 몫이 1보다 크므로 몫의 자연수 부분이 0이 아닙니다.

9
$$\begin{array}{r} 3.5 \\ 4\overline{)14} \\ \underline{12} \\ 20 \\ \underline{20} \\ 0 \end{array}$$
$$\begin{array}{r} 1.75 \\ 2\overline{)3.5} \\ \underline{2} \\ 15 \\ \underline{14} \\ 10 \\ \underline{10} \\ 0 \end{array}$$

11
$$\begin{array}{r} 10.75 \\ 9\overline{)96.75} \\ \underline{9} \\ 67 \\ \underline{63} \\ 45 \\ \underline{45} \\ 0 \end{array}$$
$$\begin{array}{r} 8.69 \\ 7\overline{)60.83} \\ \underline{56} \\ 48 \\ \underline{42} \\ 63 \\ \underline{63} \\ 0 \end{array}$$

12 1.8÷4=0.45, 3.4÷5=0.68
⇨ 0.45 < 0.68

13 나누어지는 수가 나누는 수보다 크면 몫이 1보다 큽니다.

14 ㉠ 8.49÷3=2.83   ㉡ 12.7÷5=2.54
㉢ 11÷2=5.5   ㉣ 8.32÷4=2.08
⇨ 5.5 > 2.83 > 2.54 > 2.08이므로 몫이 큰 것부터 차례로 기호를 쓰면 ㉢, ㉠, ㉡, ㉣입니다.

15 8.44÷4=2.11 (m)

16 삼각기둥의 모서리는 9개입니다.
모든 모서리의 길이가 같으므로 한 모서리의 길이는
9.54÷9=1.06 (m)입니다.

17 (진아네 가게의 사과 무게의 평균)
=1.98÷6=0.33 (kg)
(진우네 가게의 사과 무게의 평균)
=2.2÷4=0.55 (kg)

18 몫이 가장 작은 나눗셈을 만들려면 나누어지는 수를 가장 작게, 나누는 수를 가장 크게 해야 합니다.

19 채점 기준

모종 사이의 간격 수를 알고 모종 사이의 간격을 바르게 구함.	상
모종 사이의 간격 수는 알지만 계산이 틀림.	중
모종 사이의 간격 수를 몰라 답을 구하지 못 함.	하

20 어떤 수를 ☐라 하면
☐÷14=2.5, ☐=2.5×14=35입니다.
⇨ 35÷4=8.75

4. 비와 비율

1 30, 40, 50   **2** 2

3 7, 8   **4** (1) 8 : 13   (2) 15 : 11

5 27, 13   **6** 16 %

7

비	비교하는 양	기준량	비율
1과 5의 비	1	5	$\dfrac{1}{5}(=0.2)$
2에 대한 7의 비	7	2	$\dfrac{7}{2}(=3.5)$

8 (1) 32 %   (2) 33 %

9 (위에서부터) 0.4, 40 ; $\dfrac{75}{100}\left(=\dfrac{3}{4}\right)$, 75

10 2 : 1   **11** $\dfrac{10}{15}\left(=\dfrac{2}{3}\right)$ **12** $\dfrac{300}{6}(=50)$

13 $\dfrac{6500}{5}(=1300)$ **14** 6 %

15 예 선아가 만든 소금물 양에 대한 소금 양의 비율은

$$\dfrac{30}{150}=\dfrac{1}{5}$$이므로 백분율로 나타내면

$$\dfrac{1}{5}\times100=20\,(\%)$$입니다. ; 20 %

8 (1) $\dfrac{8}{25}\times100=32\,(\%)$

    (2) $0.33\times100=33\,(\%)$

11 (세로) : (가로)=10 : 15

    $\Rightarrow\dfrac{10}{15}=\dfrac{2}{3}$

12 걸린 시간에 대한 달린 거리의 비율

    $\Rightarrow\dfrac{달린\ 거리}{걸린\ 시간}=\dfrac{300}{6}=50$

13 마을의 넓이에 대한 인구의 비율

    $\Rightarrow\dfrac{인구}{마을의\ 넓이}=\dfrac{6500}{5}=1300$

14 $\dfrac{30}{500}\times100=6\,(\%)$

15 채점 기준

소금물 양에 대한 소금 양의 비율을 알고 백분율을 바르게 구함.	상
소금물 양에 대한 소금 양의 비율을 알지만 백분율로 나타내지 못함.	중
소금물 양에 대한 소금 양의 비율을 알지 못해 백분율을 구하지 못함.	하

---

1 (1) 5   (2) 2   **2** ③

3 20 %

4 9, 25, $\dfrac{9}{25}(=0.36)$

5 예 12−3=9, 야구공 수는 농구공 수보다 9개 더 많습니다.

6

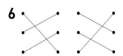

7 예

8 1 : 60000   **9** ㉣

10 35 %   **11** 17 : 30

12 0.18   **13** 15 %

14 $\dfrac{80}{120}\left(=\dfrac{2}{3}\right)$

15 $\dfrac{210}{3}(=70)$, $\dfrac{160}{2}(=80)$, 초록 버스

16 10 %

17 $\dfrac{135}{150}\left(=\dfrac{9}{10}=0.9\right)$, $\dfrac{90}{100}\left(=\dfrac{9}{10}=0.9\right)$

18 민우네 학교   **19** 2반

20 8000원

3 $0.2\times100=20\,(\%)$

4 9 : 25   (비율)$=\dfrac{(비교하는\ 양)}{(기준량)}=\dfrac{9}{25}$

    기준량 / 비교하는 양

5 채점 기준

야구공 수와 농구공 수를 뺄셈으로 비교하여 답을 바르게 구함.	상
야구공 수와 농구공 수를 뺄셈으로 비교했으나 답을 바르게 구하지 못함.	중
야구공 수와 농구공 수를 뺄셈으로 비교하지 못함.	하

8 600 m=60000 cm $\Rightarrow$ 1 : 60000

10 전체: 20칸, 색칠한 부분: 7칸

    $\Rightarrow\dfrac{7}{20}\times100=35\,(\%)$

11 (여자 오케스트라 단원 수)=30−13=17(명)

    $\Rightarrow$ 전체 오케스트라 단원 수에 대한 여자 오케스트라 단원 수의 비는 17 : 30입니다.

12 (타율)$=\dfrac{54}{300}=\dfrac{18}{100}=0.18$

13 (할인된 금액)$=3000-2550=450$(원)

$\Rightarrow$ (할인율)$=\dfrac{450}{3000}\times100=15$ (%)

14 소금물 양에 대한 소금의 양의 비율은

$\dfrac{\text{(소금의 양)}}{\text{(소금물 양)}}=\dfrac{80}{120}=\dfrac{2}{3}$입니다.

15 걸린 시간에 대한 간 거리의 비율

파란 버스 $\Rightarrow$ $\dfrac{\text{간 거리}}{\text{걸린 시간}}=\dfrac{210}{3}=70$

초록 버스 $\Rightarrow$ $\dfrac{\text{간 거리}}{\text{걸린 시간}}=\dfrac{160}{2}=80$

$70<80$이므로 초록 버스가 더 빠릅니다.

16 버스 요금이 $880-800=80$(원) 올랐습니다.

$\Rightarrow$ $\dfrac{80}{800}\times100=10$ (%)

17 키에 대한 그림자 길이의 비율

민서 $\Rightarrow$ $\dfrac{\text{그림자 길이}}{\text{키}}=\dfrac{135}{150}=\dfrac{9}{10}$

연아 $\Rightarrow$ $\dfrac{\text{그림자 길이}}{\text{키}}=\dfrac{90}{100}=\dfrac{9}{10}$

18 (해미네 학교의 승률)$=\dfrac{18}{24}\times100=75$ (%)

(민우네 학교의 승률)$=\dfrac{12}{15}\times100=80$ (%)

$\Rightarrow$ 민우네 학교의 승률이 더 높습니다.

19 1반: $\dfrac{12}{24}=\dfrac{1}{2}=0.5$

2반: $\dfrac{14}{25}=\dfrac{56}{100}=0.56$

3반: $\dfrac{11}{20}=\dfrac{55}{100}=0.55$

따라서 찬성률이 가장 높은 반은 2반입니다.

20 20만 원의 4 %를 구합니다.

4 % $\Rightarrow$ 0.04

따라서 1년 뒤에 받게 될 이자는

$200000\times0.04=8000$(원)입니다.

---

5. 여러 가지 그래프

수학 교과서 유사 문제 단원평가 **86~87**쪽

1 대출된 도서 수

종류	도서 수
문학	▨ ▫ ▫ ▫ ▫
역사	▨ ▫ ▫ ▫ ▫ ▫ ▫
언어	▨ ▫ ▫
과학	▨ ▫ ▫ ▫ ▫ ▫

▨ 10만 권 ▫ 1만 권

2 띠그래프   **3** 봄

4 2배   **5** 30, 10

6 100 %   **7** 30, 10

8 1.5배   **9** 30, 25

10 (위에서부터) 25, 30   **11** 놀이공원

12 ⓒ   **13** (위에서부터) 900, 40

14 재활용품별 배출량

```
0  10 20 30 40 50 60 70 80 90 100(%)
| 종이류 | 플라스틱류 | 병류 |← 비닐류 |
| (40 %) |  (30 %)  |(20 %)| (10 %) |
```

15 ⓔ 재활용품별 배출량 중에서 종이류가 가장 많습니다.

---

4 봄에 태어난 학생 40 %는 여름에 태어난 학생 20 %의 $40\div20=2$(배)입니다.

6 $40+30+20+10=100$ (%)

8 옷을 받고 싶은 학생 : 30 %

신발을 받고 싶은 학생 : 20 %

$\Rightarrow$ $30\div20=1.5$(배)

11 가장 많은 학생이 가고 싶은 체험 학습 장소는 백분율이 가장 높은 놀이공원입니다.

12 ㉠ 꺾은선그래프

ⓒ 띠그래프 또는 원그래프

ⓒ 막대그래프

13 플라스틱류의 배출량:

$3000-1200-600-300=900$ (kg)

종이류의 백분율: $\dfrac{1200}{3000}\times100=40$ (%)

15 채점 기준

띠그래프를 보고 알 수 있는 내용을 바르게 썼음.	상
띠그래프를 보고 알 수 있는 내용을 썼으나 설명이 미흡함.	중
띠그래프를 보고 알 수 있는 내용을 쓰지 못함.	하

1 권역별 쌀 생산량   **2** 원그래프

서울·인천
경기
강원
대전·세종·충청
대구·부산·
울산·경상
광주·전라
제주

● 100만 t
● 10만 t
• 1만 t

3 20000원   **4** 20, 15

5   용돈의 쓰임새별 금액

0 10 20 30 40 50 60 70 80 90 100 (%)

| 군것질 (40 %) | 학용품 (20 %) | 저금 (15 %) | 선물 (15 %) | 기타 (10 %) |

6 2배   **7** 저금, 선물

8 경상도   **9** 2배

10 예 경상도에 가고 싶어하는 학생 수가 가장 많습니다. 전라도를 가고 싶어하는 학생 수는 전체 학생 수의 25 %입니다.

11 (위에서부터) 160 ; 40, 24

12   좋아하는 과목별 학생 수

0 10 20 30 40 50 60 70 80 90 100 (%)

| 영어 (40 %) | 수학 (24 %) | 국어 (20 %) | | 과학 (6 %) |

사회(10 %)

13 4배   **14** ㉡, ㉢   **15** 12, 8, 100

16   배우고 싶은 악기별 학생 수

기타(8 %)   0
플루트 (12 %)
피아노 (35 %)
첼로 (21 %)
바이올린 (24 %)
75
25
50

17 ㉡   **18** 3배   **19** 150개
20 1000개

10 채점 기준

원그래프를 보고 알 수 있는 내용을 두 가지 이상 바르게 썼음.	상
원그래프를 보고 알 수 있는 내용을 한 가지만 썼음.	중
원그래프를 보고 알 수 있는 내용을 쓰지 못 함.	하

14 학년별 학생 수의 비율을 나타내기에 알맞은 그래프는 띠그래프와 원그래프입니다.

15 플루트: $\dfrac{24}{200} \times 100 = 12$ (%)

기타: $\dfrac{16}{200} \times 100 = 8$ (%)

합계: $35 + 24 + 21 + 12 + 8 = 100$ (%)

19 팔린 초코 아이스크림 수는 기타에 속하는 아이스크림 수의 2배입니다. 따라서 기타에 속하는 아이스크림은 $300 \div 2 = 150$(개)입니다.

20 팔린 딸기 아이스크림 수는 20 %이므로 팔린 전체 아이스크림 수는 딸기 아이스크림 수의 5배입니다. 따라서 팔린 전체 아이스크림은 $200 \times 5 = 1000$(개)입니다.

6. 직육면체의 부피와 겉넓이

1 나, 가, 다   **2** 나
3 4, 4, 3, 48   **4** 48 cm³
5 24 cm³   **6** 120 cm³
7 (1) 9000000 (2) 7.2
8 예 40, 40, 15, 15, 24, 24, 158
9 예 40, 15, 24, 158   **10** 16 cm²
11 96 cm²   **12** 4 cm³
13 238 cm²   **14** 150 cm²
15 216 cm³   **16** 192, 192000000
17 700 cm³   **18** 512 cm³
19 3.6 m³
20 예 (직육면체의 부피)=(밑면의 넓이)×(높이)이므로 (높이)=(직육면체의 부피)÷(밑면의 넓이)입니다. 따라서 직육면체의 높이는 $315 \div (9 \times 7) = 315 \div 63 = 5$ (cm)입니다. ; 5 cm

10 (정육면체의 한 면의 넓이)$= 4 \times 4 = 16$ (cm²)

11 (정육면체의 겉넓이)=(한 면의 넓이)×6
$= 16 \times 6 = 96$ (cm²)

12 가는 쌓기나무가 $3 \times 2 \times 2 = 12$(개)이므로 부피가 12 cm³이고, 나는 쌓기나무가 $4 \times 2 \times 2 = 16$(개)이므로 부피가 16 cm³입니다. 따라서 나는 가보다 부피가 4 cm³ 더 큽니다.

13 $(7 \times 7 + 7 \times 5 + 7 \times 5) \times 2$
$= (49 + 35 + 35) \times 2 = 238 \ (\text{cm}^2)$

14 $5 \times 5 \times 6 = 150 \ (\text{cm}^2)$

15 $6 \times 6 \times 6 = 216 \ (\text{cm}^3)$

16 $8 \times 4 \times 6 = 192 \ (\text{m}^2) \Rightarrow 192000000 \ \text{cm}^3$

17 $20 \times 7 \times 5 = 700 \ (\text{cm}^3)$

18 $8 \times 8 = 64$이므로 정육면체의 한 모서리의 길이는 8 cm입니다.
$\Rightarrow$ (정육면체의 부피)$= 8 \times 8 \times 8 = 512 \ (\text{cm}^3)$

19 $240 \ \text{cm} = 2.4 \ \text{m}, \ 150 \ \text{cm} = 1.5 \ \text{m},$
$100 \ \text{cm} = 1 \ \text{m}$
$\Rightarrow 2.4 \times 1.5 \times 1 = 3.6 \ (\text{m}^3)$

20 채점 기준

직육면체의 부피를 이용하여 직육면체의 높이를 바르게 구함.	상
직육면체의 부피를 이용하는 것은 알지만 높이를 바르게 구하지 못함.	중
직육면체의 높이를 구하는 방법을 몰라 높이를 구하지 못함.	하

수학 교과서 유사 문제 **단원평가** **94~96**쪽

1 $<$ **2** 60개
3 $420 \ \text{cm}^3$ **4** (1) 6000000 (2) 0.25
5 $726 \ \text{cm}^2$ **6** $286 \ \text{cm}^2$
7 $9 \ \text{m}^3$ **8** $486 \ \text{cm}^2$
9 $729 \ \text{cm}^3$ **10** ㉠
11 선우, $14 \ \text{cm}^2$ **12** 12
13 $3 \ \text{cm}$ **14** ㉢, ㉠, ㉡
15 $6 \ \text{cm}$ **16** $1728 \ \text{cm}^3$
17 예 (가의 겉넓이)$= (90 + 27 + 30) \times 2$
　　　　　　　　$= 147 \times 2 = 294 \ (\text{cm}^2)$
　　$\square \times \square \times 6 = 294, \ \square \times \square = 49, \ \square = 7$
　　따라서 정육면체의 한 모서리의 길이는 7 cm입니다.
　　; 7 cm
18 375개 **19** $567 \ \text{cm}^3$
20 $288 \ \text{cm}^2$

11 지현: $(14 + 6 + 21) \times 2 = 82 \ (\text{cm}^2)$
선우: $4 \times 4 \times 6 = 96 \ (\text{cm}^2)$
$\Rightarrow$ 선우가 만든 상자의 겉넓이가 $96 - 82 = 14 \ (\text{cm}^2)$ 더 넓습니다.

---

12 오른쪽 직육면체의 부피는 $9 \times 2 \times 6 = 108 \ (\text{cm}^3)$입니다.
$\Rightarrow \square \times 3 \times 3 = 108, \ \square \times 9 = 108, \ \square = 12$

13 작은 정육면체의 수는 $2 \times 2 \times 2 = 8$(개)입니다.
쌓은 정육면체 모양의 부피가 $216 \ \text{cm}^3$이므로 작은 정육면체의 부피는 $216 \div 8 = 27 \ (\text{cm}^3)$입니다.
$3 \times 3 \times 3 = 27$이므로 작은 정육면체의 한 모서리의 길이는 3 cm입니다.

14 ㉠ $850000 \ \text{cm}^3 = 0.85 \ \text{m}^3$
㉡ $50 \ \text{cm} = 0.5 \ \text{m} \Rightarrow 0.5 \times 0.5 \times 0.5 = 0.125 \ (\text{m}^3)$
㉢ $70 \ \text{cm} = 0.7 \ \text{m} \Rightarrow 0.6 \times 4 \times 0.7 = 1.68 \ (\text{m}^3)$
부피가 큰 순서대로 기호를 쓰면 ㉢, ㉠, ㉡입니다.

15 높이를 $\square$ cm라고 하면
$40 \times 2 + 26 \times \square = 236, \ 80 + 26 \times \square = 236,$
$26 \times \square = 156, \ \square = 6$입니다.

16 정육면체는 가로, 세로, 높이가 모두 같으므로 직육면체의 가장 짧은 모서리의 길이인 12 cm를 정육면체의 한 모서리의 길이로 해야 합니다.
$\Rightarrow 12 \times 12 \times 12 = 1728 \ (\text{cm}^3)$

17 채점 기준

가의 겉넓이를 이용하여 나의 한 모서리의 길이를 바르게 구함.	상
가의 겉넓이는 구했지만 나의 한 모서리의 길이를 바르게 구하지 못함.	중
가의 겉넓이를 바르게 구하지 못해 나의 한 모서리의 길이를 구하지 못함.	하

18 한 모서리의 길이가 40 cm인 정육면체 모양의 상자를 6 m에는 15개, 2 m에는 5개를 놓을 수 있습니다.
따라서 정육면체 모양의 상자를 $15 \times 5 \times 5 = 375$(개) 쌓을 수 있습니다.

19 입체도형을 직육면체 2개로 나누어 부피를 구한 후 두 부피의 합을 구합니다.
$(9 \times 6 \times 3) + (9 \times 15 \times 3) = 162 + 405 = 567 \ (\text{cm}^3)$

20 직육면체 모양의 떡을 2조각으로 자를 때 떡 2조각의 겉넓이의 합은 처음 떡의 겉넓이보다 $144 \ \text{cm}^2$ 늘어납니다. 떡을 똑같이 4조각으로 자를 때 떡 4조각의 겉넓이의 합은 떡 2조각의 겉넓이의 합보다 $144 \ \text{cm}^2$ 더 늘어납니다. 따라서 떡 4조각의 겉넓이의 합은 처음 떡의 겉넓이보다 $288 \ \text{cm}^2$ 더 늘어납니다.

손과 뇌가 좋아하는
초등 영어 창의 노트 플북

PLAY
BOOK

기획·디자인 **진선주**

초과 뇌가 좋아하는
초등 영어 창의 노트 플북
PLAY BOOK

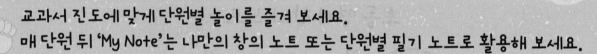

초등 영어 교과서의 내용 구성

신나게 놀다 보면 영어 실력이 쑥쑥!

혼자서도 OK! 함께 해도 Great!

교과서 진도에 맞게 단원별 놀이를 즐겨 보세요.
매 단원 뒤 'My Note'는 나만의 창의 노트 또는 단원별 필기 노트로 활용해 보세요.

차례

낱말 맞추기

주어진 알파벳을 바르게 배열해서 단어를 완성해 보세요. (정답 72쪽)

1

i h x t s

What grade are you in?
I'm in the _____ grade.

2

l e p l s

How do you _____ your name?
L-E-E Y-E-N-A.

3

o i a p n

What can you play?
I can play the _____ .

4

m r r d u m e

What do you do in the band?
I'm the _____ .

5

e s r v l i

She was the second place in Olympic Games.
She won the _____ medal.

6

t l o c l e c

What is your hobby?
I _____ coins.

7

d n o m i c a e

Hey, you are so funny!
Thanks, I want to be a _____ .

8

c c i r a t e p

I can't do it!
I need more _____ .

스펠링 게임 (2~4명)

단어 아래의 네모 칸은
알파벳의 개수야.

게임 방법

1. 그림 카드를 점선을 따라 가위로 오리세요.
2. 카드를 잘 섞어서 앞면의 한글 단어가 위로 보이도록 쌓아 두세요.
3. 카드를 한 장 들어서 상대에게 한글 단어를 내밀며 "How do you spell ○○○?"하고 뒷면의 질문을 읽어 주세요.
4. 상대가 말한 스펠링이 맞으면 카드를 상대에게 주고, 틀리면 카드 더미의 제일 아래에 다시 넣으세요.
5. 카드가 모두 없어질 때까지 게임을 해서 점수가 높은 사람이 승!

How do you Spell
eraser
?

How do you Spell
picnic
?

How do you Spell
monkey
?

How do you Spell
banana
?

How do you Spell
your name
?

How do you Spell
airplane
?

How do you Spell
vacation
?

How do you Spell
glasses
?

How do you Spell
Saturday
?

How do you Spell
elephant
?

How do you Spell
festival
?

How do you Spell
museum
?

How do you Spell
scientist
?

How do you Spell
delicious
?

How do you Spell
February
?

How do you Spell
January
?

월   일   요일

영단어 땅따먹기

가로, 세로로 알파벳을 덧붙여서 영단어를 만들어 칸을 채워 보세요. 친구와 할 때는 서로 다른 색깔의 펜을 사용하세요. 더 이상 생각이 안날 때까지 대결해서 더 많은 칸을 차지하는 사람이 승!

g										
	s	p	e	l	l					
										+
								o		
	m									

단어 찾기 퍼즐

가로, 세로, 대각선에 숨어 있는 영어 단어를 찾아보세요. (정답 72쪽)

s	w	f	e	v	e	r	k	v	d	m	i
e	t	t	g	d	r	h	e	p	k	e	g
c	f	o	s	l	f	h	p	s	y	d	t
a	o	k	m	w	c	e	h	t	t	i	e
q	e	l	q	a	a	p	a	o	j	c	d
k	j	d	d	x	c	r	r	i	a	i	e
l	s	a	e	c	v	h	m	w	c	n	n
o	e	t	o	o	t	h	a	c	h	e	t
h	v	h	f	u	e	m	c	c	v	f	i
p	e	c	q	g	i	a	y	k	h	g	s
g	i	r	n	h	m	n	u	r	s	e	t
h	o	s	p	i	t	a	l	t	x	g	i

cold 추운, 감기   **fever** 열   **cough** 기침   **rest** 쉬다, 휴식을 취하다   **warm** 따뜻한

headache 두통   **toothache** 치통   **stomachache** 복통   **medicine** 약

hospital 병원   **pharmacy** 약국   **nurse** 간호사   **dentist** 치과 의사

몸 챙기는 보드게임 (2~4명)

주사위를 던져 보드게임을 해 보세요.

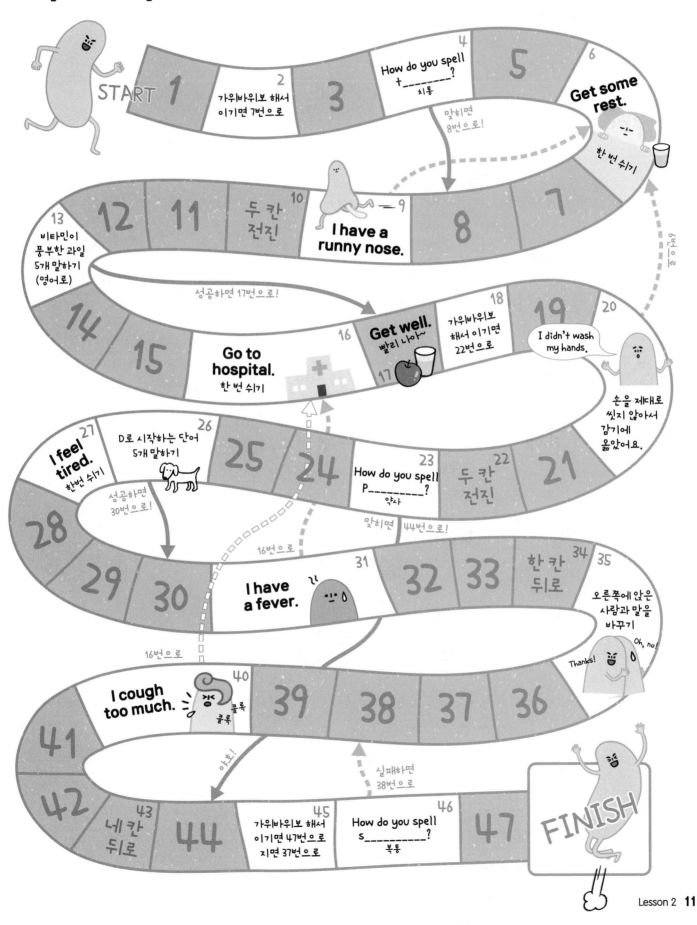

단어 비빔밥

두 단어를 합쳐서 말을 만들어 보세요.

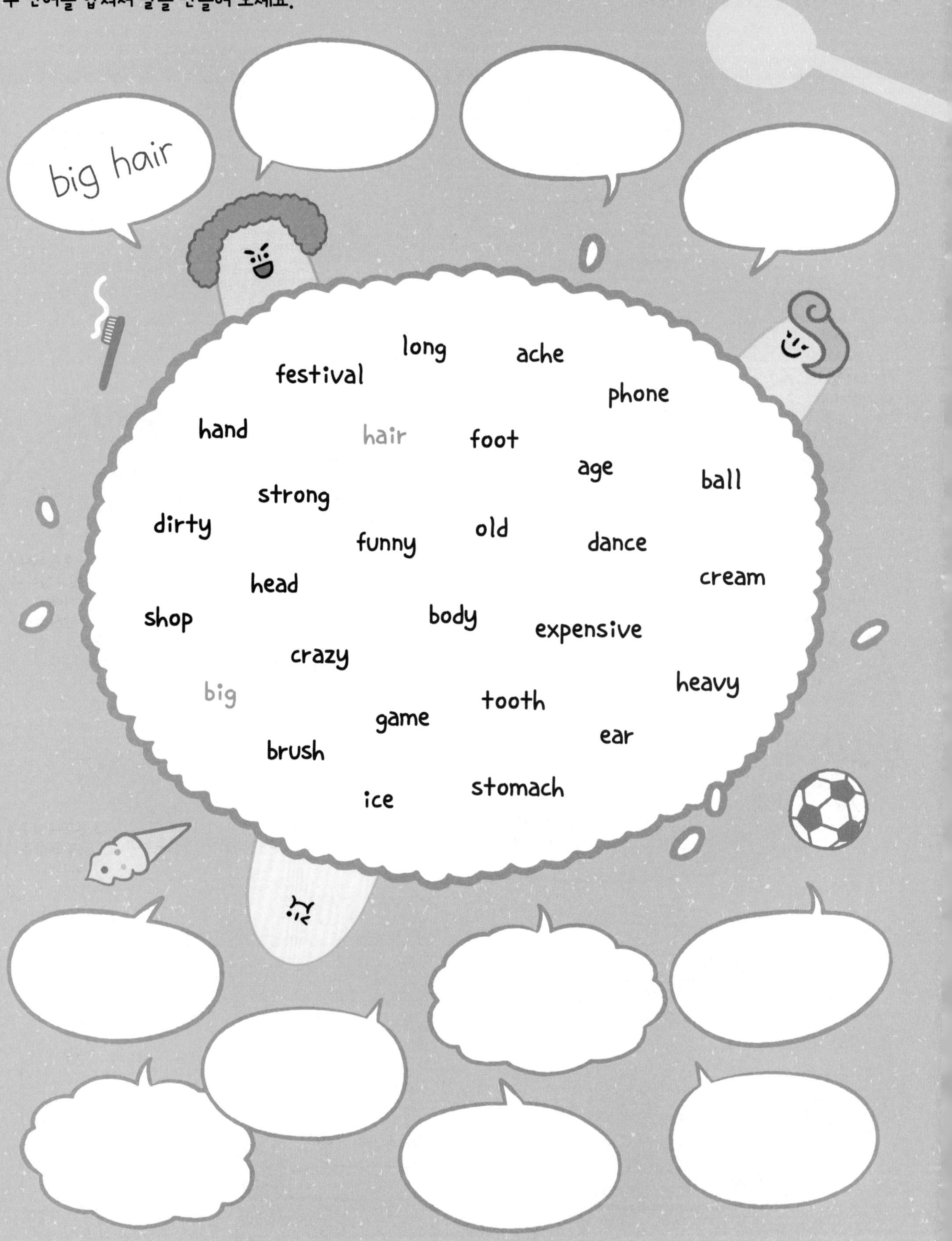

big hair

long ache

festival phone

hand hair foot

age ball

strong old dance

dirty funny cream

head

shop body expensive

crazy heavy

big tooth

game ear

brush

ice stomach

고치기의 고수

대화를 읽고 틀린 부분을 바르게 고쳐 보세요. (정답 72쪽)

May
Mey I help you?
어떻게 도와드릴까요?

Yes, please.
I have a fevar.
네, 열이 있어요.

Do you have a runny nose?
콧물도 흐르나요?

Yes, I am.
네, 맞아요.

Ok, take this medisine and get some rest.
Drink warm water and go to bad early tonight.
좋아요. 이 약을 먹고 휴식을 취하세요. 따뜻한 물을 마시고 오늘 밤에는 일찍 자야해요.

Thank you.
감사합니다.

PHARMACY

I'm not feeling well.

별걸 다 줄이는 포니

포니는 줄여서 말하는 습관이 있어요.
힌트를 보고 포니가 한 말을 풀어서 써 보세요. (정답 72쪽)

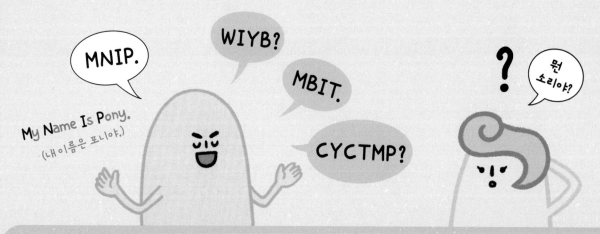

MNIP.

WIYB?

MBIT.

CYCTMP?

?   뭔 소리야?

My Name Is Pony.
(내 이름은 포니야.)

힌트

is   you   party   your

When   My

tomorrow

birthday   is

Can   come

birthday   to   my

	너 생일이 언제야?
WIYB?	**?**
	내 생일은 내일이야.
MBIT.	**.**
	내 파티에 올 수 있어?
CYCTMP?	**?**

올해의 낱말 퍼즐

1월부터 12월까지의 영어 단어를 써서 퍼즐을 완성해 보세요. (정답 73쪽)

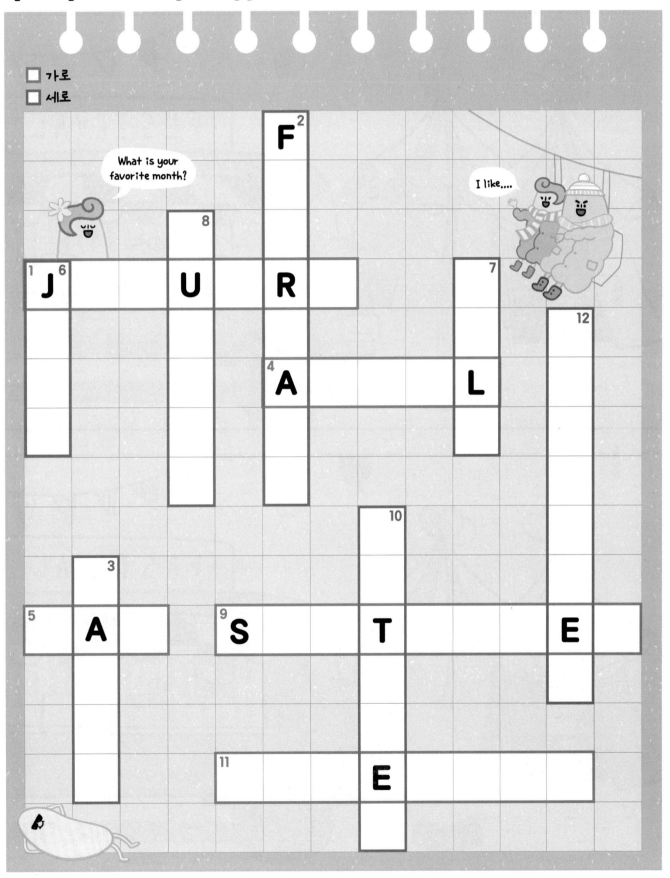

다른 그림 찾기

다른 부분 12군데를 찾아보세요. (정답 73쪽)

월 　 일 　 요일

Birthday List

친구들의 생일 목록을 만들어 보세요.
친구에게 이름, 생일, 받고 싶은 선물을 써 달라고 하세요.

When is your birthday?

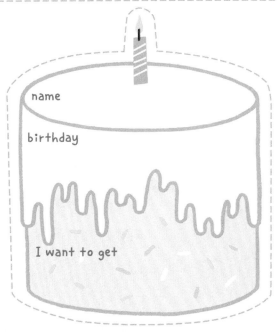

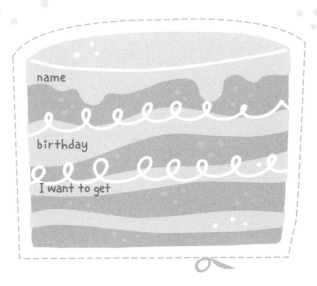

월   일   요일

초코 블록 젤리 뽑기

초코 블록을 건드리지 말고 젤리를 뽑아 보세요.
한 명은 눈을 감고 연필을 잡고, 다른 한 명은 연필이 움직이는 길을 지시해서 원하는 젤리에 도착해 보세요.
지시어는 아래의 버튼에 쓰인 말만 할 수 있어요. (눈을 감기 전에 어느 젤리를 뽑을지 미리 알려주면 반칙!)

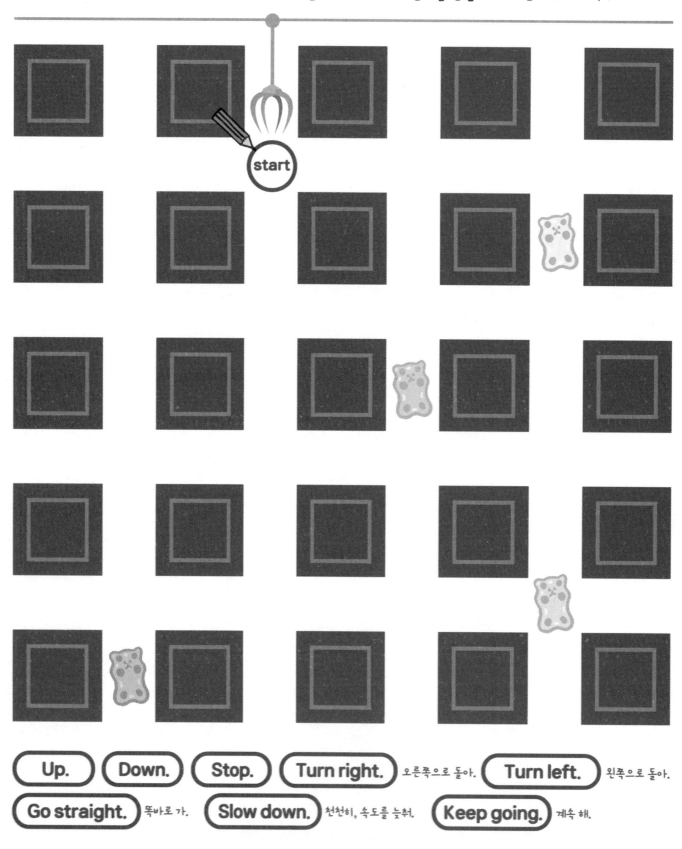

(Up.) (Down.) (Stop.) (Turn right.) 오른쪽으로 돌아. (Turn left.) 왼쪽으로 돌아.

(Go straight.) 똑바로 가. (Slow down.) 천천히, 속도를 늦춰. (Keep going.) 계속 해.

광화문에서

광화문 주변에서 길을 묻는 외국인을 만났어요. 지도의 동그라미 속 단어를 모두 활용해서 빈칸을 채워 보세요. (정답 73쪽)

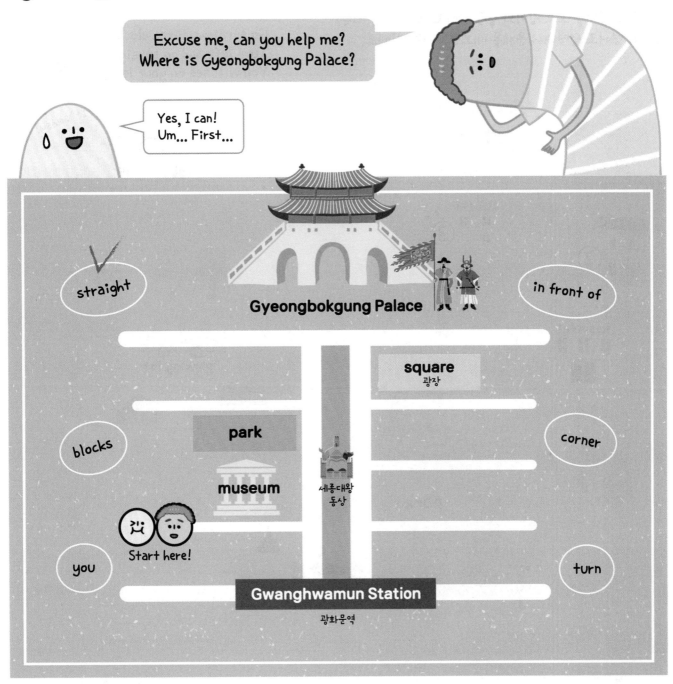

Excuse me, can you help me?
Where is Gyeongbokgung Palace?

Yes, I can!
Um... First...

Go (Straight) and (　　　　　) left at the (　　　　　).

Go straight two (　　　　　).

You will see it (　　　　　) (　　　　　).

우리 집에 놀러와

오른쪽의 설명을 보고 핑키의 집을 찾아보세요. (정답 73쪽)
친구와 영어로 설명해서 문제를 내보면 더 재미있어요.

Go straight three blocks.
Turn left and go straight.
You will see on your left.

It's easy!

hospital

parking lot

park

PARK
LAKE

lake

Ok, I got it!

↑ Start

정답

월   일   요일

초대장 만들기

초대장을 만들어서 친구를 우리집에 초대해 보세요.

학교에서 집까지 오는 약도를 그리고 집에 오는 길을 영어로 써 보세요.

Follow me.

Draw a map here!

꼭 와야 해!
Promise!

Lesson 4　My Note

방탈출 게임

각 방에 숨겨진 단어를 찾아서 방을 탈출해 보세요.
방을 탈출했다면 아래의 문장을 완성해서 핑키의 오늘 밤 계획을 알아맞혀 보세요. (정답 74쪽)

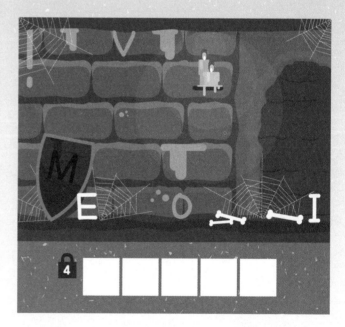

소문자로 바꾸어 써 주세요.

I am  to  a   .

매니저 테스트

훌륭한 매니저라면 스타의 스케줄을 잘 기억해야 해요.
스타의 다음주 스케줄을 외운 후, 30쪽에서 나의 매니저 자질을 테스트해 보세요.

내 스케줄 다 기억할 수 있지?

manager's note

좋아하는 스타의 이름

's schedule

Monday	go to the library	도서관 가기
Tuesday	stay home	집콕 → 쉬는 날
Wednesday	take a vocal lesson	보컬 수업 받기 Don't forget!
Thursday	have dance practice	춤 연습하기
Friday	see a musical	뮤지컬 보기
Saturday	go to yoga lesson	요가 수업 가기
Sunday	go to Jeju-do 촬영	제주도 가기

A busy day!

Manager Test

1. What is he going to do on Monday?

   He is going to go to the

2. What is he going to do on Tuesday?

   He is going to stay

3. What is he going to do on Wednesday?

   He is going to take

4. When is he going to have dance practice?

5. Where is he going to go on Sunday?

6. How many lessons does he have next week?

목표 달성 실천왕

나의 계획을 9개의 칸에 쓰고 하나 하나 달성해서 메달에 도달해 보세요.
메달의 빈칸에는 성공했을 때 나에게 주는 상을 써 보세요. 책상 앞에 붙여 놓으면 볼 때마다 힘이 불끈!

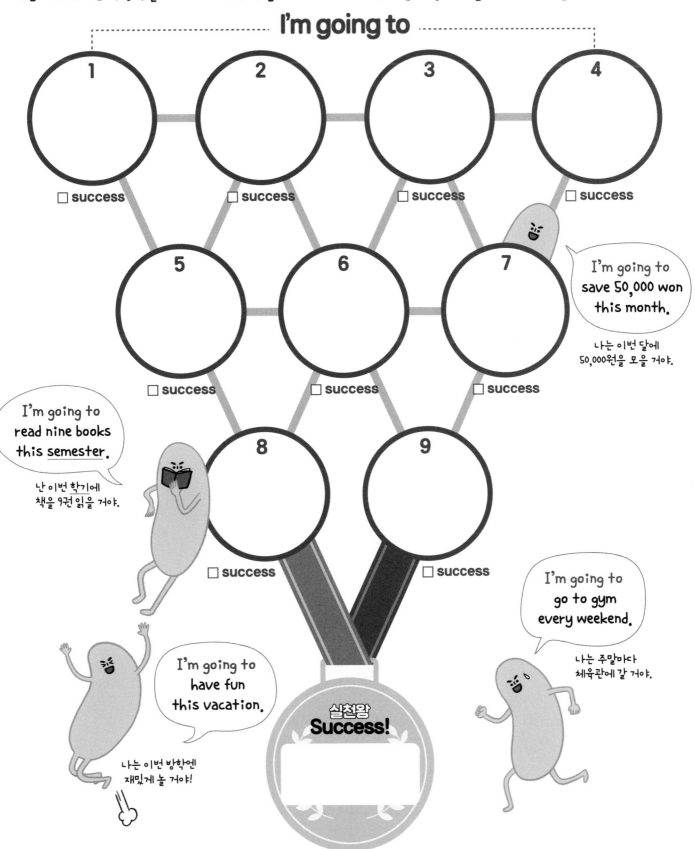

I'm going to

1　□ success
2　□ success
3　□ success
4　□ success

5　□ success
6　□ success
7　□ success

8　□ success
9　□ success

I'm going to
save 50,000 won
this month.

나는 이번 달에
50,000원을 모을 거야.

I'm going to
read nine books
this semester.

난 이번 학기에
책을 9권 읽을 거야.

I'm going to
go to gym
every weekend.

나는 주말마다
체육관에 갈 거야.

I'm going to
have fun
this vacation.

실천왕
Success!

나는 이번 방학엔
재밌게 놀 거야!

범인의 얼굴은?

목적자 역할을 맡은 사람은 마음 속으로 32명 중 한 사람을 범인으로 고릅니다.
형사 역할을 맡은 사람은 목격자에게 영어로 다섯 개의 질문을 하여 범인을 알아맞혀 보세요.

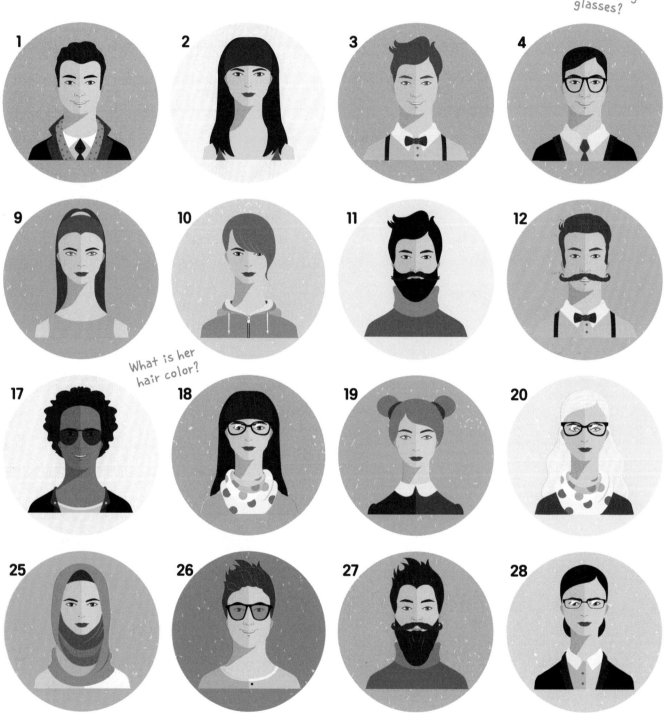

Is this person a man or a woman?

Is he wearing glasses?

What is her hair color?

long hair 긴 머리   **short hair** 짧은 머리   **curly hair** 곱슬머리   **bald** 머리가 벗겨진

ponytail 포니테일 (긴 머리를 하나로 묶어 늘어뜨린 형태)   **blonde** 금발의   **beard** (턱)수염

What is he wearing?

What does her hair look like?

What about his cloth?

5

6

7

8

13

14

15

16

21

22

23

24

Does he have beard?

29

30

31

32

shirt 셔츠   **jacket** 재킷   **sleeveless shirt** 민소매   **hooded jacket** 모자가 달린 재킷

cardigan 카디건   **scarf** 스카프   **bow tie** 나비넥타이

다른 얼굴 찾기

얼굴이 나머지와 다른 5명의 존을 찾아보세요. 말풍선 속에 힌트가 있답니다. (정답 74쪽)

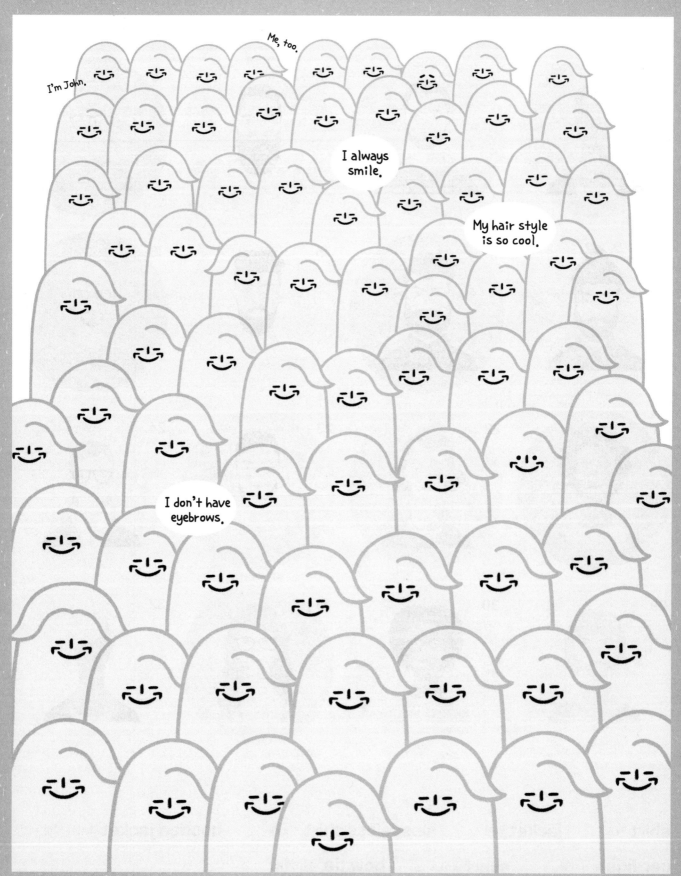

몽타주 게임

오른쪽의 특징 쪽지를 가위로 자른 후 단어가 보이지 않게 반을 접어서 잘 섞어 주세요.
쪽지를 6개 뽑아서 쪽지에 적힌 특징을 아래의 얼굴에 그려 보세요.
친구와 함께할 때는 친구가 그린 그림을 보고 어떤 특징을 그린 것인지 알아맞혀 보세요.

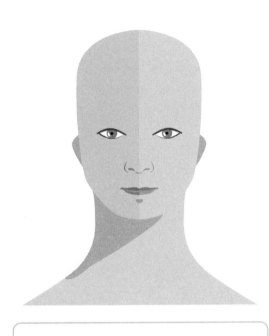

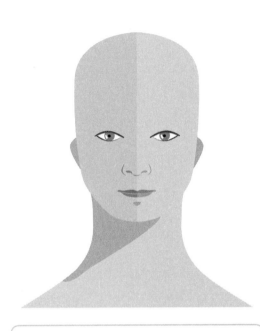

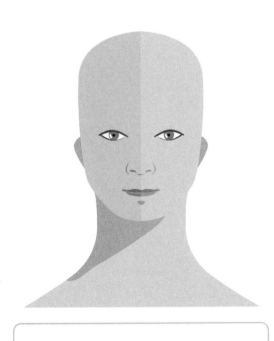

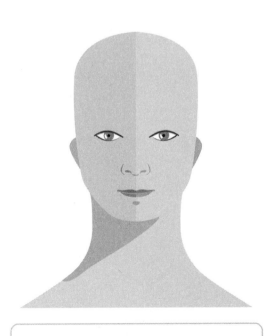

curly hair
곱슬 머리

ponytail
묶은 머리

strange hair style
특이한 머리 스타일

hat
(챙 있는) 모자

thick eyebrows
짙은 눈썹

long eyelashes
긴 속눈썹

 red lips
빨간 입술

frackles
주근깨

big mole
큰 점

glasses
안경

sunglasses
짧은 머리

scarf
스카프, 목도리

beard
턱수염

mustache
콧수염

earrings
귀걸이

necklace
목걸이

bow tie
나비넥타이

좋은 습관 테스트

나의 생활 습관을 체크해 보세요.

How often do you...? 당신은 얼마나 자주 ~하나요?	once a week 일주일에 한 번	twice a week 일주일에 두 번	three times a week 일주일에 세 번	every day 매일
1 wash your hands 손을 씻다				
2 take a shower 샤워를 하다				
3 brush your teeth 이를 닦다				
4 use dental floss 치실을 사용하다				
5 work out 운동을 하다				
6 clean your room 방을 청소하다				
7 read books 책을 읽다				
8 keep a diary 일기를 쓰다				
POINTS	1점	2점	3점	4점
나의 좋은 습관 포인트				점

28점 이상 와우! 당신은 좋은 습관의 왕이군요!

20점 이상 나쁘지 않아요. 좋은 습관을 더 자주 시도해 봐요.

15점 이상 흠... 당신의 생활을 다시 한 번 생각해 봐야겠군요.

10점 이하 아... 매일이 그냥 흘러가고 있지는 않나요?

Keep up the good work!
지금처럼 계속 잘하면 돼!

1일 1스도쿠

하루에 한 번 하는 일을 표로 만들어서 체크하고 있어요. 모든 일이 한판에 한 개씩만 들어가고
가로세로 9줄에는 같은 일이 중복되지 않도록 스도쿠를 완성해 보세요. (정답 74쪽)

'An apple a day
keeps the doctor away.'
하루에 사과 한 알이면 의사가 필요 없다.

이 속담을
실천 중이야!

task

(B) breakfast   (L) lunch   (D) dinner   (H) homework

(W) working out   (J) jogging   (R) reading   (A) apple   (V) vitamin

D	L	W	H		V		A	B
V	B	A		L		H		D
H	R	J	B		A		L	
J		H	W				V	R
	W		D	V	H			A
B	V				J	W		
	H		A		D		B	V
L		B		W			D	
A	D		L		B	R		J

월   일   요일

매일매일 자주자주

2주 간의 기록을 보고 보기의 단어를 모두 활용하여 아래의 빈칸을 완성해 보세요. (정답 75쪽)

Monday	Tuesday	Wednesday	Thursday	Friday	Saturday	Sunday

보기

week	day	Sunday	a	sometimes
week	twice	every	Saturday	weekend	once

1. **I work out** | three | times | a | week .

2. **I brush my teeth** | every | | .

3. **I walk my dog** | | | .

4. **I play baseball** | on | | .

5. **I go to farm** 🍅 | | | .

6. **I eat out** 🍞 | | a | .
   | every | | .

7. **I play games** | .

존의 일기장

예시처럼 일기장의 틀린 부분을 고쳐 주세요.
(정답 75쪽)

흠... 실수가 있었네.

My mistakes.

July 21, 20XX

Today is ~~Saterday~~. Saturday   I got up ~~on~~ 8 this morning.

오늘은 토요일이다. 나는 오늘 아침 8시에 일어났다.

I brushed my <u>tooth</u> and <u>wash</u> my face.

나는 이를 닦고 세수를 했다.

I <u>were</u> so tired because I played games too much last night.

어젯밤에 게임을 너무 많이 해서 아주 피곤했다.

I play games <u>one</u> a week these days.

나는 요즘 일주일에 한 번 게임을 한다.

Dad Said, "Are you ready for jogging?"

아빠가 말씀하셨다. "조깅할 준비 됐니?"

I said, "Okay... Let me put my cap on."

"네... 모자 좀 쓰고요." 나는 말했다.

We <u>run</u> for 30 minutes. I felt so much better.

우린 30분을 뛰었다. 기분이 훨씬 나아졌다.

I will run for an hour every day from tomorrow!

내일부터는 매일 한 시간씩 뛰어야겠다!

단어 토핑 아이스크림

각 층마다 단어를 써서 아이스크림을 완성해 보세요.
단 최소 한 개의 알파벳은 다음 줄에서도 사용하여 연결해 주세요.
친구와 할 때는 아이스크림을 위아래로 나누거나 하나씩 맡아서 누가 더 빨리 완성하는지 대결해 보세요.

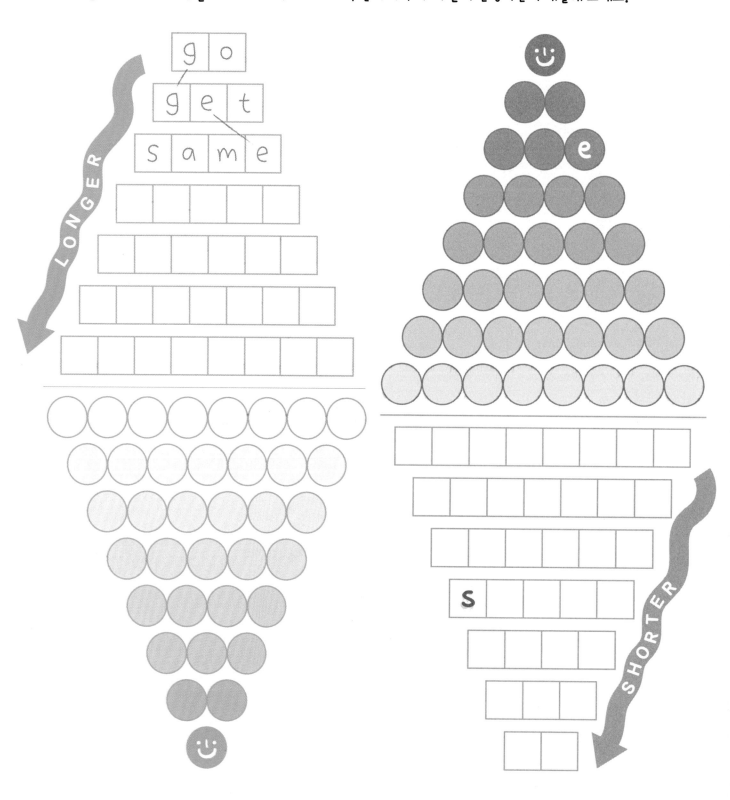

나이 추리 퀴즈

6가지의 힌트를 읽고 빈칸을 완성한 후 포니, 토미, 핑키의 나이를 알아맞혀 보세요. (정답 75쪽)

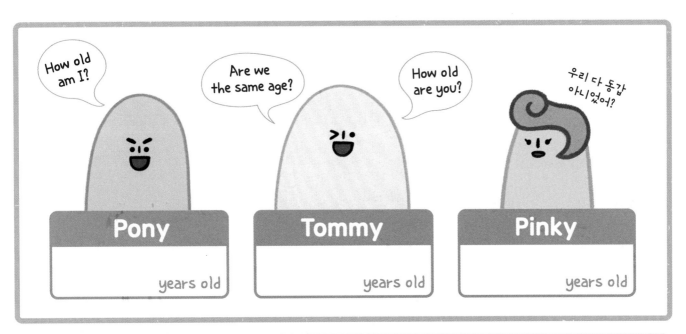

6가지 힌트

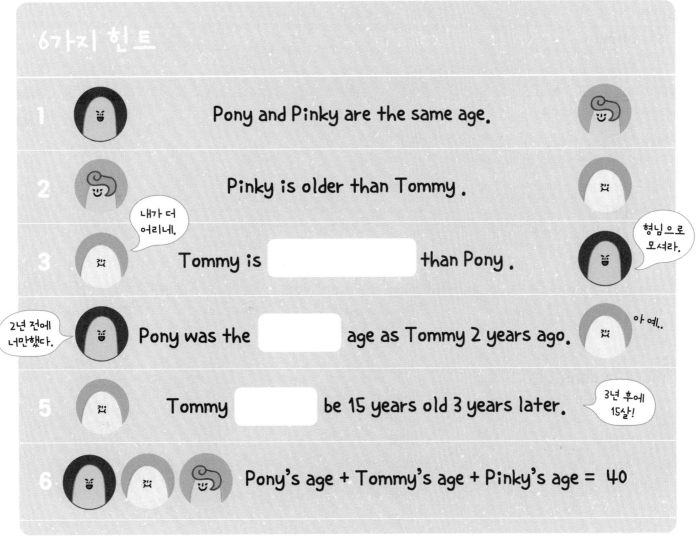

단어 먹이 사슬

친구와 번갈아 가며 제시어에 맞는 단어를 써 보세요.

bigger (오른쪽으로 갈 수록 점점 크기가 <u>더 큰</u> 것을 써야 해요.)

bean → apple → soccer ball →

longer

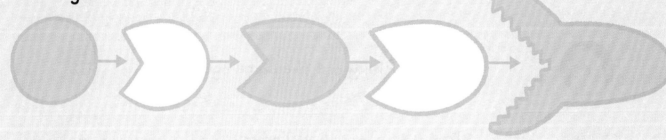

pencil

stronger

cheaper

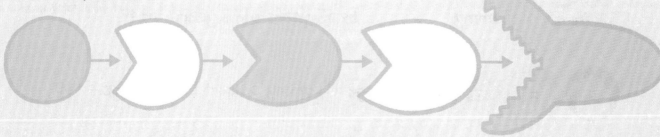

more expensive

똑똑한 온라인 쇼핑

온라인 쇼핑에서 선물을 고르기 위해 두 가지 제품을 비교하고 있어요.
괄호 속 단어를 변형해서 문장을 완성하고 더 나은 선물을 골라 보세요. (정답 76쪽)

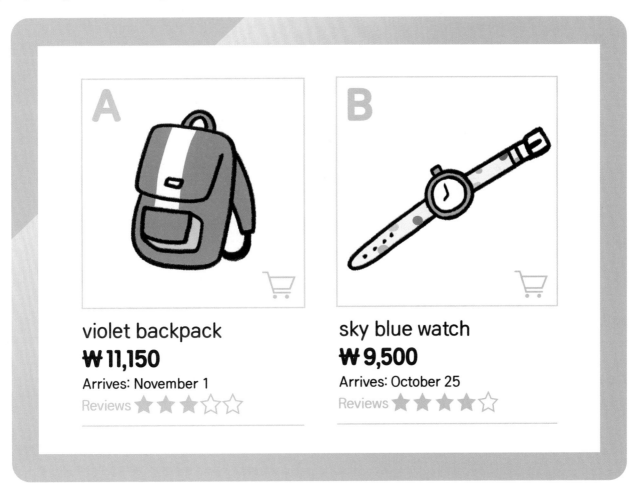

A violet backpack
₩ 11,150
Arrives: November 1
Reviews ★★★☆☆

B sky blue watch
₩ 9,500
Arrives: October 25
Reviews ★★★★☆

1 size   A is _____ than B. (big)

2 price   B is _____ than A. (cheap)

           A is _____ than B. (expensive)

3 delivery   A arrives _____ than B. (late)

4 review   B has _____ reviews than B. (good)

결론

I think _____ is better than _____ .

나라면 무얼 살지
A, B 중 골라 보세요.

월   일   요일

단어 찾기 퍼즐

가로, 세로, 대각선에 숨어 있는 영어 단어를 찾아보세요. (정답 76쪽)

```
c  h  b  m  p  c  r  k  v  d  z  i
x  e  t  e  o  g  h  z  p  e  f  n
p  x  a  s  t  h  f  a  l  y  p  t
d  p  k  s  a  m  e  m  t  t  j  e
i  e  b  a  y  h  o  w  o  c  r  r
f  n  d  g  c  y  u  z  i  a  i  e
f  s  t  e  g  c  s  w  l  e  n  s
e  i  j  d  i  f  f  i  c  u  l  t
r  v  r  x  r  l  m  x  s  v  s  i
e  e  f  q  c  i  a  t  k  w  s  n
n  i  u  n  s  l  b  o  r  i  n  g
t  i  n  t  e  r  n  e  t  s  g  h
```

easy 쉬운   **difficult** 어려운   **interesting** 흥미로운   **fun** 웃기는, 재미있는

boring 지루한   **cheap** 싼   **expensive** 비싼   **chat** 채팅하다   **message** 메시지

internet 인터넷   **same** 똑같은   **different** 다른   **similar** 비슷한

월   일   요일

심리 테스트

주어진 단어를 보고 생각나는 느낌을 다섯 개씩 써 보세요. 친구나 가족과 함께 각각 써본 후 비교해 보면 재미있어요. 다른 사람과 함께 할 때는 서로 보지 말고 나의 감정에 집중해 보세요. (풀이 76쪽)

음..
I feel…

A. What do you think about... sea 에 대해 어떻게 생각하나요?

name
1
2
3
4
5

name
1
2
3
4
5

B. What do you think about... coffee 에 대해 어떻게 생각하나요?

name
1
2
3
4
5

name
1
2
3
4
5

영어로 끝말잇기

영어로 끝말잇기를 해 보세요.

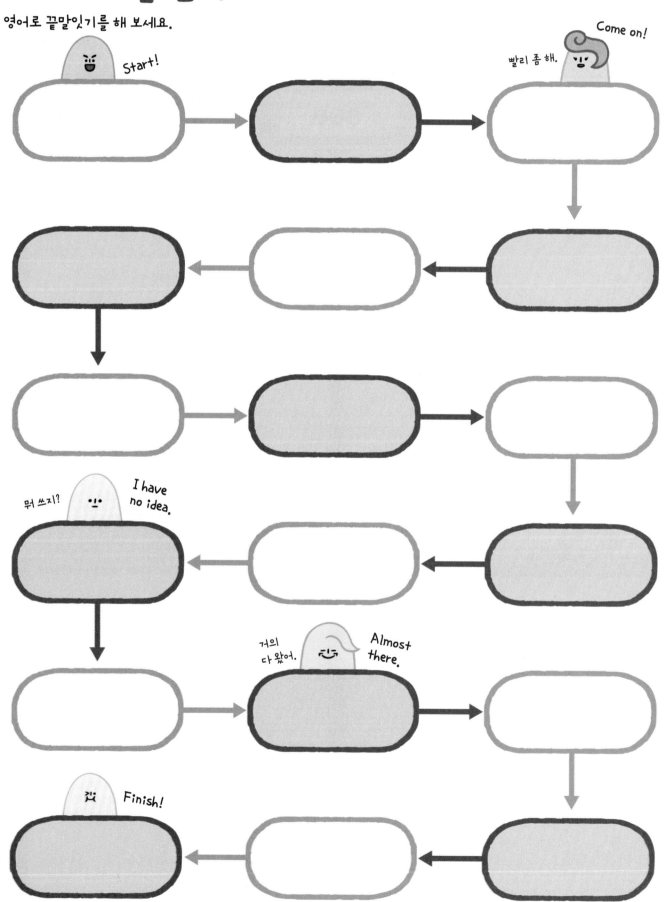

월   일   요일

나의 인생 영화

나의 인생 영화는 무엇인가요?
인생 영화에 대한 감상을 쓰고 명장면을 골라 보세요.

명장면을 묘사하거나
그려 보세요!

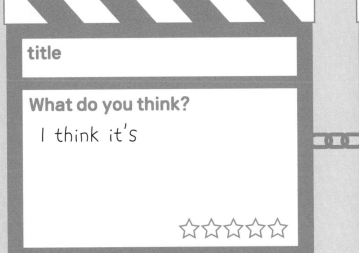

title

What do you think?

I think it's

☆☆☆☆☆

favorite scene

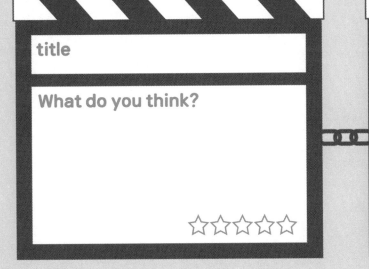

title

What do you think?

☆☆☆☆☆

favorite scene

title

What do you think?

Thumbs up!

☆☆☆☆☆

favorite scene

내 쿠키 누가 먹었어?

알파벳 쿠키를 구웠는데 핑키가 몰래 먹어 버렸어요. 핑키가 먹은 알파벳은 무엇무엇일까요?
핑키가 먹은 알파벳을 찾아 빈칸에 알맞은 단어로 써 보세요. 모든 알파벳은 두 개씩 있었어요. (정답 76쪽)

소문자로 바꾸어 써 주세요.

Who ☐ my cookies?

I did.
They were ☐ .

인물 퀴즈 마스터

힌트를 보며 사진 속 인물이 누구인지 알아맞혀 보세요.
(정답 77쪽)

힌트
❶ He was a king.
❷ He invented Hangeul.

정답

힌트
❶ He was born in Germany.
❷ He was a scientist.

정답

힌트
❶ She drew nature.
❷ She was a great mother.

정답

힌트
❶ He was a genius.
❷ He was a musician.

정답

힌트
❶ He was an American lawyer.
❷ He was a president.

정답

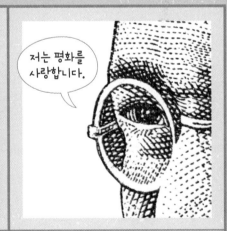

힌트
❶ He was born in India.
❷ He was a lawyer.

정답

누구게 그리기

친구, 아는 사람, 연예인, 만화 캐릭터 등 유명한 인물을 그려서 친구끼리 알아맞혀 보세요.

Who is it?   누구게?

Do you know who it is?   누구인지 알겠어?

Guess who!   누구인지 맞혀 봐!

You know this person.   넌 이 사람을 알고 있어.

What did he/she do?

그/그녀는 뭘 했지?

What is he/she famous for?

그/그녀는 무엇으로 유명하니?

후후 게임 (2~4명)

Who is this?

Where is he from?
그는 어디에서 왔어?

Is this person a man or a woman?
이 사람은 남자야 여자야?

1. 점선을 따라 카드를 가위로 오리세요.
2. 카드를 한 장씩 골라서 상대가 보지 못하게 서로의 이마에 테이프로 붙입니다.
3. 자기 이마에 붙은 카드의 인물이 누구인지 한 명씩 번갈아가며 질문을 해서 알아맞혀 보세요.
4. 질문에 답을 하기 어려울 땐 빨간 글자 힌트를 활용해서 설명해 주세요.
   새로운 인물을 써서 문제를 내면 더 재밌어요.

What is he famous for?
그는 무엇으로 유명하지?

What did she do?
그녀는 무슨 일을 했어?

What does she look like?
그녀는 어떻게 생겼어?

king	comedian	football player	painter
세종대왕	**유재석**	**박지성**	**피카소**
Joseon, Hangeul 조선 한글	glasses, funny 안경 재미있는	England, fast 잉글랜드 빠른	Spain, famous 스페인 유명한

independance activist	princess	president	Korean boy group
유관순	**백설공주**	**링컨**	**BTS**
Korean, flag 대한민국 깃발	apple, poison 사과 독	America, slave 미국 노예	dance, fan 댄스 팬

map maker	military general	poet	painter
김정호	**이순신**	**윤동주**	**고흐**
Korean map 한국 지도	war, turtle 전쟁 거북	star, poem 별 시	sunflower, ear 해바라기 귀

빈칸에 새로운 인물을 써서 문제를 내 보세요.

Newspaper

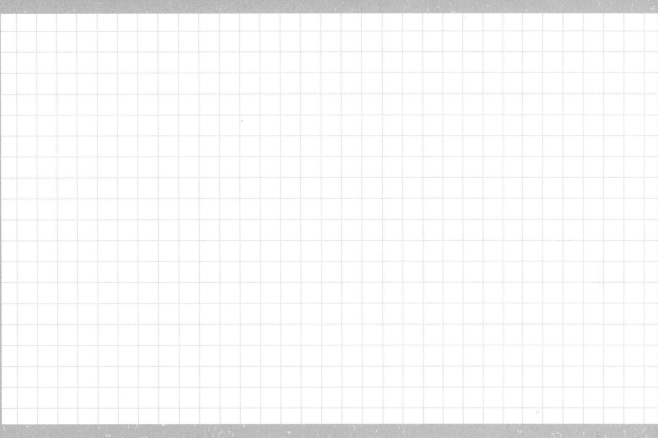

Newspaper

숲 살리기 퍼즐

퍼즐은 보기처럼 F(초록), P(파랑), R(빨강)의 순서로만 이동할 수 있어요.
색깔에 유의하며 퍼즐을 풀어 보세요. (정답 78쪽)

보기

F orest → P aper → R ecycle
숲　　　　　종이　　　　재활용

Start →	F	P	R	F	P	F	P	R
R	R	P	F	F	P	R	R	F	P
F	F	R	R	P	R	F	P	P	R
P	P	R	P	F	F	P	R	F	P	F
R	R	F	F	R	P	F	F	R	P
F	F	P	R	F	P	R	P	R	R
P	P	R	R	P	F	F	R	R	F
R	R	P	P	F	R	P	F	R	F
F	F	B	R	F	P	R	F	P	Finish ↓

단어 캡슐

하나의 단어는 여러 의미가 합쳐져서 만들어지기도 해요.
힌트 박스에서 알맞은 말을 골라 단어를 완성해 보세요. (정답 78쪽)

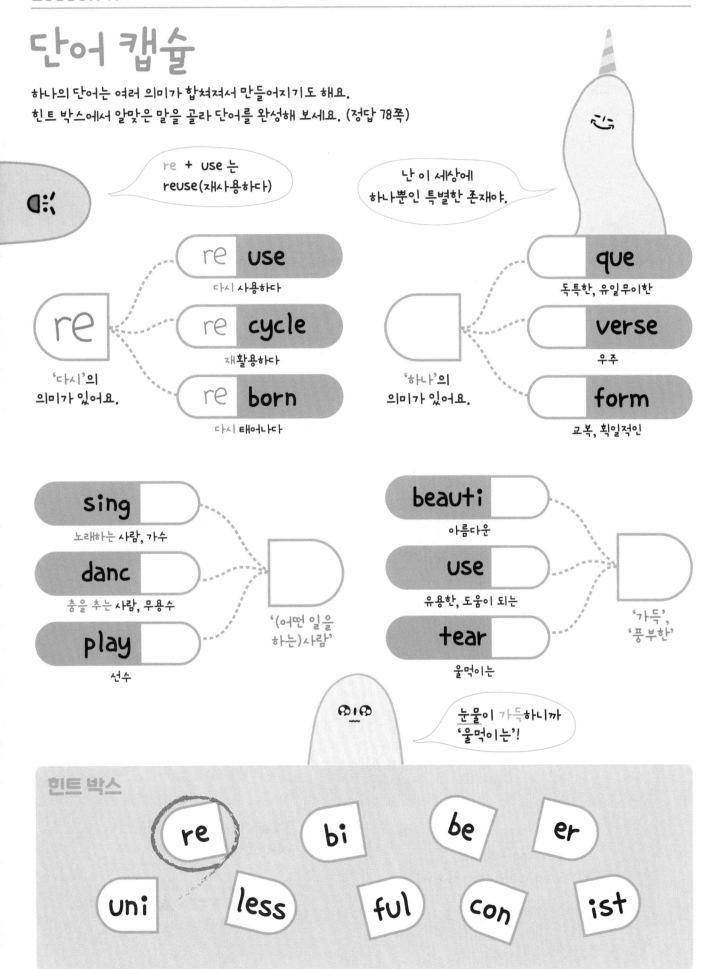

re + use 는
reuse(재사용하다)

난 이 세상에
하나뿐인 특별한 존재야.

re use
다시 사용하다

re cycle
재활용하다

re born
다시 태어나다

re
'다시'의
의미가 있어요.

que
독특한, 유일무이한

verse
우주

form
교복, 획일적인

'하나'의
의미가 있어요.

sing
노래하는 사람, 가수

danc
춤을 추는 사람, 무용수

play
선수

'(어떤 일을
하는)사람'

beauti
아름다운

use
유용한, 도움이 되는

tear
울먹이는

'가득',
'풍부한'

눈물이 가득하니까
'울먹이는'!

힌트 박스

re　　bi　　be　　er

uni　　less　　ful　　con　　ist

나도 환경 지킴이

환경을 지키기 위해 나는 무엇을 하고 있나요?
나의 다짐을 완성하고, 실천할 때마다 69쪽의 지킴이 스티커를 오려 붙여 완성해 보세요. (정답 78쪽)

지킴이 name

나의 다짐

1

I work in my family farm
every weekend.
I should eat more
__vegetables__ .

나는 주말마다
가족 농장에서
일하고 있어.
야채를 더 많이
먹어야 하거든!

2

I don't use
_____ cups.
I take my own
bottle everywhere.

나는 플라스틱 컵을 사용하지 않아.
내 개인 병을 어디든지 들고 다니지.

3

I love
my eco bag!
I shouldn't
forget when I

go _____ .

4

I don't throw away
garbage on the beach.
I should keep it
_____ .

난 해변에 쓰레기를
버리지 않아.
해변을 깨끗하게 지켜야지.

난 내 에코백이 좋아!
쇼핑하러 갈 때
잊지 말아야지.

나는 물건을
재활용하고 있어.
쉽진 않지만 노력하고 있지.

5

I _____
things.
It's not easy
but I try.

날씨가 점점
따뜻해지고 있어.
우리가 야생을 보호해야 해.

난 캠핑하러 갈 때
숲을 깨끗하게 지켜 줘.

6

The _____ is
getting warmer.
We should save the wild.

7

I keep the forest clean
when I go _____ .

지킴이 스티커

재활용

비닐 봉지
사용하지
않기

쓰레기
없는 세상

하나씩 붙이며
실천해 보자!

약속!

바다를
깨끗하게!

채소
에너지!

야생을
보호하자.

나무를
심자!

4쪽

Lesson 1
낱말 맞추기

1
i h x t s
s i x t h
What grade are you in?
I'm in the _____ grade.

2
l e p l s
s p e l l
How do you _____ your name?
L-E-E Y-E-N-A.

3
o i a p n
p i a n o
What can you play?
I can play the _____.

4
m r r d u m e
d r u m m e r
What do you do in the band?
I'm the _____.

5
e s r v l i
s i l v e r
She was the second place in Olympic Games.
She won the _____ medal.

6
t l o c l e c
c o l l e c t
What is your hobby?
I _____ coins.

7
d n o m i c a e
c o m e d i a n
Hey, you are so funny!
Thanks, I want to be a _____.

8
c c i r a t e p
p r a c t i c e
I can't do it!
I need more _____.

13쪽

Lesson 2
고치기의 고수

10쪽

Lesson 2
단어 찾기 퍼즐

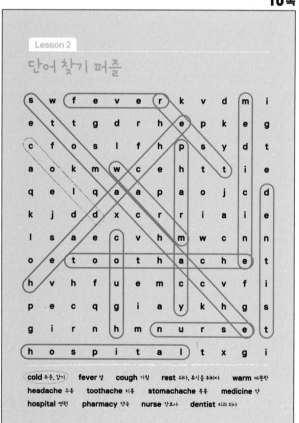

cold 추움, 감기   fever 열   cough 기침   rest 휴식, 휴식을 취하다   warm 따뜻한
headache 두통   toothache 치통   stomachache 복통   medicine 약
hospital 병원   pharmacy 약국   nurse 간호사   dentist 치과 의사

16쪽

Lesson 3
별 달 줄이는 포니

When is your birthday **?**

My birthday is tomorrow **.**

Can you come to my party **?**

17쪽

Lesson 3

올해의 낱말 퍼즐

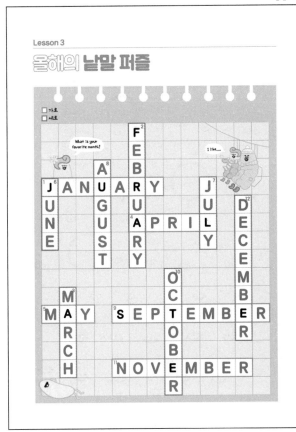

☐ 가로
☐ 세로

What is your favorite month?

I like....

FEBRUARY
JANUARY
AUGUST
JUNE
APRIL
JULY
DECEMBER
OCTOBER
MARCH
MAY
SEPTEMBER
NOVEMBER

18쪽

Lesson 3

다른 그림 찾기

FESTIVAL
May 3rd ~ 5th

A TIVAL
May 3th ~ 5th

23쪽

Lesson 4

광화문에서

Excuse me, can you help me?
Where is Gyeongbokgung Palace?

Yes, I can!
Um... First...

straight
Gyeongbokgung Palace
in front of
square 광장
park
corner
blocks
museum
you
Start here!
turn
Gwanghwamun Station 광화문역

Go (straight) and **turn** left at the **corner**.
Go straight two **blocks**.
You will see it (in front of) (you).

24쪽

Lesson 4

우리 집에 놀러와

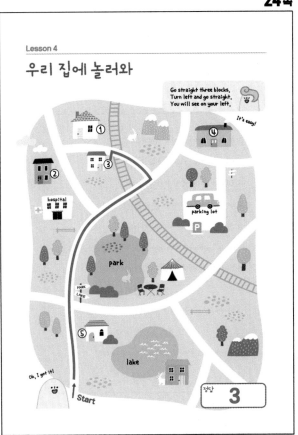

Go straight three blocks.
Turn left and go straight.
You will see on your left.

It's easy!

① ② ③ ④ ⑤
hospital
parking lot
park
PARK & LAKE
lake

Ok, I get it!
Start

정답 **3**

28쪽

Lesson 5
방탈출 게임

I am **going** to **watch** a **horror** **movie**.

36쪽

Lesson 6
다른 얼굴 찾기

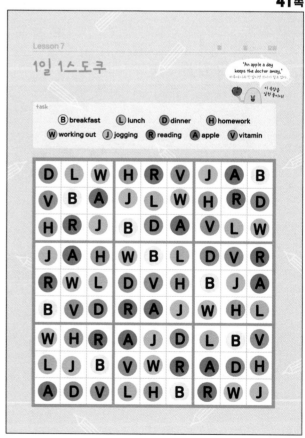

30쪽

Manager Test

1. What is he going to do on Monday?

   He is going to go to the **library**.

2. What is he going to do on Tuesday?

   He is going to stay **home**.

3. What is he going to do on Wednesday?

   He is going to take **a vocal lesson.**

4. When is he going to have dance practice?

   Thursday

5. Where is he going to go on Sunday?

   Jeju-do

6. How many lessons does he have next week?

   Two

41쪽

Lesson 7
1일 1스도쿠

task

Ⓑ breakfast Ⓛ lunch Ⓓ dinner Ⓗ homework
Ⓦ working out Ⓙ jogging Ⓡ reading Ⓐ apple Ⓥ vitamin

D	L	W	H	R	V	J	A	B
V	B	A	J	L	W	H	R	D
H	R	J	B	D	A	V	L	W
J	A	H	W	B	L	D	V	R
R	W	L	D	V	H	B	J	A
B	V	D	R	A	J	W	H	L
W	H	R	A	J	D	L	B	V
L	J	B	V	W	R	A	D	H
A	D	V	L	H	B	R	W	J

정답

Lesson 7

매일매일 자주자주

Monday	Tuesday	Wednesday	Thursday	Friday	Saturday	Sunday

보기

week	day	Sunday	a	sometimes
week	twice	every	Saturday	weekend	once

1. I work out   **three**   **times**   **a**   **week** .
2. I brush my teeth   every   **day** .
3. I walk my dog   **twice**   **a**   **week** .
4. I play baseball   on   **Sunday** .
5. I go to farm   **every**   **Saturday** .
6. I eat out   **once**   a   **week** .
   every   **weekend** .
7. I play games   **sometimes** .

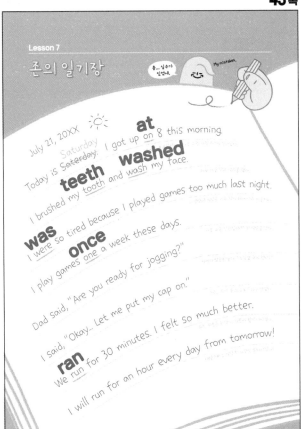

Lesson 7

존의 일기장

My mistakes.

July 21, 20XX

Today is ~~Saterday~~ Saturday. I got up ~~on~~ **at** 8 this morning.

I brushed my ~~tooth~~ **teeth** and ~~wash~~ **washed** my face.

I ~~were~~ **was** so tired because I played games too much last night.

I play games ~~one~~ **once** a week these days.

Dad said, "Are you ready for jogging?"

I said, "Okay... Let me put my cap on."

We ~~run~~ **ran** for 30 minutes. I felt so much better.

I will run for an hour every day from tomorrow!

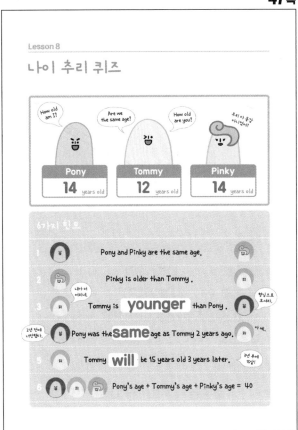

Lesson 8

나이 추리 퀴즈

How old am I!

Are we the same age?

How old are you?

우리 다 동갑 아니에요?

Pony	Tommy	Pinky
14 years old	**12** years old	**14** years old

6가지 힌트

1. Pony and Pinky are the same age.
2. Pinky is older than Tommy.
3. 내가 더 어리네. Tommy is **younger** than Pony. 형으로 모셔라.
4. 2년 전에 나였잖아. Pony was the **same** age as Tommy 2 years ago. 아예.
5. Tommy **will** be 15 years old 3 years later. 3년 후에 15살!
6. Pony's age + Tommy's age + Pinky's age = 40

해석

1. 포니는 핑키와 같은 나이입니다.
2. 핑키는 토미보다 나이가 많습니다.
3. 토미는 포니보다 나이가 적습니다.
4. 2년 전의 포니는 지금의 토미의 나이와 같았습니다.
5. 토미는 3년 후에 15세가 됩니다.
6. 포니 나이 + 토미 나이 + 핑키 나이 = 40

정답

49쪽

Lesson 8

똑똑한 온라인 쇼핑

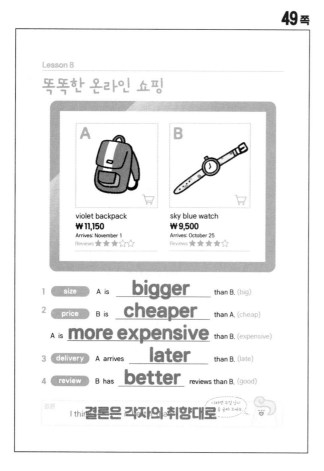

A violet backpack ₩11,150 Arrives: November 1 Reviews ★★★☆☆

B sky blue watch ₩9,500 Arrives: October 25 Reviews ★★★★☆

1 size   A is **bigger** than B. (big)

2 price   B is **cheaper** than A. (cheap)
     A is **more expensive** than B. (expensive)

3 delivery   A arrives **later** than B. (late)

4 review   B has **better** reviews than B. (good)

결론   I think **결론은 각자의 취향대로**

53쪽

Lesson 9

심리 테스트

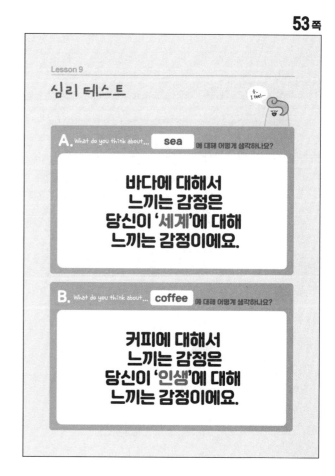

A. What do you think about... **sea** 에 대해 어떻게 생각하나요?

바다에 대해서
느끼는 감정은
당신이 '세계'에 대해
느끼는 감정이에요.

B. What do you think about... **coffee** 에 대해 어떻게 생각하나요?

커피에 대해서
느끼는 감정은
당신이 '인생'에 대해
느끼는 감정이에요.

52쪽

Lesson 9

단어 찾기 퍼즐

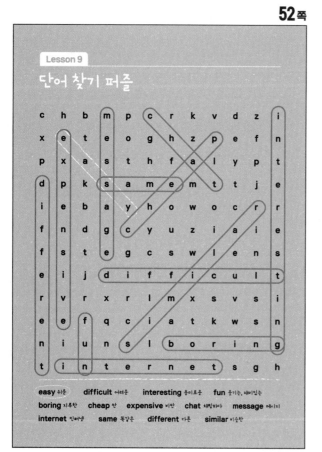

easy 쉬운   **difficult** 어려운   **interesting** 흥미로운   **fun** 즐기는, 재미있는
boring 지루한   **cheap** 싼   **expensive** 비싼   **chat** 채팅하다   **message** 메시지
internet 인터넷   **same** 똑같은   **different** 다른   **similar** 비슷한

58쪽

Lesson 10

내 쿠키 누가 먹었어?

알파벳 쿠키를 구웠는데 핑키가 몰래 먹어 버렸어요. 핑키가 먹은 알파벳은 무엇무엇일까요?
핑키가 먹은 알파벳을 찾아 빈칸에 알맞은 단어로 써 보세요. 모든 알파벳은 두 개씩 있었어요. (정답 76쪽)

사라진 알파벳

ATE
YUMMY

오른쪽으로 바꾸어 써 주세요.
Who **ate** my cookies?

I did.
They were **yummy**.

Lesson 10

인물 퀴즈 마스터

힌트
❶ He was a king.
❷ He invented Hangeul.

정답
세종대왕

힌트
❶ He was born in Germany.
❷ He was a scientist.

정답
아인슈타인

힌트
❶ She drew nature.
❷ She was a great mother.

정답
신사임당

힌트
❶ He was a genius.
❷ He was a musician.

정답
모차르트

힌트
❶ He was an American lawyer.
❷ He was a president.

정답
링컨

힌트
❶ He was born in India.
❷ He was a lawyer.

정답
간디

정답

Lesson 11
숲 살리기 퍼즐

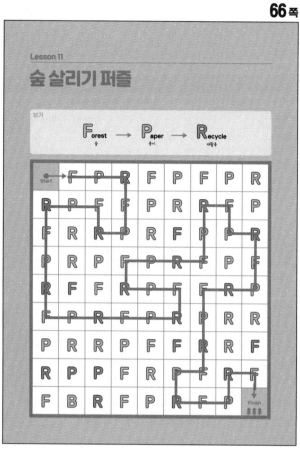

Lesson 11
단어 캡슐

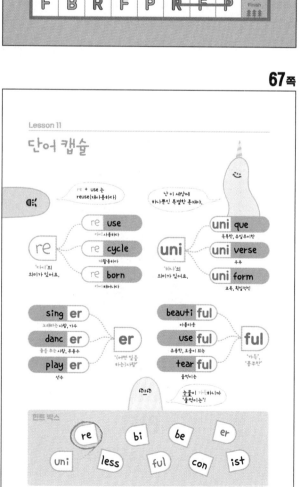

Lesson 11
나도 환경 지킴이

Lesson 11
나도 환경 지킴이